ארטסקרול / מסורה

לעבן מיט

ארויסגעגעבן דורך

ארטסקרול / מסורה

אמונה

וויאזוי אמונה ברענגט
א רואיג און צופרידן לעבן

הרב דוד אשער (אשקר)

ערשטע אויסגאַבע

מנחם־אב תשע"ו

מרחשון תשע"ז

סיון תשע"ז

שבט תש"פ

המו"ל ומפיץ ראשי

חברת הוצאת ספרים "מסורה־אַרטסקרול" בע"מ

הפצה בארץ ישראל	הפצה באירופה	הפצה בדרום אפריקה	הפצה באוסטרליה
"ספרייתי" (גיטלר) בע"מ	**בימ"ס י. לעהמאן**	**בימ"ס "הכולל"**	**בימ"ס גולד'ס**
ת.ד. 2351	אזור תעשייה ווייקינג,	נורתפילד סנטר,	36 רח' וויליאם
בני ברק 51122	רח' רולינג מיל ג'ארו,	17 שדרת נורתפילד	בלקלבה 3183, ויק.
	טיין ו־ויר NE32 3DP, אנגליה	גלנהיזיל 2192 / יוהנסברג	

ארטסקרול סעריע

לעבן מיט אמונה

חברה הוצאת ספרים מסורה־ארטסקרול בע"מ

MESORAH PUBLICATIONS LTD.

313 REGINA AVENUE, RAHWAY, N.J. 07065

TEL. 718/921–9000 / FAX 718/680–1875

ISBN-10: 1-4226-1783-1 / ISBN-13: 978-1-4226-1783-0

PRINTED IN THE UNITED STATES OF AMERICA

RABBI YAAKOV HILLEL
Rosh Yeshivat
Hevrat Ahavat Shalom
45 Arzey Habira St. Jerusalem

יעקב משה הלל
ראש ישיבת
חברת אהבת שלום
רח' ארזי הבירה 45 ירושלים

בס"ד

חז"ל לערנען אונז אז "אמונה" אין השי"ת איז דער יסוד פון אונזער
הייליגע תורה. די תורה אנטהאלט תרי"ג מצוות וואס זענען מרומז אין די
עשרת הדברות. די ערשטע פון די דברות איז אמונה אז השי"ת איז דער
מנהיג העולם: "אָנֹכִי ה' אֱלֹקֶיךָ אֲשֶׁר הוֹצֵאתִיךָ מֵאֶרֶץ מִצְרַיִם מִבֵּית עֲבָדִים"
(שמות כ, ב). די גמרא זאגט אין מכות (כד, א): "בא חבקוק והעמידן על
אחת, שנאמר (חבקוק ב, ד): 'וְצַדִּיק בֶּאֱמוּנָתוֹ יִחְיֶה' ", אז דער יסוד פון די
גאנצע תורה הקדושה איז "אמונה".

אונזער דור לעבט אין א פינסטערע תקופה וואס ליידט פון שלעכטע
קרעפטן און לייקענונג אין השגחה פרטית פון השי"ת אויף אלע פרטים פון
יעדן מענטש. פילע גלויבן היינטיגע צייטן אז "כֹּחִי וְעֹצֶם יָדִי עָשָׂה לִי אֶת
הַחַיִל הַזֶּה" (דברים ח, יז). צו קעמפן קעגן אזעלבע געדאנקען, האט הרב
דוד אשקר געשריבן דעם בוך "לעבן מיט אמונה". דער בוך לערנט דעם
ליינער וועגען די מצוות פון אמת'ע אמונה און בטחון. און וואויל איז פאר די
אידן וואס נעמען זיך צייט צו לערנען איבער דעם וויכטיגן יסוד פון "אמונה"
און פארווירקליכן די לימודים אין זייער טאג טעגליכן לעבן. עס איז זיכער
אז זיי וועלן געניסן דערפון.

זאל השי"ת העלפן אז דער מחבר און זיינע ליינער זאלן געבענטשט
ווערן עס זאל מקוים ווערן ביי זיי די ווערטער פון דוד המלך (תהלים לב, י):
"וְהַבּוֹטֵחַ בַּה' חֶסֶד יְסוֹבְבֶנּוּ".

הסכמות ומכתבי ברכה

ישראל דוד הארפענעס
רב דביהמ"ד ישראל והזמנים
ודומ"ץ התאחדות הרבנים
ומח"ס ישראל והזמנים ג"ח, שו"ת ויברך דוד ד"ח,
שו"ת נשמת שבת ד"ח, נשמת ישראל ג"ח,
מקדש ישראל ד"ח, ומ' חינוך ישראל ושא"ס

RABBI ISRAEL D. HARFENES
244 Hewes St.
Brooklyn N.Y. 11211
Tel. (718) 384-0255

בס"ד   יום ....

ד' מטו"מ כ"ח תמוז ה'תשע"ו

כל מצותיך אמונה

בואו ונחזיק טיבותא לחברת ארטסקראו"ל שעומדים להדפיס ולהפיץ הספר החשוב "לעבן מיט אמונה". שחיבר המשפיע הגדול ירא ושלם הרב דוד אשקר שליט"א. מתורגם ללשון אידיש. שבתוכה מבואר יסודות של "מצות אמונה ובטחון", שהוא יסוד כל התורה כולה כדאחז"ל (מכות כד) בא חבקוק והעמידן על אחת כדכ' וצדיק באמונתו יחיה, וכתיב כל מצותיך אמונה, וכידוע מזוה"ק, והשגחה פרטית הוא הראשון של הי"ג עיקרים להאמין שהבורא יתב"ש הוא בורא ומנהיג לכל הברואים, והוא לבדו עשה ועושה ויעשה לכל המעשים, וכמש"כ נמי הרמב"ן (סו"פ בא) שתכלית נסי יצי"מ להורות שיש לעולם אלקי המחדשו ויודע ומשגיח ויכול וכו' להורות על ההשגחה כי לא עזב אותה למקרים כדעתם וכו' מן הנסים הגדולים המפורסמים אדם מודה בנסתרים שהם יסוד התורה כולה "שאין לאדם חלק בתורת משה רבינו עד שנאמין בכל דברינו ומקרינו שכולם נסים אין בהם טבע ומנהגו של עולם בין ברבים בין ביחיד".

והיטב אשר דיבר המחבר בזה שאמונה הוא יסוד 'שמחת החיים' ביודעו שיש מנהיג לבירה, וראיתי לפרש הפסוק עצביהם כסף וזהב מעשה ידי אדם: שהעצבות שיש להאדם אודות עניני כסף וזהב הא משום שחושב שהם 'מעשי ידי אדם' על כן מצטער למה עשה כך, ולמה לא עשה כך וכך, ואילמלי היה מאמין שהוא בהשגחתו יתב"ש לא היה עצב כלל, וה' לי לא אירא מה יעשה לי אדם [ואיתא בספרים שבשעה שאמר דוד המלך ע"ה ה' אמר לו קלל אז נעשה מרכבה (הד') להשכינה הקדושה].

וע"י ההתעסקות בעניני אמונה תתחזק אצלו האמונה כדכ' האמנתי כי אדבר וגו' שע"י שמדברים ועוסקים מעניני אמונה עי"ז מתחזק אצלו האמונה, ומטו מצדיקים ששאלה הראשונה ששואלין להאדם לעת"ל "נשאת ונתת באמונה" הכוונה אם עסק בנושא של אמונה ובטחון, על כן קחו ברכה אל תוך בתיכם, ותהגו בו איש וביתו, ובניו ובנותיו, כדכ' ורעה אמונה ופירשו בספה"ק שיש לרעות את עצמו (ומשפחתו) עם אמונה.

ובחדא מחתא הנני בזה שכלל ישראל חייבים הכרת הטוב **"לחברת ארטסקראול"** שזכו לעשות בית יד לכל הש"ס בבלי וירושלמי (ועוד ספרי קודש) להקל על לומדי תורה שיוכלו בניקל להגות בתוה"ק, ולהאיר עיניהם במאור התורה, שהוא אורו של עולם (כמאה"פ נר מצוה ותורה אור), ואין לנו שיור רק התורה הזאת, וביותר בזמנים קשים אלו שחושך תכסה ארץ, ומעט מן האור דוחה הרבה מן החושך, והתוה"ק הוא התבלין היחידי כנגד כוחות היצה"ר. והמפורסמות אי"צ ראיה שמאז שיצא לאור ש"ס ארטסקראו"ל (בלשה"ק. ובעוד כמה לשונות המדובר במדינות שונות עם ריבוי אוכלסי ישראל שאינם מבינים לשה"ק) נתרבו לאלפים לומדי תורה בקביעות, אשריהם שזכו לכך, ואשרי לכל התומכים בידם.

בעה"ח ביומא דהילולא של הגה"ק בעל ישמח משה זי"ע

ישראל דוד הארפענעס

1

פסח אליהו פאלק
מח"ס שו"ת מחזה אליהו
'זכור ושמור' על הלכות שבת
'עוז והדר לבושה' על צניעות דלבוש
מו"ץ בק"ק גייטסהעד יצ"ו

Rabbi E. Falk
146 Whitehall Road
Gateshead, NE8 1TP
England
TEL: 0044-191-4782342

בס"ד

עש"ק פרשת מסעי שנת תשע"ד לפ"ק

ראיתי חיבור על אמונה בהשם יתברך הנקרא "ליווינג אמונה" שחברו איש אשר רוח בו ובעל השקפה ברורה ואיתנה כ"ש **מורה"ר ר' דוד אשקר שליט"א** מפלטבוש ארה"ב. והנה הגם שלא נתנני הזמן לראות אלא חלק קטן מהספר מ"מ אומר שהספר מצא מאוד חן בעיני בין מצד התוכן ובין מצד סגנון הכתיבה. ותקותי חזקה שימצא חן בעיני אחינו בני ישראל הצריכים כל כך חיזוק ועידוד בזמן הזה בכל דבר הנוגע לאמונה ובטחון. וכידוע שלפני ביאת המשיח יתרבו הנסיונות וכמו שהנחש נושך בעקב שהוא בשר המת שבחי וממית בלב ובראש כן האינטרנט מתחילים עמו בדבר שנראה שלא יזיק וסופו להרעיל המוח והלב של האדם ר"ל. ולכן יש צורך גדול להמציא להציבור דברים המושכים את הלב עם דברי תורה קצרים אבל קולעים אל המטרה, וסיפורים אמתיים של גדולי ישראל והוא מצרכי השעה. ואשרי למחברינו שזכה לכתוב ספר שיעשה זאת בע"ה, ויהא לאחיעזר ואחיסמך לאחינו הצריכים משענת להעמידם בקרן אורה. ואחשוב שכל אחד ימצא חיזוק בהדברים היקרים שהביא בתוך דבריו. ואני תפלה שחפץ ה' בידו יצליח ויזכה להמשיך ולהעשיר בתי בני ישראל עם ספרים שיביא אורה של אמונה בתוך משכנותם.

החותם לכבוד התורה ולכבוד המחבר שדואג לחזק האמונה בה' ובתורתו הקדושה,

פסח אליהו פאלק

פסח אליהו פאלק

1. A Zorgloz Lebn – A carefree life
   - The gift leads. our life
2.

אינהאלט

הקדמה פון ארויסגעבער

ברוך שהחיינו וקימנו והגיענו לזמן הזה ארויסצוגעבן דאס ביכל "לעבן מיט אמונה", וואס באהאנדעלט גאר וויכטיגע יסודות אין אמונה און בטחון וואס זענען נוגע פאר יעדן איד. צענדליגער טויזנטער עקזעמפלארן זענען שוין פארקויפט געווארן פון דעם ביכל אין פארשידענע שפראכן, און איצט האבן מיר דעם כבוד עס פארצושטעלן פאר דעם חשוב'ן אידיש רעדנדיגער ציבור.

מיר געפינען זיך היינט אין א מצב אין וועלכן מענטשן לעכצן מיט דארשט צו הערן חיזוק אין ענייני אמונה און בטחון. מענטשן זענען פארלוירן און פארצווייפלט, און מען זוכט זיך אנצוכאפן אין יעדן גוטווארט וואס קען אריינבלאזן חיזוק אין אמונה.

מיר אלע ווייסן אז אונזערע עלטערן און אור עלטערן האבן געלעבט מיט אמונה פשוטה און מיט מסירת נפש. אנדערש זענען אבער די היינטיגע צייטן, ווען מיר לעבן אין א דור המבול וואס ברענגט מיט זיך פיל שפאנונג. עס בושעוועון בייזע ווינטן אויף די גאסן, און די גוי'אישע גאס דראעט אריינצודרינגען אין אידישע שטיבער און פארשוועמען די ערליכקייט און הייליגקייט מיט וואס מיר צייכענען זיך אויס.

אין אזא צייט איז קריטיש וויכטיג זיך מחזק צו זיין מיט די פשוט'ע יסודות אין אמונה און בטחון, וואס קען אונז האלטן שטארק ווען מען גייט דורך נסיונות און שוועריגקייטן. דורך חזר'ן די יסודות פון אמונה ווערט באפעסטיגט ביי אונז אין הארץ אז אלעס איז אין די הענט פון השי"ת, און אז יעדע זאך וואס פאסירט אויף דער וועלט איז לטובה, אפגעזען צי מיר פארשטייען עס אדער נישט.

די שיעורים פון הרב דוד אשער זענען אויסגעצייכנט אין דעם געביט. זיינע טעגליכע אמונה שיעורים ווערן געליינט און געהערט דורך טויזנטער מענטשן יעדן טאג, אריינגערעכנט אידן פון אלע שיכטן און קרייזן: ספרדים און אשכנזים, חסידים און ליטווישע, מענער און פרויען, יונג און אלט. די אידן הערן זיך צו צו די שיעורים וויבאלד זיי אנטהאלטן טיפע געדאנקען אויף א פשוט'ן און צוגענגליכן

אופן. הרב אשער פארמאגט א זעלטענעם חוש איבערצוגעבן זיינע רעיונות אויף אן אינטערעסאנטן און געשמאקן אופן, און דערפאר זענען די שיעורים מושך טויזנטער צוהערער און לייענער.

פון טיפן הארצן זענען מיר דאנקבאר פאר הרב אשער פאר'ן צוזאמשטעלן דעם בוך און אונז ערמעגליכן מהנה צו זיין דעם ברייטן ציבור. אזוי אויך ווילן מיר באדאנקען די פאלגנדע פערזענליכקייטן וואס האבן ערמעגליכט אז דער בוך זאל צושטאנד קומען:

משפחת אזרק שיחיו האט געווידמעט דעם בוך לעילוי נשמת זייער מוטער און באבע, מרת דינה בת שרה ע"ה. א בוך וואס וועט פאראייביגן דאס לעבן פון אזויפיל מענטשן ברוחניות ובגשמיות איז גאר פאסיג צו ווידמען פאר די חשוב'ע פרוי וואס האט זיך אויסגעצייכנט מיט איר אמונה פשוטה און אירע חסדים.

הרב דוד סתהון נ"י פון 'יד יוסף תורה צענטער' וועלכער האט שטארק מעודד געווען דעם מחבר אויסצושטעלן די שיעורים אין דעם פארעם פון א בוך און עס ארויסגעבן צום דרוק.

א ספעציעלן דאנק פאר ר' יואל יונגרייז נ"י פאר זיין איבערגעבענקייט אין העלפען פארווירקליכן דעם פראיעקט.

צום לעצט ווילן מיר באדאנקען דעם גאנצען ארטסקרול שטאב; ספעציעל די שרייבער, איבערזעצער, עורכים, מגיהים, און גראפיקער, פאר זייער בייסטייערונג אין ארויסברענגען א הערליכע ארבעט.

מיר זענען איבערצייגט אז דער בוך וועט בעזר השם יתברך דינען אלס א קוואל פון חיזוק אין אמונה און בטחון פאר אומצאליגע מענטשן. מיר האפן אז דערמיט וועט נתרבה ווערן כבוד שמים, און אז אידן איבער דער גארער וועלט וועלן זיך מחזק זיין אין אמונה און בטחון און זייערע הערצער וועלן דערנענטערט ווערן צום רבונו של עולם.

הרב מאיר זלאטאוויץ
הרב נתן שערמאן
הרב יעקב יהושע בראנדער

מנחם־אב תשע"ו

הכרת הטוב

כִּי מִמְּךָ הַכֹּל וּמִיָּדְךָ נָתַנּוּ לָךְ

(דברי הימים־א כט, יד)

צום ערשט וויל איך דאנקען דעם בורא כל עולמים פאר טרעפן די ריכטיגע געדאנקען און מעשיות מחזק צו זיין אידישע קינדער און איינצופלאנצן אמונה אין אידישע הערצער. דער באשעפער האט מיך מזכה געווען צו פארשפרייטן אמונה ביי כלל ישראל, דורך צושיקן די פאסיגע דיבורים און רעיונות ווי אזוי אריינצוברענגען חיזוק אין אמונה ביי אידן.

איך וויל אויך באדאנקען די אלע מענטשן וואס האבן מיר ארויסגעהאלפן צוזאמצושטעלן די מאטריאל פאר דעם ספר, אָן וועמען דער פראיעקט וואלט קיינמאל נישט צושטאנד געקומען. איך בין זיי שולדיג א געוואלדיגע הכרת הטוב.

הרב דוד י. סתהון איז געווען דער בריח התיכון פון דעם פראיעקט. ער האט מיך מעודד געווען אנצוהייבן געבן קורצע שיעורים אויף אמונה, און עס איז געווען זיין געדאנק צוזאמצושטעלן די שיעורים אין א בוך. הרב סתהון האט זיך אפגעגעבן מיט אלעם וואס האט אויסגעפעלט צו ברענגען דעם ביכל מכח אל הפועל. ער האט צוגעשטעלט מקורות פאר פילע רעיונות וואס ווערן ציטירט אין די שיעורים.

פילע רעיונות פון דעם בוך זענען גענומען געווארן פון די שיעורים פון הגאון ר׳ אפרים וואקסמאן שליט״א און הגאון ר׳ פנחס אליהו פאלק שליט״א. די צוויי מגידים האבן מיר אריינגעגעבן די ריכטיגע געדאנקען צו זען די וועלט אין א ליכט פון אמונה. זייערע שיעורים זענען געווען די ערשטע קערנדלעך פון דעם ספר.

איך וויל באדאנקען אלע מיינע רביים וואס האבן געלערנט תורה מיט מיר און האבן מיך ארויפגעפירט אויפן דרך הישר.

איך וויל באדאנקען הרב דוד עוזרי פאר זיין אנגייענדע חיזוק און שטיצע. אזוי אויך וויל איך זיך באדאנקען פאר הרב מרדכי יהודה גראנער און הרב שניאור גראנער פאר זייער געוואלדיגע ארבעט אין פארשפרייטן די אמונה שיעורים איבער דער וועלט, פאר ר׳ דוד זילבערבערג פאר ארויספשרייבן די שיעורים, און מאכן א תמצית פון די נקודות אויף א קלארן שיינעם אופן, אזוי אז עס זאל זיין כשולחן ערוך המוכן לאכול.

איך וויל אויסדרוקן מיין הערצליכע הכרת הטוב פאר משפחת אזרק פאר ווידמען דאס ביכל לכבוד זייער מאמע, מרת דינה בת שרה ע"ה. אייער גוטהארציגקייט וועט ערמעגליכן אידן איבער דער וועלט צו לערנען די וויכטיגע יסודות אין אמונה, וואס וועט זיין א נחת רוח פאר איר נשמה.

איך וויל דא אויסדרוקן א געוואלדיגע הכרת הטוב פאר דעם גאנצן שטאב פון "ארטסקרול". הרב מאיר זלאטאוויץ און הרב נתן שערמאן האבן שטענדיג געמאכט צייט פאר מיר, טראץ זייער פארנומענעם סדר היום. איך וויל זיך אויך באדאנקען פאר אלע מגיהים וואס זענען איבערגעגאנגען דעם מאנוסקריפט און האבן עס פארבעסערט און פארשענערט אז עס זאל ארויסקומען א דבר נאה ומתקבל.

פיל מענטשן האבן זיך באטייליגט אין דער ארבעט מיט דעם וואס זיי האבן מיר דערציילט זייערע פערזענליכע געשיכטעס פון אמונה און בטחון. די אלע אידן האבן א חלק אין פארשפרייטן אמונה ביי כלל ישראל.

צום לעצט וויל איך באדאנקען פון טיפן הארצן מיינע חשוב'ע משפחה מיטגלידער פאר זייער אנגייענדע שטיצע. מיינע עלטערן זענען שטענדיג געווען א קוואל פון אומבאגרעניצטע ליבשאפט און חיזוק פאר מיר, און איך וואלט דאס קיינמאל נישט געקענט באוויזן אן זיי. מיינע שוויגער עלטערן האבן מיר אויך שטענדיג געשטיצט און מחזק געווען אין מיין ארבעט. און פארשטייט זיך אז אן מיין געטרייע ווייב און קינדער וואלט דאס אלעס קיינמאל נישט געקענט צושטאנד קומען.

תהא משכורתם שלמה מאת ה' אלוקי ישראל

הרב דוד אשער

אריינפיר

מיט צוועלף יאר צוריק האב איך אנגעהויבן אויסהערן א סעריע שיעורים פון הרה"ג ר' אפרים וואקסמאן שליט"א אין שער הבטחון פון ספר 'חובת הלבבות'. די טיפזיניקע שיעורים האבן מיך גענצליך איבערגענומען, און ביז'ן היינטיגן טאג שפיר איך די השפעה וואס די שיעורים האבן געלאזט אויף מיר. איך האב זיך צוגעהערט צו די שיעורים מערערע מאל ביז די יסודות פון אמונה און בטחון זענען געווארן איינגעקריצט אין מיין הארץ. איך האב דאן אנגעהויבן געבן דרשות איבער אמונה און מיטטיילן מיט אנדערע די פערל ווערטער וואס איך האב זיך איינגעקויפט, און די צוהערער פון מיינע דרשות זענען אויך שטארק נתפעל געווארן פון די טיפע רעיונות. פילע האבן זיך אויסגעדרוקט צו מיר אז דאס האט געטוישט זייער לעבן.

די גמרא זאגט (סוף מכות) אז חבקוק הנביא האט געשטעלט די גאנצע תורה אויף איין יסוד (חבקוק ב, ד): "וצדיק באמונתו יחיה". דער יסוד פון א תורה'דיג לעבן איז אז מען זאל זיין אנגעזאפט מיט ריינע אמונה. נאר אזוי קען מען לעבן ווי א איד און אפהיטן די תורה אויפ'ן ריכטיגן אופן.

אויסערדעם וואס מען דארף כסדר חזר'ן עניני אמונה כדי צו זיין אן ערליכער איד, איז דאס אויך נוצליך אין פראקטישן זין. די יסודות פון אמונה טוישן גענצליך דעם בליק אויפ'ן לעבן. אמונה גיט די מעגליכקייט פאר דעם מענטש זיך צו שטארקן אויף די שוועריקייטן וואס ער גייט דורך, און אויפצוהערן פארשווענדן כוחות און צייט אויף אומוויכטיגע זאכן. אנשטאט דעם קען מען אנהויבן לעבן רואיג און צופרידן, לויט דעם רצון ה'.

דאס לעבן גייט נישט שטענדיג לויט אונזערע פלענער. מיר שטויסן זיך כסדר אן אין פארשידענע שטרויכלונגען און שוועריגקייטן, און צומאל זעט אויס אז מיר קענען נישט בייקומען די נסיונות. איך געדענק איין פאל אין וועלכן איך האב זיך אנגעשטויסן אין גאר א שווערן מצב. איך האב געפילט ווי איך קען מער נישט אויסהאלטן דעם דרוק. איך האב פארלוירן מיין אפעטיט און איך בין ארומגעגאנגען אנגעצויגן און פאר'דאגה'ט. איך האב דאן געזאגט צו זיך אליין: "איך האב שוין פארגעלערנט פילע שיעורים איבער עניני אמונה אין לויף פון די לעצטע פאר יאר, איצט איז געקומען די צייט וואס איך דארף אליין חיזוק אין אמונה".

איך האב אנגעהויבן איבערגיין די יסודות פון אמונה איינמאל און נאכאמאל, ביז איך האב געשפירט אז זיי ווערן איינגעקריצט ביי מיר אין הארץ מיט א טיפקייט און אמת'דיגקייט, און דאן האב איך געפילט ווי א שטיין איז אראפ פון מיין הארץ. איך האב זיך געפילט גענצליך רואיג און זיכער מיט זיך, און די שוועריגקייט וואס איך האב געהאט האט פלוצלינג אויסגעזען נישטיג אין מיינע אויגן. אדרבה, איך האב אנגעהויבן שפירן גליקליך אז דער באשעפער האט מיר געשיקט א נסיון ווייל ער האט געוואוסט אז איך קען דאסביישטיין.

די ערפארונג האט מיך געלערנט א וויכטיגען יסוד: אמונה ארבעט נישט דורכ'ן מוח אליין. איך האב געוואוסט אלע יסודות און כללים פון אמונה ביי מיר אין קאפ, אבער ווילאנג איך האב עס נישט געשפירט מיט מיינע הרגשים האב איך נישט געקענט בייקומען נסיונות. די אמונה האט געמוזט האבן א השפעה פון מיין מח אויף מיין הארץ כדי איך זאל עס קענען נוצן ווען עס קומט אונטער א שווערע מינוט.

עס איז מעגליך אז עס לויפט אייך דורך א מחשבה אין קאפ: "איך דארף נישט קיין חיזוק אין אמונה. איך זאג אלע דרייצן אני מאמין'ס יעדן טאג, און איך גלייב באמונה שלימה אז דער באשעפער פירט די וועלט".

עס איז אמת אז מיר אלע גלייבן באמונה שלימה אז דער באשעפער פירט די וועלט און אז אלעס וואס דער אויבערשטער טוט איז גוט, אבער פונדעסטוועגן זעען מיר אז פאר פילע מענטשן איז שווער זיך צו שטארקן ווען עס קומט זיי אונטער א נסיון, און דאס איז וויבאלד עס איז זיי שווער צו נעמען די אמונה וואס ליגט ביי זיי אין קאפ און עס אריינגעמען אין הארץ אריין און פירן זייער לעבן לויט דעם.

מען קען דאס צוגלייכן צו דאס וואס דער רמב"ם שרייבט אז מ'זאל ענדערש געבן איין פרוטה צדקה פאר הונדערט מענטשן ווי איידער צו געבן הונדערט פרוטות פאר איין מענטש. דער טעם איז, ווייל ווען דער מענטש גיט צדקה טוישט דאס זיין מהות און עס איידלט אים אויס. יעדעס מאל וואס א מענטש גיט פון זיך ווערן זיינע מידות מער און מער אויסגעארבעט. דערפאר איז בעסער אז ער זאל געבן איינמאל און נאכאמאל, כדי צו ווערן מער און מער אויסגעארבעט.

די זעלבע איז שייך ביי אמונה. עס איז נישט גענוג אז מען ווייסט די כללים און די יסודות פון אמונה און מען האלט דאס אין א פארווארפען ווינקל אין מח. מען מוז זיך איינ'חזר'ן די יסודות פון אמונה איינמאל און נאכאמאל, און נאר אזוי ווערט מען נענטער צום באשעפער און געשטארקט אין אמונה.

דער וועג ווי אזוי זיך צו שטארקן אין אמונה איז דורך לערנען ספרים וואס רעדן זיך איבער אמונה; הערן שיעורים אין אמונה; און כסדר חזר'ן צו זיך אליין די יסודות פון אמונה. אזוי אויך ווען מען הערט מעשיות איבער פשוט'ע מענטשן וואס האבן געהאט נסיונות און זיי האבן זיך געשטארקט דערויף מיט אמונה און בטחון, ווערט די אמונה געשטארקט אין הארץ.

אין דעם בוך וועט איר זיך באגעגענען מיט מערערע געדאנקען, מעשיות און

משלים וואס גיבן אריין חיזוק אין אמונה און לערנען אויס דעם מענטש ווי אזוי צו זען דעם באשעפער'ס הנהגה אין טאג טעגליכן לעבן; ווי טיף דעם באשעפער'ס ליבשאפט איז צו יעדן איינציגן איד; ווי שטארק השי"ת וויל האבן א קשר מיט אונז; און ווי אזוי אמונה קען אויסבויען דעם מענטש אז ער זאל לעבן אן קיין דאגות.

עס קומען כסדר אונטער זמנים אין לעבן ווען דער באשעפער פרואווט אויס אונזער אמונה. בפרט ווען עס פאסירט חלילה א טראגעדיע ביים יחיד אדער ביים כלל קומט דער יצר הרע מיט פארשידינע געדאנקען שוואך צו מאכן ח"ו די אמונה.

אבער מיר מוזן זיך מחזק זיין אז דער באשעפער טוט בלויז וואס איז גוט פאר אונז, און אז ער האט אונז ליב מער ווי עלטערן האבן ליב זייער אייגן קינד. אמונה מיינט אז מען גלייבט, ווייל אויב מען זעט עפעס קלאר מיט די אויגן הייסט דאס נישט אז מען גלייבט.

דער באשעפער איז דער שומר ישראל. ער באשיצט אונז און היט אויף אונז אפילו ווען מיר שפירן עס נישט. מיר הערן נישט אין די נייעס איבער די הונדערטער טעראריסטן וועלכע האבן זיך געוואלט אויפרייסן אבער פון הימל זענען זיי פארמיטן געווארן. מיר ווייסן נישט איבער די אומצאליגע פאלן אין וועלכע מיר זענען באשיצט געווארן פון צרות און פראבלעמען. מיר זעען נאר ווען עפעס גייט אונז נישט גוט ח"ו. מיר טארן אבער נישט פארגעסן אז דער אמת'ער בילד איז פארהוילן פון אונזערע אויגן.

קיינער האט נישט קיין שום כח אין דער וועלט אויסער דער באשעפער, ווי דער פסוק זאגט (איכה ג, לז): "מִי זֶה אָמַר וַתֶּהִי ה' לֹא צִוָּה". דער חובת הלבבות שרייבט אז קיין שום מענטש קען נישט שעדיגן אדער גוטס טוען פאר א צווייטן אויב מען האט נישט גוזר געווען אזוי פון הימל, ווייל דער איינציגער הערשער אויף דער וועלט איז דער באשעפער אליין. דאס דארף אונז בארואיגן און דינען אלס חיזוק אז יעדע זאך וואס פאסירט אויף דער וועלט איז מיט א פונקטליכן חשבון.

דער פסוק זאגט אויף משיח'ס צייטן (תהלים קכו, ב): "אָז יִמָּלֵא שְׂחוֹק פִּינוּ". לעתיד לבא, ווען דער אויבערשטער וועט זיך אנטפלעקן פאר אונז, וועלן מיר איינזען פארוואס יעדע זאך האט געדארפט פאסירן, און מיר וועלן פארשטיין אז אלעס איז געווען לטובה. דאן וועלן אונזערע הערצער ווערן אנגעפילט מיט פרייד וויבאלד עס וועט ווערן אזוי קלאר ווי אונזער לעבן איז געווען אנגעפילט מיט חסדים פון באשעפער.

השי"ת זאל העלפן מיר זאלן טאקע איינגיכן זוכה זיין צו ביאת גואל צדק, ווען אלעס וועט ווערן קלאר און לעכטיג פאר די אויגן, במהרה בימינו אמן.

שְׁלשָׁה עָשָׂר עִקָּרִים

א. **אֲנִי מַאֲמִין** בֶּאֱמוּנָה שְׁלֵמָה, שֶׁהַבּוֹרֵא יִתְבָּרַךְ שְׁמוֹ הוּא בּוֹרֵא וּמַנְהִיג לְכָל הַבְּרוּאִים, וְהוּא לְבַדּוֹ עָשָׂה וְעוֹשֶׂה וְיַעֲשֶׂה לְכָל הַמַּעֲשִׂים.

ב. **אֲנִי מַאֲמִין** בֶּאֱמוּנָה שְׁלֵמָה, שֶׁהַבּוֹרֵא יִתְבָּרַךְ שְׁמוֹ הוּא יָחִיד וְאֵין יְחִידוּת כָּמוֹהוּ בְּשׁוּם פָּנִים, וְהוּא לְבַדּוֹ אֱלֹהֵינוּ, הָיָה הֹוֶה וְיִהְיֶה.

ג. **אֲנִי מַאֲמִין** בֶּאֱמוּנָה שְׁלֵמָה, שֶׁהַבּוֹרֵא יִתְבָּרַךְ שְׁמוֹ אֵינוֹ גוּף, וְלֹא יַשִּׂיגוּהוּ מַשִּׂיגֵי הַגּוּף, וְאֵין לוֹ שׁוּם דִּמְיוֹן כְּלָל.

ד. **אֲנִי מַאֲמִין** בֶּאֱמוּנָה שְׁלֵמָה, שֶׁהַבּוֹרֵא יִתְבָּרַךְ שְׁמוֹ הוּא רִאשׁוֹן וְהוּא אַחֲרוֹן.

ה. **אֲנִי מַאֲמִין** בֶּאֱמוּנָה שְׁלֵמָה, שֶׁהַבּוֹרֵא יִתְבָּרַךְ שְׁמוֹ לוֹ לְבַדּוֹ רָאוּי לְהִתְפַּלֵּל, וְאֵין לְזוּלָתוֹ רָאוּי לְהִתְפַּלֵּל.

ו. **אֲנִי מַאֲמִין** בֶּאֱמוּנָה שְׁלֵמָה, שֶׁכָּל דִּבְרֵי נְבִיאִים אֱמֶת.

ז. **אֲנִי מַאֲמִין** בֶּאֱמוּנָה שְׁלֵמָה, שֶׁנְּבוּאַת משֶׁה רַבֵּנוּ עָלָיו הַשָּׁלוֹם הָיְתָה אֲמִתִּית, וְשֶׁהוּא הָיָה אָב לַנְּבִיאִים, לַקּוֹדְמִים לְפָנָיו וְלַבָּאִים אַחֲרָיו.

ח. **אֲנִי מַאֲמִין** בֶּאֱמוּנָה שְׁלֵמָה, שֶׁכָּל הַתּוֹרָה הַמְּצוּיָה עַתָּה בְיָדֵינוּ הִיא הַנְּתוּנָה לְמשֶׁה רַבֵּנוּ עָלָיו הַשָּׁלוֹם.

ט. **אֲנִי מַאֲמִין** בֶּאֱמוּנָה שְׁלֵמָה, שֶׁזֹּאת הַתּוֹרָה לֹא תְהֵא מֻחְלֶפֶת וְלֹא תְהֵא תּוֹרָה אַחֶרֶת מֵאֵת הַבּוֹרֵא יִתְבָּרַךְ שְׁמוֹ.

י. **אֲנִי מַאֲמִין** בֶּאֱמוּנָה שְׁלֵמָה, שֶׁהַבּוֹרֵא יִתְבָּרַךְ שְׁמוֹ יוֹדֵעַ כָּל מַעֲשֵׂה בְנֵי אָדָם וְכָל מַחְשְׁבוֹתָם, שֶׁנֶּאֱמַר: הַיֹּצֵר יַחַד לִבָּם, הַמֵּבִין אֶל כָּל מַעֲשֵׂיהֶם.

יא. **אֲנִי מַאֲמִין** בֶּאֱמוּנָה שְׁלֵמָה, שֶׁהַבּוֹרֵא יִתְבָּרַךְ שְׁמוֹ גּוֹמֵל טוֹב לְשׁוֹמְרֵי מִצְוֹתָיו וּמַעֲנִישׁ לְעוֹבְרֵי מִצְוֹתָיו.

יב. **אֲנִי מַאֲמִין** בֶּאֱמוּנָה שְׁלֵמָה, בְּבִיאַת הַמָּשִׁיחַ וְאַף עַל פִּי שֶׁיִּתְמַהְמֵהַּ, עִם כָּל זֶה אֲחַכֶּה לּוֹ בְּכָל יוֹם שֶׁיָּבוֹא.

יג. **אֲנִי מַאֲמִין** בֶּאֱמוּנָה שְׁלֵמָה, שֶׁתִּהְיֶה תְּחִיַּת הַמֵּתִים בְּעֵת שֶׁיַּעֲלֶה רָצוֹן מֵאֵת הַבּוֹרֵא יִתְבָּרַךְ שְׁמוֹ וְיִתְעַלֶּה זִכְרוֹ לָעַד וּלְנֵצַח נְצָחִים.

לעבן
מיט
אמונה

2021
I wish you a carefree life
ikh vintshn ir a zorgloz lebn
איך ווינטשן איר א זארגלאז לעבן

1

א זארגלאז לעבן

„אָדָם לְעָמָל יוּלָּד – זאגט דער פסוק אין איוב (ה, ז) – דער מענטש איז געבוירן געווארן זיך צו פּלאגן" [זע רש"י, אלשיך, און אנדערע מפרשים די סיבה פון דעם פּלאג]. דאס לעבן איז פול מיט אלע סארטן שוועריגקייטן אין וועלכע דער מענטש שטויסט זיך אָן טאג טעגליך. יעדער איינער זוכט צו פארגרינגערן די טירדות החיים. מען פרובירט אלע סארטן מיטלען זיך לייכט צו מאכן אויפ'ן הארצן. מענטשן לויפן ארום צו פסיכאלאגן און טעראפיסטן נאך הילף צו קענען דורכשוויצן די נסיונות וואס דאס לעבן ברענגט מיט זיך.

אפטמאל פארגעסט מען אז דער בעסטער מיטל צו פארגרינגערן דאס לעבן איז צו לערנען איבער אמונה. פילע מענטשן האבן שוין מעיד געווען אז ווען זיי האבן זיך געשטארקט אין אמונה זענען זיי געווארן רואיג און צופרידן. א מענטש נויטיגט זיך אין אמונה פונקט ווי ער דארף לופט צום אטעמען. אמונה איז דער אייביגער קוואל פון וועלכן מיר האבן געשעפט חיות במשך אלע דורות. ווען די יסודות פון אמונה ווערן איינגעווארצלט אין הארץ, ערמעגליכט דאס פאר'ן מענטש צו לעבן מיט א רואיגקייט און אויסצופירן זיינע צילן וואס ער וויל דערגרייכן.

אמונה איז דער אייביגער קוואל פון וועלכן מיר האבן געשעפט חיות במשך אלע דורות. .

מיר לעבן היינט אין א וועלט וואו מיר ווערן באמבארדירט

פון אלע זייטן מיט רעקלאמעס וואס פרובירן צו באאיינפלוסן אונזער מוח ווי אזוי מיר זאלן פירן אונזער מהלך החיים. די אנאנסן שרייען מיט פילפארביגע קאלירן: ׳קויף דאס!׳, ׳אינוועסטיר אין דעם!׳, ׳פאר אהין!׳, ׳שטים פאר מיר!׳, און אזוי ווייטער. אונטער די אלע רעקלאמעס שטייט איין יסוד: ״אויב דו וועסט אונז נאר פאלגן וועסטו זיין צופרידן מיט׳ן לעבן״. פאראן מענטשן וואס פאלגן אויס די באפעלן געטריי, ווייל ווער וויל דען נישט זיין צופרידן?

מיר אידישע קינדער האבן אן אנדערן בליק אויף די אלע זאכן. ביי אידן זענען שמחה און שלוות הנפש גאר אנדערע מושגים ווי ביי גוים.

כדי צו פארשטיין דעם אונטערשיד איז כדאי פארצושטעלן די שטרעבונג פון א דורכשניטליך קינד אין אמעריקע. אויב מ׳וועט אים פרעגן פארוואס ער שטודירט פלייסיג אין שולע, וועט ער ווארשיינליך ענטפערן אז ער פלייסט זיך כדי ער זאל שפעטער קענען אריינגיין אין א פרעסטיזשפולע אוניווערזיטעט. און אז מ׳וועט אים ווייטער פרעגן פארוואס ער וויל אריינגיין אין א גוטע אוניווערזיטעט, וועט ער ענטפערן כדי צו באקומען א גוטע פאסטן און מאכן א סאך געלט, און עווענטועל פענסיאנירן און אויסלעבן זיינע יארן אין א לוקסעריעזע ווילא אָן קיין שום דאגות.

דאס איז היינט דער געדאנקענגאנג פון פילע וועלטליכע מענטשן. מ׳דרייט זיך ארום מיט דעם חשבון אז אויב מען וועט זיין רייך וועט מען זיין פרייליך און צופרידן. אין גאר א סאך פאלן, ווען מענטשן ווערן צוגעלייגט און צעבראכן ביי זיך, קומט דאס פון דעם וואס זיי פלאגן זיך שווער אויף פרנסה, און ווערן נישט עשירים איבערנאכט. דערפאר פאלן זיי אריין אין א מרה שחורה.

א איד וואס לעבט מיט אמונה, ארבעט אבער נישט א גאנץ לעבן צו קענען עווענטועל זיין צופרידן; ער איז שוין צופרידן ווייל ער פארזיכערט זיך אין השי״ת, ווי דער נביא זאגט: ״בָּרוּךְ הַגֶּבֶר אֲשֶׁר יִבְטַח בַּה׳״ (ירמי׳ יז, ז) – געבענטשט איז דער מענטש וואס האט בטחון אין באשעפער״. א איד וואס האט בטחון איז שטענדיג גליקליך און צופרידן און ער שפירט ווי עס פעלט אים גארנישט. עס איז ממש א שאד צו פארברענגען דאס גאנצע לעבן אָן דעם וויכטיגן שליסל, מוטשענדיג זיך מיט דאגות און הארץ ווייטאג.

דער חילוק צווישן א לעבן מיט אמונה און א לעבן אָן

אמונה איז הימל און ערד. דער חובת הלבבות שרייבט אין די פתיחה צו שער הבטחון, אז עס איז אוממעגליך פאר א מענטש צו האבן מנוחת הנפש אויב ער האט נישט קיין בטחון אין באשעפער. עס איז פשוט נישטא קיין אנדערער וועג ווי אזוי אויסצומיידן שפאנונג אין לעבן. אָן אמונה ווערט א מענטשנ'ס קאפ אנגעפילט מיט דאגות און צווייפלענישן, אפילו פון די קלענסטע פראבלעמען.

פילע מענטשן געניסן נישט פון זייער לעבן ווייל זיי זענען כסדר פארנומען זיך צו זארגן איבער זייערע פראבלעמען. א מענטש קען אמאל ארויסנעמען זיין גאנצע משפחה אויף א שיינע וואקאציע, אבער דורכאויס די וואקאציע קען ער נישט אויפהערן טראכטן פון זיינע דאגות הפרנסה. דערמיט האט ער דערלייגט א הערליכע צייט וואס וואלט געקענט זיין אנגעפילט מיט אנגענעמע און געשמאקע שעות.

וואס מער אנגעצויגן א מענטש איז, אלץ שווערער קען ער אנהאלטן א רואיגע שטימונג אין שטוב. עס מאכט זיך אפט אז דער מאן קומט אהיים נאך א געשפאנטן טאג אין אפיס און ער צעשרייט זיך אויף זיין ווייב, וועלכע ענטפערט אים צוריק אויף דער זעלבער שפראך. די קינדער האלטן דאס מיט און זיי ווערן דערשראקן און פארצווייפעלט, און אזוי גייט א גאנצער אווענט לטמיון צוליב שפאנונג און דרוק.

אויב מען ארבעט זיך אויס אין אמונה פארמיידט מען די אלע פראבלעמען, וויבאלד מ'קומט צו די אנערקענונג אז דער באשעפער פירט אונזער לעבן, און מיר גלייבן אז ער ווייסט פונקטליך וואס ער טוט; ער האט אונז ליב און ער וויל נאר אונזער טובה. דאס ערלויבט דעם מענטש נאכצולאזן די לייצעס און אויפהערן דאגה'ן איבער זאכן וואס ווערן סייווי געפירט פון הימל. וואס מער מען לעבט מיט דעם געדאנקענגאנג, אלץ פרייליכער און צופרידענער איז מען, און מען שפּאָרט זיך איין אָן א שיעור צער און עגמת נפש.

אויב מען ארבעט זיך אויס אין אמונה פארמיידט מען די אלע פראבלעמען, וויבאלד מ'קומט צו די אנערקענונג אז דער באשעפער פירט אונזער לעבן,

רבי חיים וואלאזשינער זצ"ל האט אמאל גערעדט מיט א איד איבער אמונה. רבי חיים האט אים געזאגט אז אלעס וואס שפילט זיך אפ אויף די וועלט איז נאר ווייל דאס איז דער רצון ה', און עס איז נישט פאראן קיין שום טבע וואס פירט זיך אליין. דער איד האט אבער גע'טענה'ט אז עס איז יא דא א מהלך פון טבע וואס השי"ת האט באשאפן.

אויפ׳ן טיש איז געלעגען א גלאז. זאגט דער איד צו רבי חיים: ״איז מעגליך אז איך זאל נישט קענען צעברעכן דעם גלאז״? ענטפערט רבי חיים: ״יא זיכער, אויב מ׳איז נישט מסכים פון הימל אז דו זאלסט עס צעברעכן, וועסטו עס נישט קענען צעברעכן״. האט יענער גענומען דעם גלאז און עס פרובירט צו צעברעכן. ס׳איז אבער נישט געלונגען. האט ער עס געווארפן אויף דער ערד, און עס האט זיך ווייטער נישט צעבראכן. האט ער געברענגט א שטיין פון דרויסן און עס געווארפן אויפ׳ן גלאז, און עס האט זיך פארט נישט צעבראכן. זאגט אים רבי חיים: ״דו זעסט אז אלעס איז דער רצון ה׳, און עס קען זיין א מציאות אז דער גלאז זאל זיך נישט צעברעכן, ווייל עס איז נישט פאראן קיין שום טבע אויף דער וועלט, און גארנישט ווערט געטוען נאר אויב עס איז דער רצון ה׳ ״.

ווען דער בריסקער רב האט דאס דערציילט, האט ער אנגעוויזן אויף די ווערטער וואס דער רמב״ם שרייבט אין הלכות תשובה (ה, ד): ״כשם שהיוצר חפץ להיות האש והרוח עולים למעלה, והמים והארץ יורדים למטה, והגלגל סובב בעיגול, וכן שאר בריות העולם להיות כמנהגן שחפץ בו, ככה חפץ להיות האדם רשותו בידו וכל מעשיו מסורין לו, ולא יהיה לו לא כופה ולא מושך אלא הוא מעצמו ובדעתו שנתן לו הקל עושה כל שהאדם יכול לעשות״.

אין די ווערטער זעט מען קלאר אז אלעס אויף דער וועלט – אפילו זאכן וואס מיר רופן אָן ״טבע״ – ווערט געפירט פון השי״ת (שיעורי רבינו דוד הלוי, דרוש ואגדה עמוד קמ״ה).

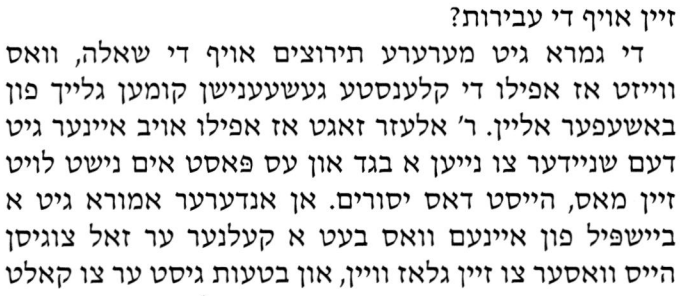

2

השי"ת פירט אונזער לעבן

די גמרא זאגט (חולין ז, ב): "אין אדם נוקף אצבעו מלמטה אלא אם כן מכריזין עליו מלמעלה – א מענטש צעקלאפט זיך נישט זיין פינגער פון אונטן נאר אויב מען האט אזוי אויסגערופן פון אויבן". פון דא זעען מיר אז אפילו אזא קליינע זאך ווי רוקן דעם פינגער ווערט אויך געפירט פון הימל מיט השגחה פרטית. די גמרא זאגט דארט ווייטער אז ס'איז פאראן א פאל ווען א מענטש צעקלאפט זיך און דאס בלוט ווערט פאררעכנט אלס א כפרה פאר'ן מענטש, אזוי ווי בלוט פון א קרבן עולה.

די גמרא (ערכין טז, ב) פרעגט: "עד היכן תכלית יסורין". דאס מיינט, וועלכע פלאגענישן ווערן פאררעכנט אלס יסורים וואס דער באשעפער שיקט אויף דעם מענטש כדי מכפר צו זיין אויף די עבירות?

די גמרא גיט מערערע תירוצים אויף די שאלה, וואס ווייזט אז אפילו די קלענסטע געשעענישן קומען גלייך פון באשעפער אליין. ר' אלעזר זאגט אז אפילו אויב איינער גיט דעם שניידער צו נייען א בגד און עס פאסט אים נישט לויט זיין מאס, הייסט דאס יסורים. אן אנדערער אמורא גיט א ביישפיל פון איינעם וואס בעט א קעלנער ער זאל צוגיסן הייס וואסער צו זיין גלאז וויין, און בטעות גיסט ער צו קאלט וואסער. א דריטער אמורא גיט א ביישפיל פון איינעם וואס

אפילו די קלענסטע געשעענישן קומען גלייך פון באשעפער אליין.

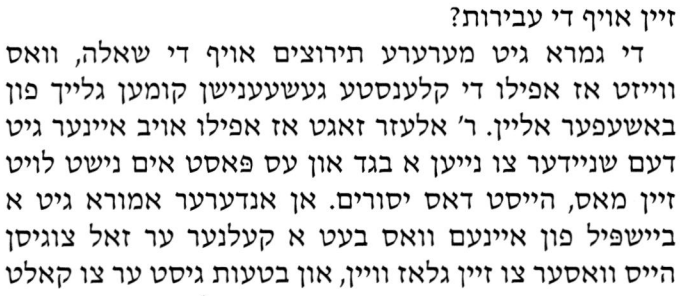

טוט בטעות אָן זיין העמד אויף דער פאַרקערטער זייט. רבא זאגט אז אויב איינער שטעקט אריין די האנט אין די קעשענע ארויסצונעמען דריי מטבעות און ער נעמט בטעות ארויס צוויי מטבעות הייסט דאס אויך יסורים וואס ווערן געשיקט בכוונה פון באשעפער.

די גמרא לייגט צו אז עס איז וויכטיג צו וויסן די אלע ביישפילן פון יסורים, ווייל אויב עס גייט דורך אויף א מענטש פערציג טעג אָן קיין שום יסורים דארף ער זיין באזארגט אז ער האט שוין אפשר באקומען שכר פאר זיינע מצוות אויף דער וועלט.

לכאורה איז שווער, פארוואס זאל שכר אויף יענער וועלט זיין אפהענגיק אין די דערמאנטע זאכן? פילייכט האט דער מענטש פערצופאל געהאט א פארזיכטיגן קעלנער און א געניטן שניידער וועלכע האבן זיכער געמאכט צו זיין פארזיכטיג? פילייכט איז דער מענטש אליין שטענדיג פארזיכטיג ביים אנטוען זיין העמד, אדער ביים ארויסנעמען מטבעות פון זיין טאש?

דער ענטפער איז, אז נישט דער קעלנער, נישט דער שניידער, און נישט מיר אליין זענען מכריע אונזער שכר אויף יענער וועלט; די השגחה פון הקב"ה פירט דעם קעלנער ביים גיסן; דעם שניידער ביים נייען; ווען מיר נעמען ארויס געלט פון טאש, און ווען מיר קליידן זיך. אלעס [דאס גיסן, דאס נייען א.א.וו.] ווערט געפירט מיט השגחה פרטית פון השי"ת, און דערפאר איז דאס א סימן אויף שכר לעולם הבא.

ווען מיר באגרייפן אז דער באשעפער איז משגיח אויף אונז פיר און צוואנציג שעה א טאג, אין יעדן טייל פון לעבן, פון די וויכטיגסטע זאכן ביז די אומוויכטיגסטע פרטים, אז עס זאל נאר געשען דאס וואס איז דאס בעסטע פאר אונז, דאן ווערט פיל גרינגער אנצונעמען מיט א רואיגקייט אלע שוועריקייטן וואס מיר באגעגענען טאג טעגליך.

א איד וואס לעבט מיט אמונה ווערט נישט אנגעצויגן ווען עפעס גייט אים נישט גוט; ווען דער רעקל איז צו גרויס אדער זיין פינגער האט זיך צעקלאפט. ער ווייסט אז דאס ווערט געפירט מיט א גענויעם חשבון פון הימל און איז זיכער פאר זיין טובה.

3

אמונה: דער יסוד פון גוטע מדות

אמונה איז דער שורש פון אלע מידות טובות. עס האלט אפ דעם מענטש פון פילע מידות רעות, ווי צום ביישפיל: קנאה. קנאה איז איינס פון די ערגסטע מידות. שלמה המלך זאגט אין משלי (יד, ל) אז א מענטש וואס איז מקנא ווערן זיינע ביינער פארפוילט נאכ'ן טויט. דער רבינו יונה שרייבט, אז א מענטשנ'ס געזונט איז געוואנדן אין זיין הארץ, און עס איז נישטא קיין שעדליכערע זאך פאר'ן הארץ ווי קנאה. היינטיגע דאקטוירים האבן פעסטגעשטעלט אז אנגעצויגנקייט איז גאר שעדליך פאר דעם מענטשנ'ס געזונט, און אז א גרויס חלק פון די אנגעצויגנקייט שטאמט פון קנאה. מיר קוקן זיך ארום און זעען וואס אנדערע מענטשן פארמאגן, און מיר עסן זיך דאס געזונט: "פארוואס בין איך נישט אזוי מצליח ווי יענער? פארוואס האב איך נישט אזויפיל געלט? פארוואס קען איך נישט טוען אזא שיינעם שידוך?" די מחשבות לויפן כסדר דורך אין קאפ, און קענען פאראורזאכן אזויפיל דרוק אז דער מענטש קען צוגרונד גיין פיזיש און גייסטיש.

אנדערש איז אבער א מענטש וואס האט אמונה. א איד וואס גלייבט אז דער באשעפער פירט די וועלט און טוט אלעס

לטובתו, וועט קיינמאל נישט מקנא זיין א צווייטן. ווען ער זעט ווי אזוי אנדערע זענען מצליח, טראכט ער צו זיך: "וואס האט דאס מיט מיר? דער באשעפער גיט מיר געוויס וואס איך דארף אים צו קענען דינען און צו ערפילן מיין פליכט אויף דער וועלט, וואס איז מיר א חילוק וואס אנדערע מענטשן פארמאגן?"

א געווענליכער מענטש ווערט זייער צעבראכן ווען ער לייגט אריין צייט און הארעוואניע אין א ביזנעס און איז נישט מצליח. ער טראכט צו זיך אז דאס איז זיין שולד; ער טויג צו גארנישט; און אז מענטשן קוקן אים אָן ווי א לא יוצלח. דאס איז אבער א גרויסער טעות. דער דערפאלג פון א מענטש איז נישט געוואנדן אין וויפיל כוחות ער לייגט אריין, נאר אין רצון פון באשעפער. א איד וואס ארבעט זיך אויס אין אמונה גלייבט אז אפילו אויב ער אינוועסטירט קאפ און מוח אין א פראיעקט, זענען די רעזולטאטן אפהענגיק אין איין איינציגן באשעפער.

א איד וואס האט אמונה וועט זיך אויך נישט אויפרעגן אזוי שנעל. כעס קומט פון דעם וואס דער מענטש שפירט אז ער קען נישט דערגרייכן זיינע צילן, און אז עס געלונגט אים נישט אויסצופירן וואס ער וויל. אבער אויב א איד האט אמת'ע אמונה ווערט ער נישט אויפגערעגט ווען עפעס ארבעט זיך נישט אויס לויט זיין באגער. ער איז זיך מחזק אז דער באשעפער וויל אז דאס זאל נישט צושטאנד קומען, און ער איז מקבל דעם אויבערשטנ'ס רצון באהבה.

דערפאלג פון א מענטש איז נישט געוואנדן אין וויפיל כוחות ער לייגט אריין, נאר אין רצון פון באשעפער.

אן אמת'ער מאמין איז אויך אן עניו. ער ווייסט אז אלעס ווערט געפירט פון אויבן, און אז זיינע הצלחות און דערגרייכונגען זענען נישט צום פארדאנקען זיינע פעאיגע טאלאנטן און שווערע הארעוואניע, נאר דעם באשעפער אליין. ער געדענקט אז אלעס וואס ער פארמאגט און אלעס וואס ער האט דערגרייכט קומט פון באשעפער. ווען ער איז מצליח אין ביזנעס אדער אין אנדערע אונטערנעמונגען ווייסט ער אז דאס איז נאר ווייל דער אויבערשטער האט אריינגעשיינט די הצלחה. ווען א מענטש קוקט אויף זיינע הצלחות פון אזא שטאנדפונקט, וועט ער זיך קיינמאל נישט האלטן גרויס אדער אראפקוקן אויף אנדערע.

עס איז אמאל געווען אן ארעמאן וועלכער האט געהאט א רייכן קאזין. איינמאל האט דער קאזין חתונה געמאכט א קינד, און ער האט געלאדענט דעם ארעמאן

צו דער חתונה. דער ארעמאן האט זיך נישט געקענט ערלויבן איינצוקויפן א פאסיגע אנצוג פאר די חתונה, און ער האט זיך דעריבער געוואנדן צו א פארמעגליכען שכן, פרעגנדיג אויב ער קען אים בארגן אן אנצוג פאר די חתונה. דער שכן האט אים צוליב געטוען און געבארגט א טייערן אנצוג. דער ארעמאן איז אנגעקומען צו די חתונה אויסגעפוצט אין זיין טייערן אנצוג. ער האט אבער געזען אז אנדערע געסט האבן נישט אזעלכע טייערע קליידער. ער האט זיך געשפירט זייער בא׳גדול׳ט אז ער פארמאגט א טייערען אנצוג, און ער האט אראפגעקוקט אויף די אנדערע געסט וועלכע האבן נישט געטראגן אזעלכע שיינע קליידער.

זעלבסטפארשטענדליך אז דאס איז זייער א נארישער צוגאנג. עס האט נישט קיין פשט פאר א מענטש זיך צו האלטן גרויס מיט אן אנצוג וואס באלאנגט אפילו נישט צו אים נאר ער האט עס געבארגט אויף איין נאכט.

ווען א מענטש האט אמונה, קוקט ער מיט דעם זעלבן בליק אויף אלע זיינע פארמעגנס און הצלחות. אלע זיינע ערווערבונגען באלאנגען נישט צו אים; דער באשעפער מיט זיין גרויס חסד האט אים דאס געבארגט אויף א קורצע צייט, און עס האט נישט קיין שום זין זיך צו גרויסן און אראפקוקן אויף אנדערע וואס פארמאגן ווייניגער פון אים.

4

לעבן מיט דערהויבנקייט

ווען א מענטש לעבט מיט אמונה און זיינע ארומיגע זעען ווי אזוי ער פירט זיך אויף מיט אן איידלקייט און פארלירט זיך נישט ווען עס קומט אן אנגעצויגענער מצב, זעען זיי אין אים א העכערקייט און דערהויבענקייט. אזוי זעען מיר ביי אברהם אבינו, וועלכער איז געווען דער ערשטער צו פארשפרייטן אמונה אויף דער וועלט. מענטשן האבן געהאט גרויס רעספעקט פאר אים, אז זיי האבן אים באטיטעלט: "נְשִׂיא אֱלֹקִים".

א ריכטיגער מאמין ברענגט א כבוד שמים דורך זיין ערליכע הנהגה אין זיין טאג טעגליכן סדר היום. ער פארלירט זיך קיינמאל נישט און ווערט נישט אויפגערעגט אויף זאכן וואס אנדערע מענטשן ווערן געוועגליך פארלוירן. ער ווייסט אז אלעס קומט פון באשעפער און אז דער אויבערשטער טוט נאר וואס איז גוט פאר אים, אפילו אויב ער פארשטייט נישט פארוואס. דאס ערמעגליכט אים זיך אויפצופירן אויף אן אופן וואס ברענגט ארויס שעצונג ביי אלע.

א ריכטיגער מאמין פארלירט זיך קיינמאל נישט און ווערט נישט אויפגערעגט אויף זאכן וואס אנדערע מענטשן ווערן געוועגליך פארלוירן.

אײן טאג איז א איד אריינגעקומען צו דער ארבעט און געזען אז דער קאמפיוטער סיסטעם פון זיין ביזנעס טויג נישט. ער האט גערופן עטליכע קאמפיוטער טעכניקער און זיי געבעטן צו דערגיין דעם פראבלעם. נאך לאנגע

שעות האבן זיי אים געזאגט אז לויט ווי עס זעט אויס איז אלע אינפארמאציע פארלוירן געווארן און זיי קענען אים נישט העלפן.
דער קאמפיוטער סיסטעם האט אנטהאלטן קריטישע אינפארמציע פון די ביזנעס: אלע באשטעלונגען וואס מ'האט געדארפט ארויסשיקן אין לויף פון די קומענדיגע זעקס חדשים; אלע רעקארדס פון חובות וואס מ'איז אים געווען שולדיג און וואס ער איז געווען שולדיג פאר אנדערע; אלע חשבונות און פינאנצן - אכט יאר אינפארמאציע איז אין איין מינוט צוגרונד געגאנגען. די ביזנעס איז געווען אין א כאאטישן צושטאנד, און קיינער האט נישט געוואוסט וואס צו טוען ווייטער.
די אייגענטימער האבן געהאט אמונה אז אלעס איז באשערט, און אז אויב דער רצון ה' איז אז דער קאמפיוטער סיסטעם זאל קראכן איז דאס פאר זייער טובה. זיי זענען ווייטער אנגעגאנגען מיט דער ארבעט לויט די בעסטע מעגליכקייטן. די ארבעטער זענען אבער געווען געשפאנט און נערוועז, נישט וויסענדיג ווי אזוי פארצוזעצן די ארבעט אָן די קריטישע אינפארמאציע.
די קאמפיוטער טעכניקער האבן דערווייל שווער געארבעט צוריקצושטעלן דעם סיסטעם, און נאך פיר טעג האבן זיי ענדליך געלעזט דעם פראבלעם און באוויזן צוריקצושטעלן אלע אינפארמאציע. דער גאנצער אפיס האט געאטעמט מיט דערלייכטערונג און יעדער איז געווען אין א גוטע שטימונג.
בשעת יעדער איז געווען אזוי פרייליך אז מען האט געלעזט דעם פראבלעם, איז איינער פון די ארבעטערס צוגעגאנגען צו דעם אייגענטימער פון די ביזנעס און געזאגט: "מיר זענען נתפעל געווארן פון דעם וועג ווי אזוי דו האסט געהאנדלט אין דעם מצב. עס איז ממש אומגלויבליך ווי אזוי דו האסט זיך קיינמאל נישט פארלוירן. פון היינט אָן און ווייטער וועסטו זיין אונזער'ס א מוסטער ווי אזוי מען דארף זיך אויפפירן אין צייט פון א קריזיס און נישט פארלוירן ווערן".
דאס מיינט א ריכטיגער קידוש ה'.

מיינער א באקאנטער האט געהאט א דאקטאר'ס אפוינטמענט אין מאנהעטן. מען האט געדארפט

דורכפירן אויף אים א פראצעדור וואס האט געדארפט דויערן רוב טאג. ער האט אראפגענומען יענעם טאג פון דער ארבעט, ער האט אפגערופן אלע זיינע זיצונגען, און ער איז געגאנגען צום דאקטאר'ס אפיס. נאכ'ן ווארטן א שעה צייט איןווארט צימער, האט מען אים אריינגענומען צום דאקטאר'ס צימער און מען האט אנגעהויבן דורכפירן אויף אים פארשידענע טעסטן און צוגרייטונגס פראצעדורן. דאן האט מען אים נאכאמאל געלאזט ווארטן.

נאך א שעה איז דער דאקטאר ענדליך ארויסגעקומען, און געזאגט מיט פארדרוס: "אנטשולדיגט, די מאשין פאר דעם פראצעדור האט זיך צעבראכן, דאס האט נאך קיינמאל נישט פאסירט דורכאויס מיינע יארן אלס דאקטאר. איך שפיר זיך זייער אומאנגענעם, אבער איך וועל נישט קענען דורכפירן דעם פראצעדור היינט. מיר וועלן עס מוזן אפשטופן אויף אן אנדער מאל".

דער איד האט געדענקט אז קיין שום זאך איז נישט קיין צופאל, און אז אלעס ווערט געפירט מיט השגחה פרטית. ער האט זיך נישט פארלוירן, און געענטפערט געלאסן: "יא, מיר וועלן עס אפשטופן". דער דאקטאר האט נישט געקענט גלויבן מיט וואס פאר א רואיגקייט דער איד האט רעאגירט. ער איז געווען זיכער אז דער איד וועט זיין מלא כעס, האבענדיג אוועקגעגעבן זיין גאנצן טאג פאר גארנישט. אבער דערווייל האט ער אויסגעזען רואיג און צופרידן. דאס האט געשאפן א געוואלדיגן קידוש ה'.

ווען א מענטש האט אמונה ברענגט דאס אז ער זאל האבן א נאבעלע און איידעלע באנעמונג. דער מאמין ווייסט אז דער באשעפער פירט אלעס מיט א גענויע פונקטליכקייט. אלעס וואס פאסירט איז גענוי ווי דער באשעפער וויל, און ער וויל דאס בעסטע פאר אונז. עס זענען פאראן אזויפיל מענטשן וואס האבן גענוג סיבות זיך צו קענען באקלאגן א גאנצן טאג, אבער דורך אמונה ווערן זיי געשטארקט ביי זיך אז אלעס איז לטובה, און זיי גייען שטענדיג ארום מיט א שמייכל, רואיג און צופרידן.

א תלמיד פון חזון איש זצ"ל האט פארמאגט א דרוקעריי אין בני ברק פון וועלכן ער האט געצויגן פרנסה. איין טאג האט א צווייטער געעפענט אן ענליכע דרוקעריי נעבן

אים. רוב מענטשן וואלטן געווען אויסער זיך אויב אזא זאך וואלט פאסירט צו זיי, אבער דער איד האט זיך מחזק געווען אין אמונה און האט געדענקט אז פרנסה קומט בלויז פון באשעפער. "דער באשעפער גיט מיר פרנסה", האט ער כסדר געזאגט צו זיך, "און איך וועל נישט אנהויבן א געפעכט מיט דעם נייעם דרוקער".
אנשטאט זיך צו קריגן מיט זיין נייעם קאנקורענט, איז דער איד געווארן זיין'ס א גוטער חבר. ער האט אים ווארעם אויפגענומען און האט זיך אנגעטראגן אים צו העלפן מיט אלעס וואס איז שייך. דער קאנקורענט האט נישט געקענט גלייבן ווי אזוי עס קען זיין אז זיין קאנקורענט זאל גאר זיין גרייט אים ארויסצוהעלפן. אבער דאס קומט פון לעבן מיט אמונה.

אויב מען ארבעט זיך אויס אנצונעמען יעדן מצב מיט אמונה, ברענגט דאס אז מען זאל זיך שטענדיג אויפפירן ווי עס פאסט, אפילו אין די שווערסטע אומשטענדן, און אז מען זאל זיך אויפפירן מיט אן איידעלע באנעמונג אין יעדן מצב, און דערמיט מרבה זיין כבוד שמים.

5

”ה׳ לי ולא אירא

דער חלום פון יעדן מענטש איז צו האבן א רואיג לעבן, אָן קיין שום דאגות. רוב מענטשן קענען אבער נישט ערפילן דעם חלום, און זיי לעבן יעדן טאג מיט אומצאליגע דאגות און פחדים. מענטשן האבן מורא פון זייער באלעבאס; פון די רעגירונג; פון מאכטפולע און רייכע מענטשן. מענטשן דרייען זיך ארום פול מיט דאגות איבער זייער צוקונפט. אבער אויב מען לעבט מיט בטחון האט מען נישט קיין שום דאגות און פחדים. דער חובת הלבבות שרייבט אין שער הבטחון אז ביי א בעל בטחון איז פונקט פארקערט: חשוב׳ע און וויכטיגע מענטשן האבן מורא פון אים, און יעדער איינער וויל אים צופרידנשטעלן.

מענטשן האבן אפטמאל א שווער הארץ אויף אנדערע וואס זענען באגאנגען עוולות קעגן זיי. די שווערע געפילן קומען פון א חסרון אין אמונה, ווייל באמת איז נישט מעגליך אז א מענטש זאל שלעכטס טון א צווייטן אויסער אויב דער באשעפער האט אזוי געוואלט. ווען א מענטש איז קלאר ביי זיך אז קיינער האט נישט די מעגליכקייט אים צו טשעפען אדער בא׳עולה׳ן אויסער אויב דאס איז דער רצון ה׳, האט ער נישט וואס צו מורא האבן פון אנדערע מענטשן. אודאי איז דא א פליכט צו טוען השתדלות און זיין פארזיכטיג נישט אויפצורעגן אנדערע. אבער מען מוז אויך געדענקען אז דער

באשעפער איז דער איינציגסטער הערשער אויף אונזער לעבן, און איינמאל וואס מען אנערקענט דאס הערט מען אויף מורא צו האבן פון אנדערע.

> מענטשן לייגן אריין גרויסע כוחות צו חנפ'ען מאכטפולע מענטשן כדי צו געפינען חן אין זייערע אויגן, קלערנדיג אז דאס וועט זיי ברענגען הצלחה. אבער פאקטיש גאראנטירט דאס נישט דערפאלג.
> איך ווייס פון א ביזנעס אין וועלכן דער פרעזידענט האט באשלאסן צו שניידן די געהאלטן פון אלע נידריגערע ארבעטער, אָן אויסנאם. איינער פון די ארבעטער איז געווען דער בעסטער חבר פון דעם וויצע פרעזידענט פון די פירמע, און אלע הויכראנגיקע אנגעשטעלטע אין די פירמע זענען געווען באפריינדעט מיט אים. זיי האבן פרובירט צו שתדל'ען פאר אים ביים פרעזידענט, אבער אָן ערפאלג. דער ארבעטער האט געארבעט שווער אלע יארן אויפצובויען נאנטע באציאונגען מיט די איינפלוסרייכע מענטשן פון די פירמע, אבער ווען עס איז געקומען למעשה האט דאס אים גארנישט געהאלפן און זיין געהאלט איז געשניטן געווארן, ווייל אזוי האט דער באשעפער געוואלט.

זעלבסט פארשטענדליך אז מיר דארפן אלע רעספעקטירן אונזערע בעלי בתים און מיטארבעטער, און מיר מוזן באהאנדלען יעדן מענטש מיט'ן פולסטן דרך ארץ. נאכמער, עס איז וויכטיג צו קאמפלימענטירן אנדערע מענטשן און זיי געבן א גוט ווארט פון צייט צו צייט. עס שטייט אפילו אין ראשית חכמה (שער היראה פרק י"ב) אז ווען דער מענטש וועט קומען אויף יענער וועלט וועט מען אים פרעגן "המלכת את חבירך? – האסטו געמאכט דיין חבר א קעניג אויף דיר?"

דער ציל פון געבן קאמפלימענטן מוז אבער קומען פון אונזער אייגענע גוטהארציגקייט, נישט כדי צו חנפ'ען אנדערע און זיי פרובירן צו געפעלן. אויב מיר ווילן זיך באמת פארזיכערן אז מיר וועלן האבן איינעם אויף אונזער זייט ווען עס קומט אונטער א שווערע מינוט, דארפן מיר ענדערש פרובירן צו געפעלן פאר'ן רבונו של עולם, וועלכער איז דער איינציגער וואס האט אן אמת'ע השפעה אויף אונזער לעבן.

דער רבונו של עולם איז דער איינציגער וואס האט אן אמת'ע השפעה אויף אונזער לעבן.

אמונה ברענגט אז דער מענטש זאל ווערן מער אויפריכטיג

מיט אנדערע. א מענטש וואס לעבט מיט אמונה דארף
נישט אנקומען צו פאלשע חנופה און ער דארף נישט טיילן
קאמפלימענטן וואס הערן זיך נישט עכט. אנשטאט דעם קען
ער אריינלייגן אלע זיינע כוחות ווי אזוי צו לעבן אן אמת און
אויפריכטיג לעבן.

אמונה איז די בעסטע מתנה

די גרעסטע מתנה וואס מען קען געבן פאר א מענטש איז אים אויסצולערנען אמונה. אמונה איז א קריטישער שליסל פאר א מענטש'נס שלוות הנפש, און עס ערמעגליכט אנצוגיין מיט'ן לעבן מיט אן אמת'ע שמחה און צופרידנהייט. ווען מען ווייסט אז אלעס קומט פון באשעפער וועלכער האט אונז ליב בלויז אונזער טובה, ווערט דאס גאנצע לעבן פארגרינגערט.

דער חפץ חיים האט אמאל געפרעגט א איד: "ווי אזוי שפירסטו זיך היינט?"
"עס וואלט געקענט זיין בעסער", האט דער איד געענטפערט.
"דאס איז נישט ריכטיג," האט דער חפץ חיים געזאגט, "אויב עס וואלט געקענט זיין בעסער וואלט טאקע געווען בעסער. אלעס קומט פון הימל, און יעדע זאך אויף דער וועלט איז גענוי ווי אזוי עס דארף זיין".

"אויב עס וואלט געקענט זיין בעסער וואלט טאקע געווען בעסער".

ווען מען לערנט אויס פאר א צווייטן איד די יסודות אין אמונה גיט מען אים א שטיק חיות, ווייל אמונה פילט אן דעם מענטש מיט רואיגקייט און שמחת החיים. דער פּסוק זאגט אין תהלים (לד, יג): "מִי הָאִישׁ הֶחָפֵץ חַיִּים אֹהֵב יָמִים לִרְאוֹת טוֹב". ספרים זענען מסביר אז דאס מיינט, אז א מענטש וואס וויל לעבן און האט באמת ליב זיינע טעג וועט ער זיכער מאכן "לראות טוב", צו זען דאס גוטס איבעראל און אנקוקן

זיין לעבן מיט א פאזיטיוון בליק. אפילו אויב ער גייט דורך שוועריקייטן מיט פרנסה, צער גידול בנים, וכדו׳, וועט ער עס שטענדיג אנקוקן גוט.

עלטערן דארפן מחנך זיין זייערע קינדער פון די יונגע יארן צו לעבן מיט אמונה. מען דארף אויסלערנען די קליינע קינדער אז דער באשעפער דער "אוהב עמו ישראל" און דער משגיח בהשגחה פרטית אויף אלעס וואס פאסירט אין אונזער לעבן. מען דארף זיי אויסלערנען אז ווען עפעס גייט נישט גוט קומט דאס פון באשעפער, וועלכער וויל אז מיר זאלן געשטראפט ווערן אויף אונזערע עבירות כדי אז מיר זאלן האבן א גרעסערן חלק אין עולם הבא. פונקט ווי א מאמע טוישט די ווינדלען פון איר קינד מיט ליבשאפט, טראץ דעם קינד'ס געוויין, אזוי אויך מוז דער באשעפער אפטמאל מאכן אז מיר זאלן דורכגיין שוועריגקייטן אין לעבן כדי מיר זאלן ווערן אויסגערייניגט פון אונזערע עבירות.

איך פלעג געבן א וועכנטליכן שיעור איבער ענייני אמונה פאר קינדער פון אכט ביז צוועלף יאר. אין די שיעורים האב איך שטענדיג ערקלערט אז אלעס וואס פאסירט אין לעבן איז פאר אונזער טובה, און אז מיר דארפן שטענדיג דאנקען דעם באשעפער אויף אלעם און אויפהערן זיך צו באקלאגן. יעדע וואך פלעגן די קינדער דערציילן אינטערעסאנטע געשעענישן וואס האבן פאסירט מיט זיי אין וועלכן זיי האבן זיך געשטארקט מיט אמונה. איין קינד האט דערציילט אז ער איז אראפגעפאלן פון זיין ביציקל און זיך צעבראכן זיין קני, אבער אנשטאט אנצוהייבן וויינען האט ער געדאנקט דעם באשעפער. א צווייט יונגל האט געזאגט אז ער האט פארלוירן א טייערע פעדער וואס ער האט באקומען אלס מתנה, אבער אנשטאט זיך צו באקלאגן האט ער געדאנקט דעם באשעפער.

איך פלעג כסדר מסביר זיין פאר די קינדער אז ווען א קינד פארט אויפ׳ן ביציקל אָן אראפפאלן, איז דאס אודאי בלויז צוליב דעם וואס דער באשעפער היט אים אפ, און ווען מען פארמאגט א טייער חפץ און מען פארלירט דאס נישט איז דאס אויך נאר ווייל דער באשעפער וויל אזוי.

אלעס איז פון באשעפער, און דערפאר שטייט אין די משנה (ברכות נד, א): "חייב אדם לברך על הרעה כשם שמברך על הטובה".

מיינ'ס א חבר פירט זיך אז יעדע נאכט איידער די קינדער גייען שלאפן הייסט ער זיי דאנקען דעם באשעפער אויף עפעס וואס האט פאסירט מיט זיי דעם טאג. געוועגליך דערציילן די קינדער עפעס א גוטע זאך וואס איז געשען מיט זיי, ווי א גוט צוקערל וואס זיי האבן באקומען, אדער א געשמאקע אייז קרעם וואס זיי האבן געגעסן. אבער צומאל ווען די קינדער דאנקען דעם באשעפער אפילו פאר א שניט וואס זיי האבן באקומען, אדער פאר א נאש וואס זיי האבן פארלוירן. אפילו אויב זיי מיינען עס נישט געגוג ערנסט, ווערן זיי דערמיט צוגעוואוינט אז אלעס קומט פון באשעפער און אז יעדע זאך איז פאר אונזער טובה, אפילו אויב מיר קענען נישט פארשטיין פארוואס.

דאס איז גאר א וויכטיגער שליסל צו הצלחה אין לעבן. און אויב מיר זענען מחנך אונזערע קינדער זיך אויפצופירן אזוי, וועלן מיר אליין זיך צוגעוואוינען צו לעבן אויף דעם אופן, און ווען עפעס גייט נישט ווי מיר האבן געוואלט וועלן מיר נישט ווערן אויפגערעגט אדער אנגעצויגן, נאר מיר וועלן דאנקען דעם באשעפער, וויסנדיג אז אזוי האט געדארפט זיין. דאס איז דער ריכטיגער וועג אויפצובויען אין זיך א שמחת החיים און זען דאס גוטס אין אלעס וואס פאסירט אין לעבן.

7

א לעבן אָן חרטה

א איד וואס לעבט מיט אמת'ע אמונה האט נישט חרטה אויף זאכן וואס ער האט געטוען. אנשטאט צו זיצן און קלאגן אויף אלעס וואס ער וואלט געקענט טוען אנדערש, און טראכטן: "א שאד איך האב נישט געטוען אזוי אדער אזוי", נעמט ער אָן דעם מצב אזוי ווי עס איז. ער אנערקענט אז ער האט געטוען זיין בעסטע השתדלות, און אז אפילו אויב עס האט זיך למעשה נישט אויסגעארבעט לויט ווי אזוי ער האט געוואלט, איז דאס נאר ווייל עס איז נישט געווען פאר זיין טובה. אפילו אויב ער קוקט צוריק און זעט אז ער וואלט געדארפט טוען אנדערש, האט ער נישט קיין הארץ ווייטאג אויף זיינע טעותים. ער פארשטייט אז זיינע טעותים און שוואכקייטן קומען אויך פון הימל.

עס איז אמאל געווען א יונג פארפאלק וועלכע האט נישט זוכה געווען צו קינדער. דאס קינדערלאז פארפאלק איז ארומגעלאפן צו דאקטוירים און זענען דורכגעגאנגען פארשידענע באהאנדלונגען. זיי האבן פארגאסן טייכן טרערן זאגענדיג תהלים, אבער די ישועה איז נישט אנגעקומען. נאך פילע יארן וואס זיי זענען נישט געהאלפן געווארן זענען זיי געווארן זייער מיואש.
ווען דאס פארפאלק האט געהאלטן צען יאר נאך זייער חתונה, האבן זיי געהערט אז א געוויסער רבי , וועלכער איז געווען בארימט אלס א גרויסער פועל ישועות, וועט קומען באזוכן ביי זיי אין שטאט און וועט איינשטיין

נאענט צו זיי. דאס פארפאלק האט באשלאסן צו גיין צום רבי'ן פועל'ן א ישועה.

ווען זיי זענען אריין צום רבי'ן האבן זיי זיך אויסגעגאסן דאס הארץ. דער צדיק האט זיי אנגעווינטשן מיט ווארעמע ווערטער אז ביז א יאר וועלן זיי געהאלפן ווערן מיט א קינד. די ברכה פון צדיק איז מקויים געווארן, און איבער א יאר איז ביי זיי געבוירן געווארן א בן זכר.

די שמחה איז געווען גרויס, אבער פאר די פרישע קימפעטארין האט גענאגט דאס הארץ. זי האט זיך באקלאגט: "מיר האבן שוין לאנג געוואוסט אז ער איז א גרויסער פועל ישועות. פארוואס האבן מיר געדארפטווארטן ביז ער איז געקומען אין אונזער געגענט? ווען מיר וואלטן געגאנגען צום רבי'ן נאך א ברכה באלד נאך אונזער חתונה וואלטן מיר שוין יעצט געקענט האבן א שטוב מיט קינדער!"

"דו מאכסט א טעות", האט דער מאן איר געענטפערט: "היות עס איז איצט געקומען די צייט אז מיר זאלן געהאלפן ווערן, האט השי"ת געשיקט דעם צדיק צום שוועל פון אונזער טיר כדי מיר זאלן אריינגיין נעמען א ברכה ביי אים. ביז איצט איז אונז נישט איינגעפאלן אריינצוגיין צו אים וויבאלד עס איז נאכנישט אנגעקומען די צייט אז אונזערע תפילות זאלן אנגענומען ווערן".

> השי"ת האט געשיקט דעם צדיק צום שוועל פון אונזער טיר כדי מיר זאלן אריינגיין נעמען א ברכה ביי אים. ביז איצט איז אונז נישט איינגעפאלן אריינצוגיין צו אים וויבאלד עס איז נאכנישט אנגעקומען די צייט אז אונזערע תפילות זאלן אנגענומען ווערן

א חשוב'ער רב האט דאן געזאגט פאר דעם טאטן אז דאס איז דער באדייט פון "עֵת לָלֶדֶת" (קהלת ג ב): פון הימל ווערט באשטימט די פונקטליכע צייט ווען א קינד זאל געבוירן ווערן, און מ'וועט צופירן פון אויבן ווי אזוי אלעס זאל זיך אויסשטעלן כדי דאס קינד זאל געבוירן ווערן אין די ריכטיגע מינוט.

ווען עפעס איז באשערט פון הימל ווערט אלעס צוגעפירט אזוי אז דאס זאל צושטאנד קומען. אלע אונזערע החלטות ווערן באשלאסן לויט ווי אזוי מען וויל פון הימל, און עס איז א שאד אריינצוטראכטן ווי אזוי מען וואלט געקענט פאסן א בעסערן באשלוס. מיר דארפן טוען אונזער השתדלות, און ווען עפעס ארבעט זיך נישט אויס לויט ווי מיר וואלטן געוואלט, דארפן מיר גלייבן מיט אמונה שלימה אז אזוי האט עס געדארפט זיין.

8

בטחון ברענגט ישועות

דער חזון איש שרייבט, אז א מענטש'נס בטחון איז געוואנדן לויט זיין אמונה; וואס שטארקער א מענטש גלייבט אז דער באשעפער פירט די וועלט, אלץ מער בטחון האט ער אז זיין לעבן ווערט געפירט אויפ'ן ריכטיגן אופן. די אמונה פון א איד דארף ווערן פארקערפערט אין טאג טעגליכן לעבן; אין אלע מעשים און אין אלע געפילן. ווען א מענטש גלייבט מיט אן אמת אז דער באשעפער פירט זיין גאנץ לעבן, ווערט ער אנגעפילט מיט א שלוות הנפש און ער לעבט מיט א רואיגקייט אז אלעס וועט זיך אויסארבעטן אויף דעם בעסטן אופן.

א פלימעניק פון א ספרדי'שן רב האט דערציילט א מעשה וואס ער האט אליין בייגעוואוינט ביי זיין חשוב'ן פעטער. זייענדיג אמאל ביי זיין פעטער אינדערהיים, האט ער אים געזאגט אז ער דארף יענעם טאג צאלן דעם געהאלט פאר זיינע כולל יונגעלייט.

"דו האסט דאס געלט פאר זיי?" האט זיין פלימעניק געפרעגט.

"עס פעלט מיר נאך דריי און צוואנציג טויזנט דאלער," האט דער פעטער געענטפערט.

"און וואס פלאנסטו צו טוען?" האט דער פלימעניק ווייטער געפרעגט.

"דער אויבערשטער האט מיך נאך קיינמאל נישט פארלאזט", האט דער פעטער געענטפערט מיט א

זיכערקייט, צוגעבענדיג: ״איך בין זיכער אז היינט וועט ער מיך אויך נישט לאזן אויפ׳ן וואסער״.
דער פלימעניק האט ווייטער גע׳טענה׳ט: ״אפילו אויב איינער קומט יעצט אריין און גיט דיר א טשעק פאר די גאנצע סומע וועט נאך אלץ געדויערן עטליכע טעג ביז די באנק וועט דעקן דעם טשעק״.
זאגט אים ר׳ ניסים: ״דו מיינסט אז דער באשעפער קען מיר נישט געבן קיין מזומן?!״
דער פעטער האט יענעם טאג פארגעזעצט זיין טאג טעגליכן סדר. ער האט פארגעלערנט זיינע שיעורים, אויפגענומען מענטשן, א.א.וו. מ׳האט נישט אנגעזען אויף זיין פנים קיין שום דאגה אדער אנגעצויגנקייט. ער איז געווען זיכער אז דער באשעפער וועט אים צושיקן דאס געלט וואס ער דארף.
סוף טאג איז דער פלימעניק שוין געווען זייער נייגעריג וואס דער פעטער וועט דא טוען. עס זענען פארבליבן בלויז געציילטע שעות ביז ער האט געדארפט צאלן די געהאלטן. ר׳ ניסים איז אריין אין זיין ספרים שטוב און דער פלימעניק האט געהערט ווי ער איז מתפלל צום באשעפער אויפ׳ן קול, זאגנדיג: ״באשעפער, דו ווייסט אז דאס געלט איז פאר דיר, נישט פאר מיר; איך דארף נישט דעם כולל פאר מיר נאר פאר דיר״. ווען ער האט געענדיגט מתפלל זיין האט ער פארלאזט דעם צימער, און האט פארזיכערט זיין פלימעניק אז אלעס וועט בעזר ה׳ זיין אין בעסטן ארדענונג.
יענע מינוט איז אריינגעקומען א איד אין שטוב און אראפגעלייגט א זעקל אויפ׳ן טיש און איז ארויסגעגאנגען. ווען דער פעטער האט געעפענט דאס זעקל האט ער געפונען דריי און צוואנציג טויזענט דאלאר – אין קעש! ר׳ ניסים האט מיט פרייד גענומען דאס געלט און געצאלט זיינע יונגעלייט.
צוויי יאר שפעטער איז דער פעטער געווען אין באלטימאר און דארט באגעגנט א קענטליך פנים. ער האט יענעם געזאגט: ״איר זעט מיר אויס באקאנט״.
״ווי ווייט איך ווייס האבן מיר זיך קיינמאל נישט באגעגנט״, האט דער מענטש קורץ געענטפערט.
דער פעטער האט נישט נאכגעלאזט און זיך גע׳עקשנ׳ט אז זיי האבן זיך שוין ערגעץ געטראפן. דאן האט דער איד נאכגעלאזט און דערציילט אז זיי האבן זיך שוין יא אמאל

באגעגענט. עס האט זיך ארויסגעשטעלט אז דער איד איז געווען דער מענטש וואס האט אראפגעלייגט דאס זעקל געלט ביי אים אין שטוב.
דער איד האט דערציילט אז ער איז דאן געווען אין ארץ ישראל לכבוד זיין טאטנ'ס ערשטן יארצייט, און נאכ'ן באזוכן זיין טאטנ'ס קבר האט ער זיך געשפירט זייער צעבראכן. ער איז דעריבער צוריקגעגאנגען צו זיין האטעל צימער און געכאפט א דרימל. אינמיטן שלאף איז זיין פאטער געקומען צו אים אין חלום און אויסגערופן: "פארוואס שלאפסטו?! דער רב דארף דרינגענד האבן דריי און צוואנציג טויזנט דאלאר!"
דער איד האט זיך אויפגעוועקט פון שלאף. ער האט געדענקט דעם חלום, אבער ער האט בכלל נישט געוואוסט ווער יענער רב איז. ער איז תיכף אראפגעגאנגען אין "לאבי" פון דעם האטעל און זיך אנגעהויבן נאכצופרעגן ווער יענער רב איז. מ'האט אים דערציילט אז דאס איז א חשוב'ער רב, און מען האט אים געזאגט וואו ער וואוינט.
פונקט דאן האט ער באגעגענט א חבר וועלכער איז געווען אין ארץ ישראל פאר ביזנעס. דער חבר האט אים דערציילט אז ער האט יעצט געענדיגט א גרויסן ביזנעס אפמאך פון וואס ער האט פארדינט אסאך געלט, און ער וויל זיך נישט דרייען מיט אזויפיל קעש אין טאש.
"פונקט גוט", האט דער איד געזאגט, "איך דארף יעצט קעש, גיב מיר דריי און צוואנציג טויזנט דאלאר און איך וועל דיך באצאלן ווען מיר קומען אהיים קיין אמעריקע".
דער איד האט גענומען דאס געלט און עס געטראגן צום רב, וועמענ'ס תפילות זענען דערמיט געענטפערט געווארן אויף אן אופן שלא כדרך הטבע.

דער וויכטיגסטער פרט פון די מעשה איז וואס יענער רב האט זיך געהאלטן רואיג די גאנצע צייט, און ער איז נישט געווארן פארצווייפעלט אדער אנגעצויגן ווען ער האט געזען אז עס פעלט אים אזויפיל געלט. ער איז ווייטער אנגעגאנגען מיט זיין עבודה און האט געהאט דעם פולסטן בטחון אין באשעפער אז ער וועט האבן וואס ער דארף, און דערפאר איז ער טאקע געהאלפן געווארן, ווי דער פסוק זאגט אין תהלים (לב, י): "וְהַבּוֹטֵחַ בַּה' חֶסֶד יְסוֹבְבֶנּוּ – דער וואס פארזיכערט זיך אין השי"ת ווערט ארומגענומען מיט חסדים".

"וְהַבּוֹטֵחַ בַּה' חֶסֶד יְסוֹבְבֶנּוּ - דער וואס פארזיכערט זיך אין השי"ת ווערט ארומגענומען מיט חסדים".

9

השי"ת איז אונזער ערב

עלטערן האבן ליב ווען זייערע קינדער געטרויען זיי און שפירן זיך פארזיכערט אונטער זייער אויפזיכט, וויסענדיג אז זייערע עלטערן וועלן זיך זארגן פאר זיי אין צייט פון נויט. אויב א קינד האט שטארק צוטרוי אז זיינע עלטערן וועלן אים העלפן, וועלן זיי זיכער פרובירן מיט אלע מיטלען אים ארויסצוהעלפן ווען ער געפינט זיך אין א שווערע לאגע.

דער באשעפער, וועלכער איז אונזער געטרייער פאטער, האט אויך ליב ווען מיר שטרעקן אויס א האנט צו אים און מיר געטרויען אים, זייענדיג פארזיכערט אז ער וועט אונז העלפן און אז מיר קענען זיך פארלאזן אויף אים. ווען מיר ווייזן אז מיר שפירן זיך פארזיכערט אין זיינע הענט, און מיר לאזן זיך פירן פון אים, וועט ער אונז שטענדיג העלפן.

דער מדרש (ילקוט שמעוני רמז תתלט) זאגט אויפ'ן פסוק (תהלים פח, ב) "ה' אֱלֹקֵי יְשׁוּעָתִי", אז ווען די אידישע קינדער רופן אויס צום באשעפער: "אין לי ישועה אלא בך ואין עיני מיחלות אלא לך – מיר האבן נישט קיין הילף נאר פון דיר, און אונזערע אויגן האפן נאר צו דיר", דאן ענטפערט דער באשעפער: "הואיל וכן אני מושיעך – צוליב דעם וועל איך אייך העלפן". ווייל ווען מיר אנערקענען אז נאר דער רבונו של עולם קען אונז העלפן וועט ער אונז טאקע העלפן.

ווען מיר אנערקענען אז נאר דער רבונו של עולם קען אונז העלפן וועט ער אונז טאקע העלפן.

מיט ארום פערציג יאר צוריק האט א חשוב'ער גביר אין לאנדאן פארלוירן זיין פארמעגן. דער גביר איז געווען א גרויסער פילאנטראפ וועלכער האט געטיילט אסאך צדקה. ער האט נישט אויסגעזאגט פאר קיינעם אז ער האט פארלוירן זיין געלט, וויבאלד ער האט געוואלט אז מען זאל ווייטער קומען צו אים נאך צדקה. דער עושר האט פארמאגט א ברייט הארץ און האט ליב געהאט צו געבן פאר אנדערע. און ער האט נישט געוואלט אויפהערן טיילן צדקה אפילו נאכדעם וואס ער איז געווארן א יורד.

אזוי ווי דער עושר האט מער נישט געהאט קיין געלט צו טיילן, האט ער זיך געוואנדן צו א רייכן איד אין מאנטשעסטער, און אים געבעטן א הלואה צו קענען פארזעצן זיינע צדקה אקטיוויטעטן. ער האט אים מסביר געווען אז ער האט אינוועסטירט גרויסע סומעס געלט אין פארשידענע ביזנעסער וואס וועלן ווארשיינליך ברענגען שיינע הכנסות איבער די יארן, און דעריבער בעט ער א הלואה פון צוויי מיליאן פונט, וואס איז דאן אויסגעקומען בערך פיר מיליאן דאלאר.

דער גביר פון מאנטשעסטער איז געווען גרייט אים צו געבן דאס געלט, אבער ער האט קודם געוואלט וויסן אויב ער האט אן ערב פאר די הלואה. דער גביר פון לאנדאן האט אים מסביר געווען אז ער וויל אז קיינער זאל נישט וויסן פון די הלואה, ממילא וויל ער נישט זוכן אן ערב. ער האט אים דעריבער געבעטן אויב ער קען אים בארגן דאס געלט אָן אן ערב.

דער גביר פון מאנטשעסטער האט אים אבער געענטפערט: "דו בעטסט מיר גאר א שווערע טובה, ווי אזוי קען איך דיר בארגן אזויפיל געלט אן א ערב?"

אויף וואס דער לאנדאנער גביר האט רעאגירט זאגענדיג: "איך בארג דאס געלט לשם שמים, כדי צו טיילן צדקה; דער באשעפער איז מיין ערב".

דער גביר פון מאנטשעסטער איז געווען אן ערליכער איד, און ער האט אנגענומען די הארציגע ווערטער.

"דו ביסט גערעכט," האט ער געזאגט, "אויב דו בארגסט דאס געלט פאר צדקה, וועט דער באשעפער ווירקליך זיין דער ערב", און ער האט אים געגעבן די גאנצע סומע.

צוויי יאר שפעטער האט דער לאנדאנער גביר זיך אומגעקערט קיין מאנטשעסטער - אָן דאס געלט.

ער האט מסביר געווען פאר זיין בעל חוב אז ער האט נאכנישט די נויטיגע סומע אפצוצאלן דעם חוב, און אז ער זאל אים פארלענגערן דעם זמן הפרעון מיט נאך צוויי חדשים.

דער גביר האט אנגעהויבן קלערן אז ער וועט מער קיינמאל נישט זען דאס געלט. ער איז אריין אין זיין פריוואטן אפיס און מתפלל געווען צום באשעפער: "בשעת די הלואה האב איך געזאגט אז השי"ת איז מיין ערב, עס איז געקומען די צייט צו באצאלן דעם חוב, אבער אנשטאט דעם האב איך אן אנדערע בקשה. איך האב א טאכטער אין די יארן וואס פלאגט זיך מיט שידוכים. ביטע שיק איר צו א פאסיגן חתן, און דאס וועט גערעכנט ווערן אלס אפצאל פאר מיין הלואה".

דריי וואכן שפעטער איז דעם איד'ס תפילה מקויים געווארן, און זיין טאכטער איז א כלה געווארן בשעה טובה ומוצלחת. אין צוגאב האט ער געשלאסן א ביזנעס אפמאך פון וואס ער האט פארדינט כמעט די זעלבע סומע געלט וואס ער האט געבארגט.

צוויי חדשים שפעטער איז דער גביר פון לאנדאן אנגעקומען מיט'ן געלט, גרייט צו באצאלן זיין חוב. דער מלוה האט זיך אבער אנטזאגט צו נעמען דאס געלט, זאגנדיג אז דער "ערב" האט שוין אפגעצאלט דעם גאנצן חוב, און ער איז אים מער גארנישט שולדיג. דער לאנדאנער גביר האט זיך אבער איינגע'עקשנ'ט אז ער וויל נישט קיין מתנות, און ער וויל אפצאלן דעם חוב.

עס האט אויסגעבראכן א "קריגעריי"; ביידע צדדים האבן געוואלט אז דער צווייטער זאל נעמען דאס געלט. זיי האבן זיך נישט געקענט אויסגלייכן, ביז זיי האבן באשלאסן צו גיין צו א בית דין אין ארץ ישראל כדי מען זאל זיי פסק'נען וואס צו טון על פי תורה. ווען די דיינים האבן אויסגעהערט די זעלטענע דין תורה זענען זיי געווארן גערירט ביז טרערן פון דאס תמימות און צדקות פון די צוויי עשירים. זיי האבן גע'פסק'נט אז מ'זאל געבן דאס געלט צום "ערב"! ס'איז דאן געווען א שמיטה יאר, און זיי האבן געגעבן דאס געלט פאר א ספעציעלן קרן וואס איז געווען געווידמעט פאר די פעלד ארבעטער אין ארץ ישראל וואס האבן געהיטן שמיטה מיט מסירת נפש.

אין די מעשה האבןביידע עשירים ארויסגעוויזן זייער אמונה אין באשעפער. דער עושר פון לאנדאן האט געבארגט געלט כדי צו טיילן צדקה ווייל ער האט געגלייבט אז דער באשעפער וועט אים צוריקשטעלן אויף די פיס, און דער גביר פון מאנטשעסטער האט געהאט אמונה אז מען קען געטרויען דעם באשעפער אלס 'ערב' און ער וועט אים צוריקצאלן דעם חוב. און דער אויבערשטער האט זיי טאקע נישט פארלאזט, ווי דוד המלך זאגט אין תהלים (כה, ב): "אֱלֹקַי בְּךָ בָטַחְתִּי אַל אֵבוֹשָׁה – באשעפער, איך האב מיך פארזיכערט נאר אין דיר, בעט איך דיך, לאמיך נישט ווערן פארשעמט".

10

דער שומר ישראל

עס שטייט אין זוהר הקדוש (פרשת וארא) אז יעדער מענטש דארף ארבעטן אויף זיך צו פארשטארקען זיין קשר מיט'ן באשעפער. וואס נענטער א מענטש איז צום אויבערשטן, אלץ גרינגער וועט דער באשעפער אים צושיקן זיינע ישועות. הצלחה אין לעבן קומט פון באשעפער, און עס איז א שאד צו פארברענגען צייט זוכענדיג הילף פון אנדערע פלעצער. וואס מער מען קוקט ארויס צום באשעפער אז ער זאל אונז העלפן, אלץ רואיגער וועט אונזער לעבן זיין, ווי עס שטייט אין פסוק (תהלים קיד, ז): "מִשְּׁמוּעָה רָעָה לֹא יִירָא נָכוֹן לִבּוֹ בָּטוּחַ בַּה' – ער דארף נישט מורא האבן פון שלעכטע שמועות ווייל זיין הארץ איז פארזיכערט אין באשעפער".

די גמרא (ברכות ס, א) ברענגט אויף דעם פסוק די מעשה פון הלל הזקן אז ווען ער איז געפארן אויפ'ן וועג און האט געהערט א געשריי פון שטאט, האט ער געזאגט: "איך בין זיכער אז דאס איז נישט אין מיין הויז", ווייל ער איז געווען זיכער אז אין זכות פון זיין בטחון אין השי"ת וועט די צרה נישט באפאלן זיין הויז (זע אמונה ובטחון פון חזון איש ב, ז).

> **דער באשעפער איז אונזער שומר וועלכער היט אונז אפ פון אלעם בייזן אין אלע אומשטענדן.**

אין אן אנדערן פסוק אין תהלים (קכא, ז) שטייט: ה' יִשְׁמָרְךָ מִכָּל רָע יִשְׁמֹר אֶת נַפְשֶׁךָ" – דער באשעפער איז אונזער שומר וועלכער היט אונז אפ פון אלעם בייזן אין אלע אומשטענדן. א בשר ודם איז אבער באגרעניצט מיט זיין יכולת אין באשיצן א צווייטן.

אין ענגלאנד וואוינט א געוויסער רב וועלכער איז עוסק אין קירוב רחוקים. איינמאל האט א יוגנטליכער, וועמען מיר וועלן רופן אבנר, אנגעקלאפט אין זיין טיר און געבעטן: "רבי, איך ווייס אז דער אויבערשטער האט מיך ליב, אבער איך גיי יעצט דורך א שווערע צייט און איך האב געוואלט וויסן אויב איר קענט מיר העלפן".

"פון וואנעט ווייסטו אז דער אויבערשטער האט דיך ליב?" האט דער רב אים געפרעגט.

"איך האב נישט קיין ספק דערין", האט אבנר געענטפערט, און ווייטער געזאגט: "איך האב געהאט א וואונדערליכע מעשה וואס האט מיר אויפגעוויזן אז דער אויבערשטער האט מיך ליב".

און אבנר האט אנגעהויבן דערציילן זיין געשיכטע:

"איך פלעג פארן יעדן צופרי צו שולע מיט א באן, וואו איך האב געדארפט אנקומען יעדן טאג ניין אזייגער. איינמאל, ווען די באן איז געווען בלויז עטליכע סטאנציעס אוועק פון דער שולע, האב איך געכאפט א בליק אויף מיין זייגער און געזען אז עס איז נאך 8:30. איך האב באשלאסן אראפצוגיין פון די באן און גיין אין א קאפע הויז טרינקען א קאווע איידער איך גיי אין שולע.

"באלד נאכדעם וואס איך בין אויסגעשטיגן פון די באן, האב איך געהערט א מעכטיגן אויפרייס. איך האב זיך אויסגעדרייט און געזען אז די באן איז אויפגעריסן געווארן. עס האט געהערשט א שרעקליכער כאאס; פאליציאנטן און אמבולאנסן זענען געקומען צו פליען צו די סצענע מיט הויכע סירענעס. איך האב פרובירט אהיימצורופן צו מיינע עלטערן זיי צו לאזן וויסן אז איך בין געראטעוועט געווארן פון דעם אויפרייס, אבער דער טעלעפאן האט נישט געארבעט.

"איך האב אנגעהויבן אהיימצוגיין צופוס מיט שנעלע טריט. צוויי שעה שפעטער בין איך אנגעקומען אהיים. איך האב געטראפן מיינע עלטערן וויינען מיט בכיות, מורא האבנדיג אז איך בין געווען צווישן די אומגעקומענע פון דעם באן אויפרייס. ווען זיי האבן מיך דערזען זענען זיי אויפגעשפרינגען, און מיך ארומגענומען מיט פרייד בשעת טרערן זענען גערינען פון זייערע אויגן.

" 'דו לעבסט!' האבן מיינע עלטערן אויסגעשריגן. 'דאס איז אוממעגליך! דו ביסט דאך געווען אויף דער באן!'

"מיין מאמע האט מיר דערציילט, אז עס זענען

פארגעקומען עטליכע טעראר אטאקעס אויף דעם לאנדאנער באן סיסטעם, און עטליכע אויפרייסן זענען פארגעקומען אין דער זעלבער מינוט, ארום 8:50 צופרי. ״ ׳דאס קען נישט זיין׳, האב איך גע׳טענה׳ט. ׳דער אויפרייס איז פארגעקומען 8:30 צופרי, ווען איך בין אראפגעשטיגן פון די באן׳.
״מיינע עלטערן האבן אבער אנגעוויזן אז אלע נייעס באריכטן האבן געמאלדן אז די אטאקע איז פארגעקומען 8:50. איך האב געכאפט א בליק אויף מיין זייגער, און איך בין אויפגעציטערט געווארן, נעמליך, מיין זייגער האט נאך אלץ געוויזן 8:30; דער זייגער האט זיך צעבראכן און איז געבליבן שטיין ביי 8:30, כדי איך זאל מיינען אז איך האב נאך גענוג צייט צו גיין קויפן א קאווע פאר איך קום אָן אין שולע!״
אבנר האט געענדיגט זיין דערציילונג, און דער רב האט געקוקט אויף אים מיט שטוינונג.
״דו האסט א בילד פון דעם זייגער?״ האט דער רב געפרעגט.
״רבי,״ האט אבנר געענטפערט: ״אויב איר ווילט קען איך אייך געבן דעם זייגער במתנה״.
אבנר איז אהיימגעגאנגען און געברענגט דעם זייגער. דער רב האט געכאפט א בליק דערויף און געזען אז עס איז נאך אנגעשטעלט אויף 8:30. דער רב האט גענומען דעם זייגער און אים ווארעם באדאנקט, זאגענדיג דערביי: ״אויב איך וועל אמאל האבן נסיונות אין אמונה, וועל איך ארויסנעמען דעם זייגער און זיך דערמאנען אז דער באשעפער פירט די וועלט״.

11

השי"ת קוקט שטענדיג

די העכסטע מדריגה אין עבודת ה' איז ווען מען טוט מצוות באהאלטענערהייט, ווען קיינער זעט נישט. די נאטור פון מענטשן איז צו זוכן כבוד און פרסום, און דערפאר וועט מען זיך אפטמאל אויפפירן ערליך נאר ווען אנדערע מענטשן זעען. מיר דארפן אבער געדענקען אז דער באשעפער איז שטענדיג מיט אונז און ער באאבאכטעט אונזער יעדע ריר און תנועה. ווען א מענטש פירט זיך אויף ערליך אפילו ווען קיינער זעט נישט, ווייזט דאס נישט בלויז אויף זיין ענוה, נאר אויך אויף זיין אמונה און בטחון אז דער באשעפער איז שטענדיג מיט אים.

דער משך חכמה (ויקרא ג, ב) ערקלערט מיט דעם געדאנק די גמרא (תמיד לב, ב): "כל העוסק בתורה בלילה שכינה כנגדו – ווען איינער לערנט תורה ביינאכט איז די שכינה קעגן אים". ער טייטשט דעם ווארט 'לילה' אז עס גייט ארויף אויף א צייט ווען עס איז טונקל און אנדערע מענטשן זעען נישט ווי ער לערנט. אויף דעם זאגן חז"ל אז ווען א איד איז עוסק אין לערנען אפילו ווען קיינער זעט נישט איז דער באשעפער מיט אים.

ווען מיר וועלן קומען אויף יענע וועלט וועלן מיר קלאר זען ווי דער באשעפער איז שטענדיג געווען מיט אונז. אבער אפילו אויף דער וועלט האבן מיר אפט א געלעגנהייט צו זען ווי השי"ת איז שטענדיג מיט אונז און זעט אלע מעשים טובים וואס מיר טוען.

מיר האבן אפט א געלעגנהייט צו זען ווי השי"ת איז שטענדיג נעבן אונז און זעט אלע מעשים טובים וואס מיר טוען.

א חשוב'ער רב האט דערציילט א מורא'דיגע מעשה וואס איז פארגעקומען ארום דרייסיג יאר צוריק אין ארץ

ישראל. א ישיבה בחור האט אמאל גענומען א טעקסי צו פארן אין ישיבה. אויפ'ן וועג האט ער אריינגעקוקט אין א ספר, און ער איז געווארן אזוי פארטיפט אין לערנען, אז ווען ער איז אנגעקומען אין ישיבה האט ער נישט געכאפט אז ער האט גענומען א טעקסי, מיינענדיג אז ער האט גענומען א "היטש". ער איז דעריבער ארויס פון די טעקסי אָן באצאלן. דער דרייווער האט באמערקט אז דער בחור האט זיך באמת טועה געווען, און אז ער האט דאס נישט געטוען בכוונה. ער האט דעריבער באשלאסן אים צו לאזן גיין.

נאכדעם וואס דער בחור איז ארויסגעגאנגען פון די טעקסי, האט ער זיך געכאפט אז ער האט נישט באצאלט. ער האט אנגעהויבן נאכלויפן די טעקסי און בשעת די טעקסי האט זיך אפגעשטעלט ביי א רויטע לאמפ האט ער עס שיער דערגרייכט. אבער ווי נאר ער איז אנקומען צום טעקסי איז געווארן גרין, און דער טעקסי דרייווער איז אוועקגעפארן.

דער בחור איז געווען אויסער זיך, מורא האבנדיג אז דאס וועט מאכן א גרויסן חילול ה'. ער האט זיך געזארגט: "יעצט וועט דער דרייווער מיינען אז אלע ישיבה בחורים זענען גנבים; איך מוז זיכער מאכן אים צו באצאלן". מיט אנטשלאסנקייט איז דער בחור ווייטער נאכגעלאפן די טעקסי, און עטליכע מאל האט ער עס שיער דערגרייכט ביי א רויטע טראפיק לאמפ. אבער יעדעס מאל איז עס אוועקגעפארן איידער ער האט עס אנגעיאגט.

נאך צוואנציג מינוט לויפן האט דער בחור ענדליך דערגרייכט די טעקסי. ער האט אנגעהויבן קלאפן אויפ'ן פענסטער. ווען דער דרייווער האט געעפנט דעם פענסטער, האט דער בחור זיך אנטשולדיגט אז ער האט פארגעסן צו צאלן און דערלאנגט דאס געלט פאר'ן דרייווער.

דער דרייווער האט נישט געקענט גלייבן וואס ער זעט, זאגענדיג מיט וואונדער: "דו ביסט געלאפן דעם גאנצן וועג ביז אהער!?". ער איז מורא'דיג נתפעל געווארן ווי אזוי דער ישיבה בחור האט געהאט אזא מסירת נפש נישט צו נכשל ווערן אין דעם איסור פון גזילה.

דרייסיג יאר שפעטער איז דער בחור, וועלכער איז שוין איצט געווען א מיטעלריגער איד, געגאנגען אויף

די גאס אין ירושלים, און ער האט באמערקט א צעטל אויף די וואנט אז א געוויסער רב וועט האלטן א דרשה אין דעם ענין פון קידוש ה׳. דער ענין האט אים שטארק אינטערעסירט, און ער האט זיך אראפגעשריבן דעם דאטום און דאס ארט וואו די דרשה וועט פארקומען.

דער איד איז אנגעקומען צום שיעור, און ער האט טאקע שטארק הנאה געהאט. ווען דער בעל דרשן האט געענדיגט רעדן, איז דער איד צוגעגאנגען צו אים און אים באדאנקט פאר דעם אינהאלטסרייכן שיעור.

״איך האב אבער איין קשיא״, האט דער איד געזאגט. ״איר האט געזאגט אין די דרשה אז אויב א מענטש מאכט א קידוש ה׳ וועט דער באשעפער זיכער מאכן אז ער וועט אליין מיטהאלטן וואס דער קידוש ה׳ האט אויפגעטוען. מיט דרייסיג יאר צוריק האב איך געמאכט א קידוש ה׳, אבער איך האב נישט קיין אנונג וואס עס איז ארויסגעקומען דערפון״.

דער איד האט אים דערציילט די מעשה מיט׳ן טעקסי, און ווען דער רב האט געהערט די מעשה האט ער זיך צעשמייכלט און זיך אנגערופן: ״איך בין געווען דער דרייווער״.

דער איד האט געשטוינט, און דער רב האט אים דערציילט אז ער איז געווען דער דעמאלטדיגער טעקסי דרייווער, צוגעבענדיג אז ווען ער האט געזען די ערליכקייט און תמימות פון דעם יונגן ישיבה בחור איז ער אזוי נתפעל געווארן, אז ער האט באשלאסן צו ווערן א בעל תשובה און אנהייבן לערנען תורה. זינט דאן איז ער אויסגעשטיגן אלס אן אנערקענטער רב וועלכער גיט שיעורים פאר פילע צוהערער.

״א דאנק דיין קידוש ה׳ בין איך אויסגעוואקסן א רב,״ האט דער רב געזאגט, ״דער באשעפער האט דיר געוויזן די רעזולטאטן פון דיינע מעשים טובים מיט דרייסיג יאר שפעטער״.

מיר דארפן אנערקענען מיט א קלארקייט אז דער באשעפער זעט אלעס וואס מיר טוען, און אז אויב מיר פירן זיך אויף ערליך וועלן מיר עווענטועל שניידן די פירות פון אונזערע מעשים טובים.

12

אנערקענען השגחה פרטית

טראצדעם וואס עס זעט אויס פאר אונזערע אויגן ווי פארשידענע געשעענישן פאסירן דורך א צופאל, איז אבער קלאר אז אלעס ווערט געפירט פון השי"ת.

דער באשעפער פירט אונזער טאג טעגליכן לעבן, און טראצדעם וואס עס זעט אויס פאר אונזערע אויגן ווי פארשידענע געשעענישן פאסירן דורך א צופאל, איז אבער קלאר אז אלעס ווערט געפירט פון השי"ת. דאס איז דער באדייט פון 'השגחה פרטית' – דער אויבערשטער איז דירעקט משגיח אויף אלע פרטי פרטים פון אונזער לעבן.

די וואס טראכטן גוט אריין קענען זען ווי דער באשעפער פירט זייער טאג טעגליכן לעבן. פילמאל איז גרינג דאס צו זען, און טיילמאל איז נישט אזוי גרינג דאס צו באגרייפן. אבער די וואס ווילן באמת קענען עס זען. עס זענען פאראן מענטשן וואס פירן זיך אראפצושרייבן יעדעס מאל וואס זיי זעען די השגחה עליונה, און זיי זאגן אז וואס מער זיי שרייבן, אלץ מער זעען זיי דעם באשעפער אין זייער לעבן. זיי פאלגן כסדר נאך די קליינע ניסים וואס פאסירן מיט זיי.

איינער פון די צדיקים איז אמאל געגאנגען אויפ'ן וועג מיט זיינ'ס א חסיד. אויפ'ן וועג האט דער חסיד דערציילט פאר'ן רבי'ן א וואונדערליכע מעשה ווי אזוי ער איז געראטעוועט געווארן בדרך נס פון א סכנה. עטליכע מינוט שפעטער זענען צוגעקומען נאך מענטשן באגלייטן דעם רבי'ן, האט דער רבי זיך אויסגעדרייט צו זיין חסיד און אים געבעטן: "דערצייל מיר די מעשה ווי אזוי דו ביסט געראטעוועט געווארן".

האט דער חסיד זיך געוואונדערט: "אבער איך האב עס ערשט יעצט דערציילט"?!

זאגט דער רבי: "ס'שטייט אין תהלים (קה, ב) 'שיחו בכל נפלאותיו". מיר דארפן דאס מקיים זיין שטענדיג צו שמועסן און דערציילן די וואונדערליכע זאכן וואס דער באשעפער טוט מיט אונז".

איך וויל דערביי דערציילן א השגחה פרטית וואס האט פאסירט מיט מיר אליין. איך האב געדארפט צוגרייטן א וויכטיגן שיעור אויף דעם ענין פון בטחון, און איך האב געזוכט די ריכטיגע ווערטער וואס זאלן ארויסברענגען דעם ענין אויפ'ן בעסטן אופן. איך האב דעריבער געזוכט א רעקארדירונג פון א פריערדיגן שיעור וואס איך האב געגעבן איבער דעם ענין, וואס וואלט מיר שטארק געהאלפן פאר דעם יעצטיגן שיעור.
איך האב געהאט פינף רעקארדירטע שיעורים. איך האב אבער נישט געוואוסט וועלכע סי. די. אנטהאלט דעם שיעור וואס איך זוך. איך האב אויפגעשפילט דעם ערשטן סי. די. און דורכגעגאנגען די גאנצע דרשה, אבער דער שיעור איז נישט געווען דארט. דערנאך האב איך אנגעצונדן דעם צווייטן סי. די., און ווען עס זענען דורכגעלאפן צוואנציג סעקונדעס האט זיך עס פלוצלינג אפגעשטעלט, און די מאשין האט געוויזן אז עפעס איז צעבראכן. איך האב ארויסגענומען דעם סי. די.; עס אפגעווישט, און צוריק אריינגעשטעלט, אבער עס האט ווייטער נישט געארבעט.
איך האב ארויסגענומען דעם צווייטן סי. די. און אריינגעלייגט דעם דריטן סי. די., אבער ווידעראמאל, נאך צוואנציג סעקונדעס האט זיך עס אפגעשטעלט און נישט געוואלט גיין ווייטער. איך האב עס ארויסגענומען און גוט אפגערייניגט אבער עס האט ווייטער נישט געארבעט. בלית ברירה האב איך עס ארויסגענומען און אריינגעשטעלט דעם פערטן סי. די. דער פערטער סי. די. האט געהאט פונקט דעם געדאנק וואס איך האב געזוכט. ווען איך האב דאן נאכאמאל פרובירט אריינצושטעלן דעם צווייטן און דריטן סי. די., האבן זיי געהעריג געארבעט. מען האט מיר קלאר געוויזן אז פון הימל האט מען געוואלט די פריערדיגע סי. די.'ס זאלן נישט ארבעטן כדי איך זאל זיך איינשפארן צייט פון אויסהערן די צוויי סי. די.'ס איידער איך טרעף וואס איך האב געזוכט.

"גל עיני ואביטה נפלאות מתורתך" – זאגט דוד המלך אין תהלים (קיט, יח) – "עפען אויף מיינע אויגן כדי איך זאל זען וואונדערליכע זאכן פון דיין תורה". אויב מען האלט די אויגן אפען קען מען ווירקליך זען די טאג טעגליכע השגחה פרטית אויף וואונדערליכע אופנים.

13

ליבשאפט פון באשעפער

עס מאכט זיך אמאל אז א מענטש גייט דורך א שווערע צייט, און ער שפירט זיך פארלוירן און פארצווייפלט. ער זעט נישט קיין האפענונג און אלעס איז פינסטער פאר זיינע אויגן. דער אורחות צדיקים שרייבט (שער השמחה) אז אויב א מענטש קען זאגן צו זיך אין אזעלכע שווערע מינוטן: "ווער טוט דאס צו מיר? דאס איז מיין געטרייער פאטער אין הימל וואס ווייסט וואס איז דאס בעסטע פאר מיר", איז ער מקיים א מצוה. יעדעס מאל וואס א מענטש געפינט זיך אין א שווערן מצב און ער דערמאנט זיך אז דאס קומט פון באשעפער, איז ער מקיים דעם פסוק (דברים ח, ה): "וידעת עם לבבך כי כאשר ייסר איש את בנו, ה' אלקיך מייסרך – דו זאלסט וויסן אין דיין הארץ אז דער באשעפער שטראפט דיך אזויווי א טאטע שטראפט זיין קינד".

די תורה נוצט דעם ביישפיל פון א פאטער וועלכער שטראפט זיין קינד, ווייל דאס מאכט עס גרינגער צו פארשטיין. אבער דער אמת איז אז השי"ת איז אונז פיל מער געטריי ווי א טאטע צו זיין קינד. דער חובת הלבבות שרייבט, אז השי"ת איז דער וואס גיט עלטערן די מעגליכקייט ליב צו האבן זייערע קינדער; ער איז דער שורש פון ליבשאפט צווישן עלטערן און זייערע קינדער, און דערפאר איז נישט מעגליך צו באגרייפן ווי גרויס און טיף עס איז די ליבשאפט וואס השי"ת האט צו אונז.

אויב א מענטש קען זיך אויסלערנען צו טראכטן אזעלכע
מחשבות בשעת ער איז אין א שווערן מצב, וועט ער
ארויסקריכן פון זיין מרה שחורה און גלייכצייטיג מקיים זיין
די אויבנדערמאנטע מצוה. לאמיר מתפלל זיין אז מיר זאלן
שטענדיג קענען שפירן די ליבשאפט וואס דער באשעפער
האט צו זיינע ליבע קינדער.

14

הכרת הטוב

די נאטור פון טייל מענטשן איז אז זיי זענען צוגעוואוינט זיך אפצורעדן אויף סיי וועלכע זאך עס גייט זיי נישט גוט, אבער זיי פארגעסן ביי וויפיל זאכן אין לעבן עס גייט זיי יא גוט. הגאון רבי אביגדור מיללער זצ"ל פלעגט זאגן, אז עס איז וויכטיג צו דאנקען דעם באשעפער נישט בלויז אויף די גרויסע זאכן אין לעבן, נאר אויך אויף די פשוט'ע הנאות אין טאג טעגליכן לעבן. א מענטש איז באשאנקען געווארן מיט אזויפיל גוטס. ער קען הערן, רעדן, זען, שמעקן. ווען עפעס גייט אנדערש ווי מען האט געוואלט דארף מען זיך דערמאנען וויפיל זאכן פארן ווי געשמירט.

איך בין אמאל אהיימגעפארן אין א קאלטע ווינטער נאכט ארום צען אזייגער ביינאכט. אינמיטן וועג בין איך דורכגעפארן א געשעפט וואס איז נאך געווען אפען און איז געווען אנגעפילט מיט מענטשן. ווען איך בין געקומען נענטער האב איך געזען אז דאס איז א פלאץ וואו מענטשן קומען וואשן וועש. דאס פלאץ איז געווען איבערפילט מיט מענטשן וואס האבן געווארט אז זייערע וועש זאלן אויסגעוואשן ווערן אין די וואש מאשינען און אויסגעטרוקנט ווערן אין די טרוקענערס. איך האב דאן געטראכט צו מיר ווי גליקליך איך בין אז איך האב אן אייגענעם וואש מאשין און טרוקענער אינדערהיים, אזוי אז איך דארף נישט ארויסגיין אין די שווערע וועטערס און שלעפן שווערע זעק מיט וועש אויסצוואוואשן.

מיר האבן אזויפיל גוטע זאכן אין לעבן וואס מיר ווייסן נישט צו שעצן. היינטיגע צייטן, ווען מיר שפירן א קעלט, גיט מען א קוועטש דעם קנעפל אויף דעם טערמאסטאט און ביז

עס איז וויכטיג צו דאנקען דעם באשעפער נישט בלויז אויף די גרויסע זאכן אין לעבן, נאר אויך אויף די פשוט'ע הנאות אין טאג טעגליכן לעבן.

עטליכע מינוטן איז פיין ווארעם אין שטוב; אמאליגע צייטן האט מען געמוזט גיין אין וואלד, האקן האלץ, און אנצינדן א פייער כדי עס זאל ווערן ווארעם אין שטוב. אזויפיל מענטשן רעדן זיך אפּ אז זייער הויז איז צו קליין, פארגעסנדיג אז עס זענען פאראן מענטשן וואס פארמאגן בכלל נישט א דאַך איבער'ן קאפּ. עס זענען אלעמאל דא אזעלכע וואס פארמאגן ווייניגער פון אונז, און מיר דארפן דאנקען דעם באשעפער פון טיפן הארצן אז מיר לעבן אונטער בעסערע אומשטענדן.

פילע פון אונז זאגן מיט גרויס כוונה די ברכות פון שמונה עשרה, "רפאנו", "ברך עלינו" און אזוי ווייטער, ווען מיר זענען מתפלל אויף געזונט, פרנסה און אנדערע בקשות. אבער ווייניג לייגן אריין אזויפיל כוונה און געפיל אין די ברכה פון "מודים", וואו מען דאנקט דעם רבונו של עולם פאר אלע חסדים וואס ער טוט מיט אונז יעדן טאג און יעדע מינוט. ווען מיר בעטן דעם באשעפער אז ער זאל אונז צושיקן אונזערע באדערפענישן, טארן מיר נישט פארגעסן אים צו דאנקען אויף אלע גוטע זאכן וואס ער האט אונז שוין געגעבן.

> א תלמיד האט אמאל געפרעגט זיין רבי'ן פארוואס זיין שמונה־עשרה דויערט אזוי לאנג, זאגענדיג: "איך זאג ארויס יעדעס ווארט לאנגזאם מיט כונה, און ווען איך טרעט אויס 'עושה שלום' האלט נאך דער רבי טיף אינמיטן דאווענען".
>
> ענטפערט דער רבי: "זאגן די ווערטער פון שמונה־עשרה נעמט מיר נישט לענגער, אבער ווען איך קום אָן צו 'מודים' הויב איך אָן זיך מתבונן צו זיין אין די גרויסע חסדים וואס דער רבונו של עולם טוט מיט מיר. איך טראכט פון יעדן קינד און אייניקל וואס איך האב; די געוואלדיגע זכיה וואס איך פארמאג אז איך לערן דעם אויבערשטנ'ס תורה; די פרנסה וואס דער באשעפער גיט מיר. איך פארטיף זיך אין אלע מיינע געברויכן וואס דער אויבערשטער שטעלט מיר צו, און מיין הארץ ווערט אנגעפילט מיט א שבח והודאה צום באשעפער. ערשט דאן בוק איך זיך צום באשעפער און איך זאג ארויס פון מויל די ווערטער 'מודים אנחנו לך' ".

דער זכות פון מכוון זיין ביי די ברכה פון מודים איז גאר גרויס. דער דעת זקנים שרייבט (דברים י, יב) אז אויב איינער זאגט "מודים" מיט כוונה אזוי ווי די הלכה פאדערט ווערט

דאס גערעכנט ווי ער וואלט געזאגט "מאה ברכות" [זע מנחות מג, ב], און ער גיט א רמז דערויף: דאס ווארט "מודים" איז בגימטריא הונדערט.

> פאר די צווייטע וועלט מלחמה איז פארגעקומען אן אסיפה צווישן רבנים אין אייראפע, ביי וועלכער מערערע גדולי הדור האבן זיך באטייליגט. נאך די אסיפה איז איינער פון די משתתפים געשטאנען אינדרויסן פון האטעל צימערן און געהערט ווי איינער פון די רבנים זאגט: "רבונו של עולם, איך דאנק דיר פון טיפן הארצן פאר מיר צושטעלן א געזונטן גוף; באשעפער, איך דאנק דיר פון טיפן הארצן פאר מיר געבן אזא געטרייע בני בית; באשעפער, איך דאנק דיר אז דו שיקסט מיר צו פרנסה צו דעקן מיינע הוצאות".
> דעם קומענדיגן צופרי איז דער איד וואס האט דאס אונטערגעהערט, געגאנגען פרעגן ביי די האטעל באאמטע וועלכער רב איז איינגעשטאנען אין דעם צימער. עס האט זיך ארויסגעשטעלט אז דארט איז איינגעשטאנען נישט קיין אנדערער ווי דער חפץ חיים זצ"ל, וועלכער האט יעדע נאכט פארן שלאפן אפגעגעבן א שבח והודאה פאר השי"ת פון טיפן הארץ, אויסרעכענענדיג פארשידענע חסדים וואס דער רבונו של עולם טוט מיט אים.

הכרת הטוב איז דער שליסל צו שמחת החיים. אויב מען לייגט שטענדיג צו קאפ וויפיל חסדים דער באשעפער טוט מיט אונז, איז מען שטענדיג לוסטיג און פרייליך, ווי מיר זאגן יעדן טאג ביים דאווענען (תהלים ק, א) "מזמור לתודה... עבדו את ה' בשמחה" - אויב מען לויבט און דאנקט דעם באשעפער כסדר פאר אלע חסדים וואס מיר באקומען, קען אונזער עבודת ה' זיין מיט שמחה און צופרידנקייט. און ווען מען דינט דעם אויבערשטן מיט שמחה שיקט אונז דער אויבערשטער פון הימל נאכמער ברכות און השפעות.

15

פארוואס זעען מיר נישט דאס גוטס?

טייל מענטשן פרעגן: אויב אלעס וואס השי"ת טוט איז גוט, פארוואס זאלן מיר דאס נישט זען בחוש; נעמליך, אז אלעס וואס פאסירט אויף די וועלט איז פאר אונזער טובה? פארוואס טוט השי"ת זאכן וואס זעען אויס שלעכט פאר אונזערע אויגן?

ספרים זאגן, אז צומאל וויל דער אויבערשטער אונז אונטערשיקן א נסיון שאפענדיג א מצב וואס זאל אויסזען שלעכט, כדי אז מיר זאלן זיך שטארקן אין אמונה און מחזק זיין אז באמת איז אלעס פאר אונזער טובה. ווען מיר זענען זיך מתגבר אויף דעם נסיון און מיר גארטלען זיך אונטער מיט אמונה און בטחון אפילו דער מצב זעט אויס שווארץ, באקומען מיר שכר פאר'ן גלייבן אין באשעפער מיט תמימות. אמונה הייבט דעם מענטש צו הויכע מדריגות אין עבודת ה', און עס ברענגט אלע מיני ישועות און רפואות. דערפאר שטעלט אונז דער אויבערשטער אריין אין שווערע מצבים כדי מיר זאלן זיך מחזק זיין מיט אמונה.

אמונה הייבט דעם מענטש צו הויכע מדריגות אין עבודת ה', און עס ברענגט אלע מיני ישועות און רפואות.

די גמרא (ברכות ס, ב) דערציילט אז רבי עקיבא איז געפארן אויפ'ן וועג. אינמיטן וועג האט ער זיך אפגעשטעלט אין א שטעטל און האט דארט געוואלט איבערשלאפן די נאכט. קיינער האט אים אבער נישט געוואלט צושטעלן אן אכסניא. בלית ברירה איז רבי עקיבא געגאנגען שלאפן אין פעלד. רבי עקיבא האט געהאט מיט זיך זיין אייזל און א האן.

ער האט אנגעצינדן א ליכט און זיך געלייגט שלאפן. אבער ווי נאר רבי עקיבא האט זיך אראפגעלייגט איז אנגעקומען א לייב און האט אויפגעגעסן זיין אייזל. דערנאך איז אנגעקומען א קאץ און האט אויפגעגעסן זיין הינדל, און שפעטער האט אנגעהויבן בלאזן א שטארקען ווינט וואס האט אויסגעלאשן זיין ליכטל. רבי עקיבא איז יעצט געבליבן אָן גארנישט, אבער ער האט זיך מחזק געווען אז "כל דעביד רחמנא לטב – וואס דער באשעפער טוט איז צום גוטן".

ווען רבי עקיבא איז אויפגעשטאנען אינדערפרי, האט ער געזען אז עס הערשט א חורבן אין שטעטל. רויבערס זענען געקומען אינמיטן די נאכט און האבן בארויבט די איינוואוינער. יעצט האט זיך ארויסגעוויזן פאר יעדן וואס פאר א חסד דער באשעפער האט געטוען מיט אים. ווייל ווען די רויבערס וואלטן געזען דאס ליכטל וואס האט געשיינט נעבן אים, אדער זיי וואלטן געהערט די קולות פון זיין אייזל אדער הינדל, וואלטן זיי אים אויך בארויבט.

א משפיע האט אמאל געפרעגט אין א שמועס: פארוואס האט השי"ת געדארפט צוקומען צו אזעלכע מיטלען כדי די רויבער זאלן נישט שעדיגן דעם הייליגן תנא רבי עקיבא; דער באשעפער וואלט דען נישט געקענט מאכן אן אנדערן וועג אז זיי זאלן נישט באמערקן רבי עקיבא?

נאר דער תירוץ איז, אז רבי עקיבא איז געראטעוועט געווארן טאקע אין דעם זכות וואס ער האט נישט פארלוירן זיין אמונה אין באשעפער אפילו ווען זיין מצב האט אויסגעזען גאר שלעכט. דורך דעם וואס רבי עקיבא האט זיך פארלאזט אויפ'ן אויבערשטן און געגלויבט אז אלעס איז פאר זיין טובה, אפילו ווען עס האט נישט אויסגעזען אזוי, האט ער זיך איינגעקויפט די זכותים וואס האבן אויסגעפעלט פאר זיין ישועה, און ער איז געראטעוועט געווארן.

16

"גם זו לטובה" ברענגט ישועות

ערליכע אידן מיט אמונה פשוטה זענען אלעמאל געווען געוואוינט צו זאגן די ווערטער: "גם זו לטובה" (תענית כא, א), אדער "כל דעביד רחמנא לטב עביד" (ברכות ס, ב). זיי האבן פארשטאנען אז הקב"ה איז דער מקור הטוב, און ער האט באשאפן די וועלט "להטיב לברואיו". דאס אליין איז א סגולה ממשיך צו זיין א ישועה.

הרה"ק רבי מענדעלע מרימאנוב זי"ע האט געהאט א תלמיד וואס האט געהייסן רבי לוי יצחק. ר' לוי יצחק איז געווען א ביטערער ארעמאן וועלכער האט נישט געהאט קיין לחם לאכול אין שטוב. יעדעס מאל איידער ער איז געפארן צו זיין רבי'ן האט אים זיין רעביצין געבעטן בתחנונים אז ער זאל אויס'פועל'ן ביים רבי'ן א ברכה אויף פרנסה. אבער ר' לוי יצחק האט איר שטענדיג אפגעזאגט, טענה'נדיג: "צום רבי'ן פארט מען בלויז פאר רוחניות, זיך אנצוזאפן מיט תורה און יראת שמים, נישט פאר גשמיות'דיגע צוועקן".

מיט דער צייט האט זיך דער מצב הפרנסה ביי ר' לוי יצחק אין שטוב דערקייקעלט צו אזא שווערן שטאפעל, אז זיין רעביצין האט אים געזאגט מיט א שטרענגקייט אז טאמער ער וועט נישט בעטן דעם רבי'ן ר' מענדעלע א ברכה פאר פרנסה, זאל ער זיך נישט דערוואגן אהיימצוקומען פון רבי'ן. ר' לוי יצחק האט נישט געהאט קיין ברירה, און ער איז ארויסגעפארן צום רבי'ן מיט'ן פלאן צו בעטן א ברכה אויף פרנסה, און ערפילן זיין רעביצינ'ס בקשה.

ווען ר׳ לוי יצחק איז אנגעקומען צום רבי׳ן ר׳ מענדעלע אין הויף, האט ער אנגעהויבן פארברענגען מיט די חסידים און עוסק זיין אין העכערע ענינים. ער האט גענצליך פארגעסן אז ער דארף בעטן א ברכה אויף פרנסה. ווען ער האט שוין געהאלטן ביים אהיימפארן האט ער זיך דערמאנט אז ער קען נישט אהיימקומען אָן א ברכה אויף פרנסה. ער האט שוין געוואלט צוגיין צום רבי׳ן זיך אויסוויינען איבער זיין שווערע לאגע אין שטוב, אבער ער האט זיך פארט געקווענקלט, טראכטנדיג: "ווי אזוי קען איך בעטן דעם רבי׳ן א ברכה אויף אזא אומוויכטיגע זאך ווי געלט?"

אזוי האט ר׳ לוי יצחק זיך ארומגעדרייט א פארצווייפלטער אין בית המדרש, נישט קענענדיג זיך אנגארטלען מיט קוראזש צו בעטן א ברכה אויף פרנסה. נאך עטליכע טעג האט דער רבי ר׳ מענדעלע אים געלאזט רופן, און פרעגט אים: "ווי אזוי איז דער מצב אין שטוב?"

ענטפערט ר׳ לוי יצחק: "ברוך ה׳, איך האב אלעס וואס איך דארף; דער אויבערשטער האט מיר געשאנקען מכל טוב וטוב".

דער רבי האט זיך צעשמייכלט און אנגערופן: "דו מיינסט אז איך ווייס נישט אז דיין משפחה הונגערט און דו האסט נישט קיין לחם לאכול? אבער די ווערטער וואס דו האסט ארויסגעזאגט פון מויל, אז דו ביסט געבענטשט געווארן מכל טוב וטוב, האבן געשפאלטן הימלען, און אין דעם זכות וועסטו געבענטשט ווערן מיט עשירות אויף דורי דורות".

די ברכה פון דעם צדיק איז טאקע מקויים געווארן, און ווען ר׳ לוי יצחק איז אהיימגעקומען איז אים אונטערגעקומען א געלעגנהייט צו טון א געשעפט. מיט דער צייט האבן זיינע געשעפטן זיך פארברייטערט און ער איז געווארן א גרויסער עושר.

פון דעם זעען מיר דעם גרויסן שכר פון א איד וואס האלט זיך ביי די אמונה אפילו ווען עס גייט אים שווער, און גלייבט אז ער פארמאגט באמת אלעס וואס ער דארף האבן.

מקבל זיין דעם רצון ה'

א

איד איז אמאל געקומען צום הייליגן בעל שם טוב זי"ע, און אים געזאגט: "איך בין נישט קיין תלמיד חכם און איך בין נישט קיין גרויסער עובד ה', ווי אזוי קען איך דינען דעם רבונו של עולם אז איך זאל האבן א חלק אין עולם הבא?"

דער בעל שם טוב האט געענטפערט: "זיי מקבל אויף זיך צו זיין שטענדיג א "שמח בחלקו" מיט אלעס וואס דו פארמאגסט, און זיין צופרידן וויאזוי דער באשעפער פירט דיין לעבן אין אלע מצבים".

די גרעסטע מדריגה אין עבדות ה' איז ווען דער מענטש זאגט פאר'ן באשעפער מיט אן אמת: "דו פירסט מיין לעבן גענוי ווי עס דארף זיין". מיט דעם אנערקענט דער מענטש אז דער רבונו של עולם האט דעם פולסטן קאנטראל איבער זיין לעבן און אז אלעס וואס דער באשעפער טוט איז פאר זיין טובה. און ווען דער מענטש נעמט אריין דעם כלל ביי זיך אין הארץ און ער חזר'ט זיך עס איין אפילו נאכדעם וואס ער ווערט אראפגעקלאפט; איינמאל און נאכאמאל, דערגרייכט ער גאר א הויכע מדריגה וואס ווייניג קענען צוקומען דערצו.

ווען הגאון רבי יחזקאל אבראמסקי זצ"ל איז געווען אין רוסלאנד איז ער געווארן פארשיקט קיין סיביר דורך די קאמוניסטן. נאכדעם וואס הרב אבראמסקי האט באוויזן זיך ארויסצוזען פון דעם סאוויעטישן 'גן עדן', האט ער אמאל באגעגענט דעם ליובאוויטשער רבי'ן, דער מהריי"ץ זצ"ל, וועלכער האט אים געפרעגט: "ווי אזוי האט

איר זיך געהאלטן שטארק אונטער אזעלכע שווערע אומשטענדן?"

הרב אבראמסקי האט אנגעהויבן דערציילן זיין דראמאטישע געשיכטע: "די סאוויעטישע שפיאנאזש אגענטן האט מיר ארעסטירט אינמיטן די נאכט, זיי האבן פלוצלינג אנגעקלאפט ביי מיין טיר און מיך ארויסגעפירט. זיי האבן מיך נישט ערלויבט מיטצונעמען קיין שום זאך, אפילו נישט מיין מאנטל. איך בין אנגעקומען אין תפיסה אין מיין בלויזע העמד. דעם קומענדיגן צופרי, האב איך זיך אויפגעוועקט און געוואלט זאגן 'מודה אני' צו דאנקען דעם באשעפער אז ער האט מיר צוריקגעגעבן מיין נשמה. איך האב אבער געטראכט: "אויף וואס קען איך דאנקען דעם באשעפער? איך האב נישט קיין מאנטל; איך האב נישט קיין עסן; איך האב נישט מיין טלית ותפילין; איך האב נישט קיין שום ספר; איך האב גארנישט!"

הרב אבראמסקי האט פארגעזעצט: "איך האב אנגעהויבן זאגן 'מודה אני' ביז איך בין צוגעקומען צו די ווערטער 'רבה אמונתך', און מיטאמאל האב איך זיך געכאפט: עס איז מיר געבליבן נאך איין זאך - מיין אמונה! מיין הארץ איז געווארן אנגעפילט מיט פרייד, וויסענדיג אז איך האב מיט מיר די גרעסטע מתנה אויף דער וועלט וואס קיינער קען מיר נישט אוועקנעמען. און איך האב געטראכט צו זיך: אויף דעם קען איך דאנקען דעם באשעפער!"

ווען דער מהרי"ץ האט דאס געהערט האט ער זיך אויסגעדרוקט צו הרב אבראמסקי: "עס האט זיך געלוינט דורכצוגיין אלע שוועריקייטן כדי צו דערגרייכן צו אזא הויכע מדריגה אין אמונה".

ווען א איד דרייט זיך ארום מיט אזעלכע דערהויבענע מחשבות פון אמונה אין באשעפער באקומט ער א נייע נשמה. זיין גאנץ לעבן גייט אים אנדערש, און פון הימל שיקט מען אים אראפ השפעות און ישועות. ווען א איד איז צופרידן מיט אלעם וואס ער האט, אין יעדן מצב וואס ער געפינט זיך, ווערט ער א כלי קיבול צו באקומען אלע ברכות פון באשעפער, ווי עס שטייט אין פסוק (דברים לג, כג): "נַפְתָּלִי שְׂבַע רָצוֹן וּמָלֵא בִּרְכַּת ה' ". ווען א מענטש איז צופרידן און רואיג, ווערט זיין לעבן אנגעפילט מיט ברכות.

אמונה ברענגט רפואות

ווי אזוי קען מען זיך שטארקן אין אמונה ווען מען ליידט
פון א שווערע מחלה, רחמנא ליצלן?

דער תירוץ דערויף שטייט אין פסוק (משלי יח, יד):
"רֽוּחַ אִישׁ יְכַלְכֵּל מַחֲלֵהוּ וְרֽוּחַ נְכֵאָה מִי יִשָּׂאֶנָּה". דער ווילנער
גאון (ביאור הגר"א) איז מסביר דעם פסוק מיט די פאלגנדע
ווערטער:

"כשהאיש תמיד בשמחה אף שתבא עליו מחלה ח"ו הוא
יכלכל מחלהו בשמחתו יבטלנה, אבל מי שיש לו רוח נכאה
מי יכול לישא זאת – ווען א מענטש איז שטענדיג בשמחה,
אפילו אויב ער ווערט קראנק חס ושלום, וועט ער זיך קענען
היילן דורכ'ן זיין בשמחה. אבער ווען א מענטש איז צעבראכן,
ווי אזוי וועט ער דאס קענען דורכטראגן?"

אין אנדערע ווערטער, א מענטש קען זיך אויסהיילן פון
זיין קרענק און זיך שטארקן דערויף דורך זיין בשמחה. ווען
דער חולה נעמט אריין ביי זיך אין קאפ אז ער גרעפינט זיך אין
באשעפער'ס הענט, און אז דער באשעפער קען אויסהיילן
זיין מחלה אין איין מינוט, וועט ער זיין בשמחה אפילו ער
ליגט קראנק אין בעט. ווען מען טראכט אזעלכע מחשבות
ברענגט מען אויף זיך אן אינערליכע צופרידנהייט, און דאס
אליין פארשנעלערט די ערהוילונג.

> ווען א מענטש איז
> שטענדיג בשמחה,
> אפילו אויב ער
> ווערט קראנק חס
> ושלום, וועט ער
> זיך קענען היילן
> דורכ'ן זיין בשמחה.

איך האב געהאט א ידיד וועלכער האט באקומען די
ביטערע מחלה ל"ע. די דאקטוירים האבן אים געזאגט
אז ער האט שוואכע אויסזיכטן איבערצולעבן. מיין ידיד
האט זיך אבער נישט געלאזט ווערן צעבראכן, און ער איז

ווייטער געקומען צו מיינע שיעורים יעדן צופרי מיט א
שמייכל אויפ'ן פנים, זאגענדיג: "ברוך ה', דער באשעפער
האט מיר געגעבן נאך א טאג צו לעבן". דער איד איז
קיינמאל נישט אריינגעפאלן אין א מרה שחורה. איך האב
אים באזוכט אין שפיטאל בשעת מען האט אים געגעבן
שווערע באהאנדלונגען און ער איז געווען מלא יסורים.
יעדעס צווייטע ווארט וואס איז ארויסגעקומען פון זיין
מויל איז געווען: "ברוך ה' " אדער "געלויבט השם יתברך".
עטליכע טעג פאר יום כיפור, ווען ער האט שוין געהאלטן
נאך מערערע באהאנדלונגען, איז דער איד צוגעקומען
צו מיר, זאגענדיג אז ערב יום כיפור וועלן די דאקטוירים
דורכפירן א טעסט אויף אים, און די רעזולטאטן וועלן
צוריקקומען א טאג נאך יום כיפור. ער האט צוגעגעבן
דערביי: "דער באשעפער איז אזוי גוט צו מיר! ער האט
מיר געגעבן א געלעגנהייט צו דאווענען יום כיפור און זיך
אויסבעטן א רפואה שלימה".
נאך יום כיפור איז דער איד ווידעראמאל צוגעקומען צו
מיר און געזאגט מיט פרייד, אז די דאקטוירים האבן אים
איבערגעגעבן אז דער טעסט איז צוריקגעקומען גענצליך
ריין. ער איז פולשטענדיג פטור געווארן פון דער מחלה.
איך האב דאן געזען בחוש ווי די ווערטער פון דעם פסוק
זענען מקויים געווארן – "רוח איש יכלכל מחלהו", דער
גוטמוטיגער צוגאנג וואס דער איד האט אנגעהאלטן
דורכאויס אלע שווערע זמנים האט געהאלפן אז ער זאל
ווערן אויסגעהיילט פון זיין מחלה.

19

עפענט די אויגן

עס איז פאראן א באקאנטער מדרש (בראשית רבה נג, יד) וואס מענטשן פירן זיך צו זאגן ווען זיי זוכן עפּעס וואס זיי האבן פארלוירן: "אמר רבי בנימין: הכל בחזקת סומין עד שהקדוש ברוך הוא מאיר את עיניהם – רבי בנימין האט געזאגט: אלע ווערן באטראכט ווי בלינדע ביז דער אויבערשטער עפנט אויף די אויגן".

דער מקור פון דער מימרא קומט פון די מעשה פון הגר, וועלכע האט געוואנדערט אין מדבר מיט איר זון ישמעאל, און די תורה זאגט (בראשית כא, יט): "וַיִּפְקַח אֱלֹקִים אֶת עֵינֶיהָ וַתֵּרֶא בְּאֵר מָיִם – דער באשעפער האט געעפענט אירע אויגן און זי האט געזען א ברונע מיט וואסער". ר' בנימין לערנט אונז אז דער באשעפער האט נישט באשאפן א פרישע ברונע; נאר געעפענט הגר'ס אויגן אז זי זאל קענען זען די ברונע וואס האט זיך דארט געפונען די גאנצע צייט. ביז ווילאנג דער אויבערשטער האט איר נישט ערלויבט צו קענען זען דעם ברונע מיט די אויגן האט זי דאס נישט געקענט זען.

דער הייליגער בעל שם טוב זי"ע איז אמאל געפארן אויפ'ן וועג אינאיינעם מיט א תלמיד. אינמיטן וועג האט זיך זייער וואסער אויסגעלאזט, און דער תלמיד איז געווארן זייער דארשטיג. דער תלמיד האט זיך אנגעהויבן שפירן זייער שלעכט און געזאגט פאר זיין גרויסן רבי'ן אז אויב ער וועט נישט זאפארט טרעפן וואסער וועט ער חלילה אויסגיין פון דארשט.

דער בעל שם טוב האט זיך אויסגעדרייט צום תלמיד און געפרעגט: "דו גלייבסט באמונה שלימה אז דער באשעפער ווייסט אז דו ביסט דארשטיג און דו מוזט האבן

וואסער צו דערהאלטן דיין חיות? און צי גלייבסטו אז דער באשעפער קען דיר אהערשיקן וואסער אין איין רגע?"

"יא", האט דער תלמיד געענטפערט, "איך גלייב באמונה שלימה".

"דאן זארג דיך נישט", האט דער בעל שם טוב געזאגט, "דער באשעפער וועט דיר צושיקן וואסער".

עטליכע מינוט שפעטער איז א רייזנדער דורכגעפארן און זיך אפגעשטעלט נעבן זיי. דער רייזנדער האט זיי געפרעגט: "איר האט געזען מיינע אייזלען? איך זוך זיי שוין עטליכע טעג און איך קען זיי נישט געפונען".

דער בעל שם טוב און זיין תלמיד האבן געזאגט אז זיי האבן נישט געזען קיין שום אייזלען. זיי האבן דערביי געפרעגט צי ער האט איבריג וואסער ווייל זיי גייען חלילה אויס פון דארשט. דער מענטש האט טאקע געהאט מיט זיך גענוג וואסער, און ער האט עס דערלאנגט פאר'ן תלמיד, וועלכער האט געמאכט אן ערליכע ברכה און אפגעשטילט זיין דארשט.

"דו זעסט?" האט דער בעל שם טוב געזאגט פאר זיין תלמיד, "די גאנצע צייט האט דער באשעפער געהאט גרייט דאס וואסער פאר דיר; מיר האבן עס נאר גדארפט טרעפן".

"די גאנצע צייט האט דער באשעפער געהאט גרייט דאס וואסער פאר דיר; מיר האבן עס נאר גדארפט טרעפן".

דער תלמיד האט נישט נאכגעלאזט און געפרעגט: "פארוואס האט אבער אויסגעפעלט דערצו אז דער מענטש זאל זוכן זיינע אייזלען דריי טעג כדי מיר זאלן יעצט האבן וואסער"?

"ווייל דער אויבערשטער גרייט אָן די רפואה קודם למכה," האט דער בעל שם טוב געענטפערט. "יעדעס מאל וואס מיר האבן א פראבלעם האט דער באשעפער שוין אנגעגרייט די עצה צו דעם פראבלעם פון פאראויס; מיר דארפן בלויז טרעפן די צוגעגרייטע לעזונג".

"הכל בחזקת סומין" – די לעזונגען צו אלע אונזערע פראבלעמען געפינען זיך פארנט פון אונזערע אויגן; מיר דארפן בלויז בעטן דעם באשעפער אז ער זאל עפענען די אויגן כדי מיר זאלן עס קענען זען. אויב מיר זענען מתפלל צום באשעפער און מיר בעטן אים אז ער זאל אונז באלייכטן דעם וועג און עפענען די אויגן וועלן מיר זען ווי דער באשעפער האט שוין פון פאראויס אראפגעשיקט אלע ישועות צו וואס מיר דארפן צוקומען.

20

נישט ווערן מיואש

מיר אלע ווייסן אז דער באשעפער פירט די וועלט, ווי מיר זאגן אין 'אני מאמין': "הוּא בּוֹרֵא וּמַנְהִיג לְכָל הַבְּרוּאִים". עס מאכט זיך אבער אמאל וואס מיר ווערן מיואש; מיר שפירן אז אונזער לעבן איז נישט אין ארדענונג. ווען עלטערן זוכן א שידוך פאר זייער קינד, און עס גייט פארביי יארן וואס זיי ווערן נישט געהאלפן טראץ אלע זייערע באמיאונגען און תפילות, קענען זיי זיך באמת אנהויבן וואונדערן: צי הערט דער באשעפער צו אונזערע תפילות? ווען א איד מוטשעט זיך אויף פרנסה און ער קען נישט דעקן זיינע חובות, אדער א מענטש ליידט פון א שווערע מחלה און די דאקטוירים קומען אים מעלדן די שלעכטע בשורה אז זיין באהאנדלונג איז דורכגעפאלן ל"ע, קען ער ווערן פארביטערט און אנהייבן טראכטן: ווערן מיינע תפילות אנגענומען?

דער אמת איז אבער אז ווען א איד הייבט אָן אריינפאלן אין יאוש; ווען ער זעט אז זיינע תפילות ווערן נישט אנגענומען און ער הייבט אָן צווייפלען צי דער באשעפער הערט זיך צו צו אים – דוקא דעמאלט איז די צייט ווען מען דארף זיך אנגארטלען מיט חיזוק און האפענונג; דוקא אין די מינוטן איז די בעסטע צייט אויסצובעטן א ישועה.

חז"ל דערציילן אונז (ילקוט שמעוני שמואל-א פט) אז חנה איז געווען קינדערלאז במשך ניינצן יאר. איר צער איז געווען אומגעהויער גרויס. אבער דוקא דעמאלט, ווען ס'האט אויסגעזען האפענונגסלאז, איז חנה געגאנגען צום משכן און זיך אויסגעגאסן דאס הארץ פאר השי"ת, בעטענדיג אז זי זאל זוכה זיין צו קינדער. די גמרא (ברכות לא, ב) דערציילט

אז חנה איז געווען אזוי איבערצייגט אז דער אויבערשטער וועט איר העלפן, אז זי האט געגעבן געשילדערט וואס פאר א קינד זי וויל האבן. ער זאל נישט זיין צו קלוג, אבער אויך נישט נאריש; נישט צו הויך און נישט צו נידריג א.ד.ג. און ווען דער אויבערשטער האט געזען איר ריינע אמונה און אמת'ע בטחון האט ער איר געשאנקען א קינד וואס האט באלאכטן די וועלט: שמואל הנביא. אין זכות וואס זי האט זיך מחזק געווען אין אמונה, אפילו ווען עס האט אויסגעזען ווי עס איז נישטא מער וואס צו טוען, זענען אירע תפילות נתקבל געווארן אויפ'ן בעסטן אופן.

דוד המלך זאגט אין תהלים (כז, יד): "קַוֵּה אֶל ה' חֲזַק וְיַאֲמֵץ לִבֶּךָ וְקַוֵּה אֶל ה'". מיר דארפן האפן צום באשעפער, און ווען עס קוקט אויס אז דער מצב איז ח"ו נישט גוט און דער באשעפער נעמט נישט אן אונזערע תפילות, דאן איז די צייט ווען מען דארף זיך שטארקן אין אמונה און ווייטער האפן צום באשעפער, און אנהאלטן בטחון אז יעדע תפלה פון א איד טוט אויף אין הימל.

הגאון רבי צדוק הכהן פון לובלין זאגט א מורא'דיגן געדאנק איבער דעם ענין (דברי סופרים טז). אויב מיר וועלן זיך מתבונן זיין אין אברהם אבינו און שרה אמנו וועלן מיר זען, אז על פי דרך הטבע האבן זיי נישט געקענט האבן קינדער ווי עס שטייט אין פסוק (בראשית כא, ז): "מִי מִלֵּל לְאַבְרָהָם הֵינִיקָה". דוקא דאן, אין א מצב פון פולשטענדיגע יאוש, האט השי"ת זיי געשאנקען יצחק על פי נס. קומט אויס אז די עקזיסטענץ פון אידישן פאלק שטאמט פון א מצב פון יאוש. דאס איז א לימוד לדורות אז א איד טאר זיך קיינמאל נישט מייאש זיין, ווייל אין יעדן מצב קען השי"ת העלפן.

עס איז כדאי צו ציטירן דאס לשון פון רבי צדוק: "מאת ה' היתה זאת, שיהיה בנין האומה דוקא אחר היאוש הגמור שלא האמין שום אדם, ואפילו שרה שתיפקד עוד, כי זה כל האדם הישראלי להאמין שאין להתייאש כלל, דלעולם השם יתברך יכול לעזור".

ענליכס טייטשן ספרים אויף דעם וואס נעמי האט געזאגט (רות א, יב): "כִּי אָמַרְתִּי יֶשׁ לִי תִקְוָה". אפילו אין א צייט ווען א מענטש איז פארצווייפעלט אין זיין האפענונג, העלפט השי"ת.

די עקזיסטענץ פון אידישן פאלק שטאמט פון א מצב פון יאוש. דאס איז א לימוד לדורות אז א איד טאר זיך קיינמאל נישט מייאש זיין, ווייל אין יעדן מצב קען השי"ת העלפן.

21

נישט פארלירן האפענונג

דער אויבערשטער ווערט אנגערופן "מַצְמִיחַ יְשׁוּעָה – ער מאכט שפּראצן ישועות". עס מאכט זיך אמאל אז א מענטש האט א פּראבלעם אין לעבן, און ער איז מתפלל צום באשעפער אז ער זאל אים ארויסהעלפן אין זיין קלעם. דערנאך זעט ער אז נישט בלויז וואס דער מצב איז נישט בעסער געווארן, נאר עס איז גאר ערגער געווארן. אין אזא פאל קען מען ווערן זייער צעבראכן.

אין אזעלכע מינוטן מוז מען געדענקען אז דער באשעפער איז "מַצְמִיחַ יְשׁוּעָה". ווען איינער פלאנצט איין א קערנדל אין דער ערד, ווערט עס קודם פארפוילט, דערנאך ווערט עס איינגעווארצלט, און ערשט נאכדעם קען ארויסוואקסן א פרישביימל. אויב איינער האט נישט קיין געדולד צו ווארטן ביז דער בוים וואקסט ארויס, און ער גראבט ארויס דעם קערנדל און זעט אז עס איז גענצליך פארפוילט, קען ער ווערן זייער מיואש און טראכטן אז עס וועט שוין קיינמאל גארנישט ארויסוואקסן דערפון. א בר דעת פארשטייט אבער אז דער קערנדל דארף דורכגיין עטליכע שטאפלען ביז עס וואקסט ארויס א בוים. ער ווייסט אז פון דעם פארפוילטן קערנדל וועט נאך איין טאג ארויסקומען א הערליך ביימל וואס וועט ארויסגעבן געשמאקע פּירות. אזא מענטש וועט ארבעטן שווער צו באוואסערן די ערד און זיך אפגעבן מיט דעם קליינעם קערנדל ביז עס צעבליט זיך אין א הערליך בוים, און דאן וועט ער געניסן פון די פּירות פון זיין הארעוואניע (זע מדרש שוחר טוב סוף מזמור יח).

מען דארף געדענקען אז דער באשעפער מאכט 'שפּראָצן' ישועות, געננוי ווי א ביימל שפּראָצט ארויס פון דער ערד. עס דויערט א לענגערע צייט ביז מען זעט די פרוכט פון די ארבעט. מען טאר נישט פארלירן האפענונג ווען עס גייט דורך א לאנגע צייט און מען זעט נישט די ישועה פאר די אויגן. מען דארף גלייבן באמונה שלימה אז עווענטועל וועט די ישועה אנקומען, און מען מוז זיין געדולדיג און אינוועסטירן כח און מוח, תפילות און בקשות ביז מען זעט די פּירות.

פילמאל מאכט זיך אז מען ווערט מיואש דוקא ווען די ישועה האלט שוין ביים אנקומען. דאס איז גלייך צו א ניי־געבוירן קינד וואס וועקט זיך אויף פון שלאף מיט א געוויין, און די מאמע זעט אז דאס קינד איז דארשטיג און דארף טרינקען. די מאמע גייט אריין אין קיך צוגרייטן א פלעשל. אינצווישן וויינט דאס קינד מיט ביטערע טרערן. דאס געוויין ווערט אלץ שטארקער און הילכיגער, ביז די רגע וואס די מאמע לייגט אריין דאס פלעשל אין מויל פונעם קינד, און עס בארואיגט זיך. דאס קינד האט נישט געוואוסט אז בשעת עס האט געוויינט האט די מאמע צוגעגרייט דאס פלעשל מיט גרויס געטריישאפט. דאס קינד האט נישט פארשטאנען אז דאס וואסער ליגט שוין פארנט פון אים, און האט ווייטער געוויינט מיט הילכיגע בכיות ביז דאס פלעשל האט אנגערירט זיינע ליפּן. דאס זעלבע איז ווען מיר וויינען און שרייען צום באשעפער בשעת די ישועה איז שוין אט אט ביים שוועל פון די טיר. דער באשעפער גרייט זארגפעלטיג צו אונזער ישועה בשעת מיר וויינען און שרייען צו אים, און דוקא אט די תפילות וואס ווערן געזאגט מיט די לעצטע כוחות, ווען מיר האלטן שוין ביי יאוש, ברענגען צום סוף די ישועה.

נאכ'ן חטא העגל, האט דער אויבערשטער געזאגט פאר משה רבינו אויף די אידן (דברים ט, יד): "הֶרֶף מִמֶּנִּי וְאַשְׁמִידֵם". קיין שום מצב קען נישט זיין ערגער ווי דאס. חז"ל לערנען אונז אבער (ברכות לב, א) אז "מיד עמד ונתחזק בתפילה ובקש רחמים". באלד ווען משה האט געהערט די ווערטער און עס האט אויסגעזען אז עס איז מער נישטא קיין שום האפענונג פאר כלל ישראל האט ער אנגעהויבן בעטן אז דער באשעפער זאל צוריקציען פון זיין גזר דין. און די תפילה, וואס איז געזאגט געווארן ווען כלל ישראל איז געווען אויפ'ן שוועל פון אונטערגאנג און עס האט שוין געהאלטן חלילה ביים ערגסטן, האט אויסגע'פּועל'ט די ישועה.

דוקא די תפילות וואס ווערן געזאגט מיט די לעצטע כוחות, ווען מיר האלטן שוין ביי יאוש, ברענגען צום סוף די ישועה.

פון דעם לערנען מיר אז דוקא ווען מען האלט שוין ביי א מצב פון יאוש ח"ו; ווען אלעס איז שווארץ און מען זעט נישט קיין האפענונג, דאן איז די צייט זיך מחזק צו זיין מיט אמונה און נישט אויפהערן צו בעטן. מ'דארף געדענקען אז אלעס קען זיך טוישן אין איין רגע, און אין זכות פון די אמונה וועט די ישועה אנקומען. מען טאר נישט הייבן הענט אפילו אין דעם שווערסטן מצב, ווייל עס איז שטענדיג דא א שיין פון ליכטיגקייט אין דעם ווייטן האריזאנט.

פארוואס זיך זארגן?

די טבע פון מענטשן איז זיך ארומצודרייען מיט דאגות איבער אלע זייערע פראבלעמען. ווען מיר וואלטן אבער באמת געוואוסט אז דער רבונו של עולם איז משגיח אויף אונז אויף אלע פרטים, וואלטן מיר נישט גע'דאגה'ט אזויפיל, און מיר וואלטן געלעבט פיל רואיגער.

ווען דער אויבערשטער האט געהייסן אברהם אבינו אז ער זאל אויספאלגן די בקשה פון שרה אמנו און פארטרייבן זיין דינסט הגר און איר זון ישמעאל, האט דער באשעפער צוגעזאגט אז פון ישמעאל וועט אויך ארויסקומען א גרויס פאלק, ווי עס שטייט אין פסוק (בראשית כא, יג): "וְגַם אֶת בֶּן הָאָמָה לְגוֹי אֲשִׂימֶנּוּ". אבער באלד נאכדעם, ווען הגר האט אנגעהויבן וואנדערן אין מדבר, און ישמעאל איז געווארן דארשטיג, לעכצענדיג פאר אביסל וואסער, האט עס אויסגעזען ווי ישמעאל וועט נישט איבערלעבן. זיין מאמע הגר האט אים געלייגט אונטער א בוים, נישט וועלענדיג צוזען ווי איר קינד גייט אויס פאר אירע אויגן. אבער באמת האט הגר נישט געהאט וואס זיך צו זארגן, ווייל דער באשעפער האט שוין צוגעזאגט פאר אברהם אז ישמעאל וועט בלייבן לעבן און האבן קינדער און אייניקלעך פון וועלכע עס וועט ארויסקומען א ריזיג פאלק, און אזוי האט ווירקליך פאסירט.

מיר דארפן ארויסנעמען דערפון א מוסר השכל אויף אונזער לעבן, און טראכטן אויפ'ן עבר ווי השי"ת האט אונז אויסגעלייזט פון אונזערע צרות אין דער פארגאנגענהייט. מיר

קענען אלע צוריקקוקן צו שווערע געשעענישן אין אונזער לעבן, און די לעבענס פון אונזערע עלטערן, ווען עס האט אויסגעזען אז עס איז נישטא קיין וועג ארויס, אבער צום סוף האט זיך אלעס אויסגעשטעלט צום גוטן. קוקנדיג אויף צוריק קענען מיר נישט פארשטיין פארוואס מיר האבן זיך אזוי געזארגט און מורא געהאט אז מיר וועלן בלייבן שטעקן אין דעם פראבלעם.

פילע מענטשן האבן שוועריגקייטן מיט פרנסה. זיי זענען אנגעצויגן און באזארגט צוליב זייער שווערן פינאנציעלן מצב, און זיי פארלירן דעם קאפ זיך צו קענען קאנצענטרירן אויף זייער טאג טעגליך לעבן. דאס צעשטערט זייער שלום בית און לאזט זיי נישט פונקציאנירן אויף א נארמאלן אופן. די עצה פאר אזא מענטש איז מרומז אין דעם פסוק אין אשת חיל (משלי לא, טו): "וַתָּקָם בְּעוֹד לַיְלָה וַתִּתֵּן טֶרֶף לְבֵיתָהּ". דער פשוט'ער פשט איז אז דער פסוק לויבט אויס די איבערגעגעבענע מאמע וואס שטייט אויף פארטאגס און גרייט אן עסן פאר איר משפחה. אבער עס איז פאראן א רמז אין דעם פסוק. "וַתָּקָם בְּעוֹד לַיְלָה" – אויב א מענטש קען זיך 'אויפהייבן' אפילו ווען ער איז אין א טונקעלען און פינסטערען מצב, דאן "וַתִּתֵּן טֶרֶף לְבֵיתָהּ" – וועט דער באשעפער זיכער מאכן אז ער האט אלעס וואס ער דארף פאר זיך און פאר זיין משפחה.

אויב א מענטש גארטלט זיך אָן מיט אמונה אפילו ווען אלעס זעט אויס גאר שלעכט, און ער בעט דעם באשעפער, זאגענדיג: "איך טו וואס איך קען און איך גלייב אז דו וועסט מיר העלפן אז עס זאל מיר גארנישט פעלן; איך וועל זיך דעריבער האלטן רואיג און מתפלל זיין צו דיר מיט בטחון און האפענונג", דאן וועט אים דער רבונו של עולם טאקע העלפן און פארזארגן מיט אלע זיינע געברויכן.

קוקנדיג אויף צוריק קענען מיר נישט פארשטיין פארוואס מיר האבן זיך אזוי געזארגט און מורא געהאט אז מיר וועלן בלייבן שטעקן אין דעם פראבלעם.

23

איר דארפט געלט? נישט קיין פראבלעם

א איד וואס האט בטחון זארגט זיך נישט פאר זיין פרנסה. דער חובת הלבבות שרייבט אין שער הבטחון (פתיחה), אז אויב איינער האט בטחון אז דער באשעפער וועט אים צושיקן זיין פרנסה, איז ער פארזיכערט אז עס וועט אים קיינמאל נישט פעלן זיינע וויכטיגסטע געברויכן.

מענטשן זארגן זיך אפטמאל ווי אזוי זיי וועלן קענען אויסצאלן די הוצאות וואס זיי וועלן האבן יארן שפעטער, כאטש עס איז נאך בכלל נישט נוגע. עס איז וויכטיג צו געדענקען אז דער באשעפער גיט טאקע יעדן זיינע געברויכן, אבער דאס מיינט נישט אז ער גיט דעם מענטש געלט וואס ער דארף נאכנישט האבן.

א איד איז אמאל געקומען צום בריסקער רב זצ"ל און האט זיך געזעגענט פון אים, זאגענדיג אז ער פארט ארויס קיין אמעריקע נאך געלט. האט אים דער בריסקער רב געפרעגט פארוואס ער פארט קיין אויסלאנד נאך געלט - "עס איז נישטא גענוג געלט אין ארץ ישראל?"
האט דער איד געענטפערט: "איך האב פרובירט צוזאמצושטעלן געלט דאהי, אבער עס איז נישט געגאנגען".

פרעגט דער בריסקער רב: "ווען דארפסטו האבן דאס געלט?"
ענטפערט דער איד: "אין דריי וואכן".
רופט אויס דער בריסקער רב מיט שטוינונג: "דו זארגסט זיך יעצט איבער געלט וואס דו דארפסט האבן אין דריי וואכן?! דאס געלט פאר מיין ישיבה קומט געווענליך אריין בלויז א טאג פאר איך דארף עס האבן!"

א געוויסער רב און מרביץ תורה האט געוואלט עפענען א ישיבה. און ס'איז געווען א פלאץ גרייט צום פארקויפן פאר הונדערט טויזענט רובל. דער רב האט נישט געהאט אפילו נאענט צו די סומע, אבער דער אייגענטימער פונעם ארט האט וויכטיג געדארפט האבן קעש, און ער האט דעריבער אנגעבאטן דעם רב עס צו פארקויפן פאר האלב פרייז; פאר בלויז פופציג טויזנט רובל, בתנאי אז דער רב צאלט פינף און צוואנציג טויזנט רובל אויפ'ן ארט, און דאס איבריגע אין די קומענדיגע דריי וואכן. זיי האבן אפגעמאכט אז אויב דער רב וועט נישט אויסצאלן דאס איבריגע געלט וועט די איינגאבע ("דעפאזיט") בלייבן ביים אייגענטימער.
דער רב האט זיך דורכגערעדט מיט זיין רעביצין, און זיי האבן באשלאסן אז וויבאלד די ישיבה איז אזוי וויכטיג פאר די דארטיגע אידן מוזן זיי איינשטעלן דאס געלט. זיי האבן ארויסגענומען פינף און צוואנציג טויזנט רובל פון זייער אייגן געלט וואס זיי האבן באקומען אלס נדן, און עס אהינגעגעבן פאר דעם אייגנטימער פון דעם שטיק לאנד. זיי האבן געהאפט אז ווען מענטשן וועלן הערן איבער זייער פלאן צו בויען א ישיבה וועלן זיי עפענען זייערע הערצער און געבן ברייטהארציגע נדבות.
למעשה האט זיך אבער ארויסגעשטעלט אז די נויטיגע סומע געלט איז נישט אריינגעקומען. מענטשן האבן זיך ארויסגעדרייט און נישט גערן געגעבן פאר דעם צוועק. א נאכט פאר זיי האבן געדארפט אפגעבן דאס איבריגע געלט האט דער רב אויפגעהויבן זיינע אויגן צום באשעפער מיט א הייסע תפילה אויף זיינע ליפן און ער האט צוגעענדיג: "באשעפער, איך האב געטוען מיין השתדלות, דאס איבריגע לאז איך אין דיינע הענט". ער

"באשעפער, איך האב געטוען מיין השתדלות, דאס איבריגע לאז איך אין דיינע הענט".

איז דאן געגאנגען אין בית המדרש לערנען, און ווי ער
האט שפעטער דערציילט האט ער געלערנט מיט אן
אויסערגעוויינליכע רואיגקייט, פילענדיג ווי א שווערע
לאסט איז אראפ פון זיינע פלייצעס.
דער רב איז אהיימגעקומען פון בית המדרש צוויי אזייגער
פארטאגס, און ער איז געווארן איבערראשט צו זען ווי די
צוויי גרעסטע עשירים פון שטאט שטיין ביי זיין טיר.
זיי האבן זיך אנגערופן צום רב: "אנטשולדיגט פאר'ן
קומען אזוי שפעט, אבער מיר האבן נארוואס
אויסגעפירט א שידוך, און מיר ווילן איינלייגן ביים רב דעם
נדן פון חתן כלה אלס א פקדון".
די אידן האבן אים אהינגעגעבן דעם נדן. ווען דער רב
האט געעפענט דאס פעקל געלט, איז אים געווארן
ליכטיג פאר די אויגן. דאס פעקל האט אנטהאלטן גענוי
פינף און צוואנציג טויזנט רובל!
דער רב האט זיי געפרעגט רשות צי ער מעג נוצן דאס
געלט ביז דערווייל אויב ער דארף עס, און זיי האבן אים
געגעבן ערלויבעניש עס צו נוצן אויב ער צאלט עס צוריק
ביז זעקס חדשים.
דעם קומענדיגן טאג האט דער רב געברענגט דאס געלט
פאר דעם מוכר כדי צו ענדיגן דעם מקח. פארשטייט
זיך, אז איבער די קומענדיגע זעקס חדשים האט דער רב
געארבעט צוזאמצושטעלן דאס געלט און עס באצאלן
פאר זיי.

מיר דארפן האבן בטחון אין באשעפער און געדענקען אז פאר'ן באשעפער פעלט נישט קיין וועגן ווי אזוי צוצושטעלן אונזערע געברויכן. ער האט גרייט אלע מיני אופנים דורך וואס ער קען אונז צושיקן די נויטיגע הילף, און אפטמאל קען ער אונז ארייינשיקן הילף אויף אן אופן וואס מיר וואלטן קיינמאל נישט גע'חלומ'ט.

24

השי"ת איז דער "בורא ומנהיג"

דער חובת הלבבות רעכענט אויס צווישן די מעלות פון א בעל בטחון, אז אויב מען פארשטייט אז נאר דער רבונו של עולם קען באשליסן אויב מיר זאלן פארדינען געלט אדער נישט, וועט מען מער נישט זיין פארשקלאפט צו אנדערע מענטשן. א חשוב'ער ראש ישיבה איז דאס מסביר ווי פאלגענד: שטעלט זיך פאר אז א גוטער חבר קומט צו אייך און זאגט אז ער קען ערלעדיגן אז איר זאלט ווערן א גוטער פריינט פון א געוויסן גרויסן עושר. עס איז קלאר אז איר וואלט זיך צוגעכאפט צו דעם אנבאט און געווארן דעם עושר'ס חבר, ווייל איר ווייסט אז דאס וועט אייך ברענגען פרעסטיזש אדער געלט. איר זענט איבערצייגט אז איר שטייט אויס צו פארדינען פון אייער פריינטשאפט מיט דעם עושר. דאס מיינט אז ביי מענטשן איז גאר וויכטיג צו האבן קשרים מיט וויכטיגע פערזענליכקייטן.

דער געדאנקענגאנג פון ווען געפעלן פאר אנדערע, ווייל עס לוינט זיך צוליב די בענעפיטן וואס די פריינטשאפט גיט אונז, ברענגט אז מיר זאלן אינוועסטירן אָן א שיער כח און מוח ביים פרובירן צו באאיינדרוקן פרעמדע מענטשן. דאס ברענגט אבער אז מיר זאלן ווערן מער און מער אפהענגיק אין אנדערע מענטשן און אזוי ארום דערווייטערט ווערן פון באשעפער. דער יסוד פון דעם ערשטן אני מאמין איז אבער אז דער באשעפער פירט די וועלט: "אֲנִי מַאֲמִין בֶּאֱמוּנָה שְׁלֵמָה. שֶׁהַבּוֹרֵא יִתְבָּרַךְ שְׁמוֹ הוּא בּוֹרֵא וּמַנְהִיג לְכָל הַבְּרוּאִים. וְהוּא לְבַדּוֹ עָשָׂה וְעוֹשֶׂה וְיַעֲשֶׂה לְכָל הַמַּעֲשִׂים".

אויף אן אנדער ארט שרייבט דער חובת הלבבות (שער הבטחון), אז איינס פון די סאמע יסודות אין אמונה איז אז א איד מוז גלייבן, אז ווען מיר באקומען סיי וועלכע טובה פון א צווייטן – קומט עס נאר פון דעם באשעפער. אודאי מוזן מיר אויסדרוקן הכרת הטוב פאר דעם בעל טובה, אבער אין די זעלבע צייט מוזן מיר אויך גלייבן אז דער באשעפער האט געפירט דערצו אז מיר זאלן באקומען די טובה, און אויב יענער וואלט עס אונז נישט געגעבן וואלטן מיר עס באקומען אויף אן אנדערן אופן.

מיר ארבעטן אזוי שווער צו באאיינדרוקן אנדערע מענטשן – אונזערע ארבעטער, אונזערע קליענטן, און אזוי ווייטער. אזוי אויך לייגן מיר אריין גרויסע כוחות צו זיין פארבינדן מיט די ריכטיגע מענטשן, און דאס פירט אז מיר זאל זיך פילן שולדיג פאר אסאך מענטשן. אבער א איד וואס האט אמת'ע בטחון ווייסט אז דער עיקר איז צו האבן א נאענטן קשר מיט'ן באשעפער. אויב מיר פארשטייען אז עס ווענדט זיך נישט מיט ווערמען מיר זענען אלץ פארבינדן און וויפיל גוטע פריינט מיר האבן, קענען מיר זיך באפרייען פון דעם יאך פון פרובירן צו געפעלן יעדן איינעם.

> ***אויב מיר פארשטייען אז עס ווענדט זיך נישט מיט וועמען מיר זענען אלץ פארבינדן און וויפיל גוטע פריינט מיר האבן, קענען מיר זיך באפרייען פון דעם יאך פון פרובירן צו געפעלן יעדן איינעם.***

עס ליגט טאקע אויף אונז א חוב צו טוען השתדלות און אנהאלטן גוטע באציאונגען מיט מענטשן ארום אונז. אבער מען דארף געדענקען אז זיי האבן נישט קיין שום השפעה אויף וויפיל מיר זאלן פארדינען. אפילו אויב עס געלונגט אונז נישט דורכצופירן א געוויסן געשעפט אדער אפילו אויב א קונה איז נישט צופרידן, קען דער באשעפער אונז צושיקן דאס געלט פון ערגעץ אנדערש. אויב מען פארשטייט דאס ווערט דאס לעבן פיל גרינגער און רואיגער. אנשטאט צו זיין משועבד צו פילע מענטשן דארף מען בלויז זיין משועבד צום באשעפער אליין!

כאטש דער געדאנק הערט זיך זייער פשוט, דארף מען אבער א סאך עוסק זיין אין אמונה ובטחון כדי מ'זאל דאס טאקע קענען למעשה. די סיבה דערצו איז, ווייבאלד מיר מוזן דאס פילן אין הארץ, נישט בלויז אין מוח, און בטחון איז א מושג וואס איז פארבינדן מיט די הרגשים, נישט בלויז מיט'ן שכל. אפילו מען ווייסט אין מוח אז דער באשעפער פירט די וועלט און אז אלעס איז געוואנדן בלויז אין אים, איז דאס נישט גענוג. מען מוז דאס שפירן אין אלע רמ"ח איברים און שס"ה גידים, און נאר אזוי קען מען פירן א רואיג לעבן.

25

הרבה דרכים למקום

דער חובת הלבבות, אין די פתיחה צום שער הבטחון, רעכנעט אויס צען מעלות וואס א בעל בטחון האט קעגן דעם אלכעמיסט, וועלכער ארבעט אויס מעטאל צו גאלד. איינס פון די מעלות איז אז דער אלכעמיסט מוז האבן מאטעריאלן צו קענען פארוואנדלען די מעטאל צו גאלד. ווי קלוג און געלונגען ער זאל נאר זיין, קען ער גארנישט טוען אָן די ספעציעלע מאטעריאלן אין וואס ער נויטיגט זיך אנצוהויבן זיין ארבעט. אויך זענען די מאטעריאלן נישט בנמצא איבעראל. דאקעגן דער איד וואס האט בטחון וועט שטענדיג האבן פרנסה, ווייל דער אויבערשטער קען אים צשטעלן פרנסה אין יעדן מצב.

דער חובת הלבבות ברענגט צווישן אנדערן א ראיה פון די מעשה פון אליהו הנביא, ווען דער רבונו של עולם האט געשפייזט בשעת ס'איז געווען אן עצירת גשמים, דורכ'ן שיקן ראב פויגל וואס האבן אים געברענגט ברויט און פלייש, ווייל דער באשעפער האט אומצאליגע וועגן ווי אזוי ער קען שיקן א מענטש זיינע געברויכן אפילו אויב ער האט גארנישט.

א איד וואס לערנט דאס קען זיך אבער וואונדערן: וואס פאר א שייכות האב איך צו די מעשה פון אליהו? איך בין נישט קיין נביא און די ראב פויגל וועלן מיר נישט קומען ברענגען עסן. איך בין נישט אויף דער הויכער מדריגה אז איך זאל קענען לעבן בלויז פון בטחון.

א ראש ישיבה האט מסביר געווען אין א שמועס, אז פון די געשיכטעס פון תנ"ך קען מען זיך ארויסלערנען פראקטישע עצות אויף אידישקייט און אמונה, און דערפאר קענען מיר

אסאך לערנען פון די געשיכטע פון אליהו הנביא. טראצדעם וואס מיר זעען נישט אז ראב פויגל זאלן אונז קומען ברענגען עסן, קען מען זיך דאך ארויסלערנען פון אליהו'ס געשיכטע אז דער באשעפער קען אונז צושיקן אונזערע געברויכן אויף אופנים וואס מיר קענען זיך אפילו נישט חלומ'ען. און דערפאר, אפילו ווען דער מצב זעט אויס האפענונגסלאז ח"ו, און מיר קענען נישט זען פון וואו אונזער פרנסה וועט אנקומען, פונדעסטוועגן גלייבן מיר אז דער באשעפער האט א וועג ווי אזוי אונז צוצושיקן אלעס וואס מיר דארפן.

א איד האט מיר דערציילט אז זיין ביזנעס איז אמאל דורכגעגאנגען א שווערע תקופה, און אין די זעלבע צייט האט ער געדארפט חתונה מאכן זיין טאכטער. ער האט געשפירט ווי ער דערטרינקט זיך אין א ים פון חובות, אבער פונדעסטוועגן האט ער זיך געשטארקט אז דער באשעפער וועט אים פארזארגן מיט זיינע געברויכן. ער האט געפראוועט א באשיידענע חתונה און זיך אמת'דיג געפרייט, פארלאזנדיג זיך אז דער באשעפער וועט אים ארויסהעלפן.

נאך די חתונה האט ער באקומען מערערע בילס פון די בעלי חובות וועלכע האבן געמאנט זייערס. בשעת ער איז דורכגעגאנגען די פאסט און געטראכט פון פארשידענע אופנים ווי אזוי צו צאלן די בעלי חובות, האט ער באמערקט א בריוו וואס האט אויסגעזען אומוויכטיג און ער איז געווען גרייט עס ארויסצואווארפן. אבער דאן האט ער פארט באשלאסן עס צו עפענען.

ווען דער איד האט געעפנט דעם "אומוויכטיגן" בריוו האט ער געפונען דארט א טשעק פון דריי און צוואנציג טויזנט דאלאר!!! דער טשעק איז געקומען פון א פירמע פאר וועלכער ער האט געארבעט יארן פריער. די פירמע האט געהאט א רעוויזיע פון שטייער אמט וועלכע האט דורכגענישטערט זייערע ביכער. דורכאויס די רעוויזיע האבן זיי באמערקט אז די פירמע איז אים שולדיג געבליבן א גרויסע סומע געלט. דער שטייער אמט האט באאויפטראגט די פירמע צו צאלן דאס געלט וואס זי איז אים געווען שולדיג אין צוגאב צו צינזן פון די אכצן יאר וואס זענען פארלאפן. אלעס אינאיינעם האט דער טשעק דערגרייכט פיל מער פון דעם אריגינעלן סכום.

ווי מערקווירדיג, אכצן יאר פריער, ווען די כלה איז נאך געווען קליין קינד, האט השי"ת שוין זיכער געמאכט

ווי מערקווירדיג, אכצן יאר פריער, ווען די כלה איז נאך געווען קליין קינד, האט השי"ת שוין זיכער געמאכט צוצושטעלן דאס געלט פאר איר חתונה.

צוצושטעלן דאס געלט פאר איר חתונה. דער איד האט באשיינפערליך געזען ווי דער באשעפער האט אים צוגעגרייט די ישועה אויף אן אופן וואס ער וואלט זיך נישט פארגעשטעלט אין ווילדסטן חלום.

אמת, מיר זעען טאקע נישט קיין ראב פויגל וואס זאלן אונז ברענגען פרנסה, אבער מיר זעען כסדר ניסים מלובש בדרך הטבע. דער באשעפער קען אונז צושיקן פרנסה אויף אומצאליגע וועגן. ער קען אונז צושטעלן אלע אונזערע געברויכן אויף אלערליי אופנים אפילו ווען מיר קענען נישט זעען פון וואו די ישועה וועט קומען. מיר דארפן בלויז טוען אונזער השתדלות און זיך פארלאזן אויף דעם רבונו של עולם.

26

זענט איר אן עבד אדער א פרייער מענטש?

עס זענען פאראן צוויי אופנים ווי אזוי א מענטש קען באטראכטן זיין אויפזעער ביי דער ארבעט. איין מהלך איז אז דער מענטש טראכט צו זיך: "מיין פרנסה ליגט אין זיינע הענט, אויב איך וועל טרעפן חן אין זיינע אויגן וועט מיר גארנישט פעלן. איך וועל דעריבער שטענדיג פרובירן אים צו געפעלן". א צווייטער מהלך איז צו טראכטן: "מיין אויפזעער איז בלויז א שליח פון באשעפער. איך וועל פרובירן צופרידן צו שטעלן מיין אויפזעער ווייל עס ליגט אויף מיר א פליכט צו ארבעטן פלייסיג".

ביידע ארבעטער פראדוצירן די זעלבע ארבעט, און ביידע ארבעטן שווער צופרידן צו שטעלן זייער בעל הבית, ס'איז אבער פאראן א יסודות'דיגער חילוק צווישן די צוויי: דער ערשטער איז אן עבד; ער איז פולשטענדיג משועבד צו זיין בעל הבית. דער צווייטער איז א זעלבסטשטענדיגער מענטש, און כאטש ער ארבעט שווער, פילט ער נישט ווי זיין גאנץ לעבן איז אפהענגיק אין זיין בעל הבית.

דאס זעלבע איז אויך אין באצוג צו קליענטן. א איד וואס האט בטחון פארשטייט אז זיינע קליענטן זענען בלויז שליחים פון באשעפער, וועלכער שיקט אים צו זיין פרנסה דורך זיי. אבער ער געדענקט אז זיין גורל ליגט נישט אין זייערע הענט נאר אין די הענט פון באשעפער.

איך האב א חבר וועלכער פירט א גרויסע ביזנעס און לעבט מיט אמת'ע בטחון. איינמאל האט ער פארשפעטיגט ארויסצושיקן א באשטעלונג, און די פירמע האט פארלאנגט 10,000$ פארגיטיגונג פאר די פארשפעטיגונג. עטליכע טעג שפעטער האט די פירמע פארלאנגט א פרישע הנחה פון 86,000$. דער ביזנעסמאן האט זיי געזאגט אז ער קען זיי נישט געבן אזא גרויסע הנחה, ווייל דעמאלט וועט ער גארנישט פארדינען אויף דעם מקח. די פירמע האט זיך אבער געקשנ'ט אז ער זאל זיי געבן די הנחה, און דערביי האבן זיי געדראעט אז אויב ער וועט זיי נישט נאכגעבן וועלן זיי מער נישט האנדלען מיט אים.
דער ביזנעסמאן האט צו זיך געטראכט: "אויב איך וועל זיי נאכגעבן, מיינט דאס אז איך טו אן אויסטערלישע השתדלות צוריק צו געווינען די פירמע, און דאס ווייזט אז איך בין שטארק פארצווייפעלט אין מיין בטחון אין באשעפער". ער האט צוריקגעוויזן די פאדערונג, און ווי ערווארטעט, האבן זיי אים געזאגט אז זיי וועלן מער נישט האנדלען מיט אים. יענע נאכט האט ער געהאלטן אין איין זאגן צו זיך: "אלעס איז אין די הענט פון באשעפער".
דעם קומענדיגן טאג האט ער אנגערופן דעם הויפט עקזעקוטיוו פון די פירמע און פרובירט אויסצוארבעטן א פשרה. צו זיין איבערראשונג האט יענער אים געזאגט, אז זיי ווילן פארזעצן האנדלען באציאונגען מיט אים, און זיי האבן אים פארגעשלאגן ער זאל זיי פארקויפן אן אנדערן פראדוקט פאר קאסט פרייז, און אזוי וועלן זיי זיך אויסגלייכן. דער ביזנעסמאן האט גערן מסכים געווען צו דעם אפמאך. עס איז אים געלונגען צו באקומען יענעם פראדוקט פאר ביליגער ווי געווענליך, אזוי אז ער האט נישט בלויז פארדינט די זעקס און אכציג טויזנט דאלאר נאר ער האט אויך פארדינט אויף דעם צווייטן מקח.

דורך דעם וואס דער איד האט געהאלטן אין קאפ אז דער באשעפער איז דער מנהיג פון די וועלט און אז ער דארף נישט ווערן דערשראקן פון זיינע קליענטן, איז ער ארויסגעגאנגען מיט ריוח פון דעם גאנצן געשעפט.

27

השגחה פרטית אין טאג טעגליכן לעבן

די גמרא זאגט (מכות כד, א; זע מהרש"א) אז דער יסוד פון אלע מצוות איז אמונה, ווי עס שטייט (חבקוק ב, ד): "וְצַדִּיק בֶּאֱמוּנָתוֹ יִחְיֶה". אזוי שטייט אויך אין תהלים (קיט, פו) "כָּל מִצְוֹתֶיךָ אֱמוּנָה". דער ווילנער גאון שרייבט אין זיין פירוש אויף משלי (ל, ה) אז די וויכטיגסטע זאך אין אידישקייט איז צו האבן פולשטענדיגע אמונה אין באשעפער, ווייל אמונה איז כולל אלע אנדערע מצוות (זע אורחות צדיקים שער השמחה).

ווי אזוי באקומט א מענטש אמונה?

גדולי ישראל האבן מייעץ געווען אז א מענטש זאל האלטן ביי זיך א טאג־בוך וואו ער זאל אראפשרייבן יעדעס מאל וואס ער זעט השגחה פרטית אין זיין לעבן. ווייל דורך דעם וואס מ'איז זיך מחזק אין די מצוה פון אמונה, ווערט מען זיך מחזק זיין אין אלע תרי"ג מצוות, ווי די גמרא זאגט אין מכות (כד, א) אויפ'ן פסוק אין חבקוק (ב, ד): "וְצַדִּיק בֶּאֱמוּנָתוֹ יִחְיֶה", אז די יסוד פון די תרי"ג מצוות איז "אמונה" אין השי"ת.

גדולי ישראל האבן מייעץ געווען אז א מענטש זאל האלטן ביי זיך א טאג־בוך וואו ער זאל אראפשרייבן יעדעס מאל וואס ער זעט השגחה פרטית אין זיין לעבן. ווייל דורך דעם וואס מ'איז זיך מחזק אין די מצוה פון אמונה, ווערט מען זיך מחזק זיין אין אלע תרי"ג מצוות.

עס איז געווען א איד וואס האט זיך טאקע געפירט במשך לאנגע יארן אראפצושרייבן אלע פאלן פון השגחה פרטית וואס ער האט בייגעוואוינט. ווען ער איז נפטר געווארן האט זיין זון געפינען פערצן נאטיץ ביכלעך אין וועלכן זיין פאטער האט אראפגעשריבן פערזענליכע

געשיכטעס פון השגחה פרטית דורכאויס די לעצטע צוויי צענדליג יארן. איינער פון זיינע קינדער האט דורכגעליינט אלע נאטיץ ביכלעך, און ווען ער האט געענדיגט האט ער געזען אז די ביכלעך האבן אנטהאלטן גענוי 613 בלעטלעך. זיי האבן דערין געזען א סימן מן השמים אז דורכ'ן אראפשרייבן אלע מעשיות פון אמונה איז מען זיך ווירקליך מחזק אין אלע תרי"ג מצוות.

א חשוב'ער רב איז געווארן אזוי באריךט פון די געשיכטע, אז ער האט באשלאסן צוזאמצושטעלן א השגחה פרטית זשורנאל וואס האט אנטהאלטן פארשידענע ציטאטן איבער אמונה און השגחה פרטית, ווי אויך ליידיגע בלעטער אריינצופילן פערזענליכע מעשיות. די מעשיות מוזן נישט זיין עפעס אויסערגעווענליך, אפילו מינדערוויכטיגע ערפארונגען ווען מען האט געזען דעם יד ה' אין לעבן זענען ווערד אראפצושרייבן.

יעדע זאך איז א נסיון

יעדע זאך וואס פאסירט צו אונז אויף דער וועלט, סיי גוט און סיי שלעכט, זענען נסיונות פאר דעם מענטש.

דער מסילת ישרים (פרק א׳) זאגט: ״כל עניני העולם בין לטוב בין לרע הנה הם נסיונות לאדם – יעדע זאך וואס פאסירט צו אונז אויף דער וועלט, סיי גוט און סיי שלעכט, זענען נסיונות פאר דעם מענטש״. יעדע זאך וואס פאסירט צו אונז; יעדער מצב אין וועלכן מיר געפינען זיך, איז א נסיון וואס דער רבונו של עולם האט אויסגעקליבן אונז צו פרואווען און זען ווי אזוי מיר וועלן רעאגירן דערצו. צומאל קומען מיר אן אין געוויסע פלעצער אדער אין געוויסע מצבים אויף אן אומערווארטעטן אופן, און עס זעט אונז אויס כאילו מיר זענען אנגעקומען אהין דורך א צופאל. אבער דער אמת איז אז דאס איז לכתחילה געווארן אזוי אויסגעשטעלט דורכ׳ן באשעפער כדי צו זען אויב מיר וועלן זיך אויפפירן ריכטיג אין דעם יעצטיגן מצב.

דער ציל פון א נסיון איז אז מיר זאלן שטייגן. ביי עקידת יצחק שטייט אין די תורה (בראשית כב, א) ״וְהָאֱלֹקִים **נִסָּה** אֶת אַבְרָהָם״. דער מדרש (בראשית רבה נה, א) דרש׳נט אז דאס ווארט ׳נִסָּה׳ קומט פון דעם זעלבן שורש ווי די ווערטער ״נֵס לְהִתְנוֹסֵס״ (תהלים ס, ו). דורכ׳ן זיך אויפפירן ריכטיג אין דער צייט פון א נסיון, ווערן מיר אויפגעהויבן אויף א העכערע מדריגה און מיר ארבעטן זיך אויס די מידות. דערפאר שיקט אונז דער באשעפער אונטער פארשידענע נסיונות יעדן טאג.

ווען דוד המלך איז אנטלאפן פון ירושלים בשעת אבשלום האט אים געוואלט הרג׳ענען, איז שמעי בן גרא אים אנטקעגן געקומען און געווארפן שטיינער אין זיין ריכטונג. דוד׳ס

קנעכט האבן געוואלט הרג'ענען שמעי'ן, אבער דוד האט זיי געהייסן זיי זאלן אים אפלאזן, ווייבאלד שמעי בן גרא איז געשיקט געווארן פון הימל אים צו פארשעמען. חז"ל זאגן (זע חפץ חיים אין ספר שמירת הלשון שער התבונה פרק ח) אז ווען דוד המלך האט ארויסגעזאגט די ווערטער פון מויל, האט ער באקומען דעם זכות דערהויבן צו ווערן צו זיין דער "רגל רביעי במרכבה". דאס איז געווען זיין שכר פאר'ן מכיר זיין אז די בזיונות פון שמעי בן גרא זענען געשיקט געווארן פון באשעפער.

דעם יסוד מוזן מיר כסדר האלטן פאר די אויגן, און געדענקען אז די קליינע שוועריגקייטן וואס מיר גייען אדורך יעדן טאג זענען נסיונות וואס ווערן געשיקט פון באשעפער. דאס גיט פאר א מענטש קוראזש דורכצוגיין די נסיונות בשלום און זיך שטארקן אויף די שוועריגקייטן.

מיין קרוב האט אמאל געדארפט ארויספארן צו א וויכטיגן אפוינטמענט. בשעת ער איז אריין אין די קאר האט ער באמערקט אז עס איז דא א פארקינג טיקעט אויף'ן פענסטער. אין אנהויב איז ער געווארן זייער אויפגערעגט, ווייבאלד עס איז געווען לעגאל צו פארקן די קאר אויף יענעם ארט. אבער דאן האט ער געטראכט: "איך האב געטון מיין פליכט, און אויב איך האב באקומען א טיקעט איז עס א נסיון פון באשעפער און איך גיי נישט אריינפאלן אין עצבות צוליב דעם."
ער איז אריין אין די קאר און אפגעפארן צו זיין אפוינטמענט. ווען ער איז ארויסגעקומען פון די קאר האט ער נאכאמאל געגעבן א בליק אויף דעם טיקעט און צו זיין ערשטוינונג האט ער געזען די פאלגנדע ווערטער: "טעסט; דאס איז נישט קיין טיקעט, מען דארף נישט צאלן." דער איד האט געשפירט ווי דער באשעפער אליין רעדט צו אים און האט אים געלאזט וויסן אז דער טיקעט איז בלויז געווען א טעסט - א נסיון פון הימל. מיין קרוב האט אוועקגעלייגט דעם טיקעט און ער האלט עס ביי זיך אלס אן אנדענק אז דער באשעפער פירט אלעס וואס פאסירט אין לעבן.

29

היינטער די קוליסן

דער באשעפער האט די פולקאמע שליטה איבער אונזער לעבן. דער אויבערשטער באהאלט אבער זיין השגחה פרטית אונטער א שלייער פון די חוקי הטבע, און דערפאר האבן מיר א בחירה ווי אזוי צו באטראכטן יעדע זאך. מיר קענען עס אנקוקן אלס א צופאל פון די טבע, אדער ווי דער אמת איז, אז עס קומט פון רצון ה'.

א מענטש האט איינגעקויפט אין גראסערי, און ביים באצאלן האט ער פארגעסן צו נעמען די רעשט. נאכדעם וואס ער האט פארלאזט דאס געשעפט האט דער קאסירער געזען אז דער קליענט האט איבערגעלאזט דאס געלט, און ער האט אויפמערקזאם געמאכט פאר דעם גראסערי אייגנטימער אז יענער האט פארגעסן די רעשט, וואס איז אויסגעקומען $1.98. דער בעל הבית האט אים געהייסן צוריקלייגן דאס געלט אין דער קאסע.
"דאס איז נישט אויסגעהאלטן," האט דער ארבעטער זיך אנגערופן. אבער דער בעל הבית האט אים געהייסן מאכן א שווייג און צוריקגיין ארבעטן. אין די זעלבע סעקונדע האט דער בעל הבית זיך געגעבן א רוק פון ארט, און א פלאש זויערע אוגערקעס איז אראפגעפאלן אויף דער ערד און האט זיך צעבראכן. דער ארבעטער האט זיך שנעל אראפגעבויגן און אפגערייניגט די שמוץ, און ער האט אויפגעהויבן דעם פלאש.
"קוק, דער פלאש קאסט גענוי $1.98" האט ער געזאגט פאר דעם בעל הבית. "אפשר וויל מען דיר עפעס ווייזן פון הימל."

> ״נאך א מזל אז דער מענטש האט איבערגעלאזט די רעשט ביי אונז אין געשעפט,״ האט דער בעל הבית געזאגט. ״אזוי האב איך נישט פארלוירן קיין געלט פון דעם צעבראכענעם פלאש״...

עס זענען פאראן מענטשן וואס כאפן זיך פשוט נישט און באטראכטן יעדע זאך אלס א צופאל, אנשטאט צו זען דעם יד ה׳, אפילו ווען עס איז קלאר פאר די אויגן.

דער באשעפער פירט די וועלט אונטער דעם שלייער פון טבע, אבער ער וויל אז מיר זאלן אנערקענען די השגחת ה׳ אפילו פון הינטער די קוליסן. מענטשן וואס שרייבן אראפ זייערע פערזענליכע געשיכטעס פון השגחה פרטית דערציילן אז זינט זיי האבן אנגעהויבן דאס צו טון זעען זיי שטענדיג השגחת ה׳ אין זייער טאג טעגליכן לעבן. זיי זאגן איבער די השגחה פרטית מעשיות ביים שבת טיש, און זיי שפירן אז דער באשעפער איז שטענדיג מיט זיי.

> די גמרא (תענית כה, א) דערציילט א מעשה. רבי חנינא בן דוסא האט איינמאל בין השמשות פון ערב שבת געזען אז זיין טאכטער איז זייער צעטראגן. ווען ער האט איר געפרעגט וואס גייט פאר, האט זי געענטפערט אז זי האט בטעות אריינגעלייגט עסיג אנשטאט אויל אין די לייכטער וואס זי האט געצונדען לכבוד שבת, און זי האט מורא געהאט אז עס וועט זיך אויסלעשן. ווען רבי חנינא בן דוסא האט דאס געהערט האט ער איר בארואיגט, זאגענדיג: ״מי שאמר לשמן וידלוק הוא יאמר לחומץ וידלוק״. דער וואס מאכט אז אויל זאל ברענען קען אויך מאכן אז עסיג זאל ברענען. אזוי האט טאקע פאסירט, און די ליכט האבן געברענט בדרך נס במשך דעם גאנצן שבת. און מוצאי שבת האט מען פון די ליכט אנגעצונדן די הבדלה ליכט.

רבי חנינא בן דוסא האט פארשטאנען אז דער באשעפער איז דער הערשער אויף אלע חוקי הטבע, און ער קען משנה זיין די טבע. ווי נאר ער האט דאס אנערקענט איז נתגלה געווארן השגחת ה׳ זעענדיג אן אפענעם נס.

אפטמאל טרעפן מיר זיך אן אין לעבן מיט שווערע פראבלעמען מיט וועלכע מיר דארפן זיך ספראווען. מיר מוזן אבער געדענקען אז טראץ דעם וואס מיר האבן א חיוב פון השתדלות און מיר דארפן זיך אנשטרענגען צו טוען וואס

מיר קענען, איז סוף כל סוף אלעס אפהענגיק אין באשעפער.

און דעריבער איז די וויכטיגסטע השתדלות מתפלל צו זיין צום באשעפער, און בעטן אז ער זאל אונז לייזן אונזערע פראבלעמען.

דער פסוק זאגט אין תהלים (צב, י): "כִּי הִנֵּה אֹיְבֶיךָ ה׳ כִּי הִנֵּה אֹיְבֶיךָ יֹאבֵדוּ". דער בעל שם טוב (ספר בעל שם טוב פרשת וילך אות יב) טייטשט דעם פסוק, אז ווי נאר מען אנערקענט אז אלע "פיינט"; דאס מיינט אז אין אלע פראבלעמען און שוועריגקייטן איז באהאלטן די מדת הרחמים וואס איז מרומז אין שם הוי׳, איז מען זוכה אז "הִנֵּה אֹיְבֶיךָ יֹאבֵדוּ", אז זיי וועלן בטל ווערן.

ווי נאר מען אנערקענט אז אין אלע פראבלעמען און שוועריגקייטן איז באהאלטן די מדת הרחמים איז מען זוכה אז זיי וועלן בטל ווערן.

מיר דארפן זיך דעריבער צוגעוואוינען צו טראכטן אויף דעם אופן, און אנערקענען אז אלעס וואס פאסירט אין לעבן קומט פון באשעפער לטובתנו.

30

אין די מאמע'ס הענט

די מפרשים זאגן אז איינס פון די טייטשן פון "אמונה" קומט פון דעם פסוק (במדבר יא, יב) "כַּאֲשֶׁר יִשָּׂא **הָאֹמֵן** אֶת הַיֹּנֵק". ווען א איד פארזיכערט זיך אין באשעפער איז ער אזוי ווי א יונג קינד וואס זייגט פון זיין מאמען. אזוי זאגט טאקע דוד המלך, אז ער איז "כְּגָמֻל עֲלֵי אִמּוֹ" (תהלים קלא, ב).

פארוואס ווערט אמונה צוגעגליכן צו א קינד וואס זייגט פון א מאמע? דער ווילנער גאון (דברי אליהו תהלים שם) איז מסביר אז נאכדעם וואס א קינד ענדיגט זייגן פון איר מאמען פילט זיך דאס קינד זאט און זארגט זיך נישט פאר דעם קומענדיגן מאלצייט. דאס קינד איז גענצליך רואיג און פארזיכערט.

> איינער האט מיר דערציילט אז ער איז אמאל געגאנגען אין א שרעקעדיגע געגנט מיט זיין זעקס יעריג טאכטער. ער אליין איז געווען דערשראקן און פארציטערט ביי זיך, אבער זיין טאכטער איז געווען רואיג און צופרידן. זי האט אנגעכאפט איר טאטנ'ס האנט און שפאצירט געלאסן מיט א רואיגקייט אן קיין פחד. גארנישט האט איר נישט געקענט דערשרעקן. אזוי דארפן מיר זיך שטענדיג שפירן, ווי מיר זאגן אין תהלים (קטו, ו): "ה' לִי לֹא אִירָא - דער באשעפער איז מיט מיר, דעריבער האב איך נישט קיין מורא" (זע רד"ק).

עס איז נישט מעגליך אפצושאצן די מענטשליכע הרגשה וויסענדיג אז השי"ת איז שטענדיג מיט אונז. מיט אזא טראכט שאפט זיך דער מענטש א זעלטענעם שלות הנפש וואס מען

עס איז נישט מעגליך אפצושאצן די מענטשליכע הרגשה וויסענדיג אז השי"ת איז שטענדיג מיט אונז.

קען נישט דערגרייכן אויף אן אנדערן אופן.

א סאך מענטשן ליידן פון אנגסט וואס לאזט זיי נישט שלאפן ביינאכט. אבער דוד המלך, בשעת ער האט געדארפט אנטלויפן פון א סכנה, האט געזאגט (תהלים ג, ו): "אֲנִי שָׁכַבְתִּי וָאִישָׁנָה ... כִּי ה׳ יִסְמְכֵנִי". דוד המלך האט געקענט שלאפן אפילו אין זיינע שווערסטע צייטן, וויבאלד ער איז געווען פארזיכערט אין באשעפער (זע אלשיך).

עס איז אויך דא אן אנדערע סיבה פארוואס א איד וואס האט אמונה ווערט צוגעגליכן צו א קליין קינד. א מאמע׳ס מילך איז געווענליך געמאכט געווארן אז עס זאל זיין גענוי וואס דאס קינד זאל קענען פארדייען. אזוי אויך א מענטש וואס האט אמונה ווייסט אז אלעס וואס פאסירט צו אים איז גענוי דאס וואס ער דארף כדי מצליח צו זיין אין לעבן. ווי דוד המלך האט געזאגט (תהלים כג, א): "ה׳ רועי לא אחסר". א איד וואס האט אמונה שפירט אז עס פעלט אים קיינמאל גארנישט, וויבאלד דאס וואס מען גיט אים פון הימל איז גענוי וואס ער דארף. מיר דארפן אלע שטרעבן אנצוקומען צו די מדריגה.

אמונה איז
מען קונה
שטאפלווייז

31

א   איד האט זיך אמאל אויסגערעדט צו מיר איבער
זיין מצב אין אמונה, זאגנדיג: "איך פלעג מיינען
אז איך בין א בעל בטחון. איך זאג שטענדיג פאר
מיינע חברים ווי גרויס דער באשעפער איז און אז ער גיט זיך
שטענדיג אפ מיט אונזערע געברויכן, אבער ווען איך אליין
האב א פראבלעם אין מיין אייגען לעבן ווער איך איינגאנצן
פארלוירן; איך ווער נערוועז און אנגעצויגן און עס פליט
מיר ארויס פון קאפ אלעס וואס איך האב געלערענט איבער
אמונה".

איך האב יענעם געענטפערט אז ס'איז גאר וויכטיג צו
לערנען און חזר'ן די יסודות פון אמונה, ווייל אמונה מוז מען
קונה זיין ביסלעכווייז. יעדעס מאל וואס א איד קומט אן
אויף א מדרגה אין אמונה איז ער געשטיגן, כאטש ער האלט
נאכנישט אויף די העכסטע מדריגה. אפילו מען פאלט דורך
טאר מען זיך נישט דערשרעקן, נאר פרובירן איינמאל און
נאכאמאל ביז די יסודות פון אמונה טרעפן א ווינקל אין די
קעמערלעך פון הארץ.

עס איז אמאל געווען א ראש ישיבה, א למדן מופלג
וועלכער האט זיין גאנץ לעבן געווידמעט צו לערנען תורה
בהתמדה. במשך די יארן האט ער אפגעשריבן בלעטער
אויף בלעטער פון זיינע חידושים מיט'ן פלאן זיי צו דרוקן.
אזוי ווי עס איז נישט געווען קיין דרוקעריי אין זיין לאנד,
האט ער צוגערופן א תלמיד און אים איבערגעגעבן זיינע

יעדעס מאל וואס
א איד קומט אן
אויף א מדרגה
אין אמונה איז
ער געשטיגן,
כאטש ער האלט
נאכנישט אויף די
העכסטע מדריגה.

חידושים, זאגענדיג: "די חידושים זענען דאס שווארץ אפעל פון מיין אויג; נעם דאס און טראג עס אריבער קיין אויסלאנד צו דרוקן".
דער תלמיד האט אזוי געטוען. ער האט גענומען די הויפענס בלעטער, זיי אריינגעלייגט אין קעסטלעך און ארויסגעפארן מיט'ן שיף איבער'ן ים. אינמיטן וועג איז אנגעקומען א שטורעם ווינט. די שיף האט זיך אנגעהויבן צו וואקלען און עס איז אריינגערינען וואסער פון אלע זייטן. דער קאפיטאן האט באפוילן אז אלע פאסאזשירן זאלן אריינווארפן זייערע חפצים אין וואסער כדי גרינגער צו מאכן די שיף. דער תלמיד האט נישט געהאט קיין ברירה און האט געמוזט אריינווארפן אין ים די קאסטענס מיט חידושים פון זיין רבי'ן. באלד נאכדעם איז דער ים רואיגער געווארן און די שיף איז בשלום אנגעקומען צום פארט.
דער תלמיד איז געווען זייער פארלוירן, נישט וויסענדיג ווי אזוי ער וועט איבערגעבן די שווערע נייעס פאר זיין ראש ישיבה. אהיימקומענדיג האט ער דערציילט זיינע חברים די פאסירונג, און אלע האבן געטראכט אן עצה ווי אזוי מען קען דערציילן פאר'ן ראש ישיבה די שלעכטע בשורה, נעמליך, אז זיין הארעוואניע פון צענדליגער יארן איז פארלוירן געווארן אין איין מינוט.
ענדליך איז איינער פון די תלמידים אויפגעקומען מיט א פלאן. ער איז צוגעגאנגען צום ראש ישיבה און פארגעלייגט א שאלה: "עס שטייט אין דער משנה (ברכות נד, א): "חייב אדם לברך על הרעה כשם שמברך על הטובה". ווי אזוי איז מעגליך צו דאנקען דעם באשעפער אויף א שלעכטע זאך פונקט ווי מען דאנקט אויף א גוטע זאך?"
ענטפערט דער ראש ישיבה מיט א התלהבות: "וואס הייסט, יעדע זאך וואס דער באשעפער טוט איז גוט! עס איז נישט פאראן קיין שום שלעכטע זאך אויף דער וועלט!"
רופט זיך אן דער תלמיד: "און אויב א מענטש פארלירט זיין גאנץ פארמעגן, איז דאס אויך א גוטע זאך?"
ענטפערט דער ראש ישיבה: "יא, אוודאי".
א צווייטער תלמיד רופט זיך אן: "און אויב א מענטש פארלירט זיין קינד רחמנא ליצלן"?
ענטפערט דער ראש ישיבה מיט א זיכערקייט: "יעדע

זאך וואס דער באשעפער טוט איז גוט, אפילו אויב מען פארשטייט נישט פארוואס".
דא האט איינער פון די תלמידים מודיע געווען פאר דעם ראש ישיבה אז אלע זיינע חידושים זענען אריינגעפאלן אין ים און וועלן מער קיינמאל נישט זען דעם שיין פון דער זון. ווען דער ראש ישיבה האט געהערט די ווערטער האט ער גע'חלש'ט אויפ'ן ארט.
די תלמידים האבן אים דערמונטערט און פרובירט צו אנטשולדיגן, זאגענדיג אז זיי האבן אים געוואלט צוגרייטן צו די שווערע בשורה דורכ'ן רעדן איבער די נושא אז אלעס וואס דער באשעפער טוט איז גוט, אבער ווי עס זעט אויס האט דאס נישט געארבעט.
רופט זיך אן דער ראש ישיבה: "עס האט יא געארבעט, ווען מיר וואלטן נישט גערעדט איבער דעם ענין, ווער ווייסט צי איך וואלט זיך אמאל אויפגעוועקט פון מיין חלשות".

עס זענען פאראן טויזענטער מדריגות אין בטחון. יעדעס מאל וואס מיר לערנען איבער אמונה און בטחון און מיר זענען זיך מחזק ברענגט דאס אונז אויף א העכערע מדריגה. מיר דארפן האלטן אין איין שטייגן, אפילו אויב מען קומט נישט אן צום שפיץ לייטער אויף איינמאל. צוביסלעך איז מען קונה מער און מער ביז מען ארבעט זיך אויס געגוג אז די אמונה זאל אריינדרינגען אין הארץ און לאזן אירע פינגער אפדרוקן אויף דעם טאג טעגליכן לעבן.

32

אויסלערנען ווי אזוי צו גיין

רוב מענטשן וואס גייען דורך יסורים נעמען דאס אויף זייער שווער. טייל ווערן זייער פארביטערט און טייל האלטן זיך שטארקער. כאטש עס איז שווער צו זאגן מוסר פאר מענטשן אין שווערע מצבים, דארף מען אבער געדענקען אז דער רבונו של עולם איז אונזער ליבליכער פאטער וועלכער איז אונז געטריי, און אז אלעס וואס ער טוט איז פאר אונזער טובה. דער באשעפער וויל נישט אז מיר זאלן ליידן, פארקערט, ער וויל מיר זאלן שטייגן אין אהבת ה' און יראת ה'.

אין דעם שיר של יום שני, זאגן מיר (תהלים מח, טו): "כִּי זֶה אֱלֹקִים אֱלֹקֵינוּ עוֹלָם וָעֶד הוּא יְנַהֲגֵנוּ עַל מוּת". חז"ל זאגן (מדרש רבה קהלת א, ל) אז די לעצטע צוויי ווערטער – "עַל מוּת" – זענען איין ווארט און ליינט זיך "עלמות", וואס באדייט א קינד, און רש"י זאגט, אז דאס לערנט אונז אז דער באשעפער פירט זיך אויף צו אונז אזוי ווי א טאטע פירט זיין קליין קינד. ער פירט אונז לאנגזאם און געלאסן, טריט ביי טריט.

דער הייליגער בעל שם טוב זי"ע האט דאס מסביר געווען מיט א משל (זע ספר בעל שם טוב פרשת נח הערה ו): ווען א קינד לערנט זיך אויס ווי אזוי צו גיין, וועט די מאמע קודם שטיין עטליכע טריט אוועק און רופן דאס קינד צו זיך. ווען דאס קינד קומט עטוואס נענטער צו די מאמע, וועט זי זיך נאכאמאל אוועקרוקן און ווארטן אז דאס קינד זאל קומען

פאראויס. זי טוט דאס נישט צוליב שלעכטקייט. אדרבה, זי האט ליב דאס קינד און וויל אז דאס קינד זאל זיך אויסלערנען צו גיין אליין. דערפאר מאכט זי אביסל שווער פאר'ן קינד ביז ער לערנט זיך אויס אליין צו גיין און באלאנסירן זיינע טריט.

אן ענליכע הנהגה טרעפן מיר ביים באשעפער ביחס צו אונז. השי"ת גיט אונז א נסיון אין לעבן, און כאטש עס זעט אויס שווער, און עס דוכט זיך אז דער באשעפער האט אונז חלילה פארלאזט, איז אבער דער אמת אז ער שטייט מיט אפענע ארעמס ווי א ליבליכע מאמע און ווארט אז מיר זאלן אים אקעגנקומען. השי"ת האלט אונז אין איין זאגן: "קום, רוק דיך נאך אביסל פאראויס, ארבעט נאך אביסל אויף דיינע שוועריגקייטן, און דאן וועסטו דערגרייכן דיין ציל. און אויב דו פאלסט אראפ, הייב דיך אויף מיט העלדישקייט און פרוביר נאכאמאל".

כאטש עס דוכט זיך אז דער באשעפער האט אונז חלילה פארלאזט, איז אבער דער אמת אז ער שטייט מיט אפענע ארעמס ווי א ליבליכע מאמע און ווארט אז מיר זאלן אים אקעגנקומען.

ווען דער באשעפער שיקט אונז א נסיון, איז די מטרה דערפון אז מיר זאלן זיך אויסארבעטן די מידות און שטייגן דערפון. דערמיט האבן צדיקים געטייטשט דעם אויבנדערמאנטן פסוק: "כִּי זֶה אֱלֹקִים" – דאס וואס עס זעט אויס פאר אונז ווי מידת הדין, "הוּא יְנַהֲגֵנוּ עַל מוּת", ער פירט אונז פונקט ווי א טאטע לערענט אויס א יונג קינד צו גיין. פאר אונזערע אויגן זעט אויס ווי אונזערע שוועריגקייטן שטערן אונזער מנוחת הנפש און לאזן אונז נישט פונקציאנירן, אבער דער אמת איז אז די נסיונות ווערן צוגעשיקט דורך אונזער ליבן טאטן וועלכער איז אונז געטריי און וויל אז מיר זאלן שטייגן דערפון.

געשטארקט דורך שוועריגקייטן

ב‫שעת א מענטש געפינט זיך אין א שווערן מצב,
איז כמעט אוממעגליך צו זען די טובה וואס קען
ארויסקומען דערפון, אבער שפעטער, ווען מען
קוקט צוריק, טרעפט מען אפטמאל אז דוקא דורך דעם
שווערן מצב איז מען אנגעקומען גאר ווייט. גאר אפט טרעפט
מען א דערפאלגרייכן מענטש וואס זאגט אויף זיך: "ווען איך
וואלט נישט דורך די שווערע צייטן וואלט איך קיינמאל נישט
אנגעקומען אהער". דער הסבר דערפון איז, אז נסיונות בויען
דעם מענטש און הויבט אים אויף צו העכערע מדרגות.

איינער האט מיך אמאל געפרעגט: "איך קען נישט
פארשטיין פארוואס מיין עבודת ה' קומט אן אזוי שווער.
איך וויל לערנען תורה, אבער איך בין אזוי פארנומען
במשך דעם טאג אז איך קען קוים אריינשטופן א שיעור
פון אין שעה, מערסטנס צוויי. פארוואס גייט עס מיר אזוי
שווער?"

איך האב געענטפערט דעם איד, אז עס איז מעגליך
אז דער רצון ה' איז אז עס זאל אים אנקומען שווער,
ווייל דורך דעם שעצט ער יעדע רגע וואס ער כאפט
אריין צו לערנען, און דאס ברענגט אז דאס לערנען זאל

נסיונות בויען דעם
מענטש און הויבט
אים אויף צו
העכערע מדרגות.

האבן ביי אים א געוואלדיגן חשיבות. וויבאלד ער מוז זיך אוועקרייסן פון זיין ענגן סדר היום און אראפכאפן א שעה-צוויי צו לערנען תורה, נוצט ער אויס יעדע איבעריגע מינוט וואס ער פארמאגט.

ווי באקאנט, ווערט א פלאטערל ("באטערפליי") באשאפן אין א ווערימל, און דערנאך ווערט עס ארומגענומען מיט א צודעק, ביז עס קראכט אויף דעם צודעק און עס קומט ארויס.

א מענטש האט אמאל געזען ווי א פלאטערל פרובירט מיט גרויס מאטערניש ארויסצוקריכן פון איר צודעק דורך א קליין לעכל, אבער אן דערפאלג. ווען דער מענטש האט דאס צוגעזען, האט ער גענומען א שערל און אויפגעשניטן א ברייטע שפאלט אין דעם צודעק, אזוי אז דאס פלאטערל זאל קענען ארויסקומען. אבער ווען דאס פלאטערל איז ארויסגעקומען האט דער מענטש באמערקט ווי דער קערפער פון דעם פלאטערל איז איינגעהילט און אירע פליגל זענען איינגעשרומפן. ער האט געהאפט אז מיט די צייט וועט דאס פלאטערל וואקסן און אירע פליגל וועלן אנטוויקלט ווערן אז עס וועט קענען ארויספליען. דאס פלאטערל האט זיך אבער קיינמאל נישט אנטוויקעלט; עס האט אפגעלעבט איר גאנץ לעבן מיט קליינע, איינגעשרומפענע פליגל, און האט קיינמאל נישט געקענט פליען.
דער מענטש האט געמיינט אז מיט עפענען דעם צודעק טוט ער א טובה פאר'ן פלאטערל. באמת איז דאס אבער געווען א שלעכטע זאך, ווייל בשעת א פלאטערל מוטשעט זיך ארויסצוקומען פון איר צודעק, גייט אריבער א פליסיגקייט פון איר קערפער צו אירע פליגל, און אזוי ווערן די פליגל פולשטענדיג אנטוויקלט. דורך דעם וואס ער האט געהאלפן דאס פלאטערל ארויסקומען פאר די צייט, האט ער גורם געווען אז זי זאל זיך קיינמאל נישט אנטוויקלען.

צומאל דארף מען דוקא האבן א שווערן דורכגאנג אין לעבן כדי די "פליגל" זאלן זיך עפענען ברייט, מ'זאל קענען אנהייבן פליען און דערגרייכן הויכע מדריגות. די נסיונות וואס מען גייט דורך אין לעבן ארבעטן אויס דעם מענטש אזוי אז ער זאל ווערן געבויט ביי זיך און ער זאל קענען ביישטיין די שפעטערדיגע שוועריגקייטן וואס ער דארף דורכגיין.

אין לעיקוואוד איז פאראן א שורה הייזער וואס זענען אויסגעשטעלט ווי צווילינג הייזער; אלע זענען געבויט מיט דעם זעלבן געבוי, און פארנט פון יעדע הויז איז דא א הויכער בוים. מיט עטליכע יאר צוריק, ווען דער גרויסער שטורם פון "הארי־קעין סענדי" האט חרוב געמאכט פילע שטעט, זענען טייל פון די ביימער איינגעפאלן, און טייל זענען געבליבן שטיין. די איינוואוינער פון יענע געגענט האבן זיך געוואונדערט פארוואס טייל פון די ביימער זענען איינגעפאלן און אנדערע נישט. עס איז געווען אומפארשטענדליך וויבאלד אלע ביימער זענען איינגעפלאנצט געווארן אין די זעלבע צייט, אויפ'ן זעלבן ארט, און אויפ'ן זעלבן אופן. עס האט זיך ארויסגעשטעלט אן אינטערעסאנטע זאך: די ביימער וואס זענען רעגלמעסיג באשפריצט געווארן מיט אויטאמאטישע שפריצערס ("ספרינקלערס") זענען איינגעפאלן, דאקעגן די ביימער וואס זענען נישט באשפריצט געווארן מיט א שפריצער סיסטעם זענען געבליבן שטיין אויפ'ן ארט. דער אונטערשיד איז: די ביימער וואס זענען נישט באשפריצט געווארן האבן געמוזט אויסשפרייטן זייערעווארצלען טיף אין דער ערד כדי צו קריגן וואסער און שפייז וואס זיי האבן געדארפט. דערפאר זענען זיי געבליבן שטיין פעלזן פעסט און האבן זיך נישט געבויגן פאר דעם שטורם ווינט. אבער די ביימער וואס זענען יא באשפריצט געווארן האבן זיך נישט געמוזט טיף איינווארצלען אין דער ערד, דערפאר האט דער שטורעם ווינט זיי איינגעווארפן.

"הָאָדָם עֵץ הַשָּׂדֶה" (דברים כ, יט) – אזוי ווי די ביימער ווערן שטארקער און פעסטער דורך דעם וואס זיי מוזן זיך אליין שפייזן, אזוי אויך שטארקט זיך דער מענטש וואס לעבט איבער שווערע נסיונות; ער ווערט פעלזן פעסט ביי זיך און ער ווערט נישט צעבלאזן פון יעדן קליינעם ווינטל.

34

מקבל זיין יסורים באהבה

נאך מתן תורה, ווען כלל ישראל האט באקומען די תורה ביי הר סיני, האבן זיי זיך ארויסגעלאזט אויפ'ן וועג קיין ארץ ישראל. פערציג יאר האבן זיי געוואנדערט אין מדבר ביז זיי זענען ענדליך אנגעקומען צום הייליגן לאנד. טראצדעם וואס דער וועג וואלט נאר געדארפט נעמען דריי טעג, האט דאס געדויערט פילע יארן נאר ווייל אידן האבן זיך כסדר באקלאגט (רש"י דברים א, ב ושפתי חכמים שם).

דער שפת אמת זצ"ל גיט איבער בשם זיין זיידן דער חידושי הרי"ם זצ"ל, אז אין אמת'ן וואלטן די אידן נישט געקענט איינגעמען ארץ ישראל נאך בלויז דריי טעג, אָן שוועריגקייטן, ווייל די גמרא זאגט דאך (ברכות ה, א) אז ארץ ישראל איז מען נאר קונה מיט יסורים. נאר אויב די אידן וואלטן מקבל געווען באהבה די דריי טעג פון וואנדערן אין דער וויסטעניש (רש"י בהעלותך יא, א), וואלטן זיי אפגעקומען דערמיט די מאס יסורים וואס האבן זיך אויסגעפעלט צו קענען קונה זיין ארץ ישראל. אבער אזוי ווי זיי האבן דאס נישט מקבל געווען באהבה, און אנשטאט דעם האבן זיי זיך באקלאגט אז עס איז נישטא קיין וואסער; אז דאס עסן איז נישט גוט וכדומה, האט זיך געפאדערט פערציג יאר צו ערדייכן ארץ ישראל.

אויב די אִידן וואלטן מקבל געווען באהבה די דריי טעג פון וואנדערן אין דער וויסטעניש, וואלטן זיי אפגעקומען דערמיט די מאס יסורים וואס האבן זיך אויסגעפעלט צו קענען קונה זיין ארץ ישראל.

מיט ארום צוויי הונדערט יאר צוריק איז געווען אן עצירת גשמים אין תימן. עס איז נישט געפאלן קיין רעגן עטליכע

יאר נאכאנאנד, און איינער פון די תימנ'ער חכמים האט פאררופן אן אסיפה פון די גאנצע קהילה. ער האט געזאגט פאר די תימנ'ער אידן אז עס איז אים נתגלה געווארן פון הימל אז די עצירת גשמים קומט ווייל די אידן האבן נישט מקבל געווען דעם גזר דין פון באשעפער. זיי האבן געוויינט צום באשעפער; זיי האבן געזאגט תהלים און געבעטן דעם רבונו של עולם אויף רעגן. זיי האבן אבער נישט מקבל געווען באהבה דעם רצון ה'.

דער רב האט זיי ערקלערט אז אויב מען איז מתפלל עס זאל קומען רעגן, דארף מען דערביי געדענקען אז דער באשעפער האט ביז יעצט צוריקגעהאלטן רעגן צוליב אונזערע חטאים, אבער פון יעצט און ווייטער טוען מיר תשובה און בעטן דעם באשעפער ער זאל שוין רחמנות האבן און אונז פארגעבן די חטאים. דאס וואס מיר בעטן אז דער עתיד זאל זיך טוישן מיינט נישט אז מען זאל נישט מקבל זיין דעם עבר און דעם הוה מיט ליבשאפט.

טראצדעם וואס אין שווערע צייטן דארף מען שטענדיג מתפלל זיין אז דער מצב זאל בעסער ווערן און אז דער באשעפער זאל שיקן א ישועה, דארף מען אבער גלייכצייטיג מקבל זיין באהבה וואס דער באשעפער טוט, און געדענקען אז אלעס איז לטובה. צום ביישפיל, אז א מענטש איז מתפלל אויף א שידוך, דארף ער מוסיף זיין: "איך ווייס עס איז פאראן א סיבה פארוואס דו האסט מיר נישט צוגעשיקט קיין שידוך ביז היינט, און איך בין דאס מקבל באהבה, אבער איך בעט דיך, שיק מיר צו מיין ריכטיגען זיווג".

דורך דעם וואס מען איז מקבל די שווערע מצבים באהבה, און מען גלייבט אז די יסורים זענען א טובה פאר'ן מענטש, העלפט דאס אז מען זאל טאקע ארויסגיין פון די יסורים און מען זאל זוכה זיין צו די ישועה פון הימל.

35

דער ריווח פון א פראבלעם

ווען דער באשעפער שיקט קליינע שוועריגקייטן פאר א מענטש, און ער איז עס נישט מקבל באהבה, קען דאס גורם זיין ח"ו גרעסערע און ערגערע יסורים. אויב מען אנערקענט די נקודה קען דאס געוואלדיג טוישן דאס לעבן פון מענטש. אנשטאט זיך אפצורעדן און באקלאגן ווען מען פארשפעטיגט א באס אדער מען פארגעסט עפעס, דארף מען דאנקען דעם באשעפער אז ער האט געשיקט יסורים אויף אזא גרינגען אופן, און מען קומט אפ אזוי לייכט.

דער חזון איש שרייבט: "מיר דארפן אלע דורכגיין שוועריגקייטן אין לעבן; טייל מענטשן נעמען אָן די שוועריגקייטן מיט א שמייכל, און אנדערע נעמען עס אָן מיט א זויערקייט. איך האב שטענדיג געזען אז די וואס האבן אנגענומען די שוועריגקייטן מיט א גוטמוטיגקייט האבן געלעבט מער גליקלעך און צופרידען לעבן".

דאס איז א יסוד וואס מ'דארף זיך איינ'חזר'ן און טראכטן דערפון כסדר, ביז עס ווערט אן אינטעגראלער חלק פון דעם טאג טעגליכן לעבן. דאס קומענדיגע מאל איר זעט אז איינער האט זיך אראפגעזעצט אויף אייער זיץ אין בית המדרש, אנשטאט צו טראכטן: "וואס פאר א חוצפה האט דער מענטש זיך אראפצוזעצן אויף מיין זיץ"?! זאל מען טראכטן: "דער באשעפער האט ספעציעל געמאכט אז א צווייטער זאל זיך אראפזעצן אויף מיין זיץ כדי איך זאל דורכגיין לייכטע

יסורים. איך דאנק דיך, באשעפער, אז דו האסט מיר געגעבן די געלעגנהייט אפצוקומען חטאים דורך אזא גרינגען אופן, און איך נעם עס אן מיט ליבשאפט".

אויב מען קומט אהיים נאך א שווערן טאג ארבעט און מען זעט אז דער נאכטמאל איז נאך נישט גרייט, זאל מען נישט ווערן אנגעצויגן און נערוועז, נאר מען זאל דאס אננעמען מיט ליבשאפט און דאנקען דעם באשעפער אז מען קומט אפּ אויף א גרינגען אופן. אז א קינד גיסט אויס בטעות א פלעשל מילך אויפ'ן טיש, זאל מען נישט אנשרייען דאס קינד, נאר טראכטן וויפיל צער און עגמת נפש מען שפּארט זיך איין דורך די קליינע יסורים'לעך וואס דער באשעפער שיקט.

עס ווערט דערציילט אז איין שטוב פון הגאון ר' ישראל סאלאנטער זצ"ל האט זיך אויסגעגאסן א פלעשל מילך. ר' ישראל האט זיך אויסגעדרייט צו זיין רעביצין און געפרעגט אויב זי ווייסט פארוואס דאס איז זיך זיי געקומען פון הימל. די רעביצין האט באלד געפונען א סיבה: "איך האב זיך יעצט דערמאנט אז פארגאנגענע וואך האב איך פארגעסן צו באצאלן דעם מילך מאן".

נישט אלעמאל זענען מיר משיג פארוואס דער באשעפער שיקט אונז אונטער שוועריגקייטן אין לעבן. מיר דארפן זיך אבער שטענדיג האלטן רואיג און געדענקען אז יעדע זאך האט א חשבון, און אז די קליינע שוועריגקייטן וואס קומען אונז אונטער שפּארן אונז איין גרויסע שוועריגקייטן. אויב א מענטש פארלירט א צוואנציגער און ער איז מקבל דעם שאדן באהבה שפּארט ער זיך מעגליך איין א פארלוסט פון צוויי טויזענט דאלאר.

אין דעם מזמור פון תהלים (קז), וואס מיר זאגן ערב ש"ק ביי מנחה, ווערן אויסגערעכנט די "ארבעה שצריכים להודות – די פיר מענטשן וואס דארפן ברענגען א קרבן תודה ווייל זיי זענען געראטעוועט געווארן פון א צרה. דער מזמור ענדיגט זיך מיט'ן פסוק: "מי חכם וישמר אלה ויתבוננו חסדי ה' ". דער הייליגער בעלזער רב זי"ע טייטשט דעם פסוק: "מי חכם וישמר אלה" – ווער איז א קלוגער מענטש וואס וויל זיך אפּהיטן פון די אלע צרות, "ויתבוננו חסדי ה' " – די וואס אנערקענען די חסדים פון השי"ת. אז מען אנערקענט די טאג טעגליכע חסדים וואס דער רבונו של עולם טוט מיט אונז, פעלט נישט אויס אז מיר זאלן דארפן דורכגיין אזעלכע שווערע צרות פון וואס דער באשעפער זאל אונז ראטעווען.

איך דאנק דיך, באשעפער, אז דו האסט מיר געגעבן די געלעגנהייט אפצוקומען אויף מיינע חטאים דורך אזא גרינגער אופן.

36

עשה רצונו כרצונך

אין פרקי אבות (פרק ב׳ משנה ד׳) לערנען מיר: "עשה רצונו כרצונך – מאך דעם באשעפער'ס רצון דיין רצון". ספרים טייטשן אז אין יעדן מצב זאל מען אננעמען דעם באשעפער'ס רצון, אויף אזוי ווייט אז מיר זאלן שפירן אז דאס אליין איז באמת וואס מיר ווילן (זע אמת ליעקב תענית כב, א). און די משנה פירט אויס: "כדי שיעשה רצונך כרצונו – כדי ער זאל מאכן אז דיין רצון זאל ווערן זיין רצון". אויב עמיצער נעמט אן דעם באשעפער'ס רצון באהבה, ברענגט דאס אז דער באשעפער זאל אים געבן וואס ער וויל באמת.

מיר האבן אין פריערדיגן קאפיטל ערקלערט אז אויב מען נעמט אָן באהבה קלענערע פראבלעמען פארמיידט מען גרעסערע פראבלעמען עווענטועל. דער רבינו יונה אין שערי תשובה (שער ד, יב) איז מסביר דעם זעלבן געדאנק אויף א פסוק אין תהלים (עו, יא): "כִּי חֲמַת אָדָם תּוֹדֶךָּ שְׁאֵרִית חֵמֹת תַּחְגֹּר". טייטשט דער רבינו יונה "כִּי חֲמַת אָדָם תּוֹדֶךָּ" – ווען א מענטש דאנקט דעם באשעפער טראץ די צער און שוועריגקייטן וואס ער גייט דורך, "שְׁאֵרִית חֵמֹת תַּחְגֹּר" – וועט דאס פארמיידן אנדערע צרות פון פאסירן. דער רבינו יונה דריקט זיך אויס, אז אויב א מענטש נעמט אָן זיינע פראבלעמען באהבה: "יהיה זה לו למגן מן היסורים הרבים הראוים לבוא עליו – וועט דאס אים באשיצן פון פילע יסורים וואס וואלטן געדארפט קומען אויף אים".

ענליך דערצו שרייבט הגאון רבי חיים פאלאג'י זצ"ל (זכירה לחיים ב, איכה קב, ב) אז ווען ער האט באגעגנט א א מענטש וואס דאס רעדל האט זיך אים איבערגעדרייט, אין געלט אדער געזונט, פלעגט ער אים מחזק זיין אז ער זאל זיך נישט פילן מיואש, נאר ער זאל זיך שטארקן ווי א לייב און מקבל זיין אלעס בשמחה, און זיך האלטן פעסט טראץ אלע שוועריגקייטן. דאן וועט מקויים ווערן ביי אים דער פסוק (תהלים לב, י): "הַבּוֹטֵחַ בַּה' חֶסֶד יְסוֹבְבֶנּוּ – דער וואס פארזיכערט זיך אין באשעפער וועט אים גוטסקייט ארומנעמען." רבי חיים פאלאג'י שרייבט אז דאס איז א סגולה אז אלעס וועט זיך צוריקשטעלן ווי פריער.

אין תנא דבי אליהו זוטא (ו) שטייט, אז השי"ת האט געזאגט צו משה רבינו: "דו ווייסט קיינמאל נישט פולשטענדיג פארשטיין מיינע וועגן, אבער דו זאלסט וויסן אז ווען מענטשן דאנקען מיך און זענען מרבה בתפלה צו מיר אין יעדן סארט מצב, וועל איך זיי דאפלען זייער פרנסה אפילו אויב זיי האבן נישט געהאט מצוות און מעשים טובים".

עס שטייט אין ספרים, אז אויב מענטשן וואלטן געגלויבט באמונה שלימה אז אלעס וואס פאסירט איז פאר זייער טובה, און זיי וואלטן געדאנקט דעם באשעפער אין יעדן מצב, וואלטן אלע זייערע פראבלעמען פארשוואונדן געווארן און מיר וואלטן זוכה געווען צו די גאולה שלימה. דאס איז די וויכטיגסטע סגולה וואס מען דארף מקיים זיין יעדע מאל וואס מען האט א צרה: אנערקענען אז אלעס וואס פאסירט אין לעבן קומט פון דעם אלמעכטיגן באשעפער און אים דאנקען מיט אן אויפריכטיגקייט אפילו ווען מען גייט דורך שווערע צייטן.

אויב מענטשן וואלטן געגלויבט באמונה שלימה אז אלעס וואס פאסירט איז פאר זייער טובה, און זיי וואלטן געדאנקט דעם באשעפער אין יעדן מצב, וואלטן אלע זייערע פראבלעמען פארשוואונדן געווארן

דא דארף מען אנמערקן אז עס איז וויכטיג צו דאנקען דעם באשעפער אפילו אויב עס איז נישט מיט'ן גאנצן הארץ. עס שטייט אין די ספרים הקדושים אז אויב מען דאנקט דעם באשעפער אפילו ווען מ'שפירט עס נישט אינגאנצן, וועט עס צום סוף אריינגיין אין הארץ און אין מוח, ווי דער ספר החינוך (מצוה טז) זאגט: "האדם נפעל כפי פעולותיו". די פעולות וואס דער מענטש טוט האבן א טיפע ווירקונג אויף זיינע אינערליכע מחשבות און געפילן. וואס מער מען דריקט אויס דעם דאנק צום באשעפער, אלץ מער וועט מען עס שפירן ביי זיך.

37

די גזירה איז בטל געווארן

די משנה זאגט אין אבות (ה, ג): "עשרה נסיונות נתנסה אברהם אבינו עליו השלום ועמד בכולם". דער חובת הלבבות שרייבט אין שער חשבון הנפש (פרק ג, אופן כז), אז דאס וואס מיר לויבן אברהם אבינו פאר'ן ביישטיין די צען נסיונות, איז נאר ווייל ער האט עס מקבל געווען פון השי"ת "ברצון ובטוב לבב", ווי דער פסוק זאגט (נחמיה ט, ח): "וּמָצָאתָ אֶת לְבָבוֹ נֶאֱמָן לְפָנֶיךָ". אברהם אבינו'ס הייליג הארץ איז געווען דורכגעווייקט מיט אמונה צום באשעפער, גלייבענדיג און וויסענדיג אז אלעס וואס ער גייט דורך איז פאר זיין טובה. ביז'ן היינטיגן טאג געניסן מיר פון די אמונה וואס אברהם אבינו האט געהאט אין באשעפער, און מיר שניידן די פירות פון זיינע זכותים.

מיר האבן דערמאנט אין די פריערדיגע קאפיטלעך אז ווען א מענטש נעמט אן אלעס וואס דער באשעפער גיט אים באהבה, שיקט מען אים אראפ השפעות פון הימל. פארוואס איז דאס טאקע אזוי?

עס איז דא א מצות עשה אין די תורה ליב צו האבן דעם באשעפער, ווי מיר זאגן יעדן טאג אין קריאת שמע (דברים ו, ה): "וְאָהַבְתָּ אֵת ה' אֱלֹקֶיךָ בְּכָל לְבָבְךָ וּבְכָל נַפְשְׁךָ וּבְכָל מְאֹדֶךָ". די משנה זאגט (ברכות נד, א), אז "בְּכָל לְבָבְךָ" מיינט אז מיר מוזן דינען דעם באשעפער נישט בלויז מיט'ן יצר טוב נאר אויך מיט'ן יצר הרע, ווי דער רבינו יונה (שם) איז מסביר אז די מדה פון רחמנות קומט פון יצר טוב און די מדה פון אכזריות

קומט פון יצר הרע, און ווען א מענטש איז זיך נישט מרחם אויף די רשעים, נאר ער איז אן אכזר צו זיי, טוט ער א "מצוה גדולה" און אויף דעם אופן דינט מען השי"ת מיט'ן יצר הרע.

דער צווייטער חלק פון די מצוה איז: "בְּכָל נַפְשְׁךָ", וואס באדייט אז מיר מוזן דינען דעם באשעפער מיט די גאנצע נשמה, און מיר דארפן זיין גרייט מקריב צו זיין אונזער לעבן פאר'ן באשעפער, ווי דער רמב"ם זאגט (יסודי התורה ה, ז) אז אפילו במקום סכנת נפשות, טאר מען נישט עובר זיין אויף איינס פון די דריי הארבסטע עבירות.

"בְּכָל מְאֹדֶךָ" ווערט ערקלערט אין די משנה (ברכות שם): "בכל מדה ומדה שהוא מודה לך הוי מודה לו", ווי רש"י איז מסביר מיינט דאס אז מיר דארפן דאנקען דעם באשעפער אין אלע מצבים. דאס איז גאר א הויכע מדריגה וואס מען קען בלויז דערגרייכן אויב מען ארבעט שווער אנצונעמען יעדן מצב ווי אזוי עס איז, אפילו עס זעט אויס שלעכט פאר די אויגן.

א חסיד איז אמאל געפארן צום הייליגן חוזה פון לובלין זי"ע. ווי נאר ער איז אריינגעקומען צום חוזה האט דער רבי אים געגעבן א שארפן בליק, און אים באלד געהייסן אהיימפארן. דער איד איז געווארן מבולבל, נישט וויסענדיג וואס דער רבי וויל. ער האט אבער נישט געהאט קיין ברירה און איז זאפארט אהיימגעפארן. אויפ'ן וועג צוריק האט ער זיך אפגעשטעלט אין א קרעטשמע, וואו ער האט באגעגנט א גרופע פון חסידים וואס זענען יעצט געווען אויפ'ן וועג קיין לובלין. זיי האבן אים געלאדענט מיטצוקומען מיט זיי, אבער ער האט זיי ערקלערט אז ער איז נארוואס געווען ביים חוזה און דער צדיק האט אים געהייסן אהיימפארן. די חסידים האבן געזען אז ער פילט זיך זייער אנידערגעשלאגן אז דער חוזה האט אים געהייסן אהיימפארן.
פרעגן זיי אים: "פארוואס ביסטו אזוי צעבראכן? אויב דער רבי האט דיר געהייסן אהיימפארן איז עס פאר דיין טובה, און דאס איז דער רצון ה' ".
דער איד האט זיך מתבונן געווען אין זייערע ווערטער און ער האט אפגעמאכט ביי זיך אז ער וועט גלייבן באמונה שלימה אז דעם רבי'נס באפעל איז פאר זיין טובה. די חסידים האבן געמאכט א ספעציעלע סעודה פאר דעם איד כדי זיך צו פרייען אויף דעם וואס ער האט אנגענומען

דעם רצון ה׳. זיי האבן געפראוועט א הערליכע סעודה מיט שירות ותשבחות אין וועלכן זיי האבן זיך געלאזט וואוילגיין און געזינגען און געטאנצט. דער איד איז געווארן מלא שמחה, און ער האט פארטריבן יעדן משהו עצבות פון זיין הארץ.

דעם קומענדיגן צופרי האבן די חסידים געזאגט פאר דעם חסיד: ״קום, לאמיר צוזאמען פארן צום רבי׳ן״. דער חסיד האט געפאלגט און איז מיטגעפארן מיט זיי. ווען ער איז אנגעקומען קיין לובלין און איז אריין נעמען שלום ביים רבי׳ן האט דער חוזה אויסגערופן מיט וואונדער: ״איך האב דיר דאך געהייסן אהיימפארן!״

דער חסיד האט דערציילט דעם אמת, אז ער האט אנגעהויבן אהיימפארן, אויפ׳ן וועג האט ער זיך אפגעשטעלט אין קרעטשמע און געמאכט א סעודה צוזאמען מיט די חסידים אין דעם קרעטשמע, און דערנאך איז ער צוריקגעקומען.

זאגט אים דער חוזה: ״וויסן זאלסטו, אז ווען דו ביסט נעכטן אריינגעקומען האב איך געזען אויף דיר א גזר דין פון הימל אז דו זאלסט חלילה אוועקגיין פון דער וועלט, און דערפאר האב איך דיר געהייסן אהיימפארן כדי דו זאלסט נפטר ווערן אינדערהיים, ארומגענומען מיט דיין משפחה, אבער אזוי ווי דו האסט מקבל געווען דעם רצון ה׳ באהבה, און דו האסט זיך געפרייט מיט אזא שמחה, איז דער גזר דין בטל געווארן״.

אזוי ווי דו האסט מקבל געווען דעם רצון ה׳ באהבה, און דו האסט זיך געפרייט מיט אזא שמחה, איז דער גזר דין בטל געווארן.

פון אט די מעשה זעען מיר ווי אזוי מקבל זיין דעם רצון ה׳ באהבה, אפילו ווען עס איז שווער, צערייסט אלע שלעכטע גזירות, און דער מענטש ווערט פטור פון אלע זיינע צרות און פראבלעמען. אויב מען שטארקט זיך מיט שמחה אז אלעס וואס דער באשעפער טוט איז פאר דעם מענטשנ׳ס טובה, גייט מען ארויס פון אלע ענגשאפטן.

38

די פרנסה ווערט געטאפעלט

דער מדרש דערציילט (שמות רבה א, ח), אז דער שעבוד אין מצרים האט זיך נישט אנגעהויבן ביז אלע וואס זענען געקומען מיט יעקב קיין מצרים זענען נפטר געווארן. דער אור החיים הקדוש (בראשית מו, ז) איז מסביר אז דער שעבוד האט זיך נישט אנגעהויבן ווילאנג די וואס זענען אראפ קיין מצרים האבן געלעבט, וויבאלד זיי האבן מקבל געווען דעם באשעפער'ס גזר דין באהבה. זיי וואלטן געקענט זיין פארביטערט און צעבראכן אז זיי האבן זיך געמוזט אריבערציען פון ארץ ישראל קיין מצרים, אבער אנשטאט דעם האבן זיי עס מקבל געווען באהבה. דער אור החיים הקדוש פירט אויס: "סמא דיסורי קבולי" – די מעדיצין פאר יסורים איז עס אנצונעמען.

דער אור החיים הקדוש פירט אויס: "סמא דיסורי קבולי" – די מעדיצין פאר יסורים איז עס אנצונעמען.

דער בעסטער וועג צו פארבעסערן א שווערן מצב איז אנצונעמען דעם באשעפער'ס רצון. צום ביישפיל, ווען איינער האט שוועריגקייטן מיט פרנסה קען ער טראכטן: "פארוואס דארף איך ארבעטן אזוי שווער צו ברענגען פרנסה?" אדער ער קען דאנקען דעם באשעפער אויף וויפיל ער פארדינט יא, און גלייבן באמונה שלימה אז מען גיט אים פון הימל גענוי וויפיל ער נויטיגט זיך. אויף דעם וועג וועט ער פיל גרינגער קענען איבערקומען זיינע שוועריגקייטן און ארויסגיין פון זיין פראבלעם.

די גמרא זאגט (ברכות סג, א): "כל המשתף שם שמים בצערו כופלין לו פרנסתו". רש"י ערקלערט אז דאס מיינט

צו זאגן אז אויב א מענטש נעמט אן דעם באשעפער׳ס גזר דין און באקלאגט זיך נישט, דאן ווערן זיינע פארדינסטן געדאפלט. דער ווילנער גאון לייגט צו, אז די כוונה איז אז ווען עמיצער האט צער דארף ער אנערקענען אז די פּראבלעמען קומען נישט דורך א צופאל נאר דירעקט פון באשעפער, און דערמיט איז ער ״משתף שם שמים בצערו״.

עס איז אמאל געווען א איד מיט׳ן נאמען מאטל, וועלכער איז געווען א געניטער פאכמאן. ער פלעגט פאררעכטן צעבראכענע רערן. איין דאנערשטאג נאכט האט ר׳ מאטל זיך געפונען אָן קיין געלט צו קויפן עסן פאר די שבת׳דיגע סעודות. ער איז געזעסן ביים טיש צעבראכן, באוויינענדיג זיין מצב אז ער וועט נישט קענען מאכן קיין שבת׳דיגע סעודה. ער האט געווארט עטליכע שעה אז מען זאל אים רופן צו קומען עפעס פאררעכטן, אבער קיינער האט נישט גערופן.

ווען עס איז אנגעקומען חצות הלילה האט ר׳ מאטל באשלאסן אז ער וועט מער נישט זיין צעבראכן און מיואש. ער האט אויפגעהויבן זיינע אויגן צום באשעפער און אויסגערופן: ״טאטע אין הימל! איך האב פרובירט אלעס וואס איך האב געקענט. אויב דיין רצון איז אז איך זאל נישט האבן וואס צו עסן דעם שבת, בין איך עס מקבל באהבה״. ער האט געשפירט ווי א שטיין איז אים אראפ פון הארץ. ער האט מקבל געווען באהבה דעם רצון ה׳ אז ער וועט נישט קענען פראווען די סעודות שבת, און ער איז געגאנגען שלאפן מיט א רואיגקייט.

עטליכע שעה שפעטער, אין די פרימארגן שעה׳ן, האט זיך געהערט א קלאפ אויף די טיר. א הויפט רער אין דער מקוה האט זיך צעבראכן, און מען האט עס זאפארט געדארפט פאררעכטן כדי אידן זאלן זיך קענען קומען טובל׳ן ערב שבת. עס איז געווען א שווערע ארבעט צו פאררעכטן, און דער בעל מלאכה האט געקריגן א שיינע סומע פאר זיין ארבעט. אזוי האט ר׳ מאטל פארדינט גענוג געלט צו מאכן שבת. דורכ׳ן ווערן א שותף מיט׳ן באשעפער און אננעמען דעם אויבערשטנ׳ס רצון, אפילו אויב עס האט אויסגעזען גאר שווער, האט מען צוגעשיקט פון הימל דאס געלט אויף סעודות שבת פאר ר׳ מאטל׳ען.

39

אפשטעלן די צרות

דער שפת אמת האט אמאל באקומען א בריוו (אוצר מכתבים ומאמרים מכתב נו) פון א חסיד – וועמען ער באטיטעלט "... כאחי מחמד נפשי" – וועלכער האט זיך אפגערעדט אז ער ליידט שווערע יסורים. דער רבי האט אים געענטפערט מיט די גמרא (מגילה לא, א): "אין מפסיקין בקללות". דאס מיינט אז אין די שבתים וואס מען ליינט די תוכחה, וואו דער באשעפער ווארענט איבער שלעכטע געשעענישן וואס וועלן פאסירן אויב אידן וועלן נישט אפהיטן די תורה, טאר מען זיך נישט אפשטעלן אינמיטן אויפצורופן א פרישע עליה. די סיבה דערצו ווערט ערקלערט אין מדרש (דברים רבה ד, א) אז דער באשעפער זאגט צו די אידן: "אין שורת הדין שבני מתקללין ואני מתברך". דער באשעפער וויל נישט אז מען זאל עולה זיין לתורה און מאכן א ברכה אויף די תורה ביי די פסוקים פון קללות, נאר מ'איז עולה ביי פריערדיגע פסוקים און מ'ענדיגט מיט א דבר טוב.

דער שפת אמת האט יענעם געענטפערט לויט דעם, אז ער זאל מקבל זיין די יסורים באהבה, און שטענדיג דאנקען דעם באשעפער, און ממילא וועט השי"ת אוועקנעמען פון אים דעם צער, ווייל דער באשעפער שיקט נישט קיין קללות אויף די אידן ווילאנג ער ווערט געבענטשט.

א איד איז אמאל דורכגעגאנגען א שווערען קריזיס. מען האט פארלאנגט פון אים גרויסע סומעס געלט וואס ער איז באמת נישט געווען שולדיג. אנשטאט צו וויינען און קלאגן איבער זיין פראבלעם, איז ער ארויסגעגאנגען צום

ים, ער האט זיך אפגעשטעלט און באטראכט געמיטלעך די רוישיגע כוואליעס. ער האט ארויפגעקוקט צום הימל און אנגעהויבן טראכטן פון אלע חסדים וואס דער באשעפער האט אים געגעבן אין זיין לעבן. א שעה צייט האט ער געדאנקט דעם באשעפער און זיך גע'חזר'ט אז אלע מענטשן וואס ווילן געלט פון אים זענען בלויז שליחים פון הימל וואס זענען געשיקט געווארן משום איזה סיבה שיהיה.

דעם קומענדיגן צופרי זענען אלע טענות אויף אים אוועקגעפאלן, און ער האט נישט געדארפט צאלן דאס געלט. אויב וואלט ער פארברענגט די שעה זיך צו זארגן און זיך באקלאגן אויף זיין מצב, וואלט ער גארנישט פארדינט. אבער דורך דעם וואס ער האט אויסגענוצט די געלעגנהייט צו דאנקען דעם באשעפער און זיך איבערגעבן אין זיינע הענט, זענען אלע זיינע פראבלעמען פארשוואונדן געווארן.

אין ספר דברי ישראל (פרשת בהר) שטייט בשם הרה"ק ר"ר זושא זי"ע, אז דאגות און עצבות האלטן אפּ די צינורות וואס ברענגען שפע און ברכות. מען קען עפענען די צינורות דורך עוסק זיין בתורה און תפילה, און מ'זאל שטענדיג זאגן "כל מה דעביד רחמנא לטב עביד", וואס דורכדעם וועט מען צוקומען צו שמחה.

דאגות און עצבות האלטן אפּ די צינורות וואס ברענגען שפע און ברכות. מען קען עפענען די צינורות דורך עוסק זיין בתורה און תפילה, און מ'זאל שטענדיג זאגן "כל מה דעביד רחמנא לטב עביד".

עס ווערט נאכגעזאגט פון איינעם פון די צדיקים אז אויב א מענטש הייבט אויף די אויגן צום באשעפער און זאגט: "טאטע אין הימל, דו ביסט אזוי גוט צו מיר, דו גיסט מיר אזויפיל גוטע זאכן און איך בין דיר אזוי דאנקבאר פאר אלעם וואס דו האסט מיר געשאנקען", ענטפערט אים דער באשעפער כביכול: "דו מיינסט אז דאס איז גוט – איך וועל דיר ווייזן וואס גוט איז!" און ער גיט אים נאך א פיל גרעסערע שפע און ברכה.

מיר דארפן זיך דעריבער צוגעוואוינען צו דאנקען און לויבן דעם באשעפער ווען אימער מיר קענען, און אזוי וועלן מיר אויספירן אונזער תפקיד אין לעבן, ווי דער פסוק זאגט (ישעיהו מג, כא): "עַם זוּ יָצַרְתִּי לִי תְּהִלָּתִי יְסַפֵּרוּ – איך האב באשאפן דאס פאלק פאר מיר כדי זיי זאלן דערציילן מיין לויב". אויב מען דאנקט דעם באשעפער אויף אלעס וואס מען פארמאגט, איז מען זוכה צו השפעות און ישועות פון הימל.

40

אלעס וועט ווערן קלאר

די גמרא זאגט (נדה לא, א) אויפ'ן פסוק (ישעיה יב, א): "וְאָמַרְתָּ בַּיּוֹם הַהוּא אוֹדְךָ ה' כִּי אָנַפְתָּ בִּי" – אז ווען משיח וועט קומען וועלן מיר אלע דאנקען דעם באשעפער אויף זאכן וואס האבן אין אנהויב אויסגעזען ווי זיי זענען שלעכט, אבער לעתיד לבא וועלן מיר איינזען אז באמת זענען זיי גאר געווען טובות פאר אונז.

די גמרא גיט א ביישפיל פון צוויי מענטשן וואס האבן געדארפט כאפן א שיף ארויסצופארן אויף א רייזע. איינער איז אנגעקומען באצייטענס, אבער דער צווייטער האט בטעות ארויפגעטראטן אויף א נאגל און זיך צעבלוטיגט. פארשטייט זיך, אז ער האט פארשפעטיגט די שיף. דער איד איז געווען זייער צעבראכן אז ער האט נישט געקענט פארן אויף דער וויכטיגער רייזע. שפעטער האט ער זיך אבער דערוואוסט אז די שיף איז איינגעזונקען. הערנדיג די בשורה האט ער געדאנקט און געלויבט דעם באשעפער מיט'ן גאנצן הארץ אז ער איז נישט מיטגעפארן מיט די שיף, ווייל אזוי איז זיין לעבן געראטעוועט געווארן.

אזוי אויך לעתיד לבא וועלן מיר איינזען ווי די יסורים וואס מיר זענען דורכגעגאנגען אין לעבן איז באמת געווען א גרויסע טובה פאר אונז, און מיר וועלן לויבן און דאנקען דעם באשעפער אויף דעם צער וואס ער האט אונז געמאכט דורכגיין.

דער נסיון איז צו גערענקען אין די יעצטיגע מינוטן, פאר

לעתיד לבא וועלן מיר איינזען ווי די יסורים וואס מיר זענען דורכגעגאנגען אין לעבן איז באמת געווען א גרויסע טובה פאר אונז.

משיח קומט, אז יעדער פּראבלעם איז באמת א טובה. מיר קויפן זיך איין געוואלדיגע זכותים ווען מיר געדענקען אז די שווערע צייטן וואס מיר גייען אדורך זענען באמת פאר אונזער טובה, נאך איידער מיר זעען עס קלאר מיט די פליישיגע אויגן.

אין קדיש זאגן מיר "לְעֵלָּא מִן כָּל בִּרְכָתָא שִׁירָתָא תֻּשְׁבְּחָתָא נֶחָמָתָא דַּאֲמִירָן בְּעָלְמָא". דער פּשוט'ער פּשט איז, אז דער רבונו של עולם איז העכער פון יעדן סארט שבח און לויב וואס קען נאר געזאגט ווערן אויף דער וועלט. אבער מען קען עס אויך טייטשן אביסל אנדערש: "לעילא מן כל ברכתא וכו'" – דער העכסטער און גרעסטער לויב וואס קען געזאגט ווערן אויפ'ן באשעפער, איז "דאמירן בעלמא" – אזא שבח וואס ווערט געזאגט אויף דער וועלט. אויב מען דאנקט דעם באשעפער בשעת עס איז נאך א הסתר פּנים און מיר פארשטייען נאכנישט פארוואס דער באשעפער שיקט אונז אזעלכע שוועריגקייטן, איז דאס דער העכסטער און גרעסטער סארט שבח.

דער של"ה הקדוש (פרשת נשא דרך חיים תוכחת מוסר) ברענגט פון ילקוט שמעוני (איוב רמז תתקח) אז ווען איוב וואלט זיך נישט באקלאגט אויף אלע צרות וואס האבן אים באטראפן, וואלטן מיר אים אויסגערעכנט יעדן טאג ביי שמונה עשרה, און מען וואלט געזאגט "אלקי איוב" אזוי ווי מיר זאגן "אֱלֹקֵי אַבְרָהָם אֱלֹקֵי יִצְחָק וֵאלֹקֵי יַעֲקֹב". דאס מיינט אז איוב וואלט דערגרייכט די הויכע מדריגה בלויז דורכ'ן אננעמען זיינע יסורים באהבה און גלייבן אז אלעס איז פאר זיין טובה.

מען דארף דאס געדענקען בשעת מען איז נאך אויף דער וועלט און מען האט נאך די געלעגנהייט מקבל צו זיין די יסורים באהבה, און גלייבן אז אלעס איז באשערט פון הימל און אז יעדער מצב וואס מען גייט דורך איז דאס בעסטע וואס קען זיין פאר דעם מענטש. בשעת אלעס זעט אויס טונקל פאר די אויגן און מען פארשטייט נישט פארוואס דער באשעפער שיקט אונז שוועריקייטן, דאן איז די צייט זיך מחזק צו זיין אז עווענטועל וועט מען פארשטיין פארוואס אלעס איז געווען לטובה.

41

א קלארע הלכה

די גמרא זאגט (ברכות ס, ב): "לעולם יהא אדם רגיל לומר כל מה דעביד רחמנא לטב עביד – א מענטש זאל כסדר זאגן, אלעס וואס דער באשעפער טוט איז גוט". די סיבה פארוואס מען מוז זיך איינגעוואוינען דאס צו זאגן מיט'ן מויל איז ווייל די טבע פון מענטש איז צו טראכטן אז זיינע שוועריגקייטן אין לעבן זענען נישט פאר זיין טובה; דערפאר מוז מען זיך איינ'חזר'ן אז אלעס וואס דער באשעפער טוט איז גוט.

עס איז נישטא קיין תנא אדער אמורא וואס איז מחולק מיט דעם, און עס ווערט גע'פסק'נט אין שולחן ערוך הלכה למעשה (שו"ע או"ח רל, ה). דער רמב"ם שרייבט אין פירוש המשניות (ברכות ט, ה) אז באמת פארשטייט דאס יעדער בעל שכל אז אלעס וואס דער באשעפער טוט איז לטובה.

דער ערשטער שטאפל צוצוקומען צו דער מדריגה איז צו אנערקענען אז יעדע זאך וואס פאסירט אין דער וועלט קומט פון באשעפער. דער בן יהוידע טייטשט דאס ווארט "לעולם", אז דאס מיינט צו זאגן אז מען מוז זען דעם יד ה' נישט בלויז אין די וואונדערליכע געשעענישן פון לעבן, נאר אויך "לעולם" – אין שטענדיגן טאג טעגליכן לעבן. אפילו די נאטורליכע זאכן וואס זענען אין געוועגליכן סדר פון די בריאה, זאל מען גלייבן אז אלעס ווערט געפירט לטובה בהשגחת הבורא.

מיר האבן שוין אויבן געברענגט די מעשה פון רבי עקיבא,

וועלכער האט זיך אפגעשטעלט אין א שטאט און קיינער האט אים נישט געוואלט אריינגעמען. רבי עקיבא איז געווען געצווינגען צו נעכטיגן אין וואלד, אבער ער האט זיך מחזק געווען און געזאגט: "כל מה דעבד רחמנא לטב עביד". לכאורה איז שווער, די מענטשן אין שטאט האבן דאך געהאט א בחירה, און זיי האבן אויסגעוועלט נישט אריינצונעמען דעם הייליגן תנא רבי עקיבא ביי זיך אין שטוב. איז דאך דאס געווען זייער באשלוס!

דער אמת איז אבער, אז אפילו ווען א מענטש זאגט זיך אפ פון טון א טובה איז דאס אויך דער רצון ה'. ווען א קאץ איז שפעטער געקומען און האט אויפגעגעסן רבי עקיבא'ס הינדל – ווי די גמרא דערציילט ווייטער – האט רבי עקיבא אויך געלויבט דעם באשעפער אויף דעם, און ער האט נאכאמאל געזאגט "כל מה דעבד רחמנא לטב עביד", ווייל ער האט אנערקענט אז די קאץ וואלט נישט געקענט אנרירן זיין הינדל אויב דאס וואלט נישט געווען דער רצון ה'.

א חשוב'ער עסקן האט דערציילט, אז ווען ער איז געווען א קליין קינד איז ער אמאל געווארן זייער קראנק ל"ע. זיין מוטער איז געגאנגען מיט אים צום דאקטאר, און דער דאקטאר האט איר געגעבן א רעצעפט פאר א מעדיצין. זיין מאמע האט זיך אבער נישט געקענט ערלויבן צו קויפן די מעדיצין, האט זי גענומען דאס ביסל געלט וואס זי האט פארמאגט און איז געגאנגען צום אפטייק. דער אייגענטימער איז אבער נישט געווען אין געשעפט, נאר זיין געהילף, און מיט טרערן אין די אויגן האט זי זיך געבעטן ער זאל איר געבן די מעדיצין וואס זי דארף נויטיג האבן צו ראטעווען איר קינד.
דער געהילף האט איר בארויגט, זאגענדיג אז ער וועט איר געבן די מעדיצין, כאטש זי האט נישט געהאט די נויטיגע סומע. ער האט אריינגעלייגט די טאבלעטן אין א פלעשל, און עס איבערגעגעבן פאר די צעבראכענע מוטער.
די מאמע האט געכאפט דאס פלעשל און אים באדאנקט פון טיפן הארצן. זי האט אנגעהויבן אהיימשפאנען מיט שנעלע טריט. פון גרויס יאגעניש איז דאס פלעשל אראפגעפאלן אויפ'ן וועג, און עס האט זיך צעבראכן אויף פיצלעך. די מאמע איז געווארן אינגאנצן פארלוירן, נישט וויסענדיג וואס צו טוען ווייטער. זי האט אויפגעהויבן די

צעבראכענע שטיקלעך גלאז און איז צוריקגעגאנגען צום אפטייק. דאס מאל איז דער אפטייקער דארט געווען, און מיט א צעבראכן הארץ האט זי אים דערציילט אן ערשיטערטע וואס דא האט פאסירט.

"זארג זיך נישט," האט דער אפטייקער איר בארואיגט, "איך וועל דיר געבן א פריש פלעשל פון דעם מעדיצין בחינם".

דער אפטייקער האט גענומען אין די האנט די צעבראכענע שטיקלעך גלאז, כדי צו זען וועלכע מעדיצין דאס איז געווען. און צו זיין שטוינונג האט ער געזען אז זיין געהילף האט בטעות אריינגעלייגט אן אומריכטיגע מעדיצין וואס וואלט געקענט שטעלן דעם קינד'ס לעבן אין געפאר!

דער אפטייקער האט דערציילט פאר דער מאמען וואס דא האט פאסירט, אז זיין געהילף האט אריינגעשטעלט די נישט ריכטיגע טאבלעטן. און ער האט זיך אנגערופן צו די מאמע: "עס מוז זיין אז א מלאך האט אייך באגלייט היינט".

דער עסקן פלעגט זאגן אז זיין מאמע פלעגט אים כסדר דערציילן די מעשה, און זי האט שטענדיג ארויסגעברענגט אז אפילו ווען מען מיינט אז דער מצב איז אזוי געפערליך און עס קען נישט זיין ערגער, קען זיך ארויסשטעלן אז דאס איז גאר געווען לטובה פאר'ן מענטש, און מען דארף שטענדיג גלייבן אז צומאל איז דער ערגסטער מצב די גרעסטע טובה פאר אונז. דער באשעפער שיקט כסדר צו אזעלכע געשעענישן אין לעבן, אין וועלכע מיר זעען אז אן ערשיינונג וואס האט אויסגעזען גאר ביטער האט זיך צום סוף ארויסגעשטעלט אז עס איז ארויסגעקומען א תועלת דערפון. אויב מיר האלטן דאס פאר די אויגן קענען מיר שטענדיג דאנקען דעם באשעפער אין יעדן מצב.

אפילו ווען מען מיינט אז דער מצב איז אזוי געפערליך און עס קען נישט זיין ערגער, קען זיך ארויסשטעלן אז דאס איז גאר געווען לטובה פאר'ן מענטש.

42

מדת הדין קומט פון מדת הרחמים

עדן טאג ביי קריאת שמע זאגן מיר "שְׁמַע יִשְׂרָאֵל ה' אֱלֹקֵינוּ ה' אֶחָד" (דברים ו, ד). דער שארית מנחם פון ווישאווא זצ"ל (ויגש עמוד נז) טייטשט דעם פסוק לויט ווי מיר ווייסן, אז דער שם "אלקים" איז מידת הדין און שם "הוי' " איז מידת הרחמים. ווען מיר ליינען קריאת שמע רופן מיר אויס אז מידת הרחמים און מידת הדין זענען באמת איין נס. די פאסירונגען אין לעבן וואס זענען אויס ווי זיי שטאמען פון מידת הדין קומען באמת פון מידת הרחמים; אלעס ווערט געפירט פון באשעפער'ס רחמנות און חסדים. דערפאר מאכן מיר צו די אויגן ביי קריאת שמע, אינזין האבנדיג אז אלעס איז לטובה, כאטש עס זעט נישט אויס גוט פאר אונזערע אויגן.

עס מאכט זיך אמאל א טאג ווען אלעס שיינט. מען שטייט אויף צופרי, מען קוקט ארויס פון פענסטער און די זון שיינט אין פולסטן פראכט. די פייגעלעך טשוויטשקען און דיביימער בליען. מען גייט צו דער ארבעט און אלעס פארט געשמירט. אינמיטן טאג באקומט מען א טעלעפאן רוף פונעם זונ'ס מלמד אז ער פירט זיך אויף גאר גוט. דאן זעען מיר דעם באשעפער'ס מידת הרחמים, און אויף דעם איז גרינג צו לויבן און דאנקען דעם באשעפער.

פאסירונגען אין לעבן וואס זענען אויס ווי זיי שטאמען פון מידת הדין קומען באמת פון מידת הרחמים; אלעס ווערט געפירט פון באשעפער'ס רחמנות און חסדים.

ווי איז אבער ווען דער טאג פארט נישט אזוי גוט; מען שטייט אויף צופרי און עס איז א פארוואלקנטער טאג. די קינדער שרייען און קריגן זיך און ווילן נישט גיין אין חדר. מען גייט צו דער ארבעט, אבער די ביזנעס הינקט אונטער. אינמיטן טאג באקומט מען א טעלעפאן רוף אז מען דארף קומען אפנעמען דאס קינד פון חדר ווייל מ׳האט אים ארויסגעשיקט פון קלאס צוליב זיין שוואכע אויפפירונג. אין אזא צייט ווערט דעם באשעפער׳ס מידת הרחמים פארשלייערט אין מידת הדין. אבער מיר מוזן גלייבן אז דאס קומט אויך פון די חסדים פון באשעפער. מיר פארשטייען נישט פארוואס מיר דארפן דורכגיין די אלע אומבאקוועמליכקייטן און מאטערנישן, אבער עס קען ווערן עטוואס גרינגער אויפ׳ן הארצן וויסענדיג אז דאס אלעס קומט פון די חסדים פון באשעפער.

דער פסוק זאגט אין תהלים (עג, א): ״אַךְ טוֹב לְיִשְׂרָאֵל אֱלֹקִים לְבָרֵי לֵבָב״. עס ווערט געברענגט א טייטש אויף דעם פסוק: ״אַךְ טוֹב לְיִשְׂרָאֵל אֱלֹקִים״ – אפילו אלקים – מידת הדין – איז אויך גוט פאר די אידן, אבער נאר ״לְבָרֵי לֵבָב״ – פאר די וואס האבן ריינע הערצער און קענען אננעמען וואס אימער דער באשעפער שיקט זיי.

אין פרשת וישלח לערנען מיר אז יעקב אבינו האט געזאגט צום באשעפער: ״וְאַתָּה אָמַרְתָּ הֵיטֵב אֵיטִיב עִמָּךְ״. דער דברי ישראל זאגט אז דער דאפעלטער לשון פון ״הֵיטֵב אֵיטִיב״ איז מרמז אז ווען א מענטש געוואוינט זיך איין צו זאגן אז דער מצב איז גוט, וועט דער באשעפער טאקע מאכן אז גוטע זאכן זאלן געשען.

מיר דארפן זיך דעריבער צוגעוואוינען אנצונעמען וואס אימער דער באשעפער טוט מיט אונז, און גלייבן אז עס איז לטובה, אזוי ארום וועלן מיר זוכה זיין צו ברכות און ישועות. דאס קומענדיגע מאל וואס איר שפירט זיך צעבראכן און מיואש, זאגט: ״טאטע אין הימל, דאס איז באמת א חסד פון דיר, איך נעם עס אן מיט׳ן גאנצן הארץ״, און דורך דעם אליין וועט דער מצב ווערן בעסער.

43

ווי אזוי איז מען זוכה צו ברכת ה׳

ווען א מענטש לעבט מיט אמונה און מיט די ידיעה אז דער באשעפער טוט אלעס פאר זיין טובה, איז ער רואיג און צופרידן אפילו דאס לעבן גייט אים נישט גוט. ווען א מענטש איז צופרידן מיט דאס ביסל וואס ער האט, איז ער זוכה צו ברכות און השפעות פון באשעפער, ווי דער אלשיך הקדוש טייטשט דעם פסוק (דברים לג, כג): ״נַפְתָּלִי שְׂבַע רָצוֹן וּמָלֵא בִּרְכַּת ה׳ ״. – נפתלי איז געווען א ״שמח בחלקו״ און דערפאר האט ער זוכה געווען צו ״בִּרְכַּת ה׳ ״.

איינער האט מיר אמאל דערציילט א פאסירונג וואס איז פארגעקומען מיט אים. ער איז געגאנגען דאווענען מנחה אינמיטן טאג ביי דער ארבעט, און ער איז אנגעקומען עטליכע מינוט איידער מען האט אנגעהויבן דאווענען. ער האט פארפירט א שמועס מיט א צווייטן איבער דעם ענין פון אמונה. זיי האבן ארומגערעדט איבער דעם נושא אז טראצדעם וואס מיר דארפן שטענדיג גלייבן אז אלעס וואס האט פאסירט ביז היינט איז דאס בעסטע פאר אונז, פונדעסטוועגן דארפן מיר מתפלל זיין אז דער מצב זאל

בעסער ווערן, און אז דאס לעבן זאל זיך טוישן לטובה.
נאכ'ן רעדן וועגן דעם ענין האט ער געטראכט ווי אזוי ער קען נעמען דעם געדאנק און עס איינפירן אין זיין פערזענליכן לעבן. ער האט דעמאלט געהאט עטליכע שווערע פראבלעמען. איין פראבלעם איז געווען, אז ער איז זיך נישט דורכקומען מיט איינעם אין די ביזנעס.
אן אנדערער פראבלעם איז געווען אז די אנפירער פון די געביידע וואו ער האט געהאלטן זיין סחורה, האבן געפאדערט פון אים א צוגאבע פון צוויי הונדערט טויזענט דאלאר א יאר. ער האט געהאט בלויז צוויי טאג צייט צו באשליסן צי ער גייט אונטערשרייבן דעם נייעם קאנטראקט. עס האט אים געדראעט צו פארלירן א גרויס פארמעגן. ער האט זיך פראבירט אן עצה צו געבן אויף פארשידענע וועגן, אבער אן הצלחה.
נאך א פראבלעם איז געווען וואס ער האט נארוואס געדינגען א נייעם אפיס, און ער האט עס אנגעהויבן איבערצובויען. דער הויז אייגנטימער האט אים אבער געזאגט אז ער קען נישט אנהייבן איבערבויען דעם אפיס איידער ער באקומט א ספעציעלע שטאטישע ערלויבעניש, וואס דויערט זייער לאנג און קאסט אסאך געלט.
זייענדיג איינגעהילט אין די אלע פראבלעמען האט דער איד זיך געוואנדן צום באשעפער און געזאגט: "באשעפער, איך נעם אן מיט'ן גאנצן הארץ אז אלעס וואס האט פאסירט ביז היינט איז דאס בעסטע פאר מיר". ביים דאווענען מנחה האט ער שטארק מתפלל געווען אז דער באשעפער זאל אים ארויסנעמען פון זיינע פראבלעמען.
אין די מינוט וואס ער האט געענדיגט מנחה, איז צוגעקומען צו אים דער מענטש מיט וועמען ער איז זיך נישט דורכגעקומען, און ער האט אנגעהויבן רעדן מיט אים. ביז א קורצע צייט האבן זיי זיך אויסגעגליכן און זיך דורכגעקומען צווישן זיך.
דער איד איז צוריקגעגאנגען צו זיין אפיס. ארייננקומענדיג זעט ער ווי אלע מענטשן זענען גוט אויפגעלייגט. עס האט זיך ארויסגעשטעלט אז בשעת ער איז געווען אינדרויסן האט אן אייגנטימער פון א צווייטע געביידע זיך פארבינדן מיט זיי און פארגעשלאגן ארויסצודינגען זייער פלאץ פאר הונדערט טויזנט דאלאר ביליגער ווי

זיי האבן געצאלט ביז דאן. מיט דעם האט ער נישט בלויז פארמיטן דעם שאדן פון צוויי הונדערט טויזענט דאלאר, נאר ער האט זיך אויך איינגעשפארט א יערליכע סומע פון הונדערט טויזענט דאלאר. ווייניגער ווי א שעה שפעטער האט דער נייער "לענדלארד" [פון זיין אפיס] אים אנגערופן און געזאגט אז דער פראבלעם מיט די שטאטישע ערלויבעניש איז געלעזט געווארן, און אז מ'קען שוין אנהויבן בויען. אזוי זענען אלע פראבלעמען פארשוואונדן געווארן כהרף עין.

אין עטליכע שעה זענען אלע פראבלעמען געלייזט געווארן.

אונזער צוגאנג דארף זיין אויף דעם אופן. מיר דארפן זאגן: "איך ווייס אז השי"ת טוט שטענדיג וואס איז גוט פאר מיר, און איך נעם אן אלעס וואס האט פאסירט ביז היינט". און דאן דארפן מיר בעטן דעם אויבערשטן אז ער זאל פארבעסערן אונזער מצב. אזוי ארום וועלן אונזערע תפילות אנגענומען ווערן. אז מען לעבט מיט א "שבע רצון", דאן איז מען "מלא ברכת ה' ".

44

געדענקען חסדי ה'

דער חובת הלבבות שרייבט (סוף שער הבטחון) אז די מדרגה פון בטחון ווענדט זיך לויט די הבנה פון דעם מענטש, ד.ה. ווי העכער ס'איז זיין מדריגה פון אמונה אז דער באשעפער איז משגיח אויף זיין לעבן און אויף זיין וואוילזיין, אלץ מער פארלאזט ער זיך אויף השי"ת. מיר מוזן געדענקען אז יעדעס ביסל הנאה וואס מיר האבן אויף דער וועלט קומט דירעקט פונעם באשעפער. מיר אלע ווייסן אז דאס וואס מיר קענען זען, גיין, הערן, און רעדן קומט בלויז פון באשעפער. אבער צומאל, ווען מיר האבן אנדערע הנאות, צום ביישפיל ווען מיר עסן א גוט מאכל אדער מיר טוען אָן א ניי מלבוש, טראכט מען נישט אזוי טיף אריין אז אויך דאס קומט פון באשעפער. וואס מער מיר וועלן אנערקענען אז ממש אלע פרטים און פרטי פרטים אין לעבן קומט פון באשעפער, אלץ מער וועלן מיר שטייגן אין די מדריגה פון אמונה.

די גמרא זאגט (ברכות נח, א) אז עס זענען פאראן צוויי סארטן אורחים. א גוטער גאסט זאגט: "קוקט, דער מכניס אורח האט אלעס אזוי שיין צוגעגרייט ספעציעל פאר מיר, איך בין אים אזוי דאנקבאר". א שלעכטער גאסט זאגט:

"וואס איז שוין די גרויסע זאך? ער האט גארנישט צוגעגרייט ספעציעל פאר מיר".

דער ווילנער גאון (ביאורי אגדות שם) שטעלט צו די דערמאנטע גמרא צום יחס פון א איד צו השי"ת, אז מיר טארן נישט זיין כפויי טובה.

מיר דארפן שפירן אז די הערליכע וועלט וואס דער אויבערשטער האט באשאפן האט ער צוגעשטעלט ספעציעל פאר אונזערטוועגן. מיר דארפן זיכער מאכן צו זיין גוטע געסט אויף דער וועלט, און דאנקבאר זיין פאר השי"ת אויף אלע גוטע זאכן, ווי למשל, יעדעס מאל וואס א מענטש גייט ארויס אין א שיינעם זוניגן טאג, זאל ער דאנקען דעם באשעפער פאר'ן צושטעלן די זון וואס באלייכט די וועלט און שיקט ארויס ווארעמע שטראלן.

א מענטש גייט אריין צופרי אין געשעפט און באשטעלט א קאווע. ער בעט מען זאל אים אריינלייגן די פונקטליכע מאס, געננוי לויט זיין געשמאק. ער באנעצט די ליפן און ער פרישט זיך אויף. א מחיה! א ציניקער קען זאגן אז דער מענטש האט באקומען די קאווע ווייל דער געשעפטס מאן וויל פארדינען געלט, און דעריבער האט ער ארויסגעשטעלט דעם פראדוקט צו פארקויפן. דער אמת איז אבער אז דער באשעפער איז דער וואס האט אים דאס צוגעשטעלט לויט זיין געשמאק; דער געשעפטס מאן און אלעס ארום אים איז בלויז א מאסקע וואס פארשטעלט די הנהגת השי"ת אין אלע פרטים פון די בריאה.

דער חרדים שרייבט (ט [א], כג) אז עס איז א חיוב מן התורה צו געדענקען די חסדים וואס דער באשעפער האט געטוען מיט אונזערע אור עלטערן אין מדבר, ווי עס שטייט אין פסוק (דברים ח, ב): "וְזָכַרְתָּ אֶת כָּל הַדֶּרֶךְ אֲשֶׁר הוֹלִיכְךָ ה' אֱלֹקֶיךָ". דורכאויס די צייט האט דער באשעפער געגעבן פאר די אידן מָן פון הימל; קליידער וואס זענען מיטגעוואקסן, און שטארקייט אז זייערע פיס זאלן נישט געשוואלן געווארן פון אזויפיל גיין. אויב עס איז א חיוב צו געדענקען די חסדים וואס דער באשעפער האט געטוען מיט אונזערע אור עלטערן טויזנטער יארן צוריק, איז אודאי א מצוה צו דאנקען דעם באשעפער אויף די חסדים וואס ער טוט מיט אונז אליין יעדע רגע.

מיר האבן אזויפיל פארגעניגענס יעדן טאג. מיר האבן פארשידענע סארטן באקוועמליכקייטן פון וואס מענטשן

מיט בלויז הונדערט יאר צוריק האבן זיך נישט געחלומ'ט. אויב מיר וואלטן נאר געטראכט אביסל טיפער פון די חסדים וואס דער באשעפער טוט מיט אונז, און אויסגעדרוקט אונזער דאנק צו אים, וואלטן מיר געווען פיל מער צופרידן.

עס איז גרינג צו זען די גוטע זאכן וואס אן אנדערער פארמאגט. א קונץ איז אבער צו זען די זאכן וואס א מענטש אליין פארמאגט. ווי ספרים טייטשן דעם פסוק (תהלים קז, מג): "מִי חָכָם וְיִשְׁמָר אֵלֶּה וְיִתְבּוֹנְנוּ חַסְדֵי ה׳" – מען דארף זיין א חכם צו זען און פארשטיין די חסדים פון באשעפער (זע רד"ק).

אויב מיר וואלטן נאר געטראכט אביסל טיפער פון די חסדים וואס דער באשעפער טוט מיט אונז, און אויסגעדרוקט אונזער דאנק צו אים, וואלטן מיר געווען פיל מער צופרידן.

45

דאנקען אויף אלעם

דער יסוד ושורש העבודה שרייבט אין זיין צוואה אז ער האט זיך איינגעפירט צו דאנקען דעם באשעפער אויף יעדעס ביסל גוטס אין לעבן. אויב עס איז בטעות אראפגעפאלן א גלאז און עס האט זיך נישט צעבראכן, האט ער געדאנקט דעם באשעפער. אויב ער האט געדארפט דורכגיין א מסוכנ'דיגע געגענט האט ער קודם מתפלל געווען, און ווען עס האט אים געראנישט פאסירט האט ער געדאנקט דעם באשעפער. אט דער צדיק האט פארשטאנען אז אויף יעדע מינדעסטע זאך דארף מען דאנקען דעם באשעפער.

עס זענען פאראן אומצאליגע געלעגענהייטן במשך דעם טאג ווען מ'קען זיך אזוי נוהג זיין. צום ביישפיל, אויב איינער האט פארגעסן אנצושטעלן דעם וועק זייגער און פונדעסטוועגן האט ער זיך אויפגעוועקט צופרי אין צייט, זאל ער דאנקען דעם באשעפער. אויב איינער איז אנגעקומען שפעט צו די באן אבער ער האט עס פארט אנגעיאגט, זאל ער דאנקען דעם באשעפער. אויב א ביזנעסמאן באקומט א גרויסע באשטעלונג פון א קליענט, זאל ער דאנקען דעם באשעפער. דורכ'ן דאנקען דעם באשעפער אנערקענט מען אז ער איז דער הערשער אויף דער וועלט און ער קאנטראלירט אונזער לעבן.

דער פלא יועץ (ערך הילול) שרייבט בשם חז"ל, אז אויב עס פאסירט א נס צו איינעם און ער דאנקט דערויף דעם

באשעפער, מאכט אים דער באשעפער נאך א נס. חז"ל לערנען אונז (מדרש תהלים יז): "כל מי שנעשה לו נס ואומר שירה בידוע שמוחלין לו עוונותיו – אויב א מענטש האט איבערגעלעבט א נס און ער דאנקט דעם באשעפער, איז ער פארזיכערט אז מ'האט אים מוחל געווען זיינע עבירות". אויב דאס איז דער שכר פאר איינעם וואס דאנקט דעם באשעפער פאר א גרויסען נס וואס האט פאסירט מיט אים, קענען מיר זיך פארשטעלן ווי גרויס איז דער שכר ווען איינער דאנקט דעם באשעפער אפילו אויף קלייניקייטן וואס פאסירן יעדן טאג.

חז"ל (בראשית רבה יד, ט) דרשנ'ען אויפ'ן לעצטן פסוק אין תהלים (קנ, ו) "כֹּל הַנְּשָׁמָה תְּהַלֵּל קָה" – "על כל נשימה ונשימה שאדם נושם צריך לקלס לבורא" – אויף יעדן אטעם וואס א מענטש אטעמט דארף ער לויבן דעם באשעפער. מיר האבן אויף וואס צו לויבן דעם באשעפער יעדע מינוט, ווייל יעדע סעקונדע פון אונזער לעבן אטעמען מיר, און דאס אליין איז א חסד פון באשעפער. עס זענען פאראן חולים אין שפיטאל וואס קענען נישט אטעמען ל"ע, און זיי מוזן צוקומען צו פארגעשריטענע מאשינען זיי צו דערהאלטן ביים חיות. יעדע רגע פון טאג טוט אונזער קערפער אומצאליגע פונקציעס פון וואס מיר וויסן אפילו נישט. אונזער קערפער ארבעט פיר און צוואנציג שעה אין טאג; דער מאגן פארדייט עסן, דאס הארץ קלאפט, דאס בלוט לויפט אין גאנצן קערפער, די חושים כאפן אויף אלעס וואס פאסירט ארום אונז, דער מוח איז אקטיוו במשך דעם גאנצן טאג. אלע אונזערע איברים פירן אויס ערליך זייערע פליכטן, און מיר זענען ניטאמאל באוואוסטזיניג דערפון. מיר האבן שטענדיג אויף וואס צו דאנקען דעם רופא כל בשר ומפליא לעשות.

מען האט מיר לעצטנס דערציילט איבער א געוויסען ביזנעסמאן וועלכער באקומט א גרויסע באשטעלונג איינמאל א יאר. יעדעס יאר ווען די באשטעלונג קומט אריין, זענען די באאמטע זייער אנגעצויגן צוצוגרייטן אלע דאקומענטן מען זאל עס קענען ארויסשיקן אין צייט. איין יאר האט ער באשלאסן צוצוגרייטן אלעס פון פאראויס, כדי אז ווען די באשטעלונג קומט אן זאל שוין אלעס זיין גרייט. ענדליך ווען אלעס איז שוין געווען גרייט, האט דער קליענט געלאזט וויסן, אז דאס יאר נויטיגט ער זיך נישט אין די באשטעלונג. דער ביזנעסמאן איז געבליבן שטעקן

מיט די גאנצע סחורה. ער האט אבער אלעס אנגענומען באהבה, און געדענקט אז אלעס וואס פאסירט קומט נאר פון באשעפער.
געציילטע טעג שפעטער האט אן אנדערע פירמע, מיט וועלכע ער האט שטענדיג געוואלט האנדלען, זיך פארבינדן מיט אים. זיי האבן אים געזאגט אז זיי ווילן מאכן א קאנטראקט אויפ'ן לענגערן טערמין, און זיי האבן געוואלט וויסן אויב ער קען זיי שיקן א גרויסע באשטעלונג ביז א קורצע צייט. דאס איז געווען דער זעלבער פראדוקט וואס ער האט באשטעלט פאר די אנדערע פירמע. דער ביזנעסמאן האט אים געלאזט וויסן אז די סחורה איז שוין גרייט, און דאס געשעפט איז געשלאסן געווארן. אזוי ארום האט ער ארייןבאקומען א פרישן קליענט, און דערווייל איז ער געוואויר געווארן אז דער פריערדיגער קליענט איז ארויס פון ביזנעס.

מיר זאגן ביים דאווענען: "לַה' הַיְשׁוּעָה עַל עַמְּךָ בִרְכָתֶךָ", טייטשט רש"י: דער באשעפער העלפט זיין פאלק, און אויף זיין פאלק ליגט א פליכט שטענדיג צו דאנקען און לויבן אויף די אלע טובות. די חסדים פון באשעפער זענען פארקליידעט אין די פשוט'ע געשעענישן פון טאג טעגליכן לעבן, און מיר מוזן דאס געדענקען און וויסן צו שעצן.

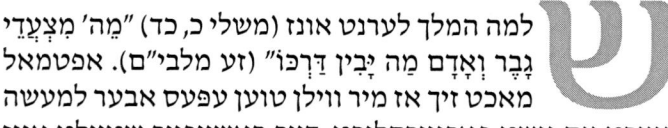

46

השגחה פרטית

שלמה המלך לערנט אונז (משלי כ, כד) "מֵה' מִצְעֲדֵי גָבֶר וְאָדָם מַה יָּבִין דַּרְכּוֹ" (זע מלבי"ם). אפטמאל מאכט זיך אז מיר ווילן טוען עפּעס אבער למעשה ווערט עס נישט פארווירקליכט. דער באשעפער שטעלט אונז אריין אין פארשידענע סארטן מצבים אין וועלכע מיר האבן קיינמאל נישט געפּלאנט צו זיין, אבער מיר דארפן גלייבן אז אלעס קומט פון אים, ווי עס שטייט פון ספרים אז "הטבע" איז בגימטריא ווי דער שם "אלקים". דער באשעפער נוצט די כוחות הטבע צו פירן דעם מענטש אויפ'ן ריכטיגן וועג.

דער חזון איש שרייבט (אמונה ובטחון פרק ב') אז די מצוה פון בטחון מיינט אויך אז א מענטש דארף דערגרייכן צו די מדרגה אז עס איז נישטא קיין שום צופאל אויף דער וועלט, נאר אלעס וואס פאסירט אויף דער וועלט קומט דורכ'ן באפעל פון השי"ת.

פילע מענטשן ווילן זען אפענע השגחת ה'. דער אמת איז אבער אז דער באשעפער איז משגיח אויף אלע פרטים פון דער וועלט. מען דארף נאר עפענען די אויגן און קוקן מיט דעם ריכטיגן בליק.

פילע מענטשן ווילן זען אפענע השגחת ה'. דער אמת איז אבער אז דער באשעפער איז משגיח אויף אלע פרטים פון דער וועלט. מען דארף נאר עפענען די אויגן און קוקן מיט דעם ריכטיגן בליק.

דער בעל יסוד ושורש העבודה שרייבט אין זיין צוואה אז ער האט זיך איינגעפירט צו דאנקען דעם באשעפער אויף יעדע קלייניקייט וואס פאסירט מיט אים דורכאויס דעם טאג. צום ביישפיל, אויב א גלאז איז אראפגעפאלן און האט זיך נישט צובראכן האט ער געדאנקט דעם באשעפער. איך האב דאן געגעבן א שיעור איבער דעם געדאנק אז א מענטש דארף דאנקען דעם באשעפער אויף יעדע קלייניקייט. איך האב גענוצט אלס א ביישפיל

אויב איינער איז אנגעקומען שפעט צו די באן און פונדעסטוועגן האט ער עס געכאפט. ווען אזא זאך פאסירט דארף מען דאנקען דעם באשעפער.

קורץ נאכדעם האב איך פארגעלערנט א שיעור אין גמרא, און איינער פון די באטייליגטע האט זיך אנגערופן אז ער וויל מיטטיילן אן אינצידענט וואס האט פאסירט מיט אים יענעם טאג. ער האט געדארפט ארויספליען אויף א רייזע פאר א ביזנעס מיטינג, און ער האט געהאט א טיקעט אויף צוריק באלד נאך דער מיטינג. למעשה האט זיין ערשטער פליגער פארשפעטיגט, אזוי ארום אז ער האט געדארפט אפשטופן די מיטינג אויף עטליכע שעה שפעטער. ער האט געזען אז ער וועט שוין נישט מאכן דעם פליגער אויף צוריק, און אזוי ווי עס איז נישט געווען נאך א פליגער אויף צוריק אין זעלבן טאג, האט ער מורא געהאט אז ער וועט מוזן איבערשלאפן די נאכט דארטן.

דער איד האט אבער געטראכט צו זיך אז אלעס קומט פון באשעפער, און אז דער רבונו של עולם קען מאכן אז ער זאל טרעפן א וועג אויף צוריק. נאך דער מיטינג איז ער דעריבער געגאנגען צום לופטפעלד און ער האט געזען צו זיין איבערראשונג אז זיין פליגער אויף צוריק איז געווארן אפגעשטופט מיט צוויי שעה. ער איז ארויף באצייטנס אויף דעם פליגער און ער האט געדאנקט דעם באשעפער פאר זיינע חסדים.

הערנדיג די מעשה האב איך אויסגערופן: "ווי אינטערעסאנט! בלויז צוויי שעה צוריק האב איך גערעדט איבער ממש דעם זעלבן ביישפיל, ווען א מענטש קומט אן שפעט צו די באן, אבער ער כאפט עס וויבאלד עס איז אנגעקומען שפעט".

דעם קומענדיגן טאג האב איך אויפגעהויבן עטליכע גלעזער ביי מיר אינדערהיים, און איינס איז אראפגעפאלן אבער עס האט זיך נישט צעבראכן. איך האב געדאנקט דעם באשעפער דערויף און געטראכט: "ווי וואונדערליך – איך האב נארוואס געגעבן ממש דעם ביישפיל!"

47

מה' מצעדי גבר

דער פסוק זאגט (משלי כ, כד): "מֵה' מִצְעֲדֵי גָבֶר". דאס לערנט אונז אז דער באשעפער פירט שטענדיג אונזער לעבן. מיר זאגן אויך יעדן טאג די ברכה: "הַמֵּכִין מִצְעֲדֵי גָבֶר". השי"ת קאנטראלירט און פירט אונז אויף די ריכטיגע וועגן. אפילו ווען מיר רעדן זיך איין אז מיר גייען אליין וואו מיר ווילן, ווערן אונזערע פוסטריט אויסגערעכנט פון הימל.

א איד האט מיר דערציילט אז זיין טאכטער האט זיך איין נאכט נישט גוט געשפירט, און זיין ווייב האט אים געבעטן אריינצולייגן דאס קינד אין די קאר און ארומפארן כדי איר איינצושלעפן. ער האט גערן מסכים געווען דערצו. ער האט אריינגעזעצט זיין טאכטער אין דעם הינטערשטן זיץ אין א "קאר־סיט" און אנגעהויבן פארן. בשעת ער איז געפארן האט ער זיך דערמאנט אז ער האט געדארפט אריינלייגן געלט אין די באנק. ער איז געפארן צו די באנק און געמאכט דעם "דעפאזיט". בשעת ער איז דארט געווען איז די בעיבי'ס "צומי" ארויסגעפאלן. דער איד איז ארויסגעגאנגען פון די קאר, ער האט אויפגעהויבן דעם צומי און עס צוריקגעלייגט אין די בעיבי'ס מויל. דערנאך האט ער פארגעזעצט צו פארן.

ער איז ארומגעפארן בערך א האלבע שעה און דערנאך האט ער זיך אומגעקערט אהיים. ווען ער איז אנגעקומען

אהיים האט ער באמערקט אז ער האט עפעס פארלוירן. ער האט געהאט א קאנווערט אין זיין בוזעם קעשענע וואס האט אנטהאלטן צוויי טויזענט דאלאר קעש געלט, און יעצט איז דאס מער נישט דארט געווען. ער האט ארומגעקוקט אין זיין הויז און איז צוריקגעגאנגען צו זיין קאר קוקן אויב דאס געלט איז פיליכט דארט ארויסגעפאלן. אבער אומזיסט. דאס געלט איז נישט דארט געווען. ער איז צוריקגעגאנגען צו די באנק צו זען אויב דאס געלט איז אפשר דארט פארשוואונדן געווארן, אבער ער האט עס נישט געטראפן.

פלוצלינג איז א איד אנגעקומען צו די באנק און זיך דערנענטערט צו אים און אים געפרעגט: "דו זוכסט עפעס?"

"יא", האט דער איד געענטפערט, "איך האב פארלוירן א גרויסע סומע געלט".

דער פרעמדער איד האט ארויסגענומען צוויי טויזענט דאלאר פון זיין קעשענע און אים דערלאנגט. דערביי האט ער אים דערציילט אז מיט א שעה צוריק איז ער דורכגעפארן די באנק און באמערקט אז עס ליגט קעש געלט אויסגעשפרייט אויף דער ערד. ער האט אפגעשטעלט זיין קאר און איז ארויס פון זיין קאר, מיט זיין ווייב, צונויפצוקלויבן דאס געלט. דערנאך האבן זיי זיך געשטעלטווארטן אויב עמיצער וועט אנקומען זוכן דאס געלט.

אזוי ווי דאס פארפאלק האט געזען אז קיינער קומט נישט אן, האבן זיי באשלאסן דערווייל צו גיין ערלעדיגן א פאר זאכן און צוריקקומען שפעטער. פונקט ווען זיי זענען צוריקגעקומען האבן זיי געזען ווי דער איד זוכט זיין פארלוירן געלט. מן השמים האט מען אזוי צוגעפירט אז פונקט אין דער מינוט וואס דאס פארפאלק איז צוריקגעקומען איז דער איד געווען ביי די באנק אויפזוכן זיין געלט.

דאס איז א ריכטיגער ביישפיל פון "מֵה' מִצְעֲדֵי גָבֶר". דער באשעפער שיקט אונזערע פוסטריט דארט וואו מיר דארפן גיין.

דער איד וואס האט אומגעקערט דאס געלט האט געטוען א גרויסע מצוה. ער האט אראפגענומען פון זיין צייט צוזאמצונעמען די גרויסע סומע, און ער האט זיך באזונדער

אנגעשטרענגט צו געפינען דעם אייגענטימער. מיר האבן געכאפט א שמועס מיט דעם איד:

דער איד האט געזאגט אז באלד ווען זיי האבן געזען די צוויי טויזענט דאלאר ליגן אויף דער ערד האבן זיי פארשטאנען אז דער באשעפער האט זיי דא געגעבן א געלעגנהייט צו טוען א גרויסע מצוה. זיי זענען געווען אזוי צופרידן פון די זעלטענע געלעגנהייט מקיים צו זיין די גרויסע מצוה פון השבת אבידה, אז זיי זענען מיט פרייד צוריקגעפארן צו דער באנק, האפענדיג אז זיי וועלן טרעפן דעם אייגענטימער און עס קענען אפגעבן.
נאכדעם וואס זיי האבן אפגעגעבן דאס געלט, האבן זיי אנגערופן זייער רב און דערציילט וואס עס האט פאסירט און ווי אזוי זיי האבן אפגעגעבן דאס געלט. דער רב האט זיי שטארק אויסגערימט, זאגענדיג אז זיי האבן זיך איינגעקויפט גרויסע זכותים מיט די מצוה.
צוויי טאג שפעטער, האט א טאכטער ביי זיי אין שטוב זיך אפגערעדט אז זי האט געפערליכע מאגן ווייטאג. זי איז געגאנגען צום דאקטאר, וועלכער האט זי געשיקט אין שפיטאל. ווען זי איז אנגעקומען אין שפיטאל האט זיך ארויסגעשטעלט אז איר אפענדיקס איז געווארן אנטצינדן, און עס האט געהאלטן ביים פלאצן חלילה.
די דאקטוירים האבן איר באלד אפערירט און זי האט זיך ב"ה גוט אויסגעהיילט אויף א לייכטן אופן. דאס פארפאלק האט נאכאמאל אנגערופן זייער רב און אים דערציילט וואס ס'האט פאסירט, צולייגענדיג אז די גאנצע צייט זענען זיי געווען זיכער אז זי וועט זיך שנעל אויסהיילן, וויבאלד השי"ת האט זי צוגעפירט דעם געוואלדיגן זכות פון אזא גרויסע מצוה ווי השבת אבידה.

דער פסוק זאגט (תהלים מא, ב): "אַשְׁרֵי מַשְׂכִּיל אֶל דָּל בְּיוֹם רָעָה יְמַלְּטֵהוּ ה' ". איינער וואס נוצט זיין חכמה צו פארשטיין וואס אן אנדערער איד דארף האבן און העלפט אים ארויס, קויפט ער זיך איין גרויסע זכותים וואס וועלן אים באשיצן אין שווערע מצבים.

איינער וואס נוצט זיין חכמה צו פארשטיין וואס אן אנדערער איד דארף האבן און העלפט אים ארויס, קויפט ער זיך איין גרויסע זכותים וואס וועלן אים באשיצן אין שווערע מצבים. .

די גמרא דערציילט (שבת קנו, ב) אז רבי עקיבא'ס טאכטער האט זיך געגרייט חתונה צו האבן, ווען עס איז אנגעקומען א שלעכטע בשורה. די שטערן זעער האבן פאראויסגעזען אז רבי עקיבא'ס טאכטער וועט

שטארבן פון א ביס פון א שלאנג אין טאג פון איר חתונה. מען האט אפגעראכטן די חתונה ווי געהעריג, און ווען ר' עקיבא'ס טאכטער איז אהיימגעקומען האט זי גענומען א גאלדענע צירונג, וואס האט געהאט א נאדעל אויפ'ן שפיץ, און עס אריינגעשטעקט אין די וואנט. זי האט נישט געוואוסט אז אין די וואנט איז געווען באהאלטן א גיפטיגער שלאנג וועלכער איז גרייט געווען איר צו פאר'סמ'ען. בשעת זי האט אריינגעשטעקט די צירונג אין די וואנט האט זי געשטאכן דעם אויג פונעם שלאנג. דעם קומענדיגן טאג, ווען זי האט ארויסגענומען איר צירונג פון די וואנט, האט זי געזען דעם טויטן שלאנג און האט פארשטאנען וואס דא האט פאסירט. זי האט דערציילט איר פאטער ווי אזוי זי איז געראטעוועט געווארן פון א זיכערן טויט, און רבי עקיבא האט איר געפרעגט אויב זי האט געטוען עפעס א גוטע זאך וואס אין דעם זכות איז זי געראטעוועט געווארן. זי האט אריינגעטראכט, און האט זיך דערמאנט אז בשעת די חתונה איז געקומען אן ארעמאן צו די טיר. ער האט נישט געהאט וואס צו עסן, און זי האט אים אוועקגעגעבן איר פארציע. האט רבי עקיבא גע'דרש'נט דעם פסוק (משלי י, ב; יא, ד) "וּצְדָקָה תַּצִּיל מִמָּוֶת", אז צדקה ראטעוועט נישט נאר פון א מיתה משונה, נאר עס ראטעוועט אויך פון א געוויינליכע מיתה, ווייל עס גיט לעבן פאר'ן מענטש.

יעדעס מאל וואס מיר געפינען זיך אין א מצב אין וועלכן מיר קענען ארויסהעלפן א צווייטן, דארפן מיר עס באטראכטן אלס א קריטישע געלעגנהייט זיך איינצוקויפן מצוות און זכותים. די זכותים וואס מיר האנדלען זיך איין ביים ארויסהעלפן א איד זענען גאר וויכטיג פאר אונז, ווייל דאס באוואפנט אונז קעגן שפעטערדיגע צרות. דער באשעפער ווייסט וואס דער עתיד וועט ברענגען, און אויב עס ווארט חלילה אויף עמיצן א געפאר אדער יסורים, וועט דער אויבערשטער אים צושיקן געלעגנהייטן צו טוען מצוות און אזוי ארום זיך צו באשיצן פון די סכנות.

א איד איז אמאל געפארן אויף די בערג, און אינמיטן וועג האט ער זיך אפגעשטעלט ביי א רעסטאראנט און באשטעלט א מאלצייט צו שטילן זיין הונגער. זייענדיג

אין דעם רעסטאראנט איז אן ארעמאן צוגעקומען צו אים און אים געזאגט אז ער איז זייער הונגעריג. דער ארעמאן האט אים געבעטן געלט אײנצוקויפן עסן. דער בעטלער איז געווען אנגעטוען זייער שמוציג און עס האט זיך געשפירט פון אים א שלעכטער ריח. דער איד האט אים אבער געלאדענט צו עסן נעבן אים און צו באשטעלן וואס אימער עס גלוסט אים אויף זיין חשבון. דער ארעמאן האט געזאגט אז ער דארף בלויז א געבאקענע עפל און א הייסע טיי. דער איד האט דאס באשטעלט, און דער ארעמאן האט זיך מחיה געווען און אים ווארעם באדאנקט.

ווען זיי האבן געענדיגט עסן, האט דער איד זיך געזעגענט פון דעם ארעמאן. ער האט זיך ארײנגעזעצט אין זיין קאר און פארגעזעצט זיין וועג. בשעת'ן פארן האט די קאר אנגעהויבן גליטשן. דער איד האט פארלוירן קאנטראל אויף דעם רעדל, און די קאר האט זיך גענומען דרייען. די קאר האט זיך איבערגעדרייט דריי מאל, און דער איד האט געמיינט אז ער האלט שוין חלילה דערנאך. ווען די צעקראכטע קאר איז ענדליך געקומען צו אן אפשטעל, האט דער איד געעפענט די טיר און איז ארויסגעקומען פון די קאר.

צו זיין ערשטוינונג האט דער איד געזען אז ער איז ארויס אן קיין קריץ פון דעם עקסידענט. אן אפענער נס! ער האט זיך אפגעשטעלט אן ערשיטערטער און איז געשטאנען אויף די זייט פון דעם שאסיי. אן אנדערער איד איז דורכגעפארן און האט געזען ווי דער איד שטייט נעבן די צעקראכטע קאר. ער האט אים אנגעבאטן אים אהיימצופירן. דער איד האט אים אהיימגענומען און סערווירט... א געבאקענע עפל און א גלאז טיי!

דער איד האט געזען דערביי א סימן פון הימל אז צוליב דעם געבאקענעם עפל און גלאז טיי וואס ער האט באשטעלט פאר דעם ארעמאן האט מען אים געראטעוועט פון דעם שווערן עקסידענט, און ער איז ארויס מיט גאנצע גלידער טראצדעם וואס די קאר האט זיך איבערגעדרייט עטליכע מאל און גענצליך צעשמעטערט געווארן. דער באשעפער האט אים צוגעשיקט די געלעגנהייט מקיים צו זיין די מצוה פון צדקה כדי ער זאל דערמיט מקדים זיין רפואה למכה.

יעדעס מאל וואס עס קומט אונז אונטער א געלעגנהייט

ארויסצוהעלפן א צווייטן איד אדער זיך איינצוקויפן אן אנדערע מצוה, און מיר האבן א נסיון ווייל עס קומט נישט אן לייכט א.ד.ג., האבן מיר א גוטע עצה זיך מחזק צו זיין דורכדעם וואס מיר וועלן עס באטראכטן ווי א געלעגענהייט אונז צו ראטעווען פון צרות און יסורים אין דער עתיד. יעדער זכות וואס מיר האנדלען זיך איין וועט צום סוף געניצט ווערן פאר אונזער אייגענעם בענעפיט, און וועט אונז איינשפארן פיל עגמת נפש אין דער צוקונפט.

48

כי לי כל הארץ

דער רמב"ן שרייבט (סוף פרשת בא) אז דער תכלית פון אלע מצוות איז אז מיר זאלן צוקומען צו דער הכרה אז דער אויבערשטער האט אונז באשאפן און אז ער איז דער באשעפער פון דער וועלט. אזוי שטייט אויך אין אנדערע ספרים, אז דער ציל פון לעבן איז צו אנערקענען אז "כִּי לִי כָּל הָאָרֶץ" (שמות יט, ה) – דער באשעפער איז דער "אדון עולם"; ער האט עס באשאפן און ער איז דער איינציגער וואס געוועלטיגט דערויף.

איין מצוה ביי וועלכע מיר זעען דאס קלאר איז די מצוה פון שמיטה. די תורה הייסט אז מיר זאלן לאזן פריי אונזערע פעלדער במשך א גאנץ יאר. די תורה זאגט אונז אן (ויקרא כה, כ) אז מיר זאלן נישט מורא האבן אז מיר וועלן נישט האבן וואס צו עסן, ווייל דער באשעפער וועט אריינגעבן די ברכה אין די פעלדער. דאס מיינט אז מיר דארפן אויפגעבן אונזער פרנסה און זיך גענצליך פארלאזן אויף השי"ת.

פילע פארמערס אין ארץ ישראל היטן אפּ די מצוה פון שמיטה יעדע זיבעטע יאר, און הונדערטער פעלדער ווערן געלאזט הפקר יעדן שמיטה כדי מקיים צו זיין די מצוה וואס די תורה האט געהייסן. זיי זענען מקיים די הייליגע מצוה כדת וכדין, און פארלאזן זיך נישט אויף די אומאויסגעהאלטענע היתרים. בע"ה ווערן אלץ מער נתרבה די שומרי שמיטה כהלכתה. דער מדרש (שמות רבה יח, ה) רופט אן די אידן "גיבורי כח" – שטארקע העלדן. געווענליך, ווען מיר דארפן טוען א מצוה, נעמט עס א קורצע צייט, מערסטענס א טאג אדער א וואך. אבער די מצוה פון שמיטה פארפליכטעט דעם פארמער דאס אפצוהיטן במשך א גאנץ יאר!

א רב האט דערציילט אז ער האט אמאל געהאט א שמועס

מיט איינעם פון די פארמערס אין ארץ ישראל אין דעם יאר פון שמיטה. דער רב האט אים געפרעגט פון וואו ער נעמט די שטארקייט צו לאזן זיין פעלד אויף הפקר א גאנץ יאר. דער פארמער האט געענטפערט מיט דעם פסוק (אסתר ד, יד): "רֶוַח וְהַצָּלָה יַעֲמוֹד לַיְּהוּדִים מִמָּקוֹם אַחֵר – א רעטונג פאר די אידן וועט קומען פון ערגעץ אנדערש". דער פשוט'ער פארמער האט געגלייבט באמונה שלימה אז אויב ער וועט אויספאלגן וואס עס שטייט אין די תורה וועט דער באשעפער מקיים זיין דעם "וְצִוִּיתִי אֶת בִּרְכָתִי" (ויקרא כה, כא) און צושיקן זיין פרנסה אויף אנדערע אופנים.

ווען א איד אנערקענט אז אפילו ווען ער טוט השתדלות צו ברענגען פרנסה, איז דער באשעפער דער "זָן וּמְפַרְנֵס לַכֹּל", האט ער נישט קיין שום פראבלעם אפצושטעלן זיין ארבעט ווען דער באשעפער הייסט אים, ווייל ער האט נישט קיין שום דאגות פון וואו ער וועט זיך שפייזן.

א חשוב'ער ראש ישיבה האט געזאגט, אז אויב א פארמער מיינט אז ער איז דער וואס ברענגט זיין פרנסה זאל ער אריינטראכטן צו זיך: ווער האט באשאפן די זון וואס שיקט שטראלן פאר די פעלדער? ווער שיקט רעגן צו באוואסערן די פעלדער? ווער האט געמאכט אז די ביימער זאלן ארויסגעבן גוטע פירות? דאס אלעס קומט דאך פון באשעפער. דער אויבערשטער מאכט אז די ארבעט פון דעם פארמער זאל נישט גיין לטמיון און אז עס זאל טאקע ארויסקומען גוטע תבואה פון די שווערע ארבעט וואס דער פארמער לייגט אריין.

פאראן מענטשן וואס רעדן זיך איין אז זיי זענען די וואס פארזיכערן זיך מיט פרנסה דורך ארבעטן שווער צו פארדינען געלט. גרויסע ביזנעסלייט שטאלצירן אז זיי אינוועסטירן דאס געלט אין גוטע פלעצער און זיי פאסן די ריכטיגע באשלוסן וואס ברענגט זיי אסאך געלט. דער אמת איז אבער אז דער באשעפער שיקט צו דאס געלט, אפגעזען ווי שווער מען ארבעט און ווי גוט מען טויג צו ביזנעס. אויב דער באשעפער וויל אז מען זאל נישט פארדינען קיין געלט איז די גאנצע ארבעט גארנישט ווערט.

ווען א מענטש פילט זיך שטאלץ אז ער האט געמאכט א גוטן אינוועסטמענט, זאל ער געדענקען אז בשעת ער דריקט די קנעפלעך אויף זיין טעלעפאן אנצורופן אן אנדערן ביזנעסמאן פראדוצירט זיין מוח דירעקטע סיגנאלן וועלכע

מאכן אז ער זאל קענען דריקן די קנעפלעך. דער מוח וואס דער אויבערשטער האט געשאנקען פאר דעם מענטש איז מיליאנען מאל מער פארגעשריטן ווי דער בעסטער קאמפיוטער; עס פארמאגט ביליאנען נערוון וועלכע שיקן ארויס אומצאליגע סיגנאלן יעדע רגע פון טאג, און אן דעם וואלטן מיר נישט געקענט אנגיין מיט אונזערע טאג טעגליכע אקטיוויטעטן אפילו איין סעקונדע. ווי אזוי קענען מיר בכלל נעמען קרעדיט פאר א גוטן אינוועסטמענט אויב מיר קענען אפילו נישט אויפהייבן דעם טעלעפאן אן די הילף פון באשעפער?

אין פראנקרייך איז געווען א גדול, הרב גרשון ליבמאן זצ"ל, דער מייסד פון ישיבת 'אור יוסף', וועלכער איז געווען א געוואלדיגער מחנך און משפיע. הרב ליבמאן איז געווען א גרויסער מחזיר בתשובה, און האט באוויזן צוריקצוברענגען טויזנטער אידן צו אידישקייט. די תלמידים פון הרב ליבמאן האבן אמאל צוזאמגענומען זיינע שיעורים און עס געדרוקט אין א ספר. ווען זיי האבן אים געגעבן דעם ספר האט ער אריינגעקוקט דערין און עס באוואונדערט, זאגענדיג: "אזעלכע שיינע חידושים"! די תלמידים האבן זיך געוואונדערט, וויסענדיג אז רבי גרשון איז נישט דער טיפ צו רעדן איבער זיינע דערגרייכונגען.
זעענדיג ווי זיי וואונדערן זיך, האט רבי גרשון זיך אנגערופן: "די חידושים קומען נישט באמת פון מיר, דער באשעפער האט אריינגעלייגט די חידושים אין מיין מוח, אבער דאס מיינט נישט אז עס קומט זיך מיר דערפאר קרעדיט".

"די חידושים קומען נישט באמת פון מיר, דער באשעפער האט אריינגעלייגט די חידושים אין מיין מוח, אבער דאס מיינט נישט אז עס קומט זיך מיר דערפאר קרעדיט".

דאס דארף זיין דער צוגאנג צו יעדע דערגרייכונג אין לעבן. ווען מיר באווייזן אויפצוטוען עפעס אדער אנצוקומען ערגעץ אין לעבן, דארפן מיר געדענקען אז יעדע עררייכונג קומט פון באשעפער. וואס מער מיר טראכטן פון "כִּי לִי כָּל הָאָרֶץ", אז אלעס וואס פאסירט אויף דער וועלט קומט פון באשעפער, אלץ גרינגער איז מקיים צו זיין די תורה ומצוות, וויבאלד דער תכלית פון יעדע מצוה איז אז מיר זאלן אנערקענען אז אלעס ווערט געפירט דורכ'ן באשעפער, וואו מיר האבן געברענגט פון רמב"ן.

49

תחנונים צו השי"ת

דער חזון איש ברענגט ארויס אין א בריוו (קובץ אגרות ב, ב) ווי וואונדערליך דאס איז אז א מענטש קען זיך אויסרעדן אלע זיינע פראבלעמען צום באשעפער, און מיר ציטירן דאס לשון: "כנור תלוי בלב כל אנוש ונהנה הוא מנעימת זמירותיה, ומה נפלא הדבר כי ביכולת האדם להשיח דאגותיו לפני אדון עולם ית' כאשר הוא משיח לרעהו, והמקום ב"ה מכנהו ילד שעשועים".

ווען אימער מיר האבן א פראבלעם אדער א צרה קענען מיר זיך אויסרעדן צום באשעפער און ער הערט אונז אויס. ספרים זאגן אז דאס איז נישט נאר לגבי די גרויסע פראבלעמען אין לעבן, ווי געזונט און פרנסה, נאר אויך לגבי די קליינע פראבלעמען אין לעבן. צום ביישפיל, ווען א מענטש דארף קויפן א נייע פאר שיך, קען ער זיך ווענדן צום באשעפער און בעטן אז דער אויבערשטער זאל אים צושיקן פאסיגע שיך.

מיר כאפן אפילו נישט וואס פאר א גרויסע חסד דאס איז אז מיר קענען כסדר אויפהייבן די אויגן צום באשעפער און אים פארלייגן אונזער בקשה. מיר דארפן נישט באשטעלן א באשטימטע צייט, נאר יעדע מינוט אין טאג קענען מיר מתפלל זיין צום באשעפער.

תפילה גיט אונז א גאלדענע געלעגנהייט צו רעדן צום באשעפער, דער קעניג פון דער וועלט, יעדע מינוט פון טאג.

תפילה גיט אונז א גאלדענע געלעגנהייט צו רעדן צום באשעפער, דער קעניג פון דער וועלט, יעדע מינוט פון טאג. ווען איינער וויל אנקומען צו א וויכטיגן מענטש דארף ער אריינלייגן פילע כוחות. ער דארף אויפשטיין פרי, אהינפארן,

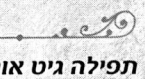

און ווארטן אין יענעמ'ס אפיס ביז ער נעמט אים אויף. און ערשט דאן וועט ער קוים קריגן עטליכע מינוט כדי צו רעדן מיט אים, און ווען די באשטימטע צייט ענדיגט זיך מוז מען ארויסגיין. אפילו אויב מען וויל אנקומען צו א חשוב'ן רב קען אפטמאל זיין שווער אנצוקומען צו אים, און צומאל קען מען בלויז ערלעדיגן אן אוידיענץ מיט פראטעקציע. אבער צום באשעפער קען מען רעדן סיי ווען מען וויל; ווי לאנג מען וויל; און וואס פאר א בקשה מען וויל.

שלמה המלך זאגט אין משלי (יב, כה): "דְּאָגָה בְלֶב אִישׁ יַשְׁחֶנָּה". די גמרא (יומא עה, א) איז מסביר, לויט איין דעה, אז די כוונה פונעם פסוק איז, אז ווען מען טראגט זיך ארום מיט דאגות זאל מען זיך אויסרעדן צו א נאענטן ידיד. אפטמאל פילט א מענטש אז ער שעמט זיך צו רעדן איבער א נושא וואס דריקט אים אויפ'ן הארץ. ווען עס קומט אבער צו רעדן צום באשעפער דארף מען זיך קיינמאל נישט שעמען. מיר קענען אים דערציילן אלעס וואס קוועטשט אונז, און מיר קענען זיך אויסרעדן צום באשעפער איבער זאכן וואס מיר וואלטן זיך געשעמט צו זאגן פאר א צווייטן.

שטעלט אייך פאר אז איר האט א נאענטן ידיד וואס האט אייך ליב אהבת נפש. איר גייט צו און זאגט אים אז איר ווילט דורכשמועסן מיט אים א געוויסן פראבלעם. דער חבר הערט אייך אויס און פארזיכערט אייך אז ער וועט טוען אלעס וואס ער קען אייך צו העלפן. אבער אייער הארץ קלאפט נאך און איר זענט נאכנישט רואיג. איר גייט נאכאמאל צוריק צום חבר און איר רעדט זיך ווידעראמאל אויס. ער בארואיגט אייך נאכאמאל אז ער וועט באהאנדלען דעם פראבלעם אויפ'ן בעסטן אופן. אבער איר זענט נאך אלץ באזארגט, און איר גייט צוריק צו אים א דריט מאל.

עס איז נישט קיין ספק אז אויב דאס פאסירט איינמאל און נאכאמאל וועט דעם חבר'ס געדולד פלאצן, און ער וועט אייך זאגן אז איר זאלט אים אויפהערן מוטשען. ביים באשעפער איז אבער נישטא אזא מושג. ביי שחרית לייגן מיר פאר אונזערע פראבלעמען; ביי מנחה נאכאמאל און ביי מעריב ווידעראמאל, און טיילמאל לייגן מיר צו פערזענליכע תפלות, אבער ער הערט אונז כסדר אויס. אדרבה, דער באשעפער פרייט זיך אז מיר ווענדן זיך צו אים איינמאל און נאכאמאל מיט אונזערע פראבלעמען. וואס מער מיר רעדן זיך אויס צו אים, אלץ מער וועט ער אונז העלפן.

דער פסוק זאגט (תהלים קה, ד): "דִּרְשׁוּ ה' וְעֻזּוֹ בַּקְּשׁוּ פָנָיו תָּמִיד". מיר דארפן זיך ווענדן צום באשעפער ווען אימער עס באדערט אונז עפעס אויפ'ן הארץ. מיר פארמאגן א געוואלדיגע מתנה פון תפילה וואס מיר קענען אויסנוצן יעדע מינוט פון טאג. אויב מיר ווילן שטענדיג בעטן אויף יעדע קלייניקייט וואס מיר דארפן, וועט השי"ת אונז טאקע צושטעלן אלע אונזערע געברויכן.

50

השי"ת ווארט אויף אונזערע תפילות

ביי די ששת ימי בראשית שטייט (בראשית ב, ה): וְכֹל שִׂיחַ הַשָּׂדֶה טֶרֶם יִהְיֶה בָאָרֶץ וְכָל עֵשֶׂב הַשָּׂדֶה טֶרֶם יִצְמָח כִּי לֹא הִמְטִיר ה' אֱלֹקִים עַל הָאָרֶץ וְאָדָם אַיִן לַעֲבֹד אֶת הָאֲדָמָה". איז רש"י מסביר אז דער באשעפער האט נישט געשיקט קיין רעגן, ווייל "וְאָדָם אַיִן לַעֲבֹד אֶת הָאֲדָמָה" – עס איז נאך נישט געווען א מענטש אויף די וועלט וואס זאל אנערקענען די געוואלדיגע נויט און טובה פון רעגן. ערשט נאכדעם וואס אדם הראשון איז באשאפן געווארן, און ער האט מתפלל געווען אויף רעגן, האבן די ביימער און גראז אנגעהויבן שפראצן.

דער ספר החינוך שרייבט (מצוה תלג) אז דער באשעפער וויל כסדר גוטס טוען מיט אונז און אונז געבן אלע סארטן ברכות. ער האט אונז דעריבער געגעבן א מיטל ווי אזוי די בקשות זאלן ערפילט ווערן. דער מיטל איז תפילה; מתפלל צו זיין צו השי"ת וואס נאר ער האט די מעגליכקייט צוצושטעלן אונזערע געברויכן, און סיי וועלכע צייט מיר וועלן מתפלל זיין צו אים וועט ער אננעמען אונזערע תפלות.

ספרים זאגן אז עס איז שטענדיג פאראן אן אוצר פון שפע און חסדים אין הימל גרייט אראפצושיקן אויף דער וועלט, אבער דער באשעפער וויל מ'זאל מתפלל זיין אז די שפע זאל אראפקומען.

מיט דעם ווערט פארענטפערט די באקאנטע קשיא: ווי

אזוי קען זיין אז תפילה קען טוישן אונזער מצב אויב אלעס איז שוין סייווי נגזר געווארן אין ראש השנה? דער תירוץ איז אז פונקט ווי ווען מיר דארפן פרנסה מוזן מיר טוען אונזער השתדלות צו פארדינען געלט, אזוי מוזן מיר אויך מתפלל זיין אז די ברכות וואס זענען באשטימט געווארן פון ראש השנה זאלן טאקע מקויים ווערן.

פאקטיש איז תפילה דער וויכטיגסטער חלק פון אונזער טעגליכע השתדלות. דער וויכטיגסטער שליסל צו פרנסה איז די תפילה "ברך עלינו" וואס מיר בעטן ביי די שמונה-עשרה, נישט די ביזנעס פארהאנדלונגען וואס מען מאכט אדער די ארבעט וואס מען טוט; דער וויכטיגסטער שליסל צו געזונט איז די תפילה פון "רפאנו", נישט די בארימטע דאקטוירים אדער די אויסגעפרואוועטע מעדיצינען. דער בעסטער אופן ווי אזוי אראפצוברענגען רפואות און ישועות אויף דער וועלט איז דורכ'ן איינרייסן ביים באשעפער אז ער זאל אונז צושיקן וואס מיר דארפן.

תפילה איז דער וויכטיגסטער חלק פון אונזער טעגליכע השתדלות..

מיר זעען אין פרשת וארא (ו, יב) אז ווען דער באשעפער האט זיך צום ערשטן מאל באוויזן צו משה רבינו און אים געגעבן די אויפגאבע ארויסצונעמען די אידישע קינדער פון מצרים, האט משה רבינו געזאגט אז ער איז אן "ערל שפתים", און עס וועט אים אנקומען שווער צו רעדן צו פרעה. דער באשעפער האט אים געענטפערט אז ער וועט שיקן אהרן אז ער זאל אים ארויסהעלפן און רעדן אנשטאט אים.

דער רמב"ן (שמות ד, י, יג) איז מסביר אז דער אויבערשטער האט נישט אויסגעהיילט משה רבינו כדי ער זאל קענען געהעריג אויספירן דעם שליחות און רעדן צו פרעה, ווייל משה רבינו האט נישט געבעטן דערויף, צוליב זיין גרויסע עניוות האלטענדיג אז ער איז נישט ראוי צו זיין דער שליח פון השי"ת. דאס מיינט אז דער באשעפער איז געווען גרייט אויסצוהיילן משה רבינו, נאר ער האט צוריקגעהאלטן די רפואה וויבאלד משה האט עס נישט געבעטן. פון דעם זעען מיר אז ביי יעדע ישועה וואס מען דארף פעלט אויס אז מען זאל עס בעטן ביים באשעפער.

תפילה איז דער קוואל פון וועלכן אלע השפעות קומען, און מיר טארן דאס נישט נעמען לייכט. מיר דארפן שטענדיג בעטן דעם באשעפער אויף יעדע זאך וואס מיר דארפן, און אזוי וועט דער אויבערשטער טאקע צושיקן אלע סארטן ברכות, און מיר וועלן זוכה זיין צו ישועות און רפואות.

51

לעבן מיט השי"ת

געוויינליך ווייסט מען אז די תפלות זענען בעיקר מיוסד געווארן כדי זיך אויסצובעטן ביים באשעפער אלעס וואס זיי דארפן. דער אמת איז אבער אז מיר דארפן אויסנוצן די מתנה פון דאוועגען נישט בלויז צו בעטן בקשות פון באשעפער, נאר אויך כדי צו ווערן נאענט צו השי"ת. דער חינוך שרייבט (מצוה תלג) אז אויסער דעם וואס דורכ'ן דאוועגען באקומען מיר אונזערע געברויכן, ווערט דערמיט איינגעקריצט ביי אונז אין מוח אז דער באשעפער איז דער אדון עולם וועלכער וויל בלויז טוען גוטס פאר אונז, און אז ער הערט אויס אונזערע תפילות יעדע רגע פון טאג. דערמיט ווערט געשטארקט אונזער אמונה אין באשעפער און זיין אומבאגרעניצטע יכולת.

אויסער דעם וואס דורכ'ן דאוועגען באקומען מיר אונזערע געברויכן, ווערט דערמיט איינגעקריצט ביי אונז אין מוח אז דער באשעפער איז דער אדון עולם וועלכער וויל בלויז טוען גוטס פאר אונז, און אז ער הערט אויס אונזערע תפילות יעדע רגע פון טאג..

דוד המלך זאגט אויף זיך אין תהלים (קט, ד): "וַאֲנִי תְפִלָּה". דאס מיינט אז ווען דוד המלך האט מתפלל געווען צום באשעפער האט ער זיך אזוי נאענט מקשר געווען מיט די ווערטער פון זיינע תפילות אז ער האט געשפירט ווי זיינע תפילות ווערן א טייל פון אים. די הייליגע תפילות פון דעם נעים זמירות ישראל זענען געזאגט געווארן אויף אזא הויכע מדריגה, אז ער האט געשפירט ווי זיינע הארציגע תפילות ווערן א חלק פון זיין נשמה, און ער ווערט מקושר צום בורא אויף גאר א טיפער אופן (זע נחלת יעקב קרח יז, ג).

אפילו אויב מיר זענען נישט אויף די הויכע מדריגה צו קענען דאווענען מיט אזא טיפע כונה, קענען מיר כסדר בעטן דעם באשעפער אויף אונזער שפראך, און דאס אליין שאפט א

נאענטן קשר מיט'ן רבונו של עולם. דער הייליגער רבי ר' בונם פון פשיסחא זי"ע האט געגעבן אן עצה פאר יעדן איד אז עס זאל אים גארנישט פעלן און מ'זאל קענען בלייבן דבוק אין השי"ת: זיך צו געוואוינען שטענדיג צו בעטן אויף סיי וואס ער דארף, און נישט טראכטן אז מתפלל זיין קען מען נאר ווען מ'איז איינגעהילט אין טלית און תפילין, נאר אין יעדן ארט, אפילו ווען מ'שטייט אויפ'ן מארק, זאל מען מתפלל זיין און השי"ת וועט ערפילן די בקשה (בית יעקב [להרב יעקב אהרן יאנאווסקי] פרשת ויצא).

איינער האט מיך אנגערופן און זיך אפגערעדט אז זיין ביזנעס גייט נישט גוט. ער האלט אין איין פארלירן קליענטן און ער האט שוין א לאנגע צייט נישט באקומען א גרויסע באשטעלונג. ער האט שוין געקלערט צו לערנען וויניגער כדי צו מאכן צייט אנצונעמען א זייטיגע ארבעט און פארדינען נאך געלט.
ווען איך האב דאס געהערט האב איך אים געפרעגט: "איידער דו רעדסט צו איינעם פון דיינע קליענטן, בעטסטו דעם באשעפער אז ער זאל דיר געבן סייעתא דשמיא דו זאלסט נושא חן זיין ביי אים?"
זיין ענטפער איז געווען: "ניין". איך האב אים דאן מייעץ געווען אז אין לויף פונעם טאג זאל ער פון צייט צו צייט בעטן דעם באשעפער אויף זיין אייגענע שפראך אז דער רבונו של עולם זאל אים ארויסהעלפן. ביז צען מינוט האט ער מיך צוריקגערופן מיט די גוטע בשורה אז ער האט באקומען א גרויסע באשטעלונג.

איינער איז אמאל געקומען צו א גדול און זיך אפגערעדט אז ער איז שפירט זיך זייער עלענד און איינזאם. ער האט נישט קיין חברים אדער משפחה, און ער האט נישט צו וועמען זיך צו ווענדן נאך הילף. דער גדול האט אים פרובירט ארויסצוהעלפן מיט טייל פון זיינע פראבלעמען, און דאן האט ער אים געזאגט: "איך האב א גוטע עצה פאר דיר: דער גרויסער באשעפער האט דיך ליב מיט די טיפסטע ליבשאפט; ער איז דיר מער געטריי ווי סיי וועלכער חבר; און ער קען דיר העלפן מיט אלע דיינע פראבלעמען, אויב דו וועסט ווערן נאענט צום באשעפער וועסטו מער נישט שפירן אז דו ביסט אליין אויף דער וועלט".

ווען איינער פּלאַנט צו פאָרן אויף א רייזע, זאָל ער שעפּשען א קורצע תפילה צום באשעפער אז ער זאָל פאָרן געזונטערהייט און צוריקקומען געזונטערהייט. ווען א מענטש גייט ארויס צופרי צו דער ארבעט זאָל ער בעטן דעם באשעפער אז ער זאָל מצליח זיין ביי דער ארבעט און אז ער זאָל נושא חן זיין ביי זיין בעל הבית און ביי זיינע מיטארבעטער. ווען א מאמע קאָכט נאכטמאָל פאר איר משפחה זאָל זי געדענקען אריינצוּוואַרפן א תפילה אז דאָס עסן זאָל זיין געשמאַק און אז עס זאָל געבן כח פאר איר מאַן און אירע קינדער צו דינען דעם באשעפער.

ווען מ'האָט א פּראָבלעם און מען קען זיך נישט אן עצה געבן זאָל מען זיך אויסרעדן צום באשעפער. אויב א קינד פירט זיך נישט אויף ווי עס דאַרף צו זיין זאָלן די עלטערן זיך אויסגיסן דאָס האַרץ צום באשעפער אז ער זאָל זיי אריינגעבן גוטע עצות ווי אזוי צו מחנך דאָס קינד און אים ארויפפירן אויף די ריכטיגע רעלסן. אויב איינער דאַרף פאַסן א באשלוס אין סיי וועלכן ענין אין לעבן זאָל ער בעטן דעם באשעפער אז ער זאָל אים חונן דעת זיין צו מאַכן די ריכטיגע החלטה, ווייל דער רבונו של עולם איז דער מקור החכמה. ווען אימער עס איז דאָ עפּעס וואָס מיר דאַרפן, נישט קיין חילוק ווי מינדערוויכטיג עס איז, דאַרפן מיר בעטן דעם באשעפער אז ער זאָל אונז העלפן, ווייל קיין שום בקשה איז נישט מינדערוויכטיג ביים באשעפער. השי"ת קוקט ארויס אויף אונזערע תפילות און בקשות.

אויב מען האָט א שטענדיגן קשר מיט'ן רבונו של עולם עפנט זיך א נייע וועלט פאר די אויגן, ווי דוד המלך זאָגט אין תהלים (עג, כח): "וַאֲנִי קִרֲבַת אֱלֹקִים לִי טוֹב". עס קען נישט זיין א בעסערע זאַך ווי צו האָבן א נאָענטן קשר מיט'ן באשעפער (זע רד"ק און מלבי"ם).

52

"השלך על ה' יהבך"

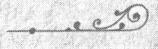

> **אונזער פליכט איז מתפלל צו זיין מיט תמימות, האפענדיג אז דער באשעפער וועט אונז אויסלייזן פון אונזערע פראבלעמען, אפילו ווען מיר זעען נישט קיין אויסזיכטן ווי אזוי דאס קען געשען.**

ווען מיר בעטן עפעס פון באשעפער דארף מען נישט טראכטן אויף וועלכן אופן דער באשעפער וועט אונז העלפן. אונזער פליכט איז מתפלל צו זיין מיט תמימות און טוען ווי דוד המלך זאגט (תהלים נה, כג): "הַשְׁלֵךְ עַל ה' יְהָבְךָ", האפענדיג אז דער באשעפער וועט אונז אויסלייזן פון אונזערע פראבלעמען, אפילו ווען מיר זעען נישט קיין אויסזיכטן ווי אזוי דאס קען געשען.

עס שטייט אין גמרא (בבא בתרא קכג, א) אז לאה אמנו האט געהערט ווי מענטשן פלעגן זאגן אז זי וועט חתונה האבן מיט עשו. מען פלעגט שמועסן אז די עלטערע טאכטער פון לבן וועט חתונה האבן מיט דעם עלטערן זון פון רבקה, און די יונגערע טאכטער פון לבן וועט חתונה האבן מיט דעם יונגערן זון פון רבקה. ווען יעקב אבינו איז אנגעקומען צו לבן, האט ער געבעטן פון לבן אז ער וויל חתונה האבן מיט רחל אלס שכר פאר די זיבן יאר ארבעט, און לבן האט מסכים געווען. עס האט אויסגעזען ווי אלע שמועסערס זענען גערעכט געווען, און עס איז מער נישטא קיין אויסזיכט פאר לאה חתונה צו האבן מיט יעקב אבינו און אויפשטעלן די שבטי קה.

טראצדעם וואס דער מצב האט אויסגעזען האפענונגסלאז, האט לאה ווייטער געבעטן דעם באשעפער אז זי זאל נישט ארייננפאלן אין די הענט פון עשו הרשע. דער פסוק זאגט (בראשית כט, יז): "וְעֵינֵי לֵאָה רַכּוֹת" – די אויגן פון לאה זענען געווען פארוויינט פון די פילע טרערן וואס זי האט פארגאסן

צום באשעפער. אפילו ווען עס האט אויסגעזען אז דער מצב איז גענצליך פארלוירן האט זי זיך נישט מייאש געווען, נאר זי האט ווייטער מתפלל געווען. און מיר ווייסן אלע וואס האט צום סוף פאסירט: לבן האט אויפגעטוישט רחל מיט לאה, און אזוי ארום האט זי זוכה געווען חתונה צו האבן מיט יעקב אבינו און אויפצושטעלן זעקס פון די הייליגע שבטים.

איינער האט מיר דערציילט אז צוליב זיין ביזנעס דארף ער יעדס יאר פארן קיין לאס וועגאס צו צוויי באזונדערע ביזנעס אויסשטעלונגען ("שאָוס"). ער גייט צוויי מאל צו יעדע אויסשטעלונג, אזוי אז ער פארט קיין לאס וועגאס פיר מאל א יאר. ער האט טאקע נישט קיין חשק צו פארן אזוי אפט צו דער טריפה'נער שטאט, אבער ער האט נישט קיין אנדערע ברירה וויבאלד ער האט אסאך קליענטן דארטן. עס האט דעם איד אבער פארט וויי געטוען אז ער דארף זיך געפונען אזוי אפט אין לאס וועגאס, און ער האט אנגעהויבן מתפלל זיין צום באשעפער אז ער זאל נישט דארפן אהין גיין אזוי אפט. בלויז געציילטע וואכן נאכדעם וואס ער האט אנגעהויבן מתפלל זיין, האט ער אויסגעפונען אז מ'האט צוזאמגעשטעלט די צוויי ביזנעס אויסשטעלונגען, און פון היינט און ווייטער וועט ער נאר דארפן פארן צוויי מאל א יאר קיין לאס וועגאס. אזוי האט די ישועה זיך אנגעהויבן אדאנק די תפילות וואס זענען געקומען פון א ריין, אידיש הארץ.

ווען עס פעלט אונז עפעס, איז אונזער פליכט צו בעטן דעם באשעפער אז ער זאל אונז ארויסנעמען פון אונזער פראבלעם. עס איז נישט אונזער אויפגאבע "ארויסצוהעלפן" דעם באשעפער מיט פלענער ווי אזוי ער קען אונז ארויסנעמען פון א פראבלעם. אויב מיר פארלאזן זיך בלויז אויפ'ן באשעפער וועט ער אונז טאקע העלפן און אונז ארויסנעמען פון אונזערע פראבלעמען.

53

תפילה אויף רוחניות

דער פסוק זאגט (תהלים פא, יא): "אָנֹכִי ה' אֱלֹקֶיךָ הַמַּעַלְךָ מֵאֶרֶץ מִצְרָיִם הַרְחֶב פִּיךָ וַאֲמַלְאֵהוּ". די גמרא זאגט (ברכות נ, א) אז דער פסוק "הַרְחֶב פִּיךָ וַאֲמַלְאֵהוּ" מיינט מען זאל בעטן ביים באשעפער אז מיר זאלן האבן פיל חכמה מצליח צו זיין אין לערנען תורה. לכאורה איז שווער, וואס איז די שייכות פון הצלחה אין תורה מיט יציאת מצרים?

שטייט אין ספרי מוסר אז פונקט ווי דער באשעפער האט אונז ארויסגענומען פון מצרים, פון די מ"ט שערי טומאה, און האט אונז אויפגעהויבן צו די מ"ט שערי קדושה ביי מתן תורה, אזוי אויך קען ער העלפן יעדן איד וואס וויל שטייגן ברוחניות. די איינציגסטע זאך וואס פארלאנגט זיך איז אז מיר זאלן "עפענען אונזער מויל" און בעטן דעם באשעפער אז ער זאל אונז העלפן.

די איינציגסטע זאך וואס פארלאנגט זיך איז אז מיר זאלן "עפענען אונזער מויל" און בעטן דעם באשעפער אז ער זאל אונז העלפן.

די גמרא זאגט (קידושין ל, ב) אז עס איז גאר שווער מנצח צו זיין דעם יצר הרע, און "אלמלא הקב"ה עוזרו אין יכול לו" – ווען דער אויבערשטער וואלט אונז נישט געהאלפן אין דעם קאמף קעגן יצר הרע וואלטן מיר אים נישט געקענט בייקומען. א איד קען שפירן אז עס איז אוממעגליך פאר אים איבערצוקומען זיינע שוועריגקייטן. ער קען טראכטן צו זיך: "מיין סדר היום איז אזוי אנגעפילט, איך האב נישט קיין צייט צו לערנען". אדער א פרוי קען טראכטן: "עס איז אזוי שווער צו גיין מיט די ריכטיגע בגדי צניעות". דער ריכטיגער טראכט אויף אזעלכע געדאנקען איז: קיינער קען נישט אליין

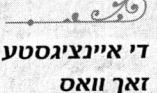

בייקומען זיינע נסיונות; מיר אלע מוזן בעטן דעם אויבערשטן אז ער זאל אונז העלפן.

הגאון ר׳ שמשון פינקוס ז״ל (שיחות אלול עמוד לג) איז מסביר דעם געדאנק מיט א משל. עס איז געווען א גרופע דאקטוירים וועלכע האבן אנגעפירט א גאנצע אפטיילונג אין שפיטאל. איינמאל האט איינער פון די דאקטוירים געדארפט איבערנעמען דעם נאכט שיכט. דער פריערדיגער דאקטאר האט אים געזאגט אז אלע פאציענטן שלאפן, און אויב איינער פון זיי וועקט זיך אויף זאל ער זיך אפגעבן מיט דעם פאציענט. אבער אויב עטליכע פאציענטן וועלן זיך אויפוועקן אין די זעלבע צייט און ער וועט זיך נישט קענען אפגעבן מיט אלע אויפאמאל, זאל ער רופן אנדערע דאקטוירים צוהילף, אפילו אויב עס איז שפעט אינמיטן דער נאכט.
אין לויף פון די נאכט האבן זיך די פאציענטן אויפגעוועקט, און דער דאקטאר האט זיך אפגעגעבן מיט יעדן פון זיי. אזוי ווי עס האבן זיך אויפגעוועקט מער פאציענטן איז דער דאקטאר געווארן מער און מער פארנומען לויפענדיג פון איין קראנקן צום צווייטן אן קיין מינוט צו אטעמען. דער דאקטאר איז געווארן זייער אנגעשטרענגט און ער האט מער נישט געקענט באהאנדלען יעדן איינעם. אינמיטן האט זיך אויפגעוועקט איין פאציענט וועלכער האט געדארפט קריטיש הילף, אבער אזוי ווי דער דאקטאר איז געווען צו פארנומען און ער האט נישט געהאט קיין צייט אים צו העלפן, איז דער פאציענט געשטארבן.
דעם קומענדיגן צופרי, ווען די אנדערע דאקטוירים זענען אנגעקומען, האבן זיי דערזען דעם שרעקליכן אומגליק וואס איז דא געשען, און זיי האבן אפירגעהאלטן דעם דאקטאר היתכן אז א קראנקער מענטש איז געשטארבן אונטער זיין אויפזיכט. דער דאקטאר האט זיך פרובירט צו פארענטפערן אז ער האט נישט געקענט באהאנדלען אזויפיל פאציענטן אויף איינמאל.
די דאקטוירים האבן אבער ווייטער גע׳טענה׳ט: ״דו שוטה! מען האט דיר דאך אנגעזאגט אז אויב דער מצב וועט אנגעצויגן און עס זענען פאראן צופיל פאציענטן וואס דארפן ווערן באהאנדלט זאלסטו רופן הילף, ווען דו וואלסט געבעטן הילף וואלט איינער פון אונז געקומען און געראטעוועט דעם חולה מסוכן!״

די זעלבע זאך איז מיט אונזער מצב אין רוחניות. דער באשעפער ווייסט אז מיר קענען נישט אליין באקעמפן דעם יצר הרע, און דערפאר וויל ער אז מיר זאלן אים רופן פאר "הילף" ווען עס פעלט אויס. אויב מיר בעטן נישט דעם באשעפער אז ער זאל אונז ארויסהעלפן כדי מיר זאלן קענען ביישטיין אונזערע נסיונות, זענען מיר אליין שולדיג אויב מיר פאלן דורך. ווען א איד שפירט אז ער שטייגט מער נישט ברוחניות און ער האט מער נישט די זעלבע חיות אין א מצוה, דארף ער זיך בעטן ביים באשעפער אז ער זאל אים אריינגעבן א געשמאק אין אידישקייט. ווען א איד פלאגט זיך צו פארשטיין א שטיקל גמרא דארף ער זיך אויסבעטן ביים באשעפער אז ער זאל פארשטיין בעסער דאס לערנען. אויב א פרוי וויל זיך מחזק זיין אין צניעות זאל זי מתפלל זיין צום באשעפער אז ער זאל איר העלפן זיין מער אפגעהיטן אין צניעות. און אודאי אויב איינער שפירט אז זיין אמונה איז שוואך ח"ו, זאל ער זיך אויסוויינען צום באשעפער אז ער וויל זיך מחזק זיין אין אמונה, און דער אויבערשטער וועט ערפילן אלע בקשות.

איך האב אמאל געלערענט א שטיקל רא"ש מיט איינעם פון מיינע תלמידים, און מיר האבן זיך זייער געפלאגט צו פארשטיין וואס דער רא"ש זאגט. מיר האבן עס געלערענט צוזאמען עטליכע מאל, אבער מיר האבן עס נאך אלץ נישט פארשטאנען. איך האב געהייסן מיין תלמיד אז מיר זאלן אפשטעלן דאס לערנען און מיר האבן צוזאמען געבעטן דעם באשעפער ער זאל אונז באלייכטן די אויגן. ערשט דאן זענען מיר נאכאמאל איבערגעגאנגען דעם רא"ש, און דאס מאל האט עס הערליך געשטימט. דאס שטיקל רא"ש איז געווארן אזוי קלאר און פארשטענדליך אז מיר האבן נישט געקענט פארשטיין וואס האט גענומען אזוי לאנג זיך צו דערגרונטעווען דעם פשט.

דער יערות דבש (א, דרוש ד) שרייבט אז אויב מיר זעען ווי איינער איז מער מצליח ווי זיינע חברים אין לערנען, זאלן מיר וויסן אז דאס איז נישט צוליב דעם וואס ער האט א בעסערן קאפ, נאר ווייל ער איז מתפלל צום באשעפער אז ער זאל האבן הצלחה אין לערנען.

ס'איז כדאי צו ציטירן טייל פונעם לשון פון יערות דבש,

וואס ברענגט ארויס דעם כח התפלה: "ובדוק ומנוסה, אם
יתפלל אדם שחרית וקריאת שמע בכונה, שבו ביום יזכה
לדבר מצוה ויצליח בעסקיו, ואף שלשעה יחשוב שאינו,
בסופו ימצא שכן הוא, ואצ"ל שיצליח בו ביום בתורה, ומצוה
גוררת מצוה".

דאס איז אויך שייך ווען עס קומט צו קינדער. אויב איינער
זעט אז זיין זון איז נישט מצליח אין לערנען, זאל ער מתפלל
זיין צום באשעפער אז דאס קינד זאל שטייגן אין תורה.
תפילה איז א חלק פון אונזער השתדלות, און וואס מער מיר
בעטן, אלץ מער וועלן מיר באקומען פון הימל! "הרחב פיך
ואמלאהו". מיר דארפן עפענען דאס מויל און בעטן דעם
באשעפער. דער באשעפער הערט זיך שטענדיג צו צו אונז.
ער איז גרייט אונז צו העלפן מיט סיי וואס פארא געברויכן,
און אודאי ווען מיר בעטן אויף הצלחה ברוחניות.

54

תפילה איז פאר יעדן

עס מאכט זיך אמאל אז א מענטש גייט דורך א שוואכן מצב ברוחניות, און ער שפירט ווי ער האט ח"ו פארלוירן דעם קשר מיט'ן רבונו של עולם. ווען א מענטש געפינט זיך אין אזא מצב קען ער טראכטן: "ווי אזוי קען איך מתפלל זיין צום באשעפער ווען מיין רוחניות'דיגער מצב איז אזוי שוואך? פארוואס זאל השי"ת צוהערן מיינע תפילות און ערפילן מיינע בקשות?'

ווען די אידן זענען ארויס פון מצרים זענען זיי געשטאנען אין א סכנה. פון איין זייט איז געווען דער ים סוף, און פון די אנדערע זייט האט פרעה מיט זיין מיליטער זיי נאכגעיאגט. זייענדיג אין א קלעם האבן זיי אנגעהויבן שרייען און בעטן דעם באשעפער אז ער זאל זיי העלפן, ווי עס שטייט אין פסוק (שמות יד, י): "וַיִּצְעֲקוּ בְנֵי יִשְׂרָאֵל אֶל ה' ".

דער מדרש (שמות רבה כא, ה) איז מסביר אז ווען די אידן זענען געפייניגט געווארן דורך די מצריים האבן זיי געשריגן צום באשעפער, ווי עס שטייט אין פסוק (שמות ב, כג): "וַתַּעַל שַׁוְעָתָם אֶל הָאֱלֹקִים מִן הָעֲבֹדָה". אבער ווי נאר זיי האבן פארלאזט מצרים האבן זיי שוין נישט מתפלל געווען. דער באשעפער האט אבער געוואלט הערן די תפילות פון די אידן. דעריבער האט השי"ת אנגערייצט פרעה מיט זיין מיליטער נאכצויאגן די אידן. אזוי ארום וועלן די אידן נישט טרעפן קיין וועג ארויס, און וועלן זיין געצווינגען מתפלל צו זיין, ווי דער

מדרש דריקט זיך אויס: ״באותה שעה אמר הקב״ה, לכך הייתי מבקש לשמוע קולכם... השמיעני את קולך, אותו הקול שכבר שמעתי במצרים״.

פון דעם מדרש זעען מיר אז עס איז געווען חשוב ביי השי״ת די תפלות וואס די אידן האבן געדאווענט אין מצרים, כאטש די אידן זענען דעמאלט געווען אין די מ״ט שערי טומאה. דאס ווייזט אז אפילו אויב א מענטש איז אויף א נידריגע מדריגה וויל דער אויבערשטער הערן זיינע תפילות.

אפילו אויב א מענטש איז אויף א נידריגע מדריגה וויל דער אויבערשטער הערן זיינע תפילות.

עס שטייט אין קדושת לוי (פרשת ויחי), אז עס איז טייער ביי השי״ת די תפילות פון אלע אידן, אפילו פון אידן וואס זענען אין א נידריגע מדריגה ח״ו. אויך שרייבט הגה״ק רבי צדוק הכהן מלובלין זצ״ל (מחשבות חרוץ ט) אז תפילות פון פשוט׳ע און נידריגע מענטשן האבן זייער א גרויסן כח.

דער חפץ חיים האט אמאל געהאלטן א דרשה אין וועלכער ער האט ארומגעשמועסט איבער דעם ענין אז דער באשעפער ווארט צו הערן די תפילות פון יעדן איד, און ער האט דערביי אויסגערופן: ״איך בין אייך מבטיח אז דער באשעפער ווארט צו הערן די תפילות פון יעדן איינעם פון אייך!״

א איד טאר קיינמאל נישט טראכטן אז צוליב זיינע עבירות איז דער באשעפער מער נישט אינטערעסירט אויסצוהערן זיינע תפילות. עס איז נישט קיין חילוק וואס א איד האט שוין אפגעטוען אין זיין לעבן און וויפיל ער האט שוין קאליע געמאכט. אפילו אויב ער געפינט זיך אין דעם נידריגסטן מצב, פונקט ווי די אידן האבן זיך געפונען אין מצרים, קוקט דער באשעפער ארויס אויף זיינע תפילות. נאכמער, ווען א איד איז איינגעזונקען אין בלאטע און ער שרייט צום באשעפער אז ער זאל אים העלפן ארויסקריכן דערפון, האבן זיינע תפילות א געוואלדיג חשיבות אין הימל.

55

ווי שטארק האט אונז השי"ת ליב?

דער באשעפער האט ליב דעם שוואכסטן איד פיל מער ווי א טאטע האט ליב זיין בן יחיד.

מיר מאכן יעדע נאכט די ברכה: "אוֹהֵב אֶת עַמּוֹ יִשְׂרָאֵל". דעם באשעפער'ס ליבשאפט צו אונז איז אומבאגרייפליך. ספרים ברענגען פון בעל שם טוב הק' זי"ע אז דער באשעפער האט ליב דעם שוואכסטן איד פיל מער ווי א טאטע האט ליב זיין בן יחיד.

דער נביא מלאכי הייבט אָן זיין נבואה צו די אידן מיט די ווערטער (א, ב): "אָהַבְתִּי אֶתְכֶם". דער מלבי"ם ערקלערט אז דאס מיינט אז דער באשעפער האט אונז ליב נישט ווייל מיר שטאמען פון די אבות הקדושים, נאר ווייל מיר האבן מקבל געווען די תורה און מיר היטן די מצוות. די נבואה איז געזאגט געווארן אין א תקופה ווען די אידן זענען נישט געווען אין די גרעסטע מדריגה. מיט דעם אלעם האט דער באשעפער אויסגעדריקט זיין גרויס ליבשאפט צום אידישן פאלק.

די גמרא (ברכות ז, א) זאגט אויפ'ן פסוק (שמות לג, יט) "ורחמתי את אשר ארחם", אז דער באשעפער האט רחמנות אפילו אויף די וואס זענען נישט ווערט מ'זאל רחמנות האבן אויף זיי. אזוי שטייט אויך אין די תורה, אז ווען אן ארעמאן שרייט אויס צום באשעפער זיין ווייטאג, הערט אים דער באשעפער: "וְשָׁמַעְתִּי כִּי חַנּוּן אָנִי" (שמות כב, כו).

דער רמב"ן זאגט אויף דעם פסוק, אז דער באשעפער הערט צו דאס געשריי פון יעדן איינעם, אפילו פון איינעם וואס איז נישט קיין צדיק, "כי חנון אני ושומע צעקת כל מתחנן לי"; דער באשעפער האט רחמנות אויף יעדן וואס בעט זיך צו אים.

רבי ישראל סאלאנטער זי"ע איז אמאל געווארן איינגעלאדענט צום קעניג, ביי וועמען ס'איז געבוירן געווארן א קינד נאכ'ן ווארטן דרייסיג יאר. זעלבסטפארשטענדליך אז דער קעניג האט זיך געטשאטשקעט מיט'ן קינד, און ער האט דערציילט פאר רבי ישראל סאלאנטער ווי שטארק ער האט ליב דאס קינד, צוגעבענדיג אז ווען דאס קינד וועט עלטער ווערן וועט ער זיכער מאכן אז עס זאל אים גארנישט פעלן.
ווען רבי ישראל סאלאנטער האט דאס געהערט האט ער אים געפרעגט: "וואס וועט זיין אויב ער וועט אמאל וועלן ארויסנעמען א טאשטיכל פון טאש און בטעות אריינליגן די האנט אין דעם נישט־ריכטיגן טאש; דערנאך מיט פארדרוס ארויסנעמען די האנט און עס אריינלייגן אין דעם ריכטיגן טאש – ווי אזוי וועט דער קעניג קענען אויסמיידן אזא סארט צער?"
ענטפערט דער קעניג: "דאס הייסט נישט קיין צער; דאס איז טייל פון טאג טעגליכן לעבן".
ווען רבי ישראל סאלאנטער האט פארלאזט דעם פאלאץ האט ער אויפגעהויבן די אויגן צום הימל און געזאגט: "רבונו של עולם, דער קעניג האט געהאט א קינד נאך דרייסיג יאר, און פונדעסטוועגן ארט אים נישט אויב דאס קינד וועט ארײנשטעקן די האנט אין דעם נישט־ריכטיגן טאש. אבער דו, באשעפער, האסט אזוי שטארק ליב דיינע קינדער אז דו באטראכטסט דאס יא אלס יסורים".

אזוי ווערט געברענגט אין גמרא (ערכין טז, ב) אז אפילו אויב איינער שטעקט אריין די האנט אין טאש וועלענדיג ארויסנעמען דריי מטבעות, און למעשה האט ער ארויסגענומען בלויז צוויי מטבעות, דארף ער דאך נאכאמאל אריינלייגן די האנט ארויסצונעמען די דריטע מטבע, ווערט דאס אויך פאררעכנט אלס יסורים. אפילו אזא קליינער צער פאר דעם מענטש טוט אויך דער רבונו של עולם רעכענען פאר כפרת עוונות.

דער באשעפער האט אונז ליב פיל מער ווי מיר קענען

זיך פארשטעלן. מיר טארן קיינמאל נישט שפירן אז עפעס איז נישט גענוג וויכטיג אדער עס איז נישט גענוג א גרויסער פראבלעם אז דער באשעפער זאל רחמנות האבן אויף אונז און אונז געבן וואס מיר דארפן. דער באשעפער וויל שטענדיג הערן אונזער געבעט, און ער ווארט כסדר אויף אונזערע תפילות.

56

מען דערלייגט נישט זכותים דורכ'ן מתפלל זיין.

עס שטייט אין ספר שערים בתפילה (עמוד כט) אז אפילו אויב א מענטש איז ראוי צו באקומען א געוויסע ישועה, קען זיין אז מ'וועט עס אים נישט געבן פון הימל נאר אויב ער וועט בעטן דערפאר. דאס איז דער מהלך וואס דער בורא כל עולמים האט איינגעשטעלט אין דער בריאה. השי"ת וויל אז מיר זאלן זיך ווענדן צו אים ביי יעדע געלעגענהייט ווען מיר דארפן עפּעס.

עס זענען פאראן עטליכע סיבות פארוואס מענטשן בעטן נישט דעם באשעפער אין צייט פון נויט. טייל מענטשן ווילן נישט אויסנוצן זייערע זכותים אויף דער וועלט דורכ'ן בעטן דעם באשעפער יעדעס מאל וואס זיי ווילן עפּעס. די סיבה איז אבער נישט ריכטיג, און איז באזירט אויף א טעות. חז"ל לערנען אונז אז ווען עס פאסירט א נס מיט א מענטש פארלירט ער דערביי זכותים. אבער ווען עס קומען אראפּ ברכות אויף א נאטורליכן וועג רעכענט מען נישט אראפּ פון די זכותים. דער מהרש"א (קידושין כט, ב) שרייבט אז יעדע זאך וואס א מענטש באקומט דורכ'ן דאוונען און בעטן ווערט נישט באטראכט אלס א נס. דערפאר נוצט מען נישט אויס קיין שום זכותים ווען מען ווענדט זיך צום באשעפער אין צייט פון נויט.

> ***ווען עס קומען אראפּ ברכות אויף א נאטורליכן וועג רעכענט מען נישט אראפּ פון די זכותים.***

אן אנדערע סיבה פארוואס מענטשן בעטן נישט דעם באשעפער יעדעס מאל ווען זיי דארפן עפעס איז ווייל זיי ווילן נישט פילן אז זיי זענען עפעס "שולדיג" פאר'ן באשעפער. דאס איז אויך נישט ריכטיג, און איז פאקטיש א נארישער געדאנקענגאנג. מיר באקומען סייווי פון באשעפער פיל מער ווי עס קומט אונז. אלעס וואס מיר האבן קומט דאך פון השי"ת. אויב מ'טראכט אז מען וויל נישט בעטן דעם באשעפער אויף עפעס וויבאלד מיר ווילן זיך נישט שפירן שולדיג, לייקענט מען דערמיט דעם פאקט אז מיר זענען שוין סייווי שולדיג פאר'ן באשעפער אָן א שיעור פאר די פילע חסדים וואס ער טוט שטענדיג מיט אונז.

איבער די טעמע ווערט געברענגט א משל פון א רייכען מענטש וועלכער איז געפארן אויפ'ן וועג אין א ווינטער נאכט און איז אנגעקומען צו עפעס וואס האט אויסגעזען ווי א הויפן שמאטעס ביים זייט פון שאסיי. ער האט געהייסן זיין דרייווער אז ער זאל זיך אפשטעלן, און ער האט באמערקט אז דער "הויפן שמאטעס" איז פאקטיש א קראנקער איד וועלכער איז, זייענדיג א ביטערער ארעמאן, איינגעהילט אין צעריסענע קליידער און איז צוזאמגעפאלן אין דעם ביטערן פראסט. דער עושר האט אים אריינגענומען אין זיין קאר און אפגעפירט אין שפיטאל, וואו עס האט זיך ארויסגעשטעלט אז דער איד ליידט פון פארשידענע מחלות. אין שפיטאל האט מען אים באהאנדלט און געגעבן מעדיצינען, און דער רייכער מאן האט אויסגעצאלט אלע מעדיצינישע אויסגאבן אויסצוהיילן דעם קראנקן איד.
ווען דער ארעמאן איז געקומען צו די כוחות און האט זיך ערהוילט פון זיינע מחלות, האט מען אים געזאגט אין שפיטאל אז ער קען שוין אהיימגיין. דער ארעמאן האט פון טיפן הארצן באדאנקט דעם עושר פאר אלעם וואס ער האט געטוען מיט אים. ער האט אבער צוגעלייגט אז ער האט נישט קיין הויז וואו אהיימצוגיין. דער עושר האט אים פארגעשלאגן א פאסטן אין איינס פון זיינע געשעפטן. דער ארעמאן האט טאקע באקומען א חשוב'ע פאזיציע אין דעם עושר'ס ביזנעס פון וועלכן ער האט פארדינט א שיין געהאלט. מיט דעם געלט האט ער זיך געקענט ערלויבן צו קויפן געהעריגע קליידער און איינרישן א דירה.

דער איד האט יעצט געזוכט א שידוך, און דער עושר האט אים אנגעבאטן זיין טאכטער אלס א כלה. דער איד האט אודאי אנגענומען דעם אנבאט, און ער האט חתונה געהאט מיט די טאכטער פון דעם עושר וועלכער האט אים געראטעוועט.

ביי די לעצטע שבע ברכות האט דער עושר אנגעבאטן א גלאז טיי פאר זיין נייעם איידעם. דער פרישער חתן האט עס אבער איידעלערהייט אפגעזאגט.

דער שווער פרעגט מיט וואונדער: "פארוואס ווילסטו נישט דעם גלאז טיי, דו גלייכסט דאך שטענדיג צו טרינקען טיי נאכ'ן עסן".

ענטפערט דער איידעם: "איך וויל נישט נעמען די טיי ווייל איך וויל זיך נישט שפירן צו שולדיג פאר'ן שווער".

רופט דער שווער אויס מיט שטוינונג: "וואס?! דו ווילסט זיך נישט שפירן שולדיג פאר מיר?! אלעס וואס דו פארמאגסט איז דאך מיר צו פארדאנקען! אויב איך וואלט זיך נישט אפגעגעבן מיט דיר ווי מיט אן אייגן קינד וואס וואלט געווען מיט דיר? דיין פרנסה, דיין הויז, דיין קאר, דיין ווייב, דיין לעבן – אלעס איז דאך מיר צו פארדאנקען. און דו ביסט נאך באזארגט איבער נעמען א גלאז טיי פון מיר?"

דער נמשל איז פארשטענדליך: השי"ת גיט אונז אלעס וואס מיר דארפן, און מיר זענען אים שוין שולדיג אזויפיל, אז ס'איז בכלל נישט שייך מיר זאלן אים קענען אמאל באצאלן. אויב מיר האלטן זיך אפ פון בעטן אויס מורא אז מיר וועלן ווערן שולדיג פאר אים, פארפעלן מיר ארויסצואווייזן הכרת הטוב אויף אלעס וואס השי"ת האט געטוען מיט אונז ביז דאן.

ווען מיר בעטן דעם באשעפער אז ער זאל רחמנות האבן אויף אונז, ווייזן מיר אז מיר פארלאזן זיך אויף אים אויף יעדן טריט און שריט, און דאס איז דער ריכטיגער וועג ווי אזוי מיר דערגרייכן אלעס אין לעבן.

ווער איז ווערמען שולדיג?

עס קען אמאל דורכלויפן א געדאנק, א מענטש זאל טראכטן: "איך האב היינט געלערנט תורה, איך האב היינט געדאוונט, איך האב געטוען חסד, עס קומט זיך מיר אז דער באשעפער זאל טוען גוטס מיט מיר". אבער אויב מ'טראכט גוט אריין איז דער מהלך המחשבה נישט ריכטיג.

א מגיד האט אמאל ערקלערט דעם געדאנק מיט דעם פאלגענדן משל: א צוועלף יעריג יונגל האט זיך געגרייט צו גיין אין חדר אריין, און בשעת ער האט גענומען זיין פרישטאג און איז ארויסגעלאפן צום באס האט ער געלאזט א צעטל אויפ'ן טיש פאר זיין מאמע וואס האט זיך געליינט ווי פאלגנד:

מאכן מיין בעט: $1.00

שפילן מיט מיין קליינעם ברודער: .75

ארויסנעמען די מיסט: $1.00

צוזאמנעמען די בלעטלעך אין הויף: $5.00

סך הכל: $7.75

ווען די מאמע האט געליינט דאס צעטל איז זי געווארן שאקירט אז איר זון פארלאנגט געלט פאר טוען די אלע אויפגאבעס. נאכ'ן ארייננטראכטן עטליכע מינוט וואס צו טוען איז זי אויפגעקומען מיט א פלאן. זי האט איבערגעדרייט דאס צעטל און געשריבן די פאלגענדע שורות פאר איר זון:

אויפבלייבן ביינאכט מיט דיר אלס פיצל קינד: בחינם

זיך אפגעבן מיט דיר ווען דו ביסט נישט געווען געזונט: בחינם
דאס עסן וואס מען שטעלט דיר צו: בחינם
די ליבשאפט און געטריישאפט וואס מען גיט דיר: בחינם
דאס קינד איז אהיימגעקומען פון חדר און געליינט דאס צעטל וואס זיין מאמע האט געשריבן. טרערן זענען געריגען פון זיינע אויגן, און ער האט איבערגעדרייט דאס בלעטל און געשריבן אונטער דעם אריגינעלן צעטל: באלאנס אפגעצאלט.

דער נמשל איז פארשטענדליך: אויף יעדע גוטע זאך וואס דער מענטש האט געטוען זענען פאראן אָן א שיער חסדים וואס דער באשעפער טוט נאכאנאנד מיט אים בחינם, אָן אפצאל. דער באשעפער האט אונז געגעבן א מוח וואס ארבעט, הענט און פיס וואס באוועגן זיך און אויגן וואס זעען – אלעס פריי פון אפצאל.

> **דער באשעפער האט אונז געגעבן א מוח וואס ארבעט, הענט און פיס וואס באוועגן זיך און אויגן וואס זעען - אלעס פריי פון אפצאל.**

פונקט ווי דאס צוועלף יעריג יונגל, כאפן מיר זיך נישט וויפיל חסדים דער באשעפער טוט מיט אונז בחינם. יעדעס אויג האט אין זיך הונדערט מיליאן 'רעסעפטארס' וואס קענען אויפכאפן א בילד; עס פארוואנדלען אין אן עלעקטרישן מעסעדזש און ארויסשיקן צום מוח. דער מעסעדזש ווערט געשיקט צום מוח דורך פופציג טויזנט פארבינדונגען, און דער מוח כאפט עס אויף און זאגט פאר דעם מענטש וואס ער האט געזען. און דאס אלעס פאסירט בליץ שנעל.

אין די ברכה פון "אשר יצר" זאגן מיר אז דער באשעפער איז א "רופא כל בשר ומפליא לעשות". דאס מיינט אז ער היילט אונז אויס דורכ'ן אוועקנעמען דעם אפפאל פון קערפער אויף א וואונדערליכען אופן. אונזערע קערפערס טיילן אויטאמאטיש אפ צווישן די גוטע חלקים און די שלעכטע חלקים פון אונזער עסן, און עס שיקט ארויס פון זיך די שלעכטע חלקים. ווער צאלט פאר די ארבעט?

אנשטאט צו טראכטן: "איך האב שוין געטוען אזויפיל זאכן פאר'ן באשעפער היינט", דארף מען מכיר טובה זיין דעם באשעפער און אים דאנקבאר זיין פאר די פילע חסדים וואס ער טוט מיט אונז יעדע מינוט.

58

די בעסטע ביזנעס טראנזאקציע

שטעלט אייך פאר אז איר באקומט א פאסטן. דער אייגענטימער פון די פירמע גיט אייך א הערליכן אפיס מיט א ליסטע פון אלע זיינע קליענטן מיט א פארשלאג, אז יעדען סעיל וואס איר מאכט באקומט איר דאס גאנצע פארדינסט. טראצדעם וואס עס זעט אויס ווי איר ארבעט פאר די פירמע, ארבעט איר באמת פאר זיך אליין, ווייל איר באקומט דאך דעם גאנצן ריוח. דאס וואלט געווען א זיסער חלום: צו פארדינען געלט כאילו איר וואלט געווען דער אייגענטימער אליין, און איר דארפט זיך נישט אפילו זארגן ווי אזוי די פירמע פונקציאנירט.

יעדער איינער פון אונז האט אזא סארט אויפגאבע. דאס רופט זיך: "עבודת ה׳ ". דער באשעפער גיט אונז אלעס וואס מיר דארפן כדי מיר זאלן קענען דורכפירן אונזער תפקיד, און מיר באקומען דעם גאנצן ריוח פון יעדעס ביסל ארבעט וואס מיר לייגן אריין. די תורה פרעגט (דברים י, יב): "מָה ה׳ אֱלֹקֶיךָ שֹׁאֵל מֵעִמָּךְ – וואס וויל דער אויבערשטער פון דיר?" און די תורה ענטפערט אז דער באשעפער וויל מיר זאלן אים דינען "לְטוֹב לָךְ – פאר דיין אייגענע טובה". דער רמב"ן איז מסביר (דארט און אויך אין פרשת כי תצא כב, ו), אז דאס מיינט אז דער באשעפער אליין פארדינט גארנישט פון דעם וואס מיר זענען מקיים די מצוות. ער האט אונז געגעבן די מצוות כדי מיר זאלן ווערן אויסגעלייטערט – "שיהיו בריותיו צרופות ומזוקקות בלא סיגי מחשבות רעות ומדות מגונות".

דער באשעפער גיט אונז אלעס וואס מיר דארפן כדי מיר זאלן קענען דורכפירן אונזער תפקיד, און מיר באקומען דעם גאנצן ריוח פון יעדעס ביסל ארבעט וואס מיר לייגן אריין.

אין א פריערדיגע קאפיטל שטייט אין פסוק (דברים ו, כד): "וַיְצַוֵּנוּ ה' לַעֲשׂוֹת אֶת כָּל הַחֻקִּים הָאֵלֶּה לְיִרְאָה אֶת ה' אֱלֹקֵינוּ לְטוֹב לָנוּ כָּל הַיָּמִים לְחַיֹּתֵנוּ כְּהַיּוֹם הַזֶּה וּצְדָקָה תִּהְיֶה לָּנוּ כִּי נִשְׁמֹר לַעֲשׂוֹת אֶת כָּל הַמִּצְוָה הַזֹּאת לִפְנֵי ה' אֱלֹקֵינוּ כַּאֲשֶׁר צִוָּנוּ".

דער ספורנו איז מסביר אז דער ערשטער חלק, "לְחַיֹּתֵנוּ כְּהַיּוֹם הַזֶּה", גייט ארויף אויף שכר פון דער וועלט, און דער צווייטער חלק "וּצְדָקָה תִּהְיֶה לָּנוּ", גייט ארויף אויף דעם שכר פון יענע וועלט. יעדע איינציגע מצוה איז פאר אונזער טובה, און עס ברענגט אונז שכר סיי אויף דער וועלט און סיי אויף יענער וועלט אין עולם הבא.

עס שטייט אין מסכת מכות (פרק ג משנה טז) און מיר לערנען דאס אויך אין פרקי אבות: "רצה הקב"ה לזכות את ישראל לפיכך הרבה להם תורה ומצוות". דער באשעפער האט אונז געגעבן אזויפיל מצוות כדי מיר זאלן קענען באקומען שכר דערויף.

ס'איז פאראן א טרעפליך משל אויף דעם ענין: עס איז אמאל געווען א קאנטראקטאר וועלכער האט געדונגען א געלונגענעם בוי מייסטער צו ארבעטן אויף פארשידענע בוי פראיעקטן. דער קאנטראקטאר האט אים גענוצט לאנגע יארן און ער איז געווען זייער צופרידן פון אים. איין טאג איז דער בויער אנגעקומען צום קאנטראקטאר און אים געזאגט אז ער האט באשלאסן צו פענזיאנירן. ער האט געזאגט פאר דעם קאנטראקטאר אז ער איז אים זייער דאנקבאר אויף וואס ער האט אים צוגעשטעלט ארבעט במשך די אלע יארן, אבער זיין ווייב וויל אז ער זאל שוין פענזיאנירן כדי ער זאל זיך קענען מער אפגעבן מיט די משפחה. דער קאנטראקטאר האט זיך געבעטן ביי אים צו טוישן זיינע פלענער, זאגענדיג אז ער איז זיין בעסטער ארבעטער און אז ער איז שטארק אנגעוויזן אויף אים. דער בוי מייסטער האט זיך אבער געהאלטן ביי זיינעם.

זעענדיג אז ער קען אים נישט איבעררעדן, האט דער קאנטראקטאר געבעטן דעם בוי מייסטער אז אזוי ווי ער האט נארוואס אנגענומען א פרישן פראיעקט; צו בויען א הויז, און ער נויטיגט זיך אין אים, זאל ער כאטש איינשטימען אויסצופירן דעם פראיעקט איידער ער פענזיאנירט. וויסענדיג אז בויען א הויז קען דויערן איבער

א יאר, האט ער איינגעשטימט איבערצורעדן די פראגע מיט זיין ווייב. זיין ווייב האט אבער געהאלטן אז ער זאל שוין פענזיאנירן.
דער בוי מייסטער האט זיך געשפירט צעריסן, נעמליך, פון איין זייט וויל זיין ווייב אז ער זאל שוין פענזיאנירן, און פון די אנדערע זייט איז אים שווער אפצוזאגן דעם קאנטראקטער, וועלכער האט אים אזויפיל יאר געגעבן ארבעט. צום סוף האט ער, מיט א שווער הארץ, באשלאסן אנצונעמען דעם פראיעקט. ער האט אנגעהויבן ארבעטן אויף דעם הויז. די ארבעט איז אים אבער געווען צו לאסט, זייענדיג אונטער'ן דרוק פון ארויסגיין אויף פענסיע. פארשטייט זיך אז ער האט געטוען א גאר שוואכע ארבעט. דאס הויז איז פארטיג געווארן שנעלער ווי נארמאל, אבער עס איז געווען פעלערהאפטיג.
ווען דאס הויז איז שוין געשטאנען גרייט, האט דער קאנטראקטאר גענומען די שליסלעך און עס אים איבערגעגעבן, זאגענדיג: "דא האסטו, דאס הויז איז דיין'ס אלס א מתנה פאר די אלע יארן וואס דו האסט געארבעט פאר מיר".
דער בוי מייסטער האט געשטוינט, זייענדיג אויפגערעגט, ווייל ווען ער וואלט געוואוסט אז ער ארבעט פאר זיך אליין, וואלט ער דאך געארבעט מיט פיל מער געדולד, אויפבויענדיג א שיין הויז. איצט, אזוי ווי ער האט זיך נאכגעלאזט, האט ער באקומען א הויז מיט א קרומע דאך און שפאלטענס אין די ווענט.

ווען מיר וואלטן געוואוסט אז די מצוות וואס מיר זענען מקיים ברענגען אונז די גרעסטע טובה; אז מיר בויען אונזער אייגן "הויז" בעולם שכולו טוב לנצח נצחים דורך אונזער עבודת ה', וואלטן מיר אריינגעלייגט פיל מער כוחות. דאס דארפן מיר האלטן פאר די אויגן שטענדיג, און וואס מער צייט און געדולד מיר וועלן אריינלייגן אין עבודות ה' אלץ שענער וועט עס אויסזען בעזר השי"ת.

די באהאלטענע טובה

מ'קען אמאל הערן ווי מענטשן וואונטשן זיך זוכה צו זיין צו ביאת המשיח ווען זיי גייען דורך שוועריגקייטן מיט פרנסה, פראבלעמען מיט שלום בית אדער געזונטהייט. דער אמת איז, אז די ריכטיגע סיבה פארוואס מיר דארפן בעטן אז משיח זאל קומען איז ווי מיר זאגן אין שמונה עשרה: "וּגְאָלֵנוּ גְאֻלָּה שְׁלֵמָה מְהֵרָה לְמַעַן שְׁמֶךָ". עס זאל נתגלה ווערן דער כבוד פון השי"ת און די גאנצע בריאה זאל מקבל זיין עול מלכות שמים.

עס ווערט געברענגט אין ספרים הקדושים אז ווען משיח וועט קומען וועלן מיר אלע איינזען ווי גוט דער באשעפער איז צו אונז, און ווי אפילו געשעענישן וואס האבן אויסגעזען צו זיין שלעכט זענען באמת געווען גוט. דאס איז פון די השגות צו וואס מיר וועלן זוכה זיין בביאת המשיח.

א איד האט פארלוירן אסאך געלט, און איז געקומען צו זיין רב דערציילן איבער זיין אבידה. דער איד זאגט צום רב: "איך בין מקבל באהבה דאס וואס דער באשעפער האט נישט געוואלט אז איך זאל האבן דאס געלט, אבער איך פרוביר צו פארשטיין פארוואס דער באשעפער האט עס מיר לכתחילה געגעבן, בלויז כדי עס שפעטער אוועקצונעמען"?

דער רב האט געענטפערט מיט דעם פסוק (איוב א, כא): "ה' נתן וה' לקח – דער באשעפער האט געגעבן און דער באשעפער האט אוועקגענומען". דער באר מים חיים (חיי

שרה כד, לה) מערקט אָן אז ווען דער פסוק רעדט פון דעם באשעפער'ס געבן שטייט בלויז "ה' נתן", דאקעגן ווען דער פסוק רעדט פון דעם באשעפער'ס אוועקנעמען, שטייט "וה' לקח" מיט א וי"ו. דער הסבר איז, אז ווען דער באשעפער גיט אונז עפעס גיט ער עס אליין, אבער ווען ער נעמט עפעס אוועק איז עס כביכול דער באשעפער צוזאמען מיט'ן בית דין של מעלה. דערפאר ווערט צוגעלייגט דעם אות וי"ו, נעמליך, השי"ת וויל אז דער בית דין של מעלה זאל מיטהאלטן ווען מען נעמט עפעס אוועק אין פאל דער מענטש דארף אפקומען אויף א געוויסע זאך.

> דער באר מים חיים איז דאס מסביר מיט א משל: עס איז אמאל געווען א קעניג וואס האט געהאט א חבר וועלכער איז געווען זייער ארעם. דער קעניג האט אים געבארגט א גרויסע סומע געלט. ווען עס איז געקומען די צייט אפצוצאלן דעם חוב האט דער קעניג געזען אז דער ארעמאן פארמאגט נישט דאס געלט. דער קעניג האט געוואוסט אז די פאליציי וועט עווענטועל קלאפן אויף דעם ארעמאנ'ס טיר און לייגן דרוק אויף אים ער זאל באצאלן דאס געלט. ער איז אבער געווען מאכטלאז אין העלפן זיין חבר, נישט קענענדיג טוישן דאס געזעץ. אזוי ווי דער קעניג האט שטארק רחמנות געהאט אויף זיין חבר, האט ער דעריבער אריינגעווארפן א קאנווערט מיט געלט אונטער זיין חבר'ס טיר, כדי ער זאל האבן צו באצאלן ווען די אגענטן קומען.

אויף אן ענליכן אופן איז די הנהגה פון באשעפער: אויב מיר דארפן אפקומען אויף עפעס, גיט אונז השי"ת קודם א מתנה, און דערמיט קענען מיר שפעטער אפצאלן דעם חוב ווען השי"ת מיט'ן בית דין של מעלה טוען דאס איינקאסירן.

ארום א וואך נאכדעם וואס איך האב געהערט דעם געדאנק, האב איך באקומען א טשעק פון טויזנט דאלער פאר אן ארבעט וואס איך האב אמאל געטוען, פון וואס איך האב מיך שוין לאנג מייאש געווען. צוויי טעג שפעטער באקום איך א בריוו פון דער "איי. אר. עס." אז איך דארף דאס יאר צאלן נאך טויזענט דאלער אין שטייער. דאן האב איך געזען בחוש ווי דער באשעפער האט מיר צוגעשיקט דאס געלט וואס איך האב געדארפט אפצוצאלן א שפעטערדיגן חוב.

מיר קענען נישט באגרייפן חסדים פון השי"ת

חז"ל לערנען אונז (נדה לא, א): "אין בעל הנס מכיר בנִסו – דער מענטש פאר וועמען דער באשעפער מאכט א נס אנערקענט אליין נישט טיילמאל דעם נס". שרייבט אויף דעם דער יערות דבש (חלק א, דרוש א): "בכל יום יקרה לאיש הישראלי נסים רבים ואינו מרגיש – יעדן טאג פאסירן פילע ניסים פאר יעדן איד אבער ער שפירט עס נישט". ער לייגט צו אז דעריבער זאגן מיר דריי מאל א טאג אין שמונה עשרה די ברכה פון "מודים", ווייל אין די ברכה דאנקען מיר דעם באשעפער "על נסיך שבכל יום עמנו – אויף אלע ניסים וואס דו טוסט מיט אונז יעדן טאג".

דער קב הישר (פרק ח) שרייבט אז דעריבער זאגן מירביים דאווענען "מזמור לתודה" (תהלים ק), ווייל טאג טעגליך טוט השי"ת מיט אונז נסים ונפלאות אויף וואס מיר וואלטן געדארפט מקריב זיין א קרבן תודה.

עס איז אבער פאראן נאך א פשט אויף די גמרא "אין בעל הנס מכיר בנסו", נעמליך, אפילו ווען דער בעל הנס אנערקענט שוין אז דער באשעפער האט געטוען מיט אים א נס, ווייסט ער נישט אויף ווי ווייט צו דאנקען דעם באשעפער.

מיט דעם געדאנק ווערט געטייטשט דעם פסוק וואס מיר זאגן ביי הלל (קיח, ב): "הוֹדוּ לַה' כִּי טוֹב כִּי לְעוֹלָם חַסְדּוֹ", אז אפילו ווען מיר דאנקען דעם באשעפער און מיר זאגן "הודו לה'", דארפן מיר געדענקען אז "לעולם חסדו" – זיינע חסדים זענען אומבאגרעניצט און מיר זעען בלויז א קליינעם טייל פון זיי.

זיינע חסדים זענען אומבאגרעניצט און מיר זעען בלויז א קליינעם טייל פון זיי.

מ'קען דאס בעסער פארשטיין ווען מ'לערענט די הייליגע ווערטער פון יסוד שורש העבודה (שער א פרק ח) איבער די ריכטיגע געדאנקען ווען מ'האט זוכה געווען צו א ניי געבוירן קינד. דער מענטש איז איבערפילט מיט דאנק צום באשעפער, אבער אויף וואס איז ער דאנקבאר? אז ער האט א קליין זיס קינד וואס איז אזוי לעכטיג און בא'חנ'ט. אבער באמת קען מען אים דאנקען פאר אזויפיל מער. דאס קינד וועט אי"ה אויפוואקסן אויפ'ן דרך התורה און מקיים זיין מיליאנען מצוות ומעשים טובים דורכאויס זיין לעבן. די עלטערן וואס האבן אים מחנך געווען און מדריך געווען בדרך הישר וועלן באקומען שכר אויף יעדע מצוה וואס ער טוט. דאס קינד וועט אויך אויפשטעלן אייגענע דורות, וואס וועלן האפענטליך ווייטער ציען דעם קייט פון תורה ומצוות. אזוי ארום וועט זיך שפינען א גאלדענע קייט פון מצוות און מעשים טובים אויף דורי דורות. דעם באשעפער'ס מתנות זענען פיל מער און גרעסער ווי מיר באגרייפן, און זענען צומאל אויסער אונזער מעגליכקייט אפצושאצן.

ווען רחל האט געהאט א קינד נאכדעם וואס זי איז אסאך יארן געווען קינדערלאז, האט זי אים געגעבן א נאמען "יוסף", ווייל זי האט געזאגט (בראשית ל, כג) "אסף אלקים את חרפתי – דער אויבערשטער האט געמאכט אן ענדע צו מיין בושה". רש"י ברענגט דעם מדרש אז ווען מען האט א קינד און עס צעברעכט זיך עפעס אינדערהיים קען מען זאגן אז דאס קינד האט עס צעבראכן, אבער ווי לאנג זי איז געווען קינדערלאז האט זי קיינעם נישט געקענט באשולדיגן. די מפרשים וואונדערן זיך פארוואס רחל האט אויסגעקליבן פונקט די זאך צו דאנקען דעם באשעפער נאך אזויפיל יארן וואס זי איז געווען קינדערלאז.

שטייט אין ספרים אז אודאי איז רחל געווען דאנקבאר צום באשעפער אז זי האט זוכה געווען צו א קינד וואס וועט זיין איינער פון די שבטי קה. זי האט אבער אויך געוואלט אונטערשטרייכן אז זי דאנקט דעם באשעפער נישט בלויז

פאר דעם גרויסן חסד פון זוכה זיין צו א קינד, נאר אויך פאר די קלייניקייטן וואס ווען מיטקומען. זי האט פארשטאנען אז דער חסד פון באשעפער איז אומבאגרעניצט.

מיר זאגן שבת ביים דאווענען "אין אנחנו מספיקים להודות לך – מיר קענען קיינמאל נישט גענוג דאנקען דעם באשעפער". מיר דארפן כסדר געדענקען וויפיל חסדים דער באשעפער טוט מיט אונז, וואס איז אויף א פארנעם וואס מיר אליין זענען נישט משיג.

61

סייעתא דשמיא ביי יעדן ענין

דער פסוק זאגט אין תהלים (קכז, א): "שִׁיר הַמַּעֲלוֹת לִשְׁלֹמֹה אִם ה' לֹא יִבְנֶה בַיִת שָׁוְא עָמְלוּ בוֹנָיו בּוֹ". אין די ווערטער גיט דוד המלך דברי הדרכה צו זיין זון שלמה איבער בויען דעם ערשטן בית המקדש, און ער זאגט אים: "אויב דער באשעפער וועט נישט העלפן אויפבויען זיין הויז איז א שאד די פלאג פון די בויער". א מענטש קען האבן פיל געלט, אומצאליגע ארבעטער, און די בעסטע ארכיטעקטן און אינזשענירן, אבער אויב דער באשעפער העלפט אים נישט וועט ער נישט מצליח זיין מיט דעם בוי פראיעקט. שלמה המלך האט געהאט די בעסטע מאטריאלן און ארבעטער צו בויען דעם בית המקדש, אבער אויב דער אויבערשטער וואלט אים נישט געהאלפן וואלט ער עס נישט געקענט אויפבויען.

מיר דארפן דעם באשעפער'ס הילף פאר יעדע קלייניקייט, ווייל אויב דער אויבערשטער העלפט אונז נישט וועלן קיין שום טאלאנטן, צייט, כח און חכמה נישט העלפן. מענטשן טראכטן נישט אייביג אזוי, און עס קען זיך אמאל דאכטן אז דער עיקר איז מ'זאל אריינלייגן די ריכטיגע כוחות און טאלאנטן מצליח צו זיין.

אויב דער אויבערשטער העלפט אונז נישט וועלן קיין שום טאלאנטן, צייט, כח און חכמה נישט העלפן.

דער אמת איז אבער אז מיר זענען אנגעוויזן אויפ'ן רבונו של עולם יעדע הצלחה וואס מיר האבן. מיר דארפן דעם באשעפער'ס הילף אויף טריט און שריט. באלד ווען

מען הייבט אָן שמונה עשרה זאגן מיר: "ה' שְׂפָתַי תִּפְתָּח וּפִי יַגִּיד תְּהִלָּתֶךָ". מיר הייבן אָן דאס דאווענען מיט'ן זאגן פאר'ן באשעפער: איך קען אפילו נישט עפענען מיין מויל צו דאווענען אָן דיין הילף!"

דער באשעפער שטעלט צו אונזערע געברויכן, אבער מיר מוזן אנערקענען אז מיר דארפן אנקומען צו זיין הילף אפילו ביי די קלענסטע און פשוט'סטע זאכן.

וואס מער מיר פארשטייען אז מיר דארפן שטענדיג אנקומען צום באשעפער, אלץ מער וועט ער אונז טאקע העלפן. יעדעס מאל וואס מיר ווילן עפעס טוען, סיי אין עבודת ה' און סיי אין אלע אנדערע גשמיות'דיגע געברויכן דארפן מיר געדענקען אז "אִם ה' לֹא יִבְנֶה בַיִת שָׁוְא עָמְלוּ בוֹנָיו בּוֹ" – מיר וועלן נאר מצליח זיין אויב מיר וועלן זוכה זיין צו סייעתא דשמיא.

עס איז אמאל געווען א איד וואס האט געלערענט תורה יומם ולילה, און זיין ווייב האט אים פארזארגט מיט פרנסה דורך האנדלן מיט שטאפן, וואס זי האט פארקויפט פאר דעם ראדזווילער פריץ. איין יאר האט די פרוי זיך נישט געקענט מער באשעפטיגן מיט דעם האנדעל, האט זי געבעטן איר מאן אז ער זאל איר ארויסהעלפן. דער מאן איז אבער נישט געווען באהאוונט אין דעם האנדעל, האט זי אים געבעטן ער זאל כאטש פארן אויפ'ן יריד איינצוקויפן די שטאפן. זיין פרוי האט אים געגעבן אנווייזונגען צו קויפן א גרויסן קוואנטום פון די שווארצע שטאף און א צענטל דערפון פון די ווייסע שטאף, ווייל די באדינער פונעם פריץ פלעגן גיין געקליידעט אין שווארצע קליידער וואס זענען געווען באצירט מיט אביסל ווייסע שטאף.

ווען דער איד איז אנגעקומען צום יריד, האט ער זיך באלד אריינגעזעצט אין בית מדרש לערנען. פארנאכט האט ער זיך דערמאנט אז ער איז געקומען קויפן שטאף, און ער איז ארויס אויפ'ן מארק. אזוי ווי עס איז שוין געווען שפעט, איז נאר געווען ווייניג פון די שווארצע שטאף. דאקעגן פון די ווייסע שטאף איז געווען פיל מער, ווייל אזוי ווי עס איז געווען טייער האט זיך עס נישט גרינג פארקויפט. דער איד, נישט וויסענדיג קיין חילוק פון שווארצע ביז ווייסע שטאף, האט געקויפט א ריזיגן קוואנטום פון די ווייסע און בלויז א צענטל פון די

שווארצע שטאף. קומענדיג אהיים האט זיין ווייב אים אפירגעהאלטן אז ער האט געקויפט פונקט פארקערט פון וואס זי האט אים געהייסן, און איצט האבן זיי דערלייגט זייער גאנצע געלט, ווייל די באדינער פונעם פריץ גייען געקליידעט אין שווארצע קליידער מיט אביסל ווייס, אבער צו ווייען ווייסע קליידער איז צו טייער און קיינער וועט עס נישט קויפן. רופט זיך אָן דער מאן: "אויב השי"ת וויל אונז געבן פרנסה, וועלן מיר האבן פרנסה אויך פון ווייסע קליידער".

ארויסגעשטעלט האט זיך, אז דער פריץ האט זיך איין טאג שטארק אנגע'שיכור'ט. זייענדיג אין א שיכור'ן צושטאנד, האט ער געפרעגט פארוואס אלע זיינע באדינער גייען געקליידעט שווארץ. האבן זיי אים געענטפערט אז שווארצע שטאף איז ביליגער פון די ווייסע. האט ער זיך אויפגערעגט, זאגענדיג: "אזא רייכער מאן ווי איך קען נישט געבן געלט פאר די באדינער צו גייען אין ווייסע קליידער", און ער האט באפוילן אז פון היינט אָן זאלן אלע באדינער זיך קליידן מיט ווייסע קליידער וואס זאלן זיין באצירט מיט אביסל שווארצע שטאף".

הערענדיג דעם באפעל האבן אלע באדינער אנגעהויבן זוכן אין די גאנצע שטאט ווייסע שטאף, אבער קיינער האט נישט געהאט אזויפיל ווייסע שטאף נאר די אידישע פרוי וועמענ'ס מאן האט בטעות איינגעקויפט א גרויסן קוואנטום ווייסע שטאף. זיי האבן אפגעקויפט פון איר די גאנצע סחורה, און זי האט זייער שיין פארדינט.

פון די מעשה לערנען מיר, אז כאטש א מענטש דארף טוען השתדלות דארף אבער דער עיקר השתדלות זיין אין תורה, תפלה און מעשים טובים, ווייל השי"ת גיט פרנסה (שיעורי רבינו דוד הלוי, דרוש ואגדה עמוד קל"ב).

62

מיר דארפן שטענדיגע שמירה

מיר האבן פריער גערעדט איבער דעם וואס דוד המלך האט געזאגט פאר שלמה המלך, אז אויב דער באשעפער וועט אים נישט העלפן בויען דעם בית המקדש, איז גארנישט ווערט די פלאג פון די ארבעטער.

אין דעם זעלבן מזמור (תהלים קכז ב) זאגט דוד המלך נאך א זאך פאר זיין זון: "אִם ה' לֹא יִשְׁמָר עִיר שָׁוְא שָׁקַד שׁוֹמֵר – אויב דער באשעפער וועט נישט באשיצן א שטאט איז א שאד דאס היטן פונעם שומר". דאס באדייט אז מען קען האבן די בעסטע מיליטער און די פארגעשריטענסטע וואפן, אבער אויב דער באשעפער וועט נישט באשיצן די שטאט דאן איז דאס אלעס גארנישט ווערט.

מענטשן מיינען אז ווען זיי הייבן אָן עפעס פריש דארפן זיי האבן די הילף פון רבונו של עולם מצליח צו זיין, אבער אויב זיי האבן שוין מצליח געווען מיט א פראיעקט קענען זיי זיך שוין אליין אן עצה געבן. דוד המלך לערנט אונז אבער, אז מ'טאר נישט אזוי טראכטן, ווייל מיר זענען קיינמאל נישט פארזיכערט, און אויב דער באשעפער באשיצט נישט וואס מיר האבן דערגרייכט קענען מיר עס פארלירן פון איין טאג אויפ'ן צווייטן.

מיר דארפן זיך צוגעוואוינען מכיר טובה צו זיין דעם באשעפער אויף יעדע זאך וואס מיר פארמאגן. יעדן צופרי

שטייען מיר אויף און מיר זאגן "מודה אני" אז דער באשעפער
האט אונז צוריקגעגעבן די נשמה, ווייל דאס וואס מיר האבן
געלעבט דעם פריערדיגן טאג מיינט נאכנישט אז היינט וועט
אויך אזוי זיין. יעדן טאג איז אונזער לעבן א פרישע מתנה פון
אויבערשטן. דורכ'ן זאגן "מודה אני" יעדן טאג חזר'ן מיר זיך
איין אז אונזער לעבן איז גענצליך אפהענגיק אין באשעפער.

דאס איז אויך די סיבה פארוואס מיר דאנקען דעם
באשעפער אין "ברכות השחר" יעדן צופרי אויף די טאג
טעגליכע פונקציעס אין לעבן, ווי אויף אונזער זע קראפט,
קליידונג, שכל, און אזוי ווייטער. דורכ'ן זאגן די ברכות און
דאנקען דעם באשעפער טוען מיר קלארשטעלן אז מיר
אנערקענען אז יעדן טאג זענען די אלע זאכן פרישע מתנות
פון באשעפער.

איינס פון די ברכות וואס מיר זאגן צופרי איז: "רֹקַע הָאָרֶץ
עַל הַמָּיִם". מיר דאנקען דעם באשעפער אז ער גיט אונז די
ערד אויף וואס מיר קענען גיין.

ווען ניו יארק איז געשלאגן געווארן פון דעם שטורמווינט
"האריקעין סענדי", זענען פילע געגענטער פארפלייצט
געווארן. וויפיל מענטשן וואלטן זיך דאן געוואונטשן אז
זיי זאלן קענען גיין אויף דער ערד! די שפיטעלער זענען
געווען איבערגעפילט מיט פאציענטן, און איין גרויסע
שפיטאל אין ניו יארק האט געמוזט עוואקואירט ווערן
וויבאלד די עלעקטריציטעט האט אויפגעהערט ארבעטן.
אכט מיליאן היימען זענען געבליבן אן עלעקטריציטעט,
און מענטשן האבן געדארפט ווארטן לאנגע שעות אין די
רייע כדי צו באקומען גאזאלין פאר די קארס. עס זענען
געווען געוויסע געגענטער וואס עס האט געהערשט א
מאנגעל אין וויכטיגע לעבענסמיטלן, ווייל מ'האט נישט
געקענט ליפערן סחורה.

עס וואלט געוווען שווער צו גלויבן אז אזא געשעעניש קען
פאסירן היינטיגע צייטן. אבער דער באשעפער האט אונז
געוויזן אז "אִם ה' לֹא יִשְׁמָר עִיר שָׁוְא שָׁקַד שׁוֹמֵר" – אויב
השי"ת גיט נישט אכטונג אויף אונז, וועט אונזער השתדלות
גארנישט העלפן.

רבי אביגדור מיללער זצ"ל האט אמאל געזאגט אז יעדעס
מאל וואס מיר זעען אן אינוואליד ל"ע איז דאס א דירעקטער
אנזאג (מעסעדזש) פון באשעפער אז מיר דארפן אים

דאנקבאר זיין אז מיר האבן יא דעם חוש אדער אבר וואס פעלט יענעם.

טייל מענטשן פארזיכערן זיך אין זייער געלט. עס זענען געווען מענטשן וואס האבן אינוועסטירט זייער געלט אין גאלד און עס פלאצירט אין דעם קעלער פון די "ווארעלד טרעיד צענטער". זעלבסטפארשטענדליך אז דאס גאנצע גאלד איז צעלאזט געווארן אין די אטאקעס 11/9 (למספרם), און עס איז גארנישט געבליבן דערפון.
איך האב אמאל געליינט פון א פארפאלק וואס האט געארבעט שווער אלע יארן און האבן געהאלטן ביים רעטייערן, האבענדיג אוועקגעלייגט א מיליאן דאלאר אויף די עלטערע יארן. זיי זענען אבער געוואויר געווארן אז דאס גאנצע געלט איז געווען אינוועסטירט אין א שווינדל און עס איז גארנישט געבליבן דערפון.

אונזערע קינדער גיבן אונז פיל נחת און פרייד, אבער אפטמאל כאפן מיר זיך נישט וויפיל מיר דארפן דאנקבאר זיין דערפאר. ווען לאה אמנו האט געהאט איר פערטע קינד, יהודה, האט זי געזאגט (בראשית כט, לה): "הַפַּעַם אוֹדֶה אֶת ה' – דאס מאל וועל איך דאנקען דעם באשעפער". דער כתב סופר איז מסביר אז טראצדעם וואס דער סדר העולם איז אז פרויען האבן מערערע קינדער, האט זי מיט א פרישקייט געדאנקט דעם באשעפער, אנערקענענדיג אז מ'דארף זיין דאנקבאר צו השי"ת אויף אלע טובות וואס מיר געניסן שטענדיג.

קיין שום זאך איז נישט גאראנטירט אין לעבן. מיר קענען קיינמאל נישט וויסן ווען עפעס וועט חלילה ווערן אוועקגענומען פון אונז, און דערפאר בעטן מיר דריי מאל א טאג אז דער באשעפער זאל אונז שענקען געזונט, שכל, פרנסה, און אזוי ווייטער, ווייל מיר מוזן אנערקענען דעם באדייט פון דעם דערמאנטן פסוק: "אִם ה' לֹא יִשְׁמָר עִיר שָׁוְא שָׁקַד שׁוֹמֵר" – אויב דער באשעפער היט אונז נישט אפ וועט אונזער השתדלות גארנישט אויפטוען.

63

אלעס איז חסדים

דער באשעפער טוט שטענדיג חסד מיט אונז; יעדע מינוט פון טאג. ספר תהלים איז פול מיט שילדערונגען פון באשעפער'ס חסדים, ווי למשל: "עוֹלָם חֶסֶד יִבָּנֶה" (תהלים פט, ג); "חֶסֶד ה' מָלְאָה הָאָרֶץ" (לג, ה); "טוֹב ה' לַכֹּל וְרַחֲמָיו עַל כָּל מַעֲשָׂיו" (קמה, ט).

וואס מער מיר אנערקענען ווי גוט דער באשעפער איז, אלץ פרייליכער וועלן מיר זיין. אלעס וואס פאסירט צו אונז קומט פון באשעפער'ס גוטסקייט, אבער מיר פארשטייען נישט שטענדיג ווי אזוי דאס ארבעט. אבער אויב מיר זאלן אנערקענען ווי קליין מיר זענען אין פארגלייך צום באשעפער'ס גרויסקייט, און ווי זיין פלאן פאר אונזער לעבן און פאר דער וועלט איז אומבאגרייפליך פאר אונז צו פארשטיין, דאן וועט עס זיין פיל גרינגער פאר אונז אנצונעמען אז אלע פאסירונגען פירט השי"ת לטובתנו.

דוד המלך זאגט אין תהלים (כג, א): "ה' רֹעִי לֹא אֶחְסָר". א פאסטוך איז א מענטש וועלכער האט שכל, און ער גיט זיך אפ מיט שאף וואס האבן נישט קיין שכל. דער פאסטוך האט א פלאן ווי אזוי ער פירט און באהאנדעלט זיינע שאף, אבער די שאף באגרייפן נישט זיין פלאן און פאלגן אים נאך בלינדערהייט. אזוי אויך, זאגט דוד המלך, איז די הנהגה פון באשעפער, כאטש דער קאנטראסט איז אין לשער. השי"ת טוט מיט אונז חסדים יעדע רגע אין די צייט וואס מיר האבן נישט קיין שום השגה אין זיינע דרכים.

אפילו ווען דער באשעפער שטראפט איינעם, טוט ער דאס מיט רחמנות.

אפילו ווען דער באשעפער שטראפט איינעם, טוט ער דאס מיט רחמנות. דער פסוק זאגט (תהלים סב, יג): "לְךָ ה' חֶסֶד כִּי אַתָּה תְשַׁלֵּם לְאִישׁ כְּמַעֲשֵׂהוּ". די גמרא (ראש השנה יז, ב) איז מסביר דעם פסוק, אז ווען השי"ת זעט אז די וועלט קען נישט עקזיסטירן מיט די הנהגה פון מדת הדין ("כמעשהו"), דאן פירט זיך השי"ת מיט די מדה פון לפנים משורת הדין (זע תוספות).

אין ספר תורת משה נתן ווערט ערקלערט, אז דאס מיינט, אז ווען א מענטש באקומט ח"ו אן עונש פון הימל און דער מצב זעט אויס גאר שלעכט, דאן דארף ער קוקן טיפער, מיט ריכטיגע התבוננות, איינצוזען די גוטסקייט וואס איז באמת באהאלטן אונטער דעם עונש.

> איך האב אמאל געהערט דערויף דעם פאלגענדן משל: עס איז נגזר געווארן אויף א מענטש אין ראש השנה אז ער וועט פארדינען דאס יאר פינף הונדערט טויזנט דאלאר. אויב דער באשעפער וועט עס געבן ביסלעכווייז, יעדן חודש פערציג טויזענט דאלאר, וועט דער מענטש זיכער זיין צופרידן און דאנקען דעם באשעפער. אבער אויב דער באשעפער וועט אים אויף איינמאל שיקן א מיליאן דאלאר אנהויב יאר, און נאכדעם וועט ער יעדן חודש דערלייגן פערציג טויזענט דאלאר, וועט ער זיך זיין זייער אומצופרידן און פילן אז ער האט געהאט א שלעכט יאר. אין ביידע פאלן האט דער מענטש פארדינט די זעלבע סומע, אבער אין דעם צווייטן פאל האט דער באשעפער אים געשיקט מער געלט כדי צוצונעמען א חלק דערפון און אזוי ארום אים ערמעגליכן כפרות עוונות.

אויב מיר אנערקענען דעם פאקט אז מיר באגרייפן נישט די דרכים פון השי"ת, און אז "חֶסֶד ה' מָלְאָה הָאָרֶץ" (תהלים לג, ה), דאן וועט אונז גרינגער זיין צו לעבן מיט די ריכטיגע אמונה.

64

השי"ת ווייסט בעסער

מיר האבן שוין פריער דערמאנט דעם פסוק אין תהלים (כג, א) "ה' רֹעִי לֹא אֶחְסָר". הגאון ר' חיים וואלאזשינער זצ"ל איז מסביר דעם פסוק, אז עס זענען פאראן צייטן ווען די שאף ווילן ארומלויפן פריי אויף די פעלדער און אויף די בערג, אבער דער פאסטוך קומט מיט זיין שטעקן און האלט זיי אפ. די שאף באטראכטן דעם פאסטוך אלס א שלעכטער מענטש וועלכער וויל זיי אפהאלטן פון הנאה האבן פון די וועלט. דער אמת איז אבער פונקט פארקערט: דער פאסטוך איז באזארגט, אז אויב זיי וועלן לויפן איבער די בערג וועלן זיי ווערן אויסגעמוטשעט און זיך געפונען אין א טרוקען ארט וואו זיי וועלן נישט האבן קיין וואסער צו שטילן זייער דארשט. דער פאסטוך ווייסט עפעס וואס זיי ווייסן נישט, און דערפאר לאזט ער זיי נישט לויפן פריי. עס זעט אבער אויס הארצלאז, כאטש עס קומט פון געטריישאפט.

דוד המלך זאגט אונז אז ער איז ווי א שעפעלע וואס ווערט געפאשעט דורך א געטרייען פאסטוך. דערפאר דארפן מיר שטענדיג געדענקען אז עס פעלט אונז גארנישט, נאר דער באשעפער ברוב רחמיו וחסדיו האט אונז צוגעשטעלט אלעס וואס מיר דארפן. ווי דוד המלך זאגט ווייטער: "בִּנְאוֹת דֶּשֶׁא יַרְבִּיצֵנִי" – ער מאכט אונז רוען אויף ערטער וואו עס איז פאראן גראז, און ער לאזט אונז נישט ארומלויפן פריי צו ערטער וואו מיר וועלן נישט האבן וואס מיר דארפן.

אין אנדערע צייטן זענען די שאף מיד און זיי ווילן זיך

אפרוען, אבער דער פאסטוך צווינגט זיי צו גיין צו אן אנדערע געגענט. דאס זעט אויך אויס ווי ער טוט זיי סתם ארומשלעפן און ער מאכט זיי שווער, אבער באמת ווייסט דער פאסטוך אז די שאף האבן אויסגענוצט דאס וואסער אין דעם איצטיגן ארט, און אויב זיי וועלן נאך בלייבן דא א שטיק צייט וועלן זיי ווערן דארשטיג און נישט האבן וואס צו טרינקען. דערפאר שטופט ער זיי צו גיין צו אן ארט וואו זיי וועלן האבן וואסער. אזוי פירט אויס דוד המלך: "עַל מֵי מְנֻחוֹת יְנַהֲלֵנִי – דער באשעפער פירט מיך צו רואיגע וואסערן".

אין דעם זעלבן מזמור זאגט דוד המלך: "גַּם כִּי אֵלֵךְ בְּגֵיא צַלְמָוֶת לֹא אִירָא רָע כִּי אַתָּה עִמָּדִי – אפילו ווען איך גיי דורך א פינסטערע ארט, און ס'איז א סכנה'דיגער מצב, האב איך נישט קיין שום פחד אז עפעס וועט מיר פאסירן, ווייל דו ביסט מיט מיר מיך אפצוהיטן". וויבאלד ער פארשטייט אז דער באשעפער זארגט זיך שטענדיג פאר אים, דארף ער בכלל נישט מורא האבן אין סיי וואס פאר א אומשטענדן ער זאל זיך נאר געפונען.

וויבאלד ער פארשטייט אז דער באשעפער זארגט זיך שטענדיג פאר אים, דארף ער בכלל נישט מורא האבן אין סיי וואס פאר א אומשטענדן ער זאל זיך נאר געפונען.

א ביזנעסמאן האט מיר אמאל דערציילט אז ער פלעגט האנדלען מיט א גרויסע פירמע. די פירמע האט געהאט זיין "סלאטס" פאר דעם פראדוקט וואס דער ביזנעסמאן האט פראדוצירט, און זיין פירמע האט באקומען זעקס פון די "סלאטס". איין טאג האט די פירמע אויפגענומען א נייעם אויפזעער איינצוקויפן סחורה, און ווען דער ביזנעסמאן האט זיך געטראפן מיט אים צו דיסקוטירן וויפיל סחורה ער וויל באשטעלן פאר'ן קומענדיגן סעזאן, האט דער אויפזעער געזאגט אז ער וויל גארנישט באשטעלן. דער ביזנעסמאן איז געווען ערשטוינט דאס צו הערן. ער האט פרובירט צו שתדל'ן ביי דעם אויפזעער, אנווייזענדיג אז זיי האנדלען שוין אזויפיל יארן. עס איז אבער געווען אן דערפאלג.

זעענדיג אז זיין שתדלנות העלפט נישט, האט ער פאררופן א זיצונג מיט דעם הויפט אויפזעער, און אים אפירגעהאלטן פארוואס די פירמע, וואס פלעגט איינקויפן ביי אים מיליאנען דאלארן ווערט פון סחורה, וויל איבעררייסן אזעלכע גוטע האנדעלס באציאונגען. דער אויפזעער האט געענטפערט אז ער וועט איבערטראכטן זיין ביטע. נאך עטליכע טעג האט ער צוריקגערופן און געזאגט אז דער באשלוס בלייבט אין

קראפט. דער ביזנעסמאן האט ווייטער גע'שתדל'ט זיך צו פארבינדן מיט דעם אייגענטימער, אבער אן ערפאלג. די לאנגיאריגע באציאונגען זענען איבערגעריסן געווארן! דער איד האט זיך דאן געווענדן צום באשעפער און געזאגט: "רבונו של עולם, פארוואס נעמסטו אוועק פון מיר אזוי פלוצלינג אזא גרויסן ריוח פון דריי מיליאן דאלאר"?

עטליכע חדשים שפעטער האט אויסגעבראכן די נייעס אז די פירמע האט באנקראטירט מיט ריזיגע חובות. דער ביזנעסמאן האט זיך נאכאמאל געווענדן צום באשעפער און אויסגערופן: "אודה ה' בכל לבבי! יעצט פארשטיי איך שוין! דו האסט נישט אוועקגענומען פון מיר דריי מיליאן דאלאר; דו האסט מיר איינגעשפארט שאדן פון דריי מיליאן דאלאר"!

"לֹא אִירָא רָע כִּי אַתָּה עִמָּדִי" – אפילו ווען דער מצב זעט אויס שלעכט איז נישטא וואס מורא צו האבן ווייל דער באשעפער איז אלעמאל מיט אונז און ער טוט בלויז וואס איז גוט פאר אונז.

65

קיינער קען נישט אנרירן וואס איז דיינ'ס

די גמרא זאגט (יומא לח, ב): "אין אדם נוגע במוכן לחבירו ... אפילו כמלא נימא – א מענטש קען נישט צורירן [צונעמען] עפּעס וואס איז צוגעגרייט פאר זיין חבר, אפילו בלויז דאס מינדעסטע ווי א האר". אויב דער באשעפער וויל אז א מענטש זאל עפּעס האבן, וועט ער עס באקומען און קיינער אויף דער וועלט וועט עס נישט קענען צונעמען פון אים.

אויב דער באשעפער וויל אז א מענטש זאל עפּעס האבן, וועט ער עס באקומען און קיינער אויף דער וועלט וועט עס נישט קענען צונעמען פון אים.

אזוי אויך שטייט אין פּסוק (דברים כג, ב): "וּבָאוּ עָלֶיךָ הַבְּרָכוֹת הָאֵלֶּה וְהִשִּׂיגֻךָ – די אלע ברכות וועלן קומען אויף דיר און וועלן דיך דערגרייכן". זאגט דער רבינו בחיי אז דער אויסדרוק "זיי וועלן דיך דערגרייכן" באדייט אז ווען דער אויבערשטער שיקט אויף איינעם א ברכה וועט די ברכה אנקומען צו אים אפילו אויב ער האט נישט געמאכט קיין שום פּרואוו עס צו באקומען.

דער פסוק זאגט (דברי הימים־א כט, יא): "לְךָ ה' הַמַּמְלָכָה וְהַמִּתְנַשֵּׂא לְכֹל לְרֹאשׁ". די גמרא זאגט (בבא בתרא צא, ב) אז דאס גייט ארויף אויף יעדע סארט אויטאריטעט, פון דעם קעניג ביז די קלענסטע פירערשאפט פאזיציע. אלעס ווערט באשטימט דורכ'ן רבונו של עולם. דערפאר דאנקט דוד המלך דעם באשעפער פאר'ן מאכן אים קעניג, און ער דערמאנט זיך (תהלים קיח, כב) ווי "אֶבֶן מָאֲסוּ הַבּוֹנִים הָיְתָה לְרֹאשׁ פִּנָּה – דער שטיין וואס אלע בויער האבן פאר'מיאוס'ט איז געווארן

א הויפט ווינקל". דוד איז אפגעווארפן געווארן דורך יעדן, אבער צום סוף איז ער אנגעקומען צום שפיץ פון כלל ישראל. ער איז באטראכט געווארן אלס דער שוואכסטער צווישן אלע קינדער פון זיין טאטן, אבער צום סוף איז ער געווארן קעניג. ווי אזוי האט דאס פאסירט? דוד המלך ענטפערט אויף דעם אין דעם קומענדיגן פסוק: "מֵאֵת ה' הָיְתָה זֹּאת". דאס האט פאסירט ווייל דאס איז געווען דער רצון ה' (זע רד"ק פסוק כט).

עס איז אמאל געווען א ראש ישיבה וועלכער איז שוין געווען שוואך און קראנק און האט שוין געהאלטן אין זיינע לעצטע טעג ל"ע. זיין זון האט אים געבעטן אז ער זאל לאזן וויסן יעדן איינעם אז ער וועט איבערנעמען זיין פאטער אלס ראש ישיבה. דער ראש ישיבה האט געענטפערט אז עס פעלט נישט אויס צו מאכן אזא הודעה, ווייל אויב מען וויל אזוי אין הימל דאן וועט ער באקומען דעם פאסטן פון ראש ישיבה. דער ראש ישיבה האט נאכגעזאגט די גמרא (יומא לח, א): "בשמך יקראוך ובמקומך יושיבוך ומשלך יתנו לך, אין אדם נוגע במוכן לחבירו ואין מלכות נוגעת בחברתה אפילו כמלא נימא – מ'וועט דיך רופן מיט דעם נאמען וואס דו דארפסט ווערן גערופן; מ'וועט דיך זעצן אויף דעם ארט וואו דו דארפסט ווערן געזעצט; מ'וועט דיך געבן וואס דו דארפסט באקומען; קיינער קען נישט צונרירן [צונעמען] עפעס וואס באלאנגט צו זיין חבר; קיין שום מלוכה קען נישט צורירן [צונעמען] פון אן אנדערע מלוכה אפילו בלויז דאס מינדעסטע ווי א האר".

דער געדאנק איז אויך שייך ווען עס קומט צו פרנסה. קיינער קען נישט אוועקנעמען פון דעם צווייטן אפילו די קלענסטע סומע געלט. יעדער מענטש פארדינט געגוי וויפיל עס איז אים באשערט פון הימל, און א מענטש קען נישט נעמען פאר זיך עפעס וואס קומט זיך אים נישט.

אן אייניקל פון רבי יעקב יגן האט דערציילט, אז זיין זיידע פלעגט לערנען בחברותא מיט דעם גרויסן מקובל הרב שרעבי. זיי פלעגן אנהייבן לערנען אום איינס אזייגער פארטאגס ביז דער זמן פון ותיקין ווען זיי האבן זיך געשטעלט דאווענען. נאכ'ן דאווענען האבן זיי פארגעזעצט מיט זייערע שיעורים ביז עלף אזייגער

פארמיטאג, און דאן איז הרב יגן געגאנגען עפענען זיין זייף געשעפט אין די מאה שערים געגענט. הרב יגן האט געוואוסט אז די אנדערע געשעפטס לייט עפענען אויף זייערע געשעפטן זעקס אזייגער פארטאגס, בעת ער איז נישט אנגעקומען אין געשעפט ביז עלף אזייגער. זיין רעביצין האט אים געזאגט אז עס וואלט געווען כדאי צו עפענען דאס געשעפט פריער אין טאג, ווען מענטשן הייבן אן צו קומען, אזוי ארום וועט ער פארדינען מער. הרב יגן האט באשלאסן זיך צו דורכרעדן מיט הרב שרעבי. הרב שרעבי האט אים געענטפערט: "דער זעלבער באשעפער וואס שיקט דיר צו דיין פרנסה זעקס אזייגער קען דיר עס צושיקן עלף אזייגער; דו עפענסט נישט אויף שפעט צוליב פוילקייט, דו טוסט עס ווייל דו ווילסט לערנען תורה"!
איינמאל האט איינער באמערקט ווי מענטשן שטייען שוין ביים טיר פון הרב יגנ'ס געשעפט פון 03:01 און ווארטן אז ער זאל עס עפענען. ער האט געקלערט צו זיך אז אויב ער וועט עפענען א געשעפט דערנעבן און פארקויפן די זעלבע סחורה, און ער וועט עפענען פריער אין טאג, דאן וועט ער קענען צונעמען אלע קליענטן פון הרב יגן. ער האט טאקע אזוי געטוען און געדינגען א פלאץ נעבן הרב יגנ'ס געשעפט. זיין געשעפט איז געווען פיל באקוועמער און גרעסער ווי הרב יגנ'ס, און ער האט פארקויפט גענוי די זעלבע סחורה. ער האט געעפענט די טירן פון זיין געשעפט יעדן פארטאגס, ווארטענדיג אז אלע קליענטן זאלן קומען צו זיין נייעם הערליכן געשעפט.
צו זיין אנטוישונג האט ער אבער געזען אז מענטשן שטייען ווייטער יעדן צופרי און ווארטן אז הרב יגן זאל עפענען זיין געשעפט. ער האט נישט געקענט פארשטיין פארוואס. האט ער געשיקט איינעם פון זיינע ארבעטער אויספרעגן די מענטשן פארוואס זיי קומען נישט אריין אין דעם נייעם געשעפט. אלע קליענטן האבן געגעבן דעם זעלבן ענטפער: ווען מיר קויפן פון דעם רב, זאגט ער אונז "יישר כח", און גיט אונז ברכות. עס לוינט אונז צו שטיין און ווארטן ביז ער עפענט זיין געשעפט

מיר דארפן זיך קיינמאל נישט זארגן אז אנדערע מענטשן וועלן אוועקנעמען אונזער פרנסה. מיר באקומען גענוי דאס וואס מיר דארפן פון הימל.

66

וואס איז מען זוכה דורך ענווה?

דער תומר דבורה (פרק ב) שרייבט, אז די מדה פון ענוה איז כולל אלעס אין זיך. דאס איז דער שליסל צו אלע מידות טובות. ענוה איז די קרוין און שיינקייט פון א איד. עס איז א נחת זיך צו זיין אין אנוועזענהייט פון אן עניו, ווי דער פסוק זאגט (משלי ג, לד): "לַעֲנָוִים יִתֵּן חֵן – פאר בעלי ענוה גיט דער אויבערשטער חן". דער באשעפער לייגט ארויף א ספעציעלן חן אויף מענטשן וואס האלטן זיך קליין.

וויאזוי קען א מענטש זיך איינהאנדלען די געוואלדיגע מדה פון ענוה?

דער ענטפער שטייט אין א פסוק אין ירמיה (ט, כב): "אַל יִתְהַלֵּל חָכָם בְּחָכְמָתוֹ וְאַל יִתְהַלֵּל הַגִּבּוֹר בִּגְבוּרָתוֹ אַל יִתְהַלֵּל עָשִׁיר בְּעָשְׁרוֹ – דער קלוגער מענטש זאל זיך נישט גרויסהאלטן מיט זיין חכמה, און דער גבור זאל זיך נישט גרויסהאלטן מיט זיין שטארקייט, און דער עושר זאל זיך נישט גרויסהאלטן מיט זיין עשירות".

עס איז זינלאז פאר א מענטש זיך צו שטאלצירן מיט זיין חכמה, ווי דער פסוק זאגט (משלי ב, ו): "כִּי ה' יִתֵּן חָכְמָה – דער באשעפער גיט חכמה". דאס זעלבע קען ער נישט שטאלצירן מיט זיין שטארקייט, ווי דער פסוק זאגט (דברי הימים-א כט, יא): "לך ה' הגדלה והגבורה". אזוי אויך קען

ער זיך נישט גרויסהאלטן מיט עשירות, ווייל (שם פסוק יב): "והעושר והכבוד מלפניך – רייכקייט און כבוד קומט פון באשעפער", און אויך שטייט (שמואל-א ב, ז): "ה' מוריש ומעשיר"; "לי הכסף ולי הזהב" (חגי ב, ח).

אלעס וואס מיר פארמאגן איז א מתנה פון באשעפער. וואס טיפער מיר אנערקענען דאס, אלץ מער וועלן מיר זיך האלטן קליין. די מדה פון ענוה איז געווען ביי דוד המלך אויף די העכסטע מדרגה, ווי דער פסוק איז מעיד (תהלים קלא, ב) אז ער האט זיך פארלאזט אויפ'ן באשעפער "כגמל עלי אמו". א פיצל קינד באקומט אלעס וואס עס דארף פון זיין מאמען: זיין עסן, זיינע קליידער, און אלע זיינע געברויכן. ער קען אפילו נישט אליין אריינלייגן עסן אין מויל. דוד המלך זאגט אונז אז טראצדעם וואס ער האט פארמאגט אזא מאכטפולע ארמיי, קלוגשאפט, און רייכטום – פונדעסטוועגן האט דאס נישט אריינגעברענגט אין אים דאס מינדעסטע שטאלץ, ווייל ער האט געוואוסט אז ער באקומט אלעס פון באשעפער, ווי א ניי געבוירן קינד וואס איז גענצליך אנגעוויזן אין זיין מאמען. דער באשעפער האט אים געגעבן די חכמה און כח און אלע אנדערע מעלות כדי ער זאל קענען ווערן געקרוינט אלס קעניג פון כלל ישראל און העלפן אנדערע מענטשן.

אין זעלבן מזמור (פסוק א) זאגט דוד המלך אויף זיך: "ה' לא גבה לבי – איך האב נישט געהאט קיין געדאנקען פון שטאלץ אין מיין הארץ". חז"ל זאגן (ירושלמי סנהדרין ב, ד) אז דאס גייט ארויף אויף די צייט ווען דוד המלך איז געקרוינט געווארן אלס קעניג. במשך אכט און צוואנציג יאר איז ער געווארן אפגעלאכט און דערנידערט. מען האט אים אפילו נישט געלאזט זיצן ביי איין טיש מיט זיינע ברידער. מען האט אים ארויסגעשיקט פאשען די שאף. און ווען שמואל הנביא איז אנגעקומען צו ישי און געזאגט אז איינער פון זיינע קינדער איז געווארן אויסגעקליבן אלס קעניג, האט קיינער זיך אפילו נישט געקימערט צו רופן דוד'ן. נאר נאכדעם וואס שמואל האט שוין געזען אלע ברידער און געזאגט אז קיינער פון זיי איז נישט דער אויסגעוועלטער, און ער האט געפרעגט צי עס איז פאראן נאך א ברודער – ערשט דאן האט מען גערופן דוד.

נאך די אלע יארן וואס דוד איז געווען א פארשעמטער צווישן די ברידער, האט שמואל הנביא גענומען אויל און אים געזאלבט אלס קעניג פון כלל ישראל, נאכ'ן באקומען

א באפעל פון השי"ת. שמואל האט אויסגערופן (שמואל־א טז, יג): "כי זה הוא"! מיר קענען זיך נישט פארשטעלן די מחשבות וואס זענען דורכגעלאפן אין זיין מוח, ווערנדיג אויפגעהויבן פון די טיפענישן פון אפגרונד צו די העכסטע פאזיציע אין כלל ישראל. און פונדעסטוועגן האט דוד המלך געזאגט אויף זיך: "לא גבה לבי".

דוד המלך זאגט ווייטער: "ולא רמו עיני – איך האב נישט געהויבן מיינע אויגן צו קוקן מיט שטאלץ". חז"ל (ירושלמי שם) לערנען אונז אז דאס איז געזאגט געווארן בנוגע זיין קאמף מיט דעם ריז גלית, ווען דוד האט העלדיש אומגעברענגט. לאמיר זיך פארשטעלן דעם מצב ווען דוד המלך האט אומגעברענגט גלית מיט א קליין שטיינדל, נאכדעם וואס גלית האט זיך לאנגע טעג גערייצט מיט די אידן. די אידן האבן אויסגעבראכן אין א געזאנג, אויסלויבענדיג זייער נייעם העלד, אבער "לא רמו עיני" – דוד האט נישט געשפירט קיין גאוה; ער האט געוואוסט אז אלעס קומט פון באשעפער.

וואס מער מיר זענען משיג אז דער באשעפער שענקט אונז אלע כשרונות און הצלחות, אלץ מער ווען מיר זיך האלטן קליין. דער של"ה הקדוש שרייבט (שער האותיות אות ע"ן) אז אויב א מענטש האלט זיך קליין ווערן זיינע תפילות נתקבל; זיינע עבירות ווערן פארגעבן; ער איז זוכה די שכינה זאל רוען אויף אים, און ער איז זוכה צו תורה און חכמה. חז"ל לערנען אונז אויך אז די וואס האלטן זיך קליין וועלן זוכה זיין מקבל זיין משיח צדקנו ווען ער קומט אן, במהרה בימינו אמן.

67

דאס געלט קומט נאכדעם

געלט איז א געוואלדיגע ברכה. ווען א מענטש האט געלט האט ער מער צייט צו לערנען תורה; מחנך זיין די קינדער על דרך הישר; מקיים זיין מצוות ומעשים טובים, און שטיצן מוסדות התורה והחסד. געלט זאל אבער קיינמאל נישט זיין דער ציל אין לעבן. די משנה זאגט (אבות א, טו): "עשה תורתך קבע ומלאכתך עראי – מאך די תורה אלס דיין שטענדיגע אויפגאבע און דיין ארבעט אלס דיין צייטווייליגע אויפגאבע". מיר דארפן טוען נארמאלע השתדלות כדי צו פארדינען פרנסה, אבער גלייכצייטיג מוזן מיר געדענקען אז אויב דער באשעפער וויל אז מיר זאלן שטיצן חסד ארגאניזאציעס וועט ער אונז געבן דאס געלט דערצו. דער פסוק זאגט (תהלים כג, ו): "אך טוב וחסד ירדפוני – גוטס און חסדים זאלן מיר שטענדיג נאכלויפן". אויב איינעם איז באשערט צו ווערן רייך, דאן וועלן די ברכות שוין נאכקומען.

דער חובת הלבבות שרייבט אין שער הבטחון אז דער חיוב פון השתדלות גייט נאר אָן ווען איינער ארבעט צו ברענגען פרנסה אויף די וויכטיגסטע זאכן אין לעבן. אויסער דעם איז א מענטשנ'ס פרנסה נישט אפהענגיק אין זיין השתדלות. דער צוגאנג צו פרנסה דארף זיין אזוי ווי עס שטייט אין תהלים (קכא, ב): "יגיע כפיך כי תאכל – אויב מען ארבעט אויף פרנסה כדי צו האבן וואס צו עסן" [און ענליכע נויטיגע לעבענס מיטלן], וועט זיין "אשריך וטוב לך – וועט אונז זיין גוט אויף דער וועלט און אויף יענער וועלט".

דער באשעפער וויל אז מיר זאלן זיך משתדל זיין אויף פרנסה; נישט אז מיר זאלן זיך זארגן אויף פרנסה. דער באשעפער האט אונז געברענגט אויף דער וועלט, און ער שטעלט אונז צו אונזערע געברויכן. אונזער פליכט איז אים צו דינען מיט געטריישאפט, און די דאגות פון פרנסה טארן קיינמאל נישט שטיין אין וועג פון די הייליגע אויפגאבע.

מען דארף זיך אויך נישט זארגן אויף פרנסה ווען די משפחה וואקסט בלעה"ר אז מען וועט נישט האבן קיין פרנסה פאר זיי, כאטש מיר זעען נישט שטענדיג ווי דער באשעפער העלפט אונז זאפארט. בדרך כלל ווען א משפחה וואקסט פירט השי"ת אז די פרנסה וועט מיטוואקסן. יעדעס קינד וואס ווערט געבוירן ברענגט ברכות אין שטוב, ווי עס שטייט אין די גמרא (נדה לא, א): "בא זכר בעולם בא ככרו בידו – ווען עס ווערט געבוירן א יונגל ברענגט ער מיט זיין ברויט".

דער באשעפער וויל אז מיר זאלן זיך משתדל זיין אויף פרנסה; נישט אז מיר זאלן זיך זארגן אויף פרנסה.

עס איז געווען א תקופה ווען די ישיבה אין נאווארדאק האט זיך זייער געמוטשעט מיט אירע פינאנצן. דער אלטער פון נאווארדאק האט אבער פארט אריינגענומען בחורים אין די ישיבה. ווען די הנהלה גשמית האט אים געזאגט אז זיי קענען זיך נישט ערלויבן אריינצונעמען נאך בחורים, האט דער אלטער געענטפערט: "איר האט א טעות; איר מיינט אז קודם דארפט איר זען וויפיל געלט עס איז דא אין די קאסע, און לויט דעם קענט איר אריינעמען די תלמידים. דער אמת איז אבער פונקט פארקערט; איר דארפט אננעמען וויפיל תלמידים איר קענט נאר, און דער באשעפער וועט שוין זיכער מאכן אז מ'זאל קענען צושטעלן זייערע געברויכן".

68

שמחה איז נישט אפהענגיק אין געלט

דער פסוק זאגט (איכה ג, לט): "מה יתאונן אדם חי – ווי אזוי קען א לעבעדיגער מענטש זיך באקלאגן"? רש"י איז מסביר (קידושין פ, ב) אז דער באשעפער פרעגט: "ווי אזוי קענען מענטשן זיך באקלאגן אויף זייער מצב אין לעבן? איז דען נישט גענוג אז איך גיב זיי לעבן"?

שטעלט זיך פאר ווי א גרופע מענטשן פארן אין וואלד אינמיטן ווינטער. עס איז געפרוירן קאלט אינדרויסן, און די שניי איז אנגעלייגט אויף די וועגן און שטעגן. זיי האבן שוין נישט געגעסן עטליכע טעג, און זיי בלאנדזשען ארום אין וואלד נישט קענענדיג טרעפן דעם וועג ארויס. זיי זענען דורכגעפרוירן און אויסגעהונגערט, און זיי זענען זיכער אז זיי וועלן חלילה אויסגיין ל"ע ביז א קורצע צייט.

אינמיטן פארט דורך א וואגן. דער קוטשער זעט א גרופע אידן וואס בלאנדזשען אויפ'ן וועג. ער גייט אראפ פון וואגן און גיט זיי עסן, טרינקען אוןווארעמע קליידונג. די אידן זענען זיך מחיה און זיי ווערן אויפגעלעבט. יעצט לאמיר אריינטראכטן אויב איינעם פון די אידן וואלט איינגעפאלן זיך צו באקלאגן אז זיי האבן נישט באקומען טייערע פלייש

אדער א וואלענעם מאנטל. זיכער נישט. זיי וואלטן געווען אזוי דאנקבאר און גליקליך אז זיי זענען געבליבן לעבן, אז עס וואלט זיי נישט איינגעפאלן צו פארלאנגען עפּעס מער.

דאס זעלבע איז אין יעדן מצב אין וועלכן מיר געפינען זיך. דער באשעפער גיט אונז די שטענדיגע מתנה פון לעבן. וואס האבן מיר זיך נאך צו באקלאגן אז מיר פארמאגן נישט דאס אדער יענץ?

יעדער האט די מעגליכקייט זיך צו האלטן פריילך, נישט קיין חילוק אין וועלכן מצב ער געפינט זיך. שמחה איז א מושג וואס קומט פון דעם מענטשנ׳ס מוח. א מענטש קען פארמאגן אלעס אין דער וועלט און פארט זיין בעצבות.

שמחה איז א מושג וואס קומט פון דעם מענטשנ׳ס מוח. א מענטש קען פארמאגן אלעס אין דער וועלט און פארט זיין בעצבות.

עס ווערט דערציילט אז עס איז אמאל געווען א קעניג וואס איז געווען זייער קראנק, און די דאקטוירים האבן אים געזאגט אז די איינציגסטע רפואה פאר אים וועט זיין אנצוטאן דעם העמד פון דעם פרייליכסטן מענטש אויף דער וועלט. זיינע באדינער זענען שנעל ארויסגעגאנגען זוכן דעם פרייליכסטן מענטש אין דער וועלט, און זיי האבן געזוכט און געזוכט און געזוכט ביז זיי האבן אים ענדליך געפונען. אבער צו זייער באדויערן האבן זיי געזען אז דער מענטש איז אזוי ארעם אז ער פארמאגט אפילו נישט קיין אייגענעם העמד.

עס איז נישט קיין חילוק וואס מיר פארמאגן און וויפיל געלט מיר האבן. מיר זענען די וואס באשליסן צי מיר זאלן זיין פריילך אדער טרויעריג.

א איד, וועלכער האט געווידמעט זיין גאנץ לעבן צו טוען חסד, האט מיר דערציילט איבער דעם ערשטן מאל וואס ער האט געטוען א חסד אקטיוויטעט, און ווי אזוי עס האט געטוישט זיין לעבן. אלס יונגערמאן האט ער זיך אנגעטראגן צו וואלונטירן און גיין באזוכן אן עלטערן איד, א חולה, וועלכער איז געלעגען אין זיין דירה אויפ׳ן פערטן שטאק. דעם גאנצן וועג האט ער געטראכט צו זיך אלע סארטן נעגאטיווע געדאנקען: וואס פאר א שלעכטער וועטער עס איז; ווי שווער זיין פרנסה גייט אים, און אזוי ווייטער. ווען ער איז אנגעקומען צו דעם עלטערן איד אינדערהיים, האט דער 79 יעריגער איד אים אויפגענומען מיט א ווארעם שמייכל. זיי האבן אנגעהויבן שמועסן, און יעדעס צווייטע ווארט וואס איז ארויסגעקומען פון זיין מויל איז געווען "ברוך ה׳"; "ברוך ה׳ אז דו קומסט מיך באזוכן"; "ברוך ה׳ אז מיין זון רופט

מיך יעדן צופרי צען אזייגער, און ער פארגעסט קיינמאל נישט; איך בין ב"ה אזוי גליקליך". עס האט זיך שפעטער ארויסגעשטעלט אז דער איד האט געהאט בלויז איין קינד, וועלכער איז געווען אדאפטירט. אינמיטן שמועס האט זיך דער יונגערמאן אפגערעדט איבער דעם קאלטן וועטער, אבער דער עלטערער איד האט געזאגט: "איך האב אזוי ליב קאלטע וועטערס! עס גיט אריין א חיות אין מענטש". דער איד האט נישט געהאט קיין שום זאך זיך אפצורעדן; אלעס אין זיין לעבן איז אים געגאנגען גוט.

היינט, פערציג יאר שפעטער, ליגט אים נאך אין די ביינער די פילע "ברוך השם'ס" וואס ער האט געהערט פון דעם איד'ס מויל. ער האט דעמאלט איינגעזען אז א מענטש קען ליגן קראנק און שוואך אין בעט, און פונדעסטוועגן זאל ער אין הארצן זיין פרייליך און צופרידן, כאטש ער האט אזויפיל זאכן אויף וואס ער קען זיך אפרעדן. יעדער מענטש האט די מעגליכקייט צו זיין בשמחה.

שנת תרס"ד האט אויסגעבראכן א פייער אין די שטאט ראדין, און עס האט פארברענט פילע הייזער. דאס פייער האט זיך צעשפרייט כמעט ביז'ן הויז פון חפץ חיים זצ"ל. איין יאר שפעטער האט ווידעראמאל אויסגעבראכן א פייער אין ראדין, ביים אנדערן עק שטאט, און עס האט פארברענט פילע הייזער, אריינגערעכנט דאס הויז פון דעם חפץ חיים. דאס פייער איז עווענטועל פארלאשן געווארן, אבער ערשט נאכדעם וואס דעם חפץ חיים'ס הויז האט זיך פארברענט. אין דעם שרעקליכן מצב האט עמיצער געזען ווי דער אלטער גדול שטייט פארענט פון זיין הויז, זעענדיג ווי עס גייט ארויף אין פלאמען, און ער שעפשעט מיט די ליפן. דער איד האט זיך איבערגעבויגן צו הערן וואס דער חפץ חיים האט צו זאגן, און ער האט געהערט ווי דער גדול זאגט: "באשעפער, דו ביסט דאך אזוי גוט צו אונז, עס איז געווען א גזירה פון הימל אז אלע הייזער זאלן פארברענט ווערן, אבער מיט דיין גרויס גוטסקייט האסטו עס איינגעטיילט אין צוויי יאר: דעם ערשטן יאר האסטו פארברענט איין האלב שטעטל, כדי מיר זאלן קענען בלייבן וואוינען אין דעם אנדערן האלב שטעטל, און דאס צווייטע יאר האסטו פארברענט

דעם צווייטן האלב שטעטל כדי מיר זאלן קענען בלייבן
וואוינען אין די הייזער פון דעם ערשטן האלב שטעטל ביז
אונזערע הייזער וועלן צוריק אויפגעבויט ווערן."
מיר אלע האבן די מעגליכקייט בעזר השי"ת צו זען דאס
גוטס אין יעדן מצב און צו בלייבן אין א פריילעכער שטימונג.

69

אפילו דער וועטער און קלימאט קומט פון הימל

קיין שום זאך אין דער וועלט פאסירט נישט דורך א צופאל. אלעס וואס שפילט זיך אפ ווערט געפירט פון באשעפער. אין תהלים (קכא) זעען מיר די גרויסע חסדים וואס ווערן צוגעזאגט פאר די וואס ווענדן זיך צום באשעפער נאך הילף און זאגן: "עזרי מעם ה' עשה שמים וארץ – מיין הילף וועט קומען נאר פון השי"ת וואס האט באשאפן הימל און ערד". דער פסוק זאגט אויף זיי: "יומם השמש לא יככה וירח בלילה – די זון וועט דיך נישט שעדיגן בייטאג, און אזוי אויך די לבנה וועט דיך נישט שעדיגן ביינאכט". די זון און די לבנה זענען ביידע גאר וויכטיג פאר דער וועלט, אבער זיי האבן אויך כוחות וואס קענען שעדיגן. אויב די זון שטראלן שיינען צו שטארק קענען זיי צומאל ברענגען פארשידענע געזונטהייט פראבלעמען, און די לבנה קאנטראלירט די כוואליעס פון ים, וואס קענען ברענגען שטורעם ווינטן.

דער באשעפער איז מבטיח, אז טאמער מיר ווענדן זיך פארלאזן אויף אים וועלן מיר פארמיטן ווערן פון די שעדליכע זון שטראלן. דאס ווארט "שֶׁמֶשׁ" (זון) איז ענליך צו דעם

ווארט "שַׁמָּשׁ" – באדינער. די זון איז בלויז דער באדינער פון באשעפער. חז"ל לערנען אונז אז לעתיד לבא וועט די זון אויסהיילן די ערליכע אידן און פארברענען די רשעים. די זעלבע זון וועט טוען צוויי פארקערטע פעולות, ווייל די זון איז בלויז א באדינער פון באשעפער און טוט זיין רצון.

עס שטייט אין תהלים (קמז, יז): "מַשְׁלִיךְ קַרְחוֹ כְפִתִּים". רש"י איז מסביר אז דער באשעפער שיקט אראפ קעלט אויף דער וועלט לויט די צאל קליידונג וואס מענטשן פארמאגן זיך צו באדעקן. דער באשעפער מאכט זיכער אז די ארעמעלייט וואס האבן ווייניגער קליידער זיך צו באדעקן זאלן נישט אזוי שטארק ליידן פון די קעלט. ענליכס זאגט דער חידושי הרי"ם אויפ'ן פסוק (שם טז) "הנתן שלג כצמר – ער גיט שניי ווי וואל". ער איז מסביר אז דער באשעפער שיקט שניי און קעלט לויט וויפיל וואלענע קליידער א מענטש האט, כדי ער זאל נישט ווערן פארפרוירן פון די קעלט. דער באשעפער טוט נישט בלויז קאנטראלירן דעם וועטער באופן כללי, נאר אויך באופן פרטי, נעמליך, וואס פאר א השפעה עס זאל האבן אויף יעדן יחיד. יעדער מענטש שפירט היץ אדער קעלט אויף אן אנדערן אופן.

> דער באשעפער טוט נישט בלויז קאנטראלירן דעם וועטער באופן כללי, נאר אויך באופן פרטי.

הגאון ר' יחזקאל אבראמסקי זצ"ל האט דערציילט אז ער פלעגט זיין זייער סענסיטיוו צו קעלט, און ער פלעגט אפטמאל קראנק ווערן ווען ער איז ארויסגעגאנגען אין א קילע וועטער. זיין מאמע פלעגט אים שיקן אין חדר ארומגעוויקעלט אין עטליכע סוועטערס כדי ער זאל זיך נישט פארקילן. יארן שפעטער איז ער פארשיקט געווארן דורך די רוסן קיין סיביר, וואו עס איז געווען שרעקליך קאלט. מען האט זיך געמוזט כסדר באוועגן כדי מ'זאל נישט פארפרוירן ווערן רח"ל. הרב אבראמסקי האט זיך דאן געוואנדן מיט א הייסע תפילה צום באשעפער און געזאגט: "רבונו של עולם, איך האב נישט קיין שום וועג ווי אזוי זיך צו באשיצן דא, איך מוז גיין בארוועס אין דעם אומדערטרעגליכן פראסט, אן קיין שום קליידער, דו ביסט דער איינציגער וואס קען מיך דא אפהיטן פון די קעלט". הרב אבראמסקי האט שפעטער דערציילט אז במשך די יאר און א האלב וואס ער איז געווען איינגעשפארט אין סיביר איז ער בכלל נישט געשעדיגט געווארן פון די שרעקליכע פרעסטן.

יעדע זאך אין נאטור, אריינגערעכנט די ווינטן און רעגן,

ווערט געפירט דורכ'ן באשעפער. די גמרא זאגט (בבא בתרא טז, א), אז דער באשעפער באשאפט נישט בלויז יעדן טראפּן רעגן, נאר אויך א באזונדער ארט פאר יעדן טראפּ. אויב צוויי טראפּן וואלטן זיך באגעגנט וואלט דאס געשעדיגט די תבואה. יעדעס מאל ווען עס רעגענט טוט דער אויבערשטער קאנטראלירן טריליאנען פּיצלעך רעגן טראפּנס אזוי אז די פעלדער זאלן ווערן גוט באוואסערט און אז זיי זאלן זיין פּרוכטבאר. יעדע קלענסטע זאך אין דער נאטור ווערט געפירט דורכ'ן באשעפער, און אויב מיר זענען מתפלל, קענען מיר האפן צו ווערן באשיצט פון אלעם בייזן.

70

תפלה און תיקון המעשים

דער פסוק זאגט אין תהלים (קמז, ט): "נותן לבהמה לחמה – דער באשעפער גיט שפייז פאר די בהמות". די גמרא (שבת קז, ב) זאגט, אז דער באשעפער גיט שפייז פאר אלע באשעפענישן פון דער וועלט – מקרני ראמים ועד ביצי כינים. די גמרא זאגט (עבודה זרה ג, ב) אז ווען א ראב פויגל ווערט געבוירן, ווען די עלטערן פארלאזן דאס ניי געבוירענע פויגל וויבאלד עס פארמאגט אן אנדער קאליר ווי זיי. דער באשעפער גיט דאן אכטונג אויפ'ן קליינעם ראב פויגל אז עס זאל האבן וואס צו עסן ביז עס ווערט עלטער און באקומט דעם זעלבן קאליר ווי די עלטערן.

מען האט אמאל דורכגעפירט א שטודיע אין א טיר גארטן און עס האט זיך ארויסגעשטעלט אז עס קאסט אפּ פינף טויזנט דאלער א חודש – זעכציג טויזנט דאלער א יאר – צו שפייזן און אכטונג געבן אויף בלויז איין עלעפאנט אין דעם טיר גארטן. ווער שפייזט און גיט אכטונג אויף די פילע עלעפאנטן וואס דרייען זיך ארום אין די וועלדער פון אפריקע? דער איינציגער באשעפער וועלכער גיט זיך אפּ מיט אלע זייערע באשעפענישן און מאכט זיכער אז עס זאל זיי גארנישט פעלן.

מיר זעען ווי די פסוקים דערציילן די גרויסקייט פון באשעפער ווי ער שפייזט און גיט זיך אפּ מיט די בעלי חיים. לויט דעם פארשטייט מען בעסער וואס די משנה זאגט (קידושין פב, א–ב) אז אויב דער באשעפער שפייזט די חיות און עופות וואס זענען באשאפן געווארן פאר אונזער טובה, איז אודאי אז אונזער פרנסה – וואס מיר זענען דאך באשאפן

געווארן צו דינען דעם באשעפער – וואלט געדארפט אנקומען לייכטער, נאר אויב מ'האט ח"ו געזינדיגט האט מען זיך אליין שווער געמאכט דעם מצב הפרנסה. א מענטש טאר זיך דעריבער קיינמאל נישט זארגן אז ער וועט נישט האבן פון וואו צו לעבן. ער דארף נאר מתקן זיין די מעשים, און דער באשעפער וועט אונז שוין געבן וואס ער וויל אויב עס איז פאר אונזער טובה.

שטעלט אייך פאר אז איר שטייט העכער א פעלד פון מורישקעס, און איר זעט ווי זיי גייען אָן מיט זייער ארבעט צונויפצוזאמלען עסן זיך צו שפייזן אויף די קומענדיגע חדשים. איר באמערקט אז טייל מורישקעס טראגן מיט זיך גרויסע שטיקלעך עסן, אין די צייט וואס אנדערע טראגן כמעט גארנישט. און אייער הארץ ווערט אנגעפילט מיט רחמנות אויף די מורישקעס וואס האבן נישט וואס צו עסן. איר וואלט דאן געקענט מיט איין רוק מיט דער האנט צוואווארפן אביסל איבערגעבליבענע ברעקלעך פון אייער מאלצייט. מיט אייער נדבה וואלטן זיי געווארן די "רייכסטע" מורישקעס. ס'איז פיל גרינגער פאר'ן באשעפער אונז צוצושיקן אונזערע געברויכן. און וואס מער מיר קוקן ארויס צו אים אז ער זאל אונז העלפן מיט פרנסה, אלץ מער וועט ער אונז געבן.

דער פסוק זאגט (ירמיה יז, ז) "ברוך הגבר אשר יבטח בה' והיה ה' מבטחו – געבענטשט איז דער מענטש וואס פארזיכערט זיך אין באשעפער, וואס דורכדעם איז דער באשעפער זיין פארזיכערונג, און וועט אים צושטעלן זיינע געברויכן". וואס מער מיר פארלאזן זיך אויפ'ן רבונו של עולם, אלץ מער וועט ער אונז געבן. עס פאסירט אפטמאל אז מיר געפינען זיך אין א שווערן מצב אין וועלכן מיר ווייסן נישט ווי אזוי זיך אן עצה צו געבן. אבער ווען מיר קוקן צוריק זעען מיר איין אז דער מצב איז בכלל נישט געווען אזוי געפערליך. דאס איז וויבאלד דער באשעפער האט געמאכט אז מיר זאלן דורכגיין די שוועריגקייטן, און ווען מען האלט שוין נאכדעם זעט מען איין אז מיר האבן נישט געדארפט זיין פארלוירן.

וואס מער מיר פארלאזן זיך אויפ'ן רבונו של עולם, אלץ מער וועט ער אונז געבן.

א חשוב'ער ראש ישיבה האט געגעבן א משל פון א ביזנעסמאן וועלכער ארבעט שווער אויפצושטעלן זיין ביזנעס, און ער האט קיינמאל נישט קיין צייט צו נעמען וואקאציע. איינמאל האט זיין פעטער געגרופן פון ארץ ישראל און אים געלאזט וויסן אז ער איז זייער קראנק און די דאקטוירים האבן אים בלויז געגעבן עטליכע טעג

צו לעבן. אזוי ווי דער פלימעניק איז געווען זיין איינציגער
קרוב, האט ער אים געבעטן אז ער זאל אריבערקומען
קיין ארץ ישראל כדי ער זאל זיין מיט אים אין זיינע
לעצטע טעג און ערלעדיגן זיין לויה. אזוי ווי דאס איז
געווען אן עמערזשענסי, האט דער ביזנעסמאן זיך
אויפגעהויבן און געפארן קיין ארץ ישראל. פאר ער איז
אפגעפארן האט ער געגעבן גענויע אנווייזונגען פאר זיין
ארבעטער ווי אזוי צו פירן די ביזנעס, און ער האט אים
אנגעזאגט אז ער זאל נישט מאכן קיין החלטות אויף דער
אייגענער האנט, נאר ער זאל אים אלעס פריער פרעגן.
דער איד איז אנגעקומען אין ארץ ישראל און ער איז
געגאנגען גלייך צום שפיטאל צו זיין פעטער. דער פעטער
האט אים באדאנקט פאר'ן קומען און דערנאך האט ער
אים געזאגט: "איך וויל דיר עפעס זאגן: זאלסט וויסן אז
איך בין א ביליאנער, איך פארמאג גאר אסאך געלט און
פארמעגנס, און איך פלאן דיר אלעס איבערצולאזן אויף
ירושה".
אין די מינוט האט דער ביזנעסמאן באקומען א
טעלעפאן רוף פון זיין ארבעטער, וועלכער איז געווען
זייער פארלוירן. ער האט באקומען א באשטעלונג פאר
פערציג קעסטלעך סחורה, אבער זיי פארמאגן נאר אכט
און דרייסיג קעסטלעך, און די פירמע האט געזאגט אז
אויב זיי באקומען נישט די גאנצע סחורה וועלן זיי עס
באשטעלן ערגעץ אנדערש.
ענטפערט אים דער ביזנעסמאן מיט א געלעכטער: "וואס
גייט מיך אן, איך בין דאך א ביליאנער!"

מיר דארפן שטענדיג געדענקען אז ווען אימער מיר דארפן
עפעס קענען מיר זיך ווענדן צו אונזער טאטן אין הימל, און
וואס מער מיר וועלן בעטן צו אים אלץ מער וועט ער אונז
געבן.

71

צופרידנקייט

די תורה באפעלט אונז (דברים יח, יג): "תמים תהיה עם ה' אלקיך". דער מלבי"ם איז מסביר, אז דאס מיינט אז ווען א מענטש פארלאזט זיך אז דער באשעפער וועט אים צושטעלן אלע זיינע געברויכן, וועט השי"ת אויפפאסן אויף אים מיט א השגחה פרטית, ווי ס'איז באקאנט אז: "ההשגחה סיבת הדביקות" (ראה מורה נבוכים ג, יח). די נאטור פון א מענטש איז צו זיין שטענדיג אומצופרידן. וואס מער מען האט, אלץ וויל מען נאך און נאך, ווי חז"ל זאגן (קהלת רבה א, יג): "יש לו מנה רוצה מאתיים – דער וואס האט הונדערט גילדן וויל האבן צוויי הונדערט גילדן". א מענטש וויל שטענדיג האבן טאפעלט וויפיל ער האט.

די נאטור פון מענטש איז טאקע צו זיין אומצופרידן, אבער מיר האבן די מעגליכקייט זיך צו שטארקן איבער דער שוואכקייט און זיך צו שפירן שטענדיג "גאנץ"; צו אנערקענען אז מיר האבן גענוג פון אלעס און מיר דארפן נישט מער, און אזוי ארום וועט דער אויבערשטער העלפן אז מיר ווען טאקע האבן אלעס וואס מיר דארפן. אנשטאט זיך צו זארגן איבער דעם עתיד, קען מען דאנקען דעם באשעפער אויף דעם הוה און זיך שפירן רואיג מיט וואס מען פארמאגט.

א ביזנעסמאן איז אמאל געפארן אויף וואקאציע אויף אן אינזל, און ער האט געזען ווי עס זיצן דארט פיש כאפער וועלכע כאפן יעדן טאג פיש. ער האט באמערקט אז עס

איז פאראן איין פיש כאפער וועלכער גייט אהיים יעדן טאג עטליכע שעה פריער ווי די אנדערע פישכאפער.
דער ביזנעסמאן איז צוגעגאנגען צו אים פרעגן פארוואס ער הערט אויף ארבעטן אזוי פרי.
זאגט דער פיש כאפער: "ווען איך ענדיג כאפן גענוג פיש צו ברענגען פרנסה פאר מיין משפחה שטעל איך אפ די ארבעט און איך גיי אהיים, אינדערהיים פארברענג איך מיט מיין משפחה, איך גיי ארויס שפאצירן און מיר עסן צוזאמען נאכטמאל מיט א רואיגקייט".
זאגט אים דער ביזנעסמאן: "איך זע אז דו ביסט זייער א טויגליכער פיש כאפער, אויב דו וועסט כאפן פיש במשך די איבריגע שעה פון טאג, וועסטו דאך קענען כאפן טאפלט פיש ווי ביז היינט".
ענטפערט דער פיש כאפער: "ריכטיג, און וואס וועט דעמאלט זיין?"
זאגט דער ביזנעסמאן: "דו וועסט קענען פארקויפן די פיש און פארדינען נאך געלט".
"און דערנאך?" האט דער פיש כאפער ווייטער געפרעגט.
"דו וועסט קענען קויפן א קליין שיפל און ארייננפארן אינמיטן ים, וואו דו וועסט קענען כאפן נאכמער פיש".
"און דעמאלט?"
"דעמאלט וועסטו שוין פארקויפן אזויפיל פיש, אז דו וועסט זיך קענען ערלויבן צו קויפן א גרויסע שיף. מיר וועלן מאכן א שותפות און דו וועסט ארומפארן יעדן טאג מיט דיין גרויסע שיף און כאפן גרויסע פיש און זיי פארקויפן פאר אסאך געלט".
"און דעמאלט?"
"דעמאלט וועסטו קענען עפענען געשעפטן איבער דעם אינזל וואס וועלן פארקויפן דיינע פיש, דו וועסט שיקן דיינע פיש איבעראל און דו וועסט ווערן א גרויסער עושר".
דער פיש כאפער לאזט נישט נאך און פרעגט: "און וואס וועט דעמאלט זיין?"
"דו וועסט קענען רעטייערן, און יעדן טאג וועסטו קענען גיין שפאצירן און פארברענגען מיט דיינע קינדער און עסן און שפילן צוזאמען".
"דאס איז דאך וואס איך טו יעצט!" האט דער פיש כאפער געענטפערט מיט א שמייכל.

דאס וואס א מענטש זוכט און זוכט איז שוין אפטמאל יעצט אין זיינע הענט.

די מעשה ברענגט ארויס אז דאס וואס א מענטש זוכט און זוכט איז שוין אפטמאל יעצט אין זיינע הענט. ער דארף נאר איינזען אז די גליק ליגט נישט אין אנדערן עק וועלט נאר ער קען שוין יעצט הנאה האבן פון יעדער מינוט אין זיין לעבן, און זיין רואיג און צופרידן אן דארפן דאגה'נען איבער וואס וועט זיין מארגן.

72

דורך טוען ריכטיג דערלייגט מען נישט

דער פסוק זאגט (קהלת ח, ה) "שׁוֹמֵר מִצְוָה לֹא יֵדַע דָּבָר רָע – אויב מען טוט א מצוה וועט מען נישט וויסן פון קיין שלעכטס". די גמרא (שבת סג, א) ברענגט דעם פסוק און דרשנ'ט דערויף "העושה מצוה כמאמרה אין מבשרין אותו בשורות רעות... אפילו הקב"ה גוזר גזירה הוא מבטלה". אפילו אויב עס זעט אויס פאר אונזערע אויגן אז מען האט דערלייגט ביים טוען א מצוה, דארף מען געדענקען אז דאס איז נישט ריכטיג, ווי דער מדרש (דברים רבה ד, ה) ברענגט, אז הקב"ה זאגט: "אין אדם שומע לי ומפסיד". מיר דארפן בלויז ווארטן און זען ווי צום סוף וועט זיך אלעס אויסשטעלן צום גוטן.

א גוטער בייַשפיל דערצו איז די געשיכטע פון רחל אמנו. ווען זי האט געדארפט חתונה האבן מיט יעקב אבינו האט זי געוואוסט אז איר טאטע לבן פלאנט אויסצופאפן יעקב און אים געבן איר שוועסטער לאה. זי האט נישט געוואלט אז לאה זאל פארשעמט ווערן, האט זי איר איבערגעגעבן די סימנים וואס זי האט אפגעמאכט מיט יעקב כדי צו זיכער מאכן אז דאס איז טאקע רחל. דערמיט האט זי זיך

איינגעשטעלט צו פארלירן איר זיווג מיט יעקב אבינו און צו דארפן חתונה האבן מיט עשו.

צום סוף האט רחל אויך חתונה געהאט מיט יעקב, אבער זי איז געווען קינדערלאז ביז דער באשעפער האט רחמנות געהאט און איר געשאנקען א זון. אויפ'ן פסוק (בראשית ל, כב) "ויזכר אלקים את רחל", זאגט רש"י אז דער באשעפער האט געדענקט דעם חסד וואס רחל אמנו האט געטוען ווען זי האט איבערגעגעבן די סימנים פאר לאה, און אין דעם זכות האט השי"ת איר געשאנקען א קינד. דעמאלט האט אויסגעזען ווי רחל האט איינגעשטעלט איר עתיד דורכ'ן איבערגעבן די סימנים פאר לאה; באמת האט זי זיך אבער אליין א טובה געטוען וויבאלד אין דעם זכות האט זי שפעטער זוכה געווען צו קינדער.

דאס וואס א מענטש זוכט און זוכט איז שוין אפטמאל יעצט אין זיינע הענט. מיר פארלירן קיינמאל נישט מיט'ן טוען די ריכטיגע שריט. דער באשעפער געדענקט דאס שטענדיג און ער באצאלט אונז דערפאר.

מיר פארלירן קיינמאל נישט מיט'ן טוען די ריכטיגע שריט. דער באשעפער געדענקט דאס שטענדיג און ער באצאלט אונז דערפאר.

73

האב נישט מורא פון קיינעם

דער חובת הלבבות שרייבט אין שער הבטחון (פרק ג), אז דער בוטח בה' דארף גלייבן און קלאר מאכן ביי זיך אז יעדע זאך וואס פאסירט אין לעבן קומט דירעקט פון באשעפער, און קיינער קען אים גארנישט געבן אדער צונעמען נאר אויב עס איז נגזר געווארן פון הימל. אזוי שרייבט אויך דער ספר החינוך (מצוה רמא) וועלכער לייגט צו אז די תורה האט גע'אסר'ט נקמה צו נעמען אין איינעם וואס האט אים בא'עוולה'ט, ווייל די פאסירונג איז געקומען פון הימל צוליב זיינע חטאים, אדער אנדערע סיבות. דערפאר איז זינלאז נקמה צו נעמען אין דעם באטרעפענדן מענטש, ווייל נישט יענער איז די עכטע סיבה פון זיין עגמת נפש.

קיינער קען אים גארנישט געבן אדער צונעמען נאר אויב עס איז נגזר געווארן פון הימל.

ענליכס שרייבט דער בית הלוי (על התורה ליקוטי מאמרים ג), אז אויב דער אויבערשטער וויל שענקען א מענטש א גוטע זאך, קען אים דאס קיינער נישט געבן פאר אדער נאך די באשטימטע צייט. דער בית הלוי ברענגט דעם פסוק (איוב כג יג): "וְהוּא בְאֶחָד וּמִי יְשִׁיבֶנּוּ". דאס מיינט אז דער באשעפער איז דער איינציגער וואס קען באשטימען וואס צו טוען און קיינער קען אים נישט צוריקהאלטן דערפון.

אז א מענטש איז זיך שטארק מתבונן אין דעם געדאנק, און אנערקענט דאס, וועט ער נישט קיין מורא האבן פון קיין שום מענטש. דער פסוק זאגט (משלי כט, כה): "חֶרְדַּת

אָדָם יִתֵּן מוֹקֵשׁ, וּבוֹטֵחַ בַּה׳ יְשֻׂגָּב״. דער רבינו בחיי איז מסביר (במדבר יד, ט) אז דאס מיינט צו זאגן: ״חרדת אדם״ – אויב א מענטש האט מורא פון אן אנדערן מענטש, דאן ״יתן מוקש״ – וועט די שרעק אליין גורם זיין א שטרויכלונג. און דער פסוק ענדיגט צו: ״ובוטח בה׳ ישוגב״ – ווי דער רבינו יונה (משלי ג, כו) איז מסביר אז אפילו אויב עס איז נגזר געווארן אז א מענטש זאל ליידן שוועריקייטן וועט ער ניצול ווערן אין זכות פון דעם וואס ער האט נישט מורא פון אנדערע מענטשן וואס דערשרעקן אים [ראה שם יתר דברי רבינו יונה].

עס ווערט דערציילט אז ווען די רוסישע געהיים פאליציי האט ארעסטירט דעם מהריי״ץ פון ליובאוויטש זצ״ל, האט איינער פון די פאליציאנטן געהאלטן א רעוואלווער צו זיין קאפ. האט אים דער מהריי״ץ געזאגט: ״דער קליינער שפילצייג קען בלויז דערשרעקן איינעם וואס גלייבט אין איין וועלט און אין צוויי אפגעטער, אבער איך גלייב אין איין גאט און אין צוויי וועלטן, דערפאר האב איך נישט וואס מורא צו האבן״.

דער פסוק זאגט אין תהלים (קיח, ו): ״ה׳ לִי לֹא אִירָא מַה יַּעֲשֶׂה לִי אָדָם – וויבאלד דער באשעפער איז מיט מיר, האב איך נישט מורא אז א מענטש וועט מיר עפעס טוען?״ א מענטש וואס האט נישט מורא פון אנדערע מענטשן, נאר פון באשעפער, קען בעסער איבערלעבן נסיונות.

ווען הגאון ר׳ יצחק אלחנן ספעקטאר זצ״ל איז געווארן רב צום ערשטן מאל אין א קליין שטעטל, האט אן ארעמאן זיך דערנענטערט צו אים דעם ערשטן טאג און אים געזאגט דער ראש הקהל האט אים בא׳גנב׳עט. דער נייער רב האט באלד געשיקט רופן דעם ראש הקהל פאר א דין תורה, אבער יענער, זייענדיג פון די רייכסטע מענטשן אין שטאט, האט מיט חוצפה צוריקגעשיקט זאגן פאר רבי יצחק אלחנן: ״זאלסט זיך נישט וואגן מיך צו רופן צו דין תורה, געדענק, דאס איז דיין ערשטער טאג אלס רב״.
דער רב האט אים נאכאמאל געשיקט רופן, אבער דער ראש הקהל האט ווידעראמאל געענטפערט מיט חוצפה: ״ווער מיינסטו אז דו ביסט? איך האב שוין אויפגענומען און אפגעזאגט מערערע רבנים, זיי פארזיכטיג״.
רבי יצחק אלחנן האט אים ווייטער געשיקט רופן, און

דאס מאל האט ער אים געלאזט וויסן אז טאמער ער וועט נישט קומען צו דין תורה וועט ער אים ארייַנלייגן אין חרם.

באלד דערנאך איז דער ראש הקהל אריבערגעקומען אינאיינעם מיט די אנדערע פני הקהילה צום רב אין שטוב, טראגענדיג א טאץ מיט קוכן און בראנפן צו פייערן דעם רב'ס הכתרה.

"דאס איז געווען א פראבע", האט דער ראש הקהל געזאגט, "מיר האבן דאס געטוען כדי צו זען אויב דער רב וועט זיך דערשרעקן פון אונז אדער טוען דעם רצון ה' ".

מיר דארפן נאר מורא האבן פון איינעם: דעם איינציגן באשעפער, אויסערדעם דארף מען נישט האבן קיין פּחד פון קיין שום מענטש אדער זאך אויף דער וועלט.

74

די גמרא'ס עצה: יבקש רחמים

ווען א מענטש ראנגעלט זיך מיט א פראבלעם אדער נויטיגט זיך אין עפעס, דארף ער זיך צום ערשט ווענדן צום באשעפער.

ווען א מענטש ראנגעלט זיך מיט א פראבלעם אדער נויטיגט זיך אין עפעס, דארף ער זיך צום ערשט ווענדן צום באשעפער. די גמרא (נדה ע, ב) זאגט: "מה יעשה אדם ויתעשר? יבקש רחמים ממי שהעושר שלו – וואס זאל א מענטש טוען כדי ער זאל רייך ווערן? ער זאל בעטן רחמים פון השי"ת וואס דאס עשירות איז זיין'ס", ווי דער פסוק זאגט (חגי ב, ח): "לִי הַכֶּסֶף וְלִי הַזָּהָב, נְאֻם ה' צְבָאוֹת – דאס זילבער און גאלד איז מיין'ס". אזוי אויך שטייט אין פסוק (תהלים קמו, ג): "אַל תִּבְטְחוּ בִנְדִיבִים בְּבֶן אָדָם שֶׁאֵין לוֹ תְשׁוּעָה – פארזיכערט אייך נישט אין די גוטהארציגע מענטשן וואס קענען זיך אליין נישט העלפן".

עס איז אמאל געווען א בחור א יתום וועלכער האט געלערענט אין ישיבה. זיינע חברים האבן איינס ביי איינס חתונה געהאט, אבער אים האט זיך נישט געפירט א שידוך צוליב זיין מצב. ענדליך איז ער געווארן א חתן מיט א חשוב מיידל וועלכע איז אויך געווען א יתומה. זיי האבן אבער נישט געהאט קיין געלט פאר די חתונה. זיינע חברים האבן אים פארשפראכן אז זיי וועלן אים ארויסהעלפן און שאפן געלט, אבער צום באדויערן האבן זיי נישט געקענט שאפן די נויטיגע סומע, טראצדעם וואס זיי האבן געטוען אויסטערלישע השתדלות אבער

עס האט גארנישט געהאלפן.

בלית ברירה האט דער חתן געזאגט צו זיינע חברים: ”איר האט זיך שוין גענוג אנגעשטרענגט פאר מיר, איר דארפט מער נישט ארומלויפן פראבירן שאפן געלט, איך וועל זיך ווענדן דירעקט צום באשעפער, איך דארף נישט קיין הילף פון קיינעם“.

יענע נאכט איז דער חתן אריין אין א ליידיגע בית המדרש און האט זיך אויסגעגאסן דאס הארץ צום באשעפער, און געזאגט: ”באשעפער, איך און מיין כלה זענען ביידע יתומים, דו ביסט דאך דער אבי היתומים, העלף אז מיר ביידע זאלן קענען חתונה האבן בשעה טובה ומוצלחת און אויפשטעלן אן ערליכע אידישע שטוב“.

דער חתן האט ארויסגענומען א תהלים און אנגעהויבן זאגן ביז ער האט געענדיגט דעם גאנצן ספר תהלים. נאכדעם האט ער זיך ווידעראמאל געוואנדן צום באשעפער און געזאגט: ”באשעפער, איך ווענד זיך מער נישט צו קיין מענטשן, איך האב בטחון בלויז אין דיר אליין“. און דאן האט ער נאכאמאל אנגעהויבן דעם גאנצן ספר תהלים.

א קורצע צייט שפעטער האט ער געשפירט א קלאפ אויפ'ן רוקן. ער האט זיך אויסגעדרייט און געזען א פרעמדער מענטש שטיין. דער מענטש זאגט אים: ”דו זעסט אויס זייער צעבראכן, אפשר קען איך דיר העלפן?“ ענטפערט דער חתן: ”יישר כח, אבער איך רעד יעצט צום באשעפער; ער וועט מיר העלפן“.

דאן האט ער צום דריטן מאל אויפגעהויבן זיינע אויגן צום באשעפער און געוויינט און געזאגט: ”באשעפער, העלף מיך, מיר זענען ביידע יתומים און מיר ווילן חתונה האבן, איך וויל נישט אוועקגיין פון דא ביז איך וועל זען די ישועה פאר מיינע אויגן“.

רופט זיך אן יענער איד: ”דיין ישועה איז דא, איך וועל זיך אפגעבן מיט אלעס וואס דו דארפסט, איך בין היינט אנגעקומען קיין ארץ ישראל, איך האב געהאט א שווערע געריכט, וואס אויב איך וואלט עס פארלוירן וואלט איך געבליבן אן קיין פרוטה, איך האב היינט מתפלל געווען און צוגעזאגט פאר'ן באשעפער אז טאמער איך וועל געווינען דעם משפט, וועל איך אויפזוכן א חתן כלה וואס זענען יתומים און איך וועל זיי העלפן חתונה האבן, אויסצאלן אלע הוצאות, און זיך ווייטער אפגעבן מיט זיי

נאך די חתונה. איך האב ב"ה געווינען דעם געריכט, און יעצט בין איך ארומגעגאנגען זוכן א פאסיגן קאנדידאט מקיים צו זיין מיין הבטחה, איך האב דיך געהערט רעדן צום באשעפער, און דיך וועל איך טאקע העלפן".

"ישועת ה' כהרף עין – די הילף פון באשעפער קומט אין אן אויגנבליק" (פסיקתא זוטרתא אסתר ד, יז). דער באשעפער האט געמאכט אז דער איד זאל האבן א געריכט יענעם טאג, כדי ער זאל פארזארגן דאס פאר'יתומ'ט פארפאלק מיט אלע זייערע געברויכן און אויסצאלן זייער חתונה. "ברוך הגבר אשר יבטח בה' ' " – וואויל איז דעם מענטש וואס פארלאזט זיך אויפ'ן באשעפער, ווייל נאר ער קען אונז געבן אלע אונזערע געברויכן.

75

”מִי יִדְמֶה לָּךְ, וּמִי יִשְׁוֶה לָּךְ, וּמִי יַעֲרָךְ לָךְ“

דער פסוק זאגט (שמואל־א ב, יז): ”ה׳ מוריש ומעשיר – השי״ת מאכט רייך און ער מאכט ארעם“. מיר אלע אנערקענען אז אונזער פרנסה איז אפּהענגיק אין באשעפער, און אז ער קען אין איין רגע פארוואנדלען דעם ארעמאן צו אן עושר, און אזוי אויך פארקערט.

איך האב אמאל געגעבן א שיעור איבער דעם ענין, און א רייכער ביזנעסמאן וועלכער איז געזעצן ביים שיעור איז צוגעקומען צו מיר דערציילן ווי אזוי ער איז געווארן אן עושר געגנצליך אומגעראכטן. ער האט איינגעקויפט א גרויסן קוואנטום פון א געוויסע סארט עסנווארג, מיט׳ן ציל עס צו פארקויפן פאר קאסט פרייז א פונט פאר איין דאלאר. אבער איידער ער האט געהאט א געלעגנהייט צו פארקויפן דעם פראדוקט, איז די פרייז ארויפגעשפרינגען צו פינף דאלאר א פונט, אזוי ארום איז ער געווארן אן עושר איבערנאכט.

דער איד האט פארגעזעצט און דערציילט ווי ער האט געזען דעם יד ה׳ דורכאויס זיין ביזנעס קאריערע. ער האט געווידמעט פופציג יאר אויפצובויען א ריזיגע עסנווארג פירמע, און עטליכע יאר צוריק איז עס שיער

צוזאמגעפאלן. איינער האט באריכטעט פאר די ״עף. די.עי.״ אז עס איז פאראן א פראבלעם מיט זיין סחורה. די ״עף.די.עי.״ האט דורכגעפירט אן אויספארשונג, און זיי האבן אים געהייסן אראפנעמען די עסן פון די פאליצעס. זיי האבן אים אויך געדראעט צו פארשליסן זיין פירמע. דער ביזנעסמאן האט געטראכט: ״קוק וואס דער באשעפער קען טוען, אין איין רגע קען ער אויפלעזן א ריזיגע אימפעריע וואס איך האב אויפגעבויט אין די לעצטע פופציג יאר!״״

דער ביזנעסמאן האט דערציילט ווי ער האט געבעטן דעם באשעפער אז ער זאל אים העלפן מיט זיין פראבלעם. באלד דערנאך האט מען אויסגעפונען אז די באשולדיגונגען זענען נישט געווען ריכטיג און אלע קלאגעס זענען באזייטיגט געווארן. אינצווישן האט זיך די פרייז פון די עסן גערדאפלט, און אנשטאט דער ביזנעסמאן זאל דערלייגן געלט, האט ער גאר פארדינט א סאך ריווח צוליב דעם אינצידענט.

אן אנדערע דוגמא פון השגחה פרטית האט פאסירט מיט צען יאר פריער, ווען א קאנקורענט האט אים פרובירט ארויסשטעלן פון ביזנעס. יענער ביזנעסמאן האט איינגעקויפט פראדוקטן פאר קאסט פרייז, וואס איז געווען ארום דריי דאלאר א פונט, און ער האט עס פארקויפט פאר אביסל מער. זיין קאנקורענט האט אפגעקויפט מערערע פארעמס וואו דער פראדוקט איז געוואקסן, און ער האט עס פארקויפט פאר געשעפטן פאר בלויז $2.50 פער פונט, וואס איז געווען בערך קאסט פרייז. ער האט געהאלטן אז עס לוינט זיך אים ענדערש נישט צו מאכן קיין געלט אדער אפילו צו דערלייגן געלט כדי צו קענען איבערנעמען דעם מארקעט און עווענטועל מאכן גרויס געלט.

ווען עס איז אנגעקומען דער סעזאן צו פארקויפן די סחורה האט זיין קאנקורענט פארקויפט פון פאראויס מיליאנען שטיק פון זיין פראדוקט פאר דעם ביליגן פרייז, אוועקנעמענדיג דערמיט אלע קליענטן פון דעם ביזנעסמאן. דער ביזנעסמאן איז געבליבן שטעקן מיט זיין סחורה וואס ער האט שוין געקויפט פאר דריי דאלער פער פונט. אבער ער האט זיך מחזק געווען אין אמונה און בטחון, און זיך כסדר גע׳חזר׳ט דעם פסוק (תהלים נה, כג): ״הַשְׁלֵךְ עַל ה׳ יְהָבְךָ וְהוּא יְכַלְכְּלֶךָ״. דער מצודות

דוד טייטשט דעם פסוק: פארזיכער דיך אין השי"ת אז ער וועט דיר פארגרינגערן דיין פעקל און טראגן דיין לאסט.

יענעם יאר איז אנגעקומען א שווערע טרוקעניש אויף דעם גאנצן ארט וואו דער קאנקורענט האט געהאט זיינע פאַרמס, און זיינע פאַרמס האבן פראדוצירט בלויז האלב פון די סחורה אויף וואס ער האט זיך גערעכנט. זייענדיג געדריקט אפצושיקן די סחורה פאר זיינע קליענטן וואס האבן באשטעלט די ארדערס, איז ער געווען געצווינגען צו קויפן די פראדוקטן פון דעם ביזנעסמאן ווענען ער האט געזוכט ארויסצושטעלן פון ביזנעס. היות עס איז געווען א מאנגל אין דעם פראדוקט, איז די פרייז געשטיגן צו פינף דאלער א פונט, און דער ביזנעסמאן האט גאר געמאכט ריוח.

יענער קאנקורענט האט נאכאמאל פרובירט צו מאכן דעם זעלבן שפיל מיט צוויי יאר שפעטער, אבער ווי וואונדערליך האט די זעלבע זאך פאסירט נאכאמאל, און עס איז אראפגעקומען א טרוקעניש וואס האט געמאכט אז עס זאל זיין א מאנגל אין די פראדוקציע. דער קאנקורענט איז נאכאמאל געווארן געצווינגען אפצוקויפן דעם פראדוקט פון די קאמפאני וואס ער האט פרובירט אונטערצוברענגען.

דער איד האט מיר געזאגט אז ער האט דאן געזען בחוש דעם יד ה'. דער באשעפער האט געוואלט אז דער איד זאל בלייבן מיט זיין פרנסה, און דערפאר האט קיין שום זאך וואס יענער קאנקורענט האט פרובירט צו טוען נישט געארבעט אים ארויסצושטעלן פון ביזנעס.

> **דער באשעפער האט געוואלט אז דער איד זאל בלייבן מיט זיין פרנסה, און דערפאר האט קיין שום זאך וואס יענער קאנקורענט האט פרובירט צו טון נישט געארבעט אים ארויסצושטעלן פון ביזנעס.**

מיר מוזן שטענדיג געדענקען אז דער באשעפער פירט אלעס אויף דער וועלט, און נאר ער קען אונז העלפן.

76

אלעס בהשגחה עליונה

א מענטש דארף גלייבן אז דער באשעפער שטייט שטענדיג איבער אים און אז ער איז שטענדיג פארמישט אין אלעס וואס פאסירט אין זיין לעבן. דער פסוק זאגט (איוב לד, כא): "כִּי עֵינָיו עַל דַּרְכֵי אִישׁ וְכָל צְעָדָיו יִרְאֶה". דער מצודות דוד טייטשט: השי"ת פאסט אויף אויף אלע טריט פונעם מענטש. אלעס וואס פאסירט מיט דעם מענטש איז אויסגערעכנט פון פאראויס פון הימל.

דער באשעפער פירט די וועלט אונטער א שלייער פון טבע, מאכנדיג עס אויסזען כאילו זאכן פאסירן צופעליג. ער טוט דאס כדי מיר זאלן האבן א בחירה און די מעגליכקייט צו אנערקענען אמת'דיג אז דער באשעפער פירט אלעס אדער ח"ו טראכטן אמאל אויף א פאסירונג אז דאס איז בלויז א צופאל. עס איז מערקווירדיג אז דאסווארט מקרה וואס באדייט צופאל אויף לשון הקודש, האט די זעלבע אותיות ווי 'רק מה' ' בלויז פון באשעפער. די וואס קוקן מיט א טיפערן בליק פארשטייען אז אלעס קומט באמת נאר פון באשעפער.

אויב מען גדענקט אז דער באשעפער זוכט שטענדיג אונזער טובה, פארלייכטערט דאס גאר שטארק אונזער לעבן, ווייל דאן ווייסן מיר אז קיין שום זאך קען נישט פאסירן נאר אויב דער באשעפער וויל אז דאס זאל געשען.

אויב מען גדענקט אז דער באשעפער זוכט שטענדיג אונזער טובה, פארלייכטערט דאס גאר שטארק אונזער לעבן.

איין דאנערשטאג, ארום 11:40 פארמיטאג, בין איך געווען אין בית המדרש זיך פארקוקן א שיעור, ווען איך האב זיך דערמאנט אז איך האב פארגעסן צו ברענגען א ספר וואס איך האב געדארפט. איך האב אנגערופן מיין זון און אים געבעטן אז ער זאל מיר פארליינען דאס שטיקל וואס איך האב געדארפט פון יענעם ספר. קיינער איז דעמאלט נישט געווען ביי מיר אינדערהיים, און מיין זון איז אריבערגעאנגען אויפזוכן דעם ספר און עס פארליינען פאר מיר.

ווען ער האט מיך גערופן פונדערהיים האב איך באמערקט אז ער איז זייער אנגעצויגן. איך האב אים געפרעגט וואס גייט פאר, און ער האט אנגעהויבן צו דערציילן אז ווי נאר ער איז אריינגעקומען אין שטוב האט ער געזען א רויבער אין דעם דיינינג רום. דער רויבער האט געטראגן שווארצע הענטשיך און א הוט, און ער האט געהאלטן א בעג מיט די מנורה אינעווייניג. ווי נאר ער האט דערזען מיין זון איז ער געווארן דערשראקן, ער האט אראפגעווארפן די מנורה און ער איז ארויסגעלאפן פון א זייטיגע טיר.

אויבנאויף האט נישט אויסגעזען ווי עס איז פאראן א פארשטענדליכע סיבה פארוואס איך האב פארגעסן דעם ספר אינדערהיים, אבער באמת איז דאס געווארן געפירט בהשגחה עליונה כדי צו פארמיידן דעם רויבער ביי מיר אינדערהיים פון בארויבן מיינע חפצים. אזוי קענען מיר זיך פילמאל איבערצייגן אז עס איז נישט פאראן קיין שום צופאל, און יעדע זאך קומט בלויז פון הימל.

77

האלט דיך אויף דיין וועג

פאלגענד איז א וויכטיגע מעשה וואס ווייזט אז מענטשן דארפן זיין צופרידן מיט זייער גורל און נישט טראכטן אז אויב זיי וואלטן זיך געפינען ערגעץ אנדערש וואלטן זיי בעסער מצליח געווען:

עס איז אמאל געווען א מענטש וועלכער האט געוואלט ווערן א באס דרייווער. ער האט זיך געלערנט דערצו א שטיק צייט, באקומען די לייסענס, און אנגעהויבן ארבעטן פאר א באס פירמע. דער מענטש איז אנגעקומען דעם ערשטן טאג צו דער ארבעט, און צו זיין אנטוישונג האט ער געזען אז מען האט אים געגעבן די שטילסטע באס ליניע ("רוט"). רוב פון די סטאנציעס האבן בלויז געהאט איינס אדער צוויי פאסאזשירן. עס איז אים געווען זייער לאנגווייליג. ער האט געוואלט דרייוון א באס פול מיט מענטשן. ער האט געהאפט אז פאסאזשירן וועלן כסדר אויפשטייגן און אפשטייגן, און דערוויל איז זיין באס געבליבן כמעט ליידיג. סוף טאג איז ער צוריקגעפארן צו די באס סטאנציע, און האט אריינגעברענגט די קליינע סומע געלט וואס איז אריינגעקומען דורכאויס דעם וועג, שפירענדיג אינגאנצן דערשלאגן.

דעם קומענדיגן טאג איז ער דורכגעפארן אן אנדערע באס פון די זעלבע פירמע וואס איז געווען אנגעפילט מיט מענטשן. ער האט זייער מקנא געווען יענעם באס

דרייווער. האט ער באשלאסן אז דאס מאל וועט ער נעמען אן אנדערע ליניע און פארן דורך אן אנדערן וועג, און אזוי ארום וועט ער מאכן מער געלט פאר די פירמע.

דער באס דרייווער האט טאקע אזוי געטוען, און ער איז געפארן אויף זיין אייגענעם וועג, אויפנעמענדיג מענטשן ביי יעדע סטאנציע. עס זענען ארויפגעקומען אסאך פאסאזשירן ביי יעדע סטאנציע, און דער באס דרייווער האט זיך געשפירט זייער גוט אז אזויפיל מענטשן קומען ארויף אויף זיין באס. ער האט צוזאמגענומען א סאך געלט פאר די פירמע, און סוף טאג האט ער אריינמארשירט אין אפיס מיט שטאלץ, אראפלייגנדיג דאס געלט אויפ'ן טיש.

דעם קומענדיגן טאג האט דער אייגענטימער פון די פירמע אים אריינגערופן אין אפיס און געזאגט: "מיר זענען שוין געפארן אויף דיין ליניע איבער צוואנציג יאר, און מיר האבן נאך קיינמאל נישט געמאכט אזויפיל געלט. ווי אזוי האסטו באוויזן צו פארדינען אזויפיל געלט?"

דער באס דרייווער האט אים מסביר געווען אז ער האט געוואלט טוען א טובה פאר די פירמע, און דערפאר איז ער געפארן דורך פארנומענע גאסן כדי עס זאלן אויפשטייגן מער מענטשן אויפ'ן באס, און אזוי ארום האט ער פארדינט אסאך מער געלט.

"אזוי האסטו געטוען?!" האט דער אייגענטימער אויסגעשריגן. "דו האסט דאך חרוב געמאכט דעם גאנצן סיסטעם! מיר דארפן נישט האבן מער פאסאזשירן אויף דיין ליניע. דיין ארבעט איז צו פארן אויף די ליניע וואס מיר געבן דיר, און עס איז נישט קיין חילוק וויפיל מענטשן עס קומען ארויף. אויב דו ווילסט טוען א גוטע ארבעט, מאך זיכער אז דו טוסט וואס מען הייסט דיר. עס דארף דיך נישט אינטערסירן אויב עס קומען ארויף אסאך מענטשן אדער ווייניג מענטשן".

דאס זעלבע איז נוגע פאר יעדן מענטש אין לעבן. יעדער מענטש קומט אראפ אויף דער וועלט צו טוען א געוויסע אויפגאבע, פונקט ווי יעדער באס דרייווער באקומט זיין ליניע וואו ער דארף פארן. דער איינציגסטער וועג ווי אזוי מצליח צו זיין אויף דער וועלט איז דורכ'ן טוען די ארבעט וואס מען דארף. אמאל קען אויסזען ווי אן אנדערע ארבעט איז אינטערעסאנטער אדער גרינגער. צום ביישפיל, א מענטש

וואס ארבעט שווער אין א פירמע קען טראכטן צו זיך: "דער אייגענטימער פון די פירמע מאכט אזויפיל געלט און ער פירט אָן א גאנצע ביזנעס, בעת איך מוז זיצן און שוויצן אויף יעדן דאלאר". און ווען דער ארבעטער איז מקנא דעם אייגענטימער, קען דאס צוברענגען אז ער זאל נישט טוען א גוטע ארבעט.

דער אמת איז אבער אז דער געדאנקענגאנג איז א טעות. דער באשעפער האט אראפגעשיקט יעדן מענטש אויף דער וועלט מיט אן אייגענארטיגען תפקיד, און יעדער מענטש דארף טוען זיין ארבעט לויט די בעסטע מעגליכקייטן וואס ער פארמאגט. יעדער מענטש דארף טוען דאס בעסטע וואס ער קען, און אזוי וועט ער דערגרייכן זיין ציל אין לעבן און באקומען זיין שכר אויף יענער וועלט. א תלמיד חכם וועלכער לערנט יומם ולילה, און א בעל הבית וועלכער ארבעט שווער אויף פרנסה אבער מוטשעט זיך ארייננצושטופן א שיעור יעדן טאג, וועלן ביידע באקומען שכר, וויבאלד ביידע טוען דאס מערסטע וואס איז שייך לויט זייערע מעגליכקייטן.

דער באשעפער האט אראפגעשיקט יעדן מענטש אויף דער וועלט מיט אן אייגענארטיגען תפקיד, און יעדער מענטש דארף טוען זיין ארבעט לויט די בעסטע מעגליכקייטן וואס ער פארמאגט.

עס מאכט זיך אמאל אז א מענטש גייט דורך א שווערע צייט אין לעבן. ער מוטשעט זיך מיט פארשידענע פראבלעמען ווי פרנסה, שלום בית, געזונטהייט, אדער צער גידול בנים. ער זעט אנדערע וואס ציען אויף הערליכע משפחות און האבן באקוועם פרנסה, און ער ווערט אנגעפילט מיט קנאה. "ווען איך וואלט נישט געהאט די פראבלעמען וואלט איך געהאט א פיל רואיגער לעבן", טראכט ער זיך. "איך וואלט געקענט דינען דעם באשעפער מיט ישוב הדעת און מיין לעבן וואלט געווען אזויפיל גרינגער". א מענטש מוז אבער געדענקען אז אונזער פליכט איז דוקא צו דינען דעם באשעפער מיט אונזערע פראבלעמען. מיר דארפן נישט פרובירן צו זיין ווי א צווייטן; מיר דארפן ארבעטן לויט וויפיל מען קען אין דעם מצב אין וועלכן דער באשעפער האט אונז ארייננגעשטעלט.

עס שטייט אין פסוק (שמות ג, ה) אז דער אויבערשטער האט געזאגט פאר משה רבינו: "הַמָּקוֹם אֲשֶׁר אַתָּה עוֹמֵד עָלָיו אַדְמַת קֹדֶשׁ הוּא". דער חפץ חיים זאגט (על התורה שם) אז דאס גייט ארויף אויף יעדן מענטש. אין סיי וועלכן מצב א איד געפינט זיך, אפילו אויב ער געפינט זיך אין א שווערע לאגע, דארף ער דאס הייליגן מיט עבודת ה'.

חז"ל לערנען אונז (ברכות ה, ב; יז, א) "אחד המרבה ואחד הממעיט ובלבד שיכוון לבו לשמים". דאס מיינט אז יעדער

מענטש דארף זיך אנשטרענגען לויט זיינע כוחות, און אפילו אויב ער יאגט נישט אָן צופיל, זייענדיג אן אונס, וועט ער באקומען שכר.

אונזער ארבעט איז זיך צו האלטן ביי אונזער באשטימטער ליניע, און צו אנערקענען אז דאס לעבן איז א גלגל החוזר – א ראד וואס דרייט זיך. צומאל וויל דער אויבערשטער אז א מענטש זאל אים דינען אפילו ווען ער האט נישט קיין פרנסה, כדי אז שפעטער זאל ער אים דינען ווען ער פארמאגט שוין פרנסה בריוח. צומאל וויל דער אויבערשטער אז א מענטש זאל זיך מוטשען, און שפעטער זאל ער לעבן מיט הרחבת הדעת.

מיר טארן נישט פארשווענדן קיין שום געלעגנהייט וואס מען גיט אונז פון הימל, אפילו אויב עס קומט אָן שווער. אין יעדן מצב אין וועלכן מען געפינט זיך דארף מען דינען דעם באשעפער לויט די בעסטע מעגליכקייטן און נישט מקנא זיין אנדערע. אויב מיר וועלן אויסנוצן יעדן געלעגנהייט אויפ'ן בעסטן אופן וואס איז שייך, דאן וועלן מיר לעבן א גליקליך און צופרידן לעבן.

יעדער מענטש באקומט א ראלע פון הימל וואס ער דארף אויספירן ריכטיג כדי צו באקומען זיין שכר אויף יענע וועלט. עס מאכט זיך אז א איד זיצט ביים שבת טיש און ער זעט ווי זיינע קינדער קריגן זיך ארום און שרייען איינער אויפ'ן צווייטן. דער איד קען ווערן זייער צעבראכן ביי זיך און טראכטן: "איך האב זיך אלץ פארגעשטעלט אז איך וועל האבן א שבת טיש וואו די קינדער וועלן זיצן רואיג און צופרידן; איך וועל זאגן שיינע דברי תורה און מען וועט זינגען הערליכע ניגונים לכבוד שבת, פארוואס קען איך נישט האבן א רואיגן שבת טיש?"

דער איד דארף אבער געדענקען אז דיין פליכט איז אויסצופירן זיין תכלית אין לעבן וואס מען האט אים יעצט געגעבן. אויב זיין אויפגאבע איז צו זיין א טאטע פאר קינדער וואס פירן זיך אויף ווילד ביי א שבת טיש, מוז ער דאס אויספירן ביז'ן סוף. זיין ארבעט איז נישט צו זאגן שיינע דברי תורה פאר א משפחה וואס זיצט מיט אפענע אויערן און הערט אלעס אויס. זיין ארבעט איז יעצט זיך צו האלטן רואיג און טראכטן פון אופנים ווי אזוי אנצוהאלטן א געשמאקע אטמאספערע אין שטוב. אויב ער ערפילט ריכטיג זיין ראלע, וועט זיין שכר זיין גאר גרויס.

א איד איז אמאל געקומען צו זיין רב זיך אפרעדן ווי שווער עס קומט אים אָן אנצוצינדן די חנוכה ליכט. ער האט זיך זייער אפגערעדט אז נאך איידער ער ענדיגט די ברכה "להדליק נר חנוכה" קען זיך מאכן אז עס ברעכט אויס א מחלוקת צווישן זיינע קינדער. דער איד האט דערציילט פאר'ן רב ווי ער געדענקט מיט בענקעניש די חנוכה נעכט אין ישיבה, ווען ער האט געצינדן ליכט מיט אזא רואיגקייט און דערהויבנקייט, און היינט, אלס יונגערמאן, האט ער נאך א טיפערע הבנה אין די מצוה און ער וואלט געקענט צינדן ליכט מיט פיל מער כונה און געפיל, אבער צוליב דעם וואס זיינע קינדער שטערן אים קען ער נישט מקיים זיין די מצוה ווי עס דארף צו זיין.

האט דער רב אים צוריקגעפרעגט: "ווער זאגט אז דער באשעפער האט דיר געגעבן א טיפערע הבנה בלויז דערפאר דו זאלסט קענען בעסער מכוון זיין? אפשר האט דער באשעפער געוואלט אז דו זאלסט זיך אנשטרענגען צו צינדן מיט כוונה דוקא אין אזא מצב אין וואס דיינע קינדער קריגן זיך ארום? דיין פליכט איז נישט בלויז צו האבן א טיפע כוונה אין די מצוה פון די חנוכה ליכט, נאר צו טוען דאס בעסטע וואס איז שייך לויט'ן מצב".

ווי אזוי ווייסט א מענטש וועלכע ראלע איז באשטימט געווארן פאר אים פון הימל? דער וועג ווי אזוי דאס צו וויסן איז גאר פשוט. יעדער מענטש דארף באטראכטן ווי אזוי זיין מצב זעט אויס אין די יעצטיגע מינוט, און געדענקען אז זיין ראלע איז זיך אויפצופירן דאס בעסטע וואס איז שייך לויט'ן מצב. אנשטאט זיך צו באקלאגן אויף די ראלע וואס ער האט באקומען זאל ער עס אננעמען באהבה און געדענקען אז אויב דאס איז אים באשטימט געווארן פון הימל, וועט ער אויספירן וואס ער דארף און מאכן א נחת רוח פאר'ן באשעפער.

78

די בעסטע אינשורענס פאליסי

דער פסוק זאגט (ירמיהו יז, ז): "בָּרוּךְ הַגֶּבֶר אֲשֶׁר יִבְטַח בַּה' וְהָיָה ה' מִבְטַחוֹ". דאס מיינט אז אויב א איד האט בטחון אין באשעפער דאן וועט דער באשעפער שטענדיג זיין דעם מענטש'נס פארזיכערונג, און דער מענטש וועט זיך שטענדיג קענען פארלאזן אויף אים. וואס מער בטחון מען האט, אלץ מער וועט דער אויבערשטער טאקע פארזיכערן אז דער מענטש זאל האבן א גליקליך לעבן.

וואס מער בטחון מען האט, אלץ מער וועט דער אויבערשטער טאקע פארזיכערן אז דער מענטש זאל האבן א גליקליך לעבן.

א רב האט אמאל פארגליכן בטחון צו אן אינשורענס פאליסי. א מענטש קען האבן אן אינשורענס פאליסי פון פארשידענע סכומים. ער קען האבן א פאליסי פון צען טויזנט דאלאר, פון הונדערט טויזנט דאלאר, פון א מיליאן דאלאר, און אזוי ווייטער. וואס טייערער די אינשורענס פאליסי איז, אלץ מער דארף מען איינצאלן, און וואס מער א מענטש צאלט איין אלץ מער איז ער געדעקט. די זעלבע זאך איז מיט בטחון. וואס מער בטחון א מענטש האט אין באשעפער, אלץ גרעסער איז זיין 'אינשורענס'.

דער פסוק אין ירמיה זאגט אונז א געוואלדיגע יסוד אין בטחון. עס לערנט אונז אז א מענטש וואס פארלאזט זיך אויפ'ן באשעפער האט א גליקליך לעבן וויבאלד ער האט א גוטע 'אינשורענס פאליסי'. עס לוינט זיך משקיע צו זיין אין

בטחון, וויבאלד דער רבונו של עולם פארשפרעכט אונז אז אויב מען האט בטחון אין אים דאן וועט ער טאקע זיכער מאכן אז מיר האבן וואס מיר דארפן.

דער פסוק לערנט אונז אז די פארדינסטן פון בטחון האבן נישט קיין גרעניץ; וואס מער א מענטש אינוועסטירט אין בטחון אלץ מער פארדינט ער אליין, ווייל בטחון איז די בעסטע אינשורענס פאליסי וואס איז פאראן.

מענטשן פרובירן זיך צו פארזיכערן אויף כל מיני אופנים. זיי פארגעסן אבער אז בטחון איז די בעסטע אינשורענס פאליסי. די מצוה פון בטחון פארזיכערט אונז אז וואס מער מיר זענען גרייט זיך צו פארלאזן אויפ'ן רבונו של עולם, אלץ מער וועט ער אונז טאקע העלפן. וואס קען זיין בעסער ווי אן אינשורענס פאליסי פון דעם אלמעכטיגן באשעפער פון דער וועלט?

79

מחנך זיין מיט אמונה

א גדול האט אמאל דערציילט, אז פילע מענטשן קומען צו אים מיט פארשידענע פראבלעמען, אבער ביי טייל מענטשן, נישט קיין חילוק ווי שווער דער פראבלעם איז, ליגט זייער גאנצער קאפ און מוח אין דעם פראבלעם. דאס מיינט אז ווען א מענטש האט א פראבלעם ליגט ער אינגאנצן ארייגעגעסן אין דעם און ער מיינט אז עס איז נישטא קיין ערגערס פון דעם. אבער ווען א מענטש קען באוויזן ארויסצוגיין אביסל פון זיינע דאגות און זיך פארלאזן אויפ'ן באשעפער דאן האט ער פיל מער אויסזיכטן געהאלפן צו ווערן.

יעדער מענטש האט נסיונות אין לעבן. איינער האט קלענערע נסיונות און איינער האט גרעסערע נסיונות, און וואס מער אמונה א מענטש פארמאגט, אלץ גרינגער איז פאר אים בייצוקומען די שוועריקייטן. אויב מען האט אמת'ע אמונה אין באשעפער ברענגט דאס אז דער מענטש זאל נישט טראכטן אזויפיל פון זיינע פראבלעמען און אז ער זאל זיך קענען קאנצענטרירן אויף די גוטע חלקים אין זיין לעבן, און אזוי ארום האט ער פיל מער אויסזיכטן געהאלפן צו ווערן.

דאס איז איינס פון די סיבות פארוואס עס איז גאר וויכטיג צו לערנען אמונה מיט קינדער. אויסער דעם וואס אמונה איז דער יסוד פון אידישקייט, זאגן מחנכים אז קינדער וועלכע האבן געלערנט אמונה זענען אסאך זיכערער מיט זיך.

עס איז וויכטיג מחנך צו זיין אונזערע קינדער מיט אמונה און בטחון.

קינדער וואס לעבן מיט אמונה ווייסן אז זיי זענען קיינמאל נישט אליין, און אז דער באשעפער איז שטענדיג מיט זיי. צוליב דעם אליין מוז מען אריינבאקן אין די קינדער אז דער באשעפער איז שטענדיג מיט אונז און ער האלט אן אויג אויף אונז; אז ער האט אונז ליב און אז אלעס וואס פאסירט מיט אונז איז פאר אונזער טובה, אפילו אויב מיר פארשטייען נישט פארוואס. זיי וועלן דאס ווייסן און געדענקען וועלן זיי קענען אננעמען באהבה יעדן מצב אין וועלכן זיי געפינען זיך.

די גמרא (ברכות ז, א) ברענגט די קשיא וואס משה רבינו האט געפרעגט דעם באשעפער פארוואס מיר זעען "צדיק ורע לו" – א צדיק ווען עס גייט שלעכט, און "רשע וטוב לו" – א רשע וועמען עס גייט גוט. די גמרא זאגט (לויט איין וועג) אז השי"ת האט געענטפערט אז אויב מיר זעען א צדיק וואס ליידט זאלן מיר ווייסן אז ער איז א צדיק בן רשע – זיין טאטע איז געווען א רשע. און אזוי אויך אויב מיר זעען א רשע וועמען עס גייט גוט זאלן מיר ווייסן אז ער איז א רשע בן צדיק – זיין טאטע איז געווען א צדיק.

דער חתם סופר (דפוס ירושלים תשמח, שם) איז מסביר, אז א צדיק בן רשע איז אויפגעצויגן געווארן אין א שטוב פון מותרות, און ממילא איז אים אויך שווער צו טוישן זיין געוואוינהייט פון זיך באגענוגען מיט ווייניג, דערפאר שפירט ער ווי עס גייט אים נישט גוט. דאקעגן א רשע בן צדיק, איז אויפגעצויגן געווארן אין א שטוב וואו מ'האט זיך באגענוגענט מיט ווייניג, וואס דערפאר לויפט ער נישט נאך קיין מותרות, נאר ער איז א שמח בחלקו און ער שפירט ווי אלעס גייט אים גוט.

די בעסטע מתנה וואס מען קען געבן פאר א קינד איז אמונה. אויב א קינד וואקסט אויף מיט אמונה וועט ער שטענדיג שפירן אז "וטוב לו" – עס גייט אים גוט. ער וועט שטענדיג האלטן אז יעדער מצב אין זיין לעבן איז דאס בעסטע וואס איז שייך פאר אים. ער וועט קענען אמת'דיג הנאה האבן פון לעבן און זען דאס גוטס אין יעדן מצב.

די גמרא (ברכות ס, א) דערציילט אז הלל הזקן איז אנגעקומען אין זיין היימשטאט און ער האט געהערט אז מענטשן מאכן קולות. האט ער זיך דאן אנגערופן: "מובטח אני שאין זה מתוך ביתי – איך בין זיכער אז דאס קומט נישט פון מיין שטוב". לכאורה איז שווער, ווי אזוי האט הלל

געקענט זיין אזוי זיכער אז עס איז נישט פאראן עפעס א צרה אין זיין הויז?

דער יערות דבש (דרוש ז') ערקלערט אז הלל האט מחנך געווען זיין משפחה אז זיי זאלן שטענדיג מקבל זיין באהבה אלעס וואס דער באשעפער טוט, און אנערקענען אז אלעס וואס ער טוט איז דאס בעסטע פאר זיי. דערפאר האט ער געוואוסט אז זיי וועלן נישט שרייען אפילו אויב עס באפאלט זיי א צרה. דער הייליגער תנא הלל הזקן האט געוואוסט אז די געשרייען קענען נישט קומען פון זיין שטוב וויבאלד ער האט ערצויגן זיין משפחה אז מען שרייט נישט ווען עס פאסירט ח"ו אן אומגליק.

אן ערליכער איד חזר'ט כסדר איין פאר זיך און פאר זיין משפחה אז אלעס וואס פאסירט אין לעבן קומט פון באשעפער, און אז דער באשעפער וויל נאר דאס בעסטע פאר יעדן איד. ווען די קינדער וואקסן אויף מיט דעם צוגאנג, עפענט זיך פאר זיי א נייער טויער אין לעבן. זיי קוקן אָן די וועלט מיט אן אמת'ע, צופרידענעם בליק, און זייער לעבן איז אנגעזאפט מיט אמונה און בטחון.

האפן צו השי"ת ברענגט ישועות

די גמרא זאגט (שבת לא, א) אז איינס פון די שאלות וואס יעדער מענטש וועט ווערן געפרעגט ביים בית דין של מעלה איז: "ציפית לישועה?" דער פשוט'ער פשט דערפון איז אז מען וועט אונז פרעגן אויבן אין הימל אויב מיר האבן געווארט אז משיח זאל קומען אונז אויסלייזן פון גלות. אבער דער בית הלוי (על התורה, ליקוטי מאמרים עמוד ד) זאגט אז דאס גייט אויך ארויף אויף אונזערע פערזענליכע פראבלעמען. יעדער מענטש איז מחוייב צו האפן צום באשעפער אז ער וועט אים אויסלייזן פון זיינע צרות, און ווען א מענטש האט האפענונג אז ער וועט געהאלפן ווערן קען ער טאקע ארויסגיין פון זיינע פראבלעמען.

די גמרא זאגט (ברכות י, א): "אפילו חרב חדה מונחת על צווארו של אדם אל ימנע עצמו מן הרחמים – אפילו אויב א שארפער שווערד ליגט אויפ'ן האלז פון א מענטש זאל ער זיך נישט צוריקהאלטן פון בעטן רחמים". די ערגסטע זאך וואס א מענטש קען טוען איז אריינצופאלן אין א יאוש און אויפהערן מתפלל זיין צום באשעפער. א מענטש טאר זיך קיינמאל נישט מייאש זיין און טראכטן אז דער מצב וועט שוין נישט בעסער ווערן. מען מוז שטענדיג האבן בטחון אז

א מענטש טאר זיך קיינמאל נישט מייאש זיין און טראכטן אז דער מצב וועט שוין נישט בעסער ווערן.

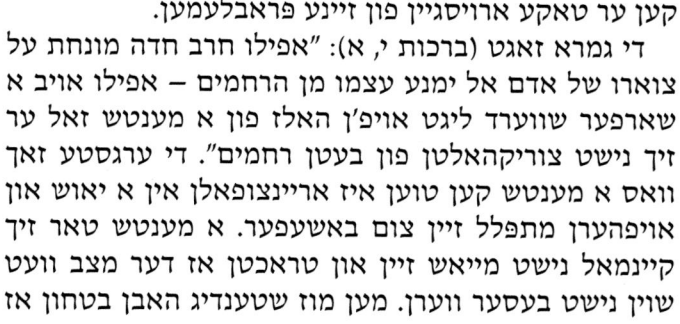

דער באשעפער איז א כל יכול און ער קען אונז ארויסנעמען פון יעדן שווערן מצב.

די גמרא זאגט (כתובות קד, א) אז ווען רבי יהודה הנשיא איז געווען זייער קראנק, האבן די חכמים גוזר תענית געווען און מתפלל געווען לרפואתו. די חכמים האבן דאן געזאגט אז אויב איינער וועט קומען מעלדן אז רבי יהודה הנשיא איז נפטר געווארן "ידקר בחרב" - זאל ער געשטאכן ווערן מיט א שווערד. די מפרשים פרעגן דערויף: אויב רבי יהודה הנשיא וועט טאקע אוועקגיין פון דער וועלט, וואס איז אזוי געפערליך אז איינער קומט דערציילן די ביטערע, אמת'ע בשורה?

דער שיטה מקובצת ענטפערט אז ווי לאנג מענטשן וואלטן נישט געוואוסט אז רבי יהודה הנשיא איז נפטר געווארן וואלטן זיי ווייטער מתפלל געווען, און אזוי ארום וואלט געווען מעגליך אז דער באשעפער וואלט אים מחיה מתים געווען. אבער איינמאל וואס מען ווערט געוואויר אז ער איז נפטר געווארן וואלט מען באלד אויפגעהערט מתפלל זיין, און דאס וואלט גורם געווען אז מען זאל נישט מאכן א נס פון הימל און אים מחיה מתים זיין.

א גאר מאדערנע פרוי האט דערציילט אז אין זומער שנת תשע"ב איז איר צוויי יעריג טאכטער ארייגעפאלן אין א שווים באסיין. ווען מען האט ארויסגענומען דאס מיידל פון דעם שווים באסיין האט זי נישט געהאט קיין פולס. אירע אויגן זענען געווען אפן, איר פנים איז געווען בלוי. עס האט אויסגעזען ווי עס האלט שוין ליידער דערנאך. איר מאן האט פרובירט צו דערמונטערן דאס קליין קינד, און די מאמע האט געוויינט צום באשעפער אז ער זאל ראטעווען איר טאכטערל. זי האט זיך פארגענומען אז אויב איר טאכטער וועט געראטעוועט ווערן וועט זי זיך קליידן מער בצניעות.

דאס קינד איז טאקע דערמונטערט געווארן בדרך נס, און זי איז געווארן אפגעפירט אין שפיטאל. דורכאויס די גאנצע צייט וואס דאס מיידל איז געווען אין שפיטאל האט מען געזאגט תהלים איבער דער וועלט אז זי זאל האבן א רפואה שלימה. זעקס בארימטע ניוראלאגן זענען אראפגעברענגט געווארן צו אונטערזוכן דאס קינד, און מען האט דורכגעפירט פארשידענע טעסטס במשך שעות ארוכות. ווען מען האט ענדליך גענדיגט נעמען

די טעסטס האט דער הויפט דאקטאר זיך אנגערופן צו די עלטערן: "אייער טאכטער איז געראטעוועט געווארן בדרך נס".

די דאקטוירים האבן פארשאפט א ווידעא וואס איז געכאפט געווארן פון א קאמערא העכער דעם שווים באסיין. צו זייער ערשטוינונג האבן זיי געזען אז דאס קינד איז געווען אונטער'ן וואסער במשך דריי מינוט און צען סעקונדעס. לויט אלע אפשאצונגען וואלט זי שוין נישט געדארפט זיין בין החיים ח"ו; מ'האט אבער ניטאמאל אנגעזען אז איר מוח איז געשעדיגט געווארן. זי איז געווען געזונט און פריש.

דער דאקטאר, וועלכער איז א פרייער איד, האט געזאגט פאר די עלטערן: "איך בין געווען א קנאפער מאמין ביז היינט, אבער יעצט זע איך קלאר אז עס איז דא א באשעפער אויף דער וועלט".

דער דאקטאר האט צוגעגעבן, אז ער האט שוין מערערע מאל מיטגעהאלטן פאסירונגען פון קינדער וואס זענען געווען אונטער'ן וואסער וויניגער פון א מינוט און האבן געליטן שווערע שעדיגונגען אין מוח, און בדרך הטבע איז נישט פאראן קיין שום הסבר פארוואס דאס מיידל האט נישט געליטן קיין שאדן נאכ'ן זיין אונטער'ן וואסער אזוי לאנג.

דער באשעפער איז א כל יכול, און מיר טארן קיינמאל נישט פארלירן האפענונג. ווי לאנג מען האפט צום באשעפער און מ'איז מתפלל צו אים, וועט די ישועה קומען אפילו באופן פלא.

81

אז ימלא שחוק פינו

דער פסוק זאגט (תהלים קכו, א): ״שִׁיר הַמַּעֲלוֹת בְּשׁוּב ה׳ אֶת שִׁיבַת צִיּוֹן הָיִינוּ כְּחֹלְמִים – ווען דער באשעפער וועט אונז צוריקקערן פון גלות קיין ציון, וועלן מיר שפירן ווי מיר האבן גע׳חלומ׳ט״. אסאך מאל חלומ׳ט א מענטש א שרעקעדיגער חלום; ער שפירט ווי דער מצב איז ממש געפערליך און ער איז זייער דערשראקן. אבער דאן וועקט ער זיך אויף און זעט איין אז עס איז נישטא וואס צו מורא האבן. אזוי אויך קען אפטמאל אויסזען ווי די שוועריגקייטן וואס מיר גייען אדורך אויף דער וועלט זענען אוממעגליך בייצוקומען, אבער איין טאג וועלן מיר אלע איינזען אז מיר זענען בלויז געווען ווי אין א חלום. מיר וועלן זיך ״אויפוועקן״ און אנערקענען אז עס איז נישט געווען וואס מורא צו האבן, און דאן וועט מקויים ווערן דער קומענדיגער פסוק – ״אָז יִמָּלֵא שְׂחוֹק פִּינוּ וּלְשׁוֹנֵנוּ רִנָּה״ (זע מצודות דוד).

ווען משיח וועט קומען וועלן מיר איינזען אז נישט בלויז וואס מיר האבן נישט געהאט וואס מורא צו האבן פון אונזערע פראבלעמען, נאר זיי זענען ניטאמאל געווען פראבלעמען. די ״פראבלעמען״ זענען פאקטיש געווען צוקערלעך וואס זענען אונז געשאנקען געווארן פון הימל. ווען משיח וועט קומען וועלן מיר פארשטיין פארוואס געוויסע שידוכים האבן זיך נישט אויסגעארבעט, אדער פארוואס א געוויסע פארפאלק האט נישט געהאט קיין קינדער אזוי לאנג. עס וועט ווערן קלאר ווי יעדע זאך אין לעבן איז געקומען מחמת די גרויס אהבה וואס דער באשעפער האט צו אונז, און דאס וועט אונז אזוי דערפרייען אז מיר וועלן זינגען שירה צום רבונו של עולם

און אים דאנקען פון טיפן הארצן אויף יעדע צרה וואס מיר זענען דורכגעגאנגען.

דער ילקוט שמעוני (איכה רמז תתקצז) שרייבט, אז די גאולה שלימה וועט קומען אין זכות פון האפן אויף התגלות מלכות שמים. הגה"צ ר' אלחנן וואסערמאן הי"ד שרייבט דערויף (קובץ מאמרים – מאמר זכור ימות עולם) אז עס איז נישט פאראן קיין שום עצה ניצול צו ווערן פון גזירות און צרות נאר אין זכות פון אמונה. די ווערטער פון ר' אלחנן זענען ווי פאלגענד: "לקבוע בדעתנו כי יד ה' היתה בנו ולא מקרה היא לנו" – מען זאל זיך באשטימען אין מוח אז דער יד ה' פירט אונז; נישט א צופאל.

ווי אזוי קען א מענטש וויסן אויב ער לעבט טאקע מיט דער סארט אמונה? דער וועג איז דורכ'ן זיך אליין באטראכטן ווי אזוי מען גייט זיך אום מיט נסיונות אין לעבן. א מענטש וואס גלייבט אז דער באשעפער וויל בלויז גוטס טוען פאר אונז און ער טוט שטענדיג וואס איז פאר אונזער טובה, וועט זיך ארומדרייען מיט א שמייכל אפילו אין די שווערסטע זמנים. אויב מיר ווייסן אז עפעס איז פאר אונזער טובה וועלן מיר זיין גרייט עס אנצונעמען אפילו אויב עס קאסט א פרייז פון צער און יסורים. יעדער גייט אמאל צום דענטיסט אויסצורייניגן די ציין. דער דענטיסט קראצט און רייבט און עס טוט וויי, אבער מען ווייסט אז עס לוינט זיך וויבאלד מען וועט באקומען ריינע ציין. מענטשן צאלן שווערע געלטער פאר געזונטהייט עקספערטן וועלכע באגרעניצן זייער דיעטע אויף א שווערען אופן און לאזן זיי נישט עסן וואס זיי ווילן, אבער די פאציענטן ווייסן אז עס לוינט זיך זיי. מענטשן טוען שווערע איבונגען כדי זיך צו שטארקן דעם קערפער. עס קאסט זיי שווערע כוחות, אבער זיי ווייסן אז זיי וועלן אליין פארדינען דערפון, און דערפאר טוען זיי דאס כאטש עס קומט זיי נישט אָן גרינג.

א מענטש איז אמאל ארויסגעקומען פון א געריכט הויז שיינענדיג פון שמחה. ווען איינער האט אים געפרעגט פארוואס ער איז אזוי פרייליך, האט ער געענטפערט: "איך האב יעצט געצאלט א קנס פון צען טויזנט דאלאר".

"און פארוואס ביסטו אזוי פרייליך דערמיט?" איז געקומען די פראגע.

"ווייל איך בין געווארן אנגעקלאגט פאר צען מיליאן דאלאר", האט יענער געענטפערט.

א מענטש וואס גלייבט אז דער באשעפער וויל בלויז גוטס טוען פאר אונז און ער טוט שטענדיג וואס איז פאר אונזער טובה, וועט זיך ארומדרייען מיט א שמייכל אפילו אין די שווערסטע זמנים.

אויף דעם אופן דארפן מיר אנקוקן אלע אונזערע יסורים. אויב עס איז פאראן א לאך אינעם דאך און עס קאסט טויזנט דאלאר צו פאררעכטן, זאלן מיר טראכטן אז מיר האבן זיך דערמיט איינגעשפארט א שווערע באהאנדלונג ביים דאקטאר אין דעם סכום. מיר דארפן גלייבן באמונה שלימה אז אלעס וואס דער באשעפער טוט איז פאר אונזער טובה, און אזוי איז אסאך גרינגער אנצונעמען אונזערע שוועריגקייטן. יעדס מאל עפעס גייט נישט ווי מיר ווילן דארפן מיר געדענקען אז דאס שפארט אונז איין פיל גרעסערע עגמת נפש'ן.

> א איד האט מיר דערציילט אז איינער פון זיינע ארבעטער האט אים בא'גנב'עט מיט א גרויסע סומע געלט. דער איד האט מיר געזאגט אז אויב דאס וואלט פאסירט אמאל וואלט ער זיך אינגאנצן פארלוירן און זיך אויפגעגעסן דאס געזונט, אבער היינט, וויבאלד ער האט געארבעט אויף זיין אמונה, האט ער פולשטענדיג אנגענומען אז דאס איז וואס דער באשעפער האט געוואלט און אז דעריבער מוז זיין אז עס איז די בעסטע זאך פאר אים. ער האט זיך געשטארקט און האט מקבל געווען דעם באשעפער'ס רצון באהבה, און אזוי איז ער נישט געווארן צעבראכן ביי זיך.

יעדער צער וואס קומט אויפ'ן מענטש דארף מען אננעמען באהבה. דער ראשית חכמה שרייבט אז גייסטישע צער איז פיל ערגער ווי פיזישע צער, און די ערגסטע גייסטיגע צער איז בושה. מענטשן וועלן טוען אלעס אין דער וועלט צו פארמיידן בושה, אבער אויב מען ווערט יא אמאל פארשעמט דארף מען גלייבן אז דאס איז געקומען פון באשעפער פאר אונזער טובה, און מען זאל זיך האלטן שטארק און נישט ווערן צעקלאפט ביי זיך. עס איז אוממעגליך זיך פארצושטעלן דעם געוואלדיגן זכות וואס מיר קויפן זיך איין ביים מקבל זיין יסורים באהבה.

מיר ווייסן נישט שטענדיג פארוואס מיר דארפן דורכגיין געוויסע שוועריגקייטן און נסיונות, אבער אויב אידישע קינדער זענען זיך מחזק אין אמונה דאן וועט דער אויבערשטער ברענגען משיח און עס וועט מקויים ווערן דער פסוק "אז ימלא שחוק פינו" – מיר וועלן זיך פרייען און דאנקען דעם באשעפער, פארשטייענדיג אז יעדע זאך האט געדארפט פאסירן גענוי ווי אזוי עס האט טאקע פאסירט.

82

דער זכות פון בטחון

דער פסוק זאגט אין תהלים (סב, ט): "בִּטְחוּ בוֹ בְכָל עֵת – פארזיכערט זיך אין באשעפער אין יעדע צייט" (זע רד"ק). עס איז א חיוב שטענדיג צו האבן בטחון אין באשעפער אז ער וועט אונז העלפן פון אונזערע פראבלעמען. מיר דארפן שטענדיג בעטן הילף פון דעם באשעפער, ווייל קיין שום בקשה איז נישט צו קליין אדער צו גרויס ביים רבונו של עולם. יעדער מצב אין וועלכן מיר געפינען זיך איז געווארן ספעציעל אויסגעשטעלט דורכ'ן באשעפער, און ער קען אונז העלפן אין יעדן פראבלעם. ער וויל בלויז אז מיר זאלן זיך ווענדן צו אים נאך הילף.

עס שטייט אין ספרים אז אויב א מענטש האט געבעטן דעם באשעפער אבער די ישועה איז נישט אנגעקומען זאל ער זיך נישט שפירן דערשלאגן, ווייל דאס אליין אז מען האט געבעטן אז דער באשעפער זאל העלפן איז א געוואלדיגע זכות אין הימל. און ווען די ישועה קומט אָן וועט דער מענטש נישט בלויז באקומען די ישועה וואס ער האט געדארפט נאר ער וועט אויך האבן דעם זכות פון די גרויסע מצוה אז ער האט זיך פארלאזט אויפ'ן באשעפער.

טייל מענטשן האבן טאקע אמונה און זיי גלייבן באמת אז דער באשעפער קען זיי העלפן אין אלע זייערע פראבלעמען, אבער זיי האבן מורא אז זיי פארדינען זיך נישט אז דער

באשעפער זאל אננעמען זייערע תפילות. "איך בין נישט ראוי
געהאלפן צו ווערן", טראכטן זיי צו זיך. "איך האב שוין געטוען
צופיל עבירות און דער אויבערשטער וועט שוין נישט וועלן
אויסהערן מיינע תפילות". דער פחד אז מען איז נישט ראוי
צו ווערן געהאלפן קען גענצליך אוועקנעמען א מענטשנ'ס
אמונה און בטחון.

דער אמת איז אבער אז אפילו אויב א מענטש האט געטוען
אסאך עבירות דארף ער נאך אלץ האפן צום באשעפער.
עס שטייט אין פסוק (תהלים לב, י): "רַבִּים מַכְאוֹבִים לָרָשָׁע
וְהַבּוֹטֵחַ בַּה' חֶסֶד יְסוֹבְבֶנּוּ – א רשע האט א סאך ווייטאגן,
אבער דער וואס פארזיכערט זיך אין באשעפער ווערט
ארומגענומען מיט חסדים". עס שטייט אין מדרש (תהלים
לב, ג) אויף דעם פסוק אז אפילו אויב א מענטש איז א
רשע, טאמער פארזיכערט ער זיך אין באשעפער וועט ער
זיין ארומגענומען מיט חסדים. דער רמב"ן שרייבט (אמונה
ובטחון פרק א') אויפ'ן פסוק (תהלים לז, ג): "בְּטַח בַּה' וַעֲשֵׂה
טוֹב – פארזיכער זיך אין באשעפער און טו גוטס", אז אפילו
אויב א מענטש האט נישט געטוען קיין שום גוטע מעשים
און ער ווייסט אז ער איז פול מיט זינד, זאל ער פארט האבן
בטחון אין באשעפער'ס חסדים, וויבאלד דער באשעפער איז
פול מיט רחמנות, ווי עס שטייט אין פסוק "ורחמיו על כל
מעשיו – זיין רחמנות איז אויף אלע זיינע באשעפענישן".
דער של"ה הקדוש לייגט צו (שער האותיות סוף אות סמ"ך),
אז דאס איז בתנאי אויב ער וועט מקיים זיין תורה און מצוות.

אין רבינו יונה אויף זיין פירוש אין משלי (ג, כו) ווערט
געברענגט דעם זעלבן געדאנק, אז אפילו א מענטש האט
ח"ו עובר געווען אויף פילע עבירות, זאל ער נישט פארלירן
זיין בטחון און האפענונג אויף רחמי השי"ת. דוד המלך האט
געזאגט אויף זיך אין תהלים (יג, ו) "ואני בחסדך בטחתי –
איך האב זיך פארזיכערט אין דיין חסד". דוד המלך האט
זיכער געהאט גענוג זכותים אויף וואס זיך צו פארלאזן,
און פונדעסטוועגן האט ער זיך נישט פארלאזט נאר אויפ'ן
באשעפער'ס חסדים. דער רבינו יונה ברענגט אויך דעם פסוק
אין דניאל (ט, יח) וואס מיר זאגן ביים דאווענען: "כִּי לֹא עַל
צִדְקֹתֵינוּ אֲנַחְנוּ מַפִּילִים תַּחֲנוּנֵינוּ לְפָנֶיךָ כִּי עַל רַחֲמֶיךָ הָרַבִּים"
– מיר בעטן נישט פון השי"ת צוליב אונזער צדקות נאר צוליב
זיין גרויס רחמנות.

דער חפץ חיים שרייבט אין זיין ספר שם עולם (חלק ב,

קונטרס נפוצות ישראל ח) אז בטחון איז נישט אפהענגיק אין דעם מענטשנ׳ס זכותים, און אפילו א מענטש וואס האט זיך נישט אויפגעפירט ערליך, אבער ער האט זיך געשטארקט אין בטחון אין באשעפער, וועט אים דאס אליין באשיצן פון אלעם בייזן. דער באשעפער ברענגט ישועות פאר דעם מענטש אין זכות פון זיין בטחון, אפילו ווען ער פארדינט זיך עס נישט. ווען מיר אנערקענען אז דער באשעפער האט ליב אונז צו העלפן, און אז ער קוקט ארויס אויף אונזערע תפילות, פארדינען מיר זיך אומשאצבארע זכותים און מיר ווערן ארומגענומען מיט חסדים (זע דארט).

א מענטש טאר קיינמאל נישט טראכטן: "ווער בין איך צו בעטן עפּעס פון באשעפער? פארוואס זאל דער אויבערשטער מיך אויסהערן נאך די שרעקליכע עבירות וואס איך האב שוין עובר געווען?" דער פסוק זאגט אין תהלים "ורחמיו על כל מעשיו" – דעם אויבערשטנ׳ס רחמנות איז אויף אלע זיינע באשעפענישן, און מיר טארן זיך קיינמאל נישט צוריקהאלטן פון מתפלל זיין צום באשעפער.

בטחון איז נישט אפהענגיק אין דעם מענטשנ׳ס זכותים, און אפילו א מענטש וואס האט זיך נישט אויפגעפירט ערליך, אבער ער האט זיך געשטארקט אין בטחון אין באשעפער, וועט אים דאס אליין באשיצן פון אלעם בייזן.

83

חרטה געפילן: א סתירה מיט אמונה

מיר הערן אפט ווי מענטשן גייען ארום און באקלאגן זיך: "איך וואלט געדארפט טוען אזוי אדער אזוי". די חרטה געפילן און הארץ עסענישן אויף זאכן וואס מען קען שוין סייווי נישט טוישן לייגן צוגרונד דעם מענטש. א איד וואס האט אמת'ע אמונה אין באשעפער לעבט נישט אין דעם עבר. ער גייט נישט ארום מיט חרטה געפילן אויף זאכן וואס ער האט געטוען אין דער פארגאנגענהייט.

חרטה געפילן זענען שייך אויף אזויפיל זאכן אין לעבן. צום ביישפיל, א מענטש שטעלט ארויס זיין הויז צום פארקויפן פאר א מיליאן דאלאר, ער באקומט אן אנבאט פאר ניין הונדערט טויזנט דאלאר, און ער אנטזאגט עס. דריי יאר שפעטער דערזעט ער זיך אז דאס הויז איז נאך אלץ נישט פארקויפט, און ער גייט ארום און עסט זיך פארוואס ער האט עס נישט פארקויפט מיט דריי יאר פריער. א מענטש גייט צום דאקטאר פאר באהאנדלונגען, און די באהאנדלונג געלונגט נישט. דאן עסט ער זיך דאס געזונט פארוואס ער איז נישט געגאנגען צו אן אנדערן דאקטאר.

אזא געדאנקענגאנג איז נישט ריכטיג. אויב א מענטש האט געטוען זיין השתדלות און ער האט געמאכט א

געוויסע החלטה לויט די אומשטענדן, דארף ער זיך פארלאזן אויפ'ן באשעפער אז די סיבה פארוואס עס האט זיך נישט אויסגעארבעט איז וויבאלד עס איז געווען פאר זיין טובה. אפילו אויב עס ווערט שפעטער קלאר אז עס וואלט געווען פיל בעסער ווען ער זאל מאכן אן אנדערע החלטה, דארף ער געדענקען אז אלעס איז מן השמים. דער באשעפער האט אריינגעלייגט די שוואכערע החלטה אין זיין קאפ וויבאלד דאס איז געווען פאר זיין טובה.

דער באשעפער האט אריינגעלייגט די שוואכערע החלטה אין זיין קאפ וויבאלד דאס איז געווען פאר זיין טובה.

די גמרא (ברכות לג, ב) לערנט אונז: "הכל בידי שמים חוץ מיראת שמים – אלעס איז אין די הענט פון באשעפער אויסער יראת שמים". דאס מיינט אז דאס איינציגסטע ארט וואו דער באשעפער גיט אונז די בחירה מחליט צו זיין וואס איז ריכטיג און וואס איז נישט איז בנוגע מצוות און עבירות, און אוודאי דארף מען אמת'דיג חרטה האבן אויב מ'האט געזינדיגט, און דאס איז א חלק פון די מצוה פון תשובה. אבער אלע אנדערע החלטות ווערן באמת געמאכט דורכ'ן באשעפער, כאטש עס קוקט אויס אז מיר פאסן אליין אונזער באשלוסן.

עס שטייט אין ספרים, אז אויב דער באשעפער וויל אז מיר זאלן זיך געפינען אין א געוויסע פלאץ און אין א געוויסע צייט צוליב סיי וואס פאר א סיבה, וועט ער מאכן אז עס זאל אונז איינפאלן די מחשבה אז מיר דארפן אהינגיין, און אזוי וועלן מיר אויספאלגן די מחשבה, כאטש מיר האבן באמת נישט געפלאנט אהינצוגיין. דאס מיינט אז דער רבונו של עולם פלאנצט איין אונזערע באשלוסן ביי אונז אין קאפ, און מיר פירן זיך אויף לויט דעם. עס האט נישט קיין פשט חרטה צו האבן אויף עפעס וואס ווערט געפירט פון הימל.

א איד וואס האט אמת'ע אמונה אין באשעפער ווייסט אז אלע זיינע אייגענע החלטות קומען פון דעם רבונו של עולם. ווי לאנג מיר טוען אונזער השתדלות און מיר פרובירן צו טוען דאס בעסטע וואס מיר קענען, דארפן מיר נישט אריינפאלן אין ספיקות. מיר טארן נישט איינזינקען אין חרטה געפילן און מיר דארפן געדענקען אז אלעס וואס האט פאסירט איז געווען דער רצון ה'.

84

אמונה און בטחון ברענגט השפעות

עס איז בדוק ומנוסה אז וואס מער א מענטש שפירט אז דער באשעפער איז משגיח מיט השגחה פרטית אויף דער וועלט, אלץ מער זעט ער דעם באשעפער'ס הילף אין טאג טעגליכן לעבן.

א איד, א מעקלער, האט מיר לעצטנס דערציילט, אז ער האט באקומען א גרויסע באשטעלונג פון א פירמע פאר זעקס באזונדערע סארט קליידער. די פירמע האט אים אבער אנגעזאגט אז זיי מוזן האבן די קליידער ביז א באשטימטן טאג, און אויב זיי באקומען די סחורה אפילו איין טאג שפעטער וועלן זיי רעכענען דערפאר א הויכן קנס. דער איד האט מסכים געווען צו דעם תנאי. עטליכע וואכן שפעטער האט די פירמע וואס פאבריצירט די קליידער אים אנגערופן און זיך אנטשולדיגט אז עס האט פאסירט א טעות און די קליידער וועלן אפגעשיקט ווערן עטוואס שפעטער. דער איד איז געווען זייער אנטוישט, וויסענדיג אז זיין קליענט וועט אים רעכענען דערפאר א הויכן קנס, וואס וועט אראפגיין פון זיינע פארדינסטן. ער האט זיך אבער מחזק געווען אז אלעס קומט פון באשעפער.

צום ערשט האט ער געטראכט אז ער וועט אנרופן די קאמפאני און געבן עפעס אן אויסרייד פארוואס די קליידער קומען אָן שפעט כדי צו פארמיידן דעם קנס. דאן האט ער געטראכט צו זיך: "דער באשעפער פירט

אלעס און אויך מיין פרנסה, איך טאר נישט זאגן ליגן כדי צו פארדינען געלט!" מיט דעם אלעם האט ער געשפירט אז זיין אמונה איז נאכנישט גענוג שטארק, און ער האט דעריבער אנגעהויבן אויסהערן שיעורים אויף אמונה און בטחון כדי זיך צו מחזק זיין אז דער באשעפער איז דער מקור הפרנסה.
פיר טעג שפעטער האט ער זיך שוין געשפירט רואיג אז ער איז געשטארקט אין אמונה און בטחון, און אז ער ווייסט קלאר אז דער באשעפער פירט אלעס לטובה.
מיט א רואיגקייט האט ער אויפגעהויבן דעם טעלעפאן, אנגערופן די פירמע און זיי געלאזט וויסן אז די סחורה וועט אנקומען שפעט. ער האט זיי געבעטן אויב זיי קענען מוותר זיין אויף דעם קנס.
דער ענטפער איז געווען: "דו האסט מזל, מיר האבן דיר געגעבן אביסל מער צייט, אזוי אז די סחורה וועט נאך אנקומען באצייטענס אויף די פאליצעס, דו דארפסט זיך נישט זארגן וועגן דעם קנס".
דער איד האט זיי הערצליך באדאנקט, און אויף זיינע ליפן האט זיך אויסגעצויגן א שמייכל, טראכטנדיג צו זיך ווי זיין אמונה און בטחון האט אים געהאלפן אויף דער מינוט. טראצדעם וואס מען האט אים געזאגט אז אפילו אויב ער וועט אפשיקן די סחורה מיט איין טאג שפעטער ווי אפגעשמועסט וועט ער דארפן צאלן קנס; פונדעסטוועגן האט מען אים דאס איינגעשפארט פון הימל אין זכות פון זיין אמונה.

אן אנדערער איד האט מיר דערציילט אז זיין שותף איז לעצטנס געווען אין כינע זיך צו טרעפן מיט א פאבריקאנט, און ער האט באמערקט אז זייער קאנקורענט האט דארט באשטעלט א גרויסע באשטעלונג פון א סטיל וואס זיי - די צוויי שותפים - האבן אליין ערפינדן!
עס האט זיך ארויסגעשטעלט אז איינער פון זייערע "בייערס" [וואס קויפן איין פאר די פירמע] האט באשטעלט א קליינע צאל פון דעם סטיל, עס געוויזן פאר'ן קאנקורענט, און זיי געפרעגט צי זיי קענען עס פאבריצירן פאר ביליגער. דערפאר האט זייער

קאנקורענט באשטעלט א גרויסע באשטעלונג פון דעם סטיל.

דער שותף האט געזאגט: "אמאליגע צייטן וואלט איך אנגערופן דעם קאנקורענט און אים געגעבן א פסק הלמאי ער גנב'עט מיין סטיל סחורה, און איך וואלט אויך אנגערופן דעם "בייער" און אים אנגעזידלט. אבער יעצט האב איך שוין געהאט א שטארקערע אמונה אין באשעפער, און איך האב געוואוסט אז דער רבונו של עולם איז דער איינציגער וואס גיט פרנסה, ווייס איך אז דער קאנקורענט קען גארנישט אוועקנעמען פון מיר".

דער איד האט אנגערופן דעם "בייער", און מיט א רואיגע שטימע געזאגט: "איך זע אז דו האסט באשטעלט ביי מיין קאנקורענט א גרויסע באשטעלונג, דאס קומענדיגע מאל זאלסטו זיך ביטע דורכרעדן מיט אונז פאר דו טוסט אזא שריט, ווייל דאס איז א פראדוקט וואס מיר האבן אליין געמאכט". דער "בייער" איז אזוי נתפעל געווארן פון די רואיגע שטימונג וואס דער ביזנעסמאן האט ארויסגעוויזן, אז ער האט אפגערופן די באשטעלונג פון דעם קאנקורענט.

אויב מען לעבט מיט די הכרה אז דער באשעפער פירט יעדע זאך אין דער וועלט, ווערט מען נישט פארלוירן ווען מען עפעס גייט נישט ווי מען וויל.

אויב מען לעבט מיט די הכרה אז דער באשעפער פירט יעדע זאך אין דער וועלט, ווערט מען נישט פארלוירן ווען עפעס גייט נישט ווי מען וויל אדער ווען מען שפירט אז מען איז געווארן בא'עולה'ט. דער מענטש פארשטייט אז ווען ער געפינט זיך אין א שווערן מצב, האט דער באשעפער אים אריינגעלייגט דערין און ער קען אים פונקט אזוי ארויסנעמען דערפון. מען דארף נאר האבן אמונה און בטחון און זיך האלטן רואיג, טראץ דעם וואס מען גייט דורך א שווערע תקופה.

85

קיינמאל זיך נישט מייאש זיין

מיר טרעפן זיך אפטמאל אין א מצב וואס זעט אויס גענצליך שווארץ, אָן קיין שום אויסזיכט אז עס וועט פארבעסערט ווערן. סיי אויב מען פלאגט זיך ל"ע מיט א מחלה, פראבלעמען אין שלום בית, לעגאלע פראבלעמען, און אזוי ווייטער. עס איז גאנץ מעגליך אז עס איז טאקע נישטא קיין האפענונג – אבער דאס איז נאר פון דעם מענטשנ'ס שטאנדפונקט. דאקעגן דער באשעפער האט אומצאליגע וועגן ווי אזוי ער קען לעזן יעדן פראבלעם וואס איז נאר פאראן, און דערפאר איז שטענדיג דא האפענונג אז ער וועט אונז ארויסנעמען פון דעם פראבלעם.

ווען א מענטש געפינט זיך אין א שווערן מצב און ער האלט זיך חלילהביים מייאש זיין זאל ער געדענקען דעם פסוק (תהלים קל ז): "יַחֵל יִשְׂרָאֵל אֶל ה' כִּי עִם ה' הַחֶסֶד וְהַרְבֵּה עִמּוֹ פְדוּת". דער באשעפער האט אומצאליגע וועגן ווי אזוי אונז אויסצולייזן פון אלע זיינע צרות, אפילו דורך אופנים אויף וואס מיר וואלטן זיך נישט גע'חלומ'ט אין ווילדסטן חלום, ווי דער פסוק זאגט: "וְהַרְבֵּה עִמּוֹ פְדוּת".

דער באשעפער האט אומצאליגע וועגן ווי אזוי אונז אויסצולייזן פון אלע זיינע צרות, אפילו דורך אופנים אויף וואס מיר וואלטן זיך נישט גע'חלומ'ט אין ווילדסטן חלום.

א איד האט מיר דערציילט אז ער איז אמאל געווען אויף א באזוך אין זיין חבר'ס אפיס ווען עס איז פארגעקומען א שווערער קריזיס. עס האבן זיך פלוצים אנגערוקט

רעגירונגס לייט און האבן אנגעקלאגט זיין חבר אויף עפעס א פארברעכן. זיי האבן געלייגט געלע טעיפ ארום דעם גאנצן אפיס, און דערביי געלאזט וויסן דעם אייגענטימער אז אזוי ווי דאס איז שוין זיין צווייטע פארברעכן, וועלן זיי צושפארן די ביזנעס און אים ארעסטירן. עס איז שוין געווען סוף טאג, און די אגענטן האבן געזאגט פאר דעם איד אז זיי וועלן צוריקקומען דעם קומענדיגן טאג ניין אזייגער צופרי.

דער ביזנעס אייגנטימער האט געשפירט ווי די וועלט פאלט צוזאם פאר זיינע אויגן. ער האט פונקט געהאט ביי זיך אין אפיס א געוויסן רב. דער איד האט זיך אנגעהויבן בעטן ביי דעם רב אז ער זאל אים העלפן, זאגענדיג: "איך זאג צו אז איך וועל זיין מער פארזיכטיג נישט צו טוען אומלעגאלע שריט, אבער ביטע העלפט מיר".

דער רב האט געזען אז ער מיינט עס ערנסט, האט ער זיך אוועק געשטעלט מתפלל זיין פאר פינף און פערציג מינוט אז דער איד זאל געהאלפן ווערן. נאכדעם האט ער געהייסן יעדן איינעם אהיימגיין און צוריקקומען ווי געהעריג דעם פאלגענדן צופרי, און ער האט מבטיח געווען: "עס איז מער נישט פאראן קיין שום פראבלעם, די אגענטן וועלן נישט צוריקקומען".

דער איד האט נאך נישט געגלייבט אז ער איז שוין טאקע געהאלפן געווארן. דעם קומענדיגן צופרי איז ער אנגעקומען אין אפיס זייער אנגעצויגן און פארלוירן. עס זענען אבער נישט געווען קיין שום אגענטן. עס איז געווארן צען אזייגער, עלף אזייגער, און מ'האט נישט געזען קיין שום צייכן פון רעגירונגס אגענטן. ארום עלף דרייסיג איז דער רב אנגעקומען און געזען אז די געלע טעיפ איז נאך אלץ ארומגעוויקלט. ער האט ארויסגענומען א שערל און אויפגעשניטן די טעיפ, זאגענדיג: "וואס גייט דא פאר? איך האב דאך אייך געזאגט אז איר קענט אלע צוריקגיין צו דער ארבעט פונקט ווי פריער. זיי קומען נישט צוריק און מען דארף זיך גארנישט זארגן וועגן זיי".

"וואס האט דער רב געבעטן ביים באשעפער?" האט דער איד געפרעגט.

ענטפערט דער רב: "איך האב געבעטן אז די רעגירונג זאל פארגעסן אייערע נעמען, אייער ביזנעס, און אז איר האט אמאל געטוען עפעס אומלעגאל".

עס איז שוין דורך געלאפן אכצן יאר זינט די מעשה, און קיין שום אגענטן זענען דערווייל נישט ערשינען ביים טיר פון די ביזנעס. די תפילות פון דעם רב זענען מקויים געווארן און אלע לעגאלע קלאגעס זענען פארשוואונדן ווי אין וואסער אריין. דאס איז געווען אן אפענע ישועה פון הימל. דער באשעפער האט אים געראטעוועט אפילו עס האט אויסגעזען ווי עס זענען נישט פאראן קיין שום אויסזיכטן זיך צו ראטעווען.

איך האב אמאל גערעדט מיט א מלחמה איבערלעבער מיט'ן נאמען הרב צבי אלימלך קארנרייך. ער האט מיר דערציילט אז ער איז געווען דער איינציגער אין זיין גאנצע משפחה וועלכער האט איבערגעלעבט די קריג. נאך די מלחמה האט ער נישט געהאט וואו צו גיין און צו וועמען זיך צו ווענדן, אבער ער איז געווען אנטשלאסן צוריק אויפצובויען זיין לעבן. עווענטועל האט ער חתונה געהאט האפענדיג צו השי"ת אז זיי וועלן קענען אויפשטעלן א אידישע שטוב און פארגעסן אביסל פון די צרות.
פון הימל האט מען אבער אנדערש געוואלט. עס זענען פארלאפן אכט יאר און זיי האבן נישט זוכה געווען צו קינדער. זיי זענען געגאנגען צו א דאקטאר, וועלכער האט זיי אינפארמירט אז צוליב די אכזריות'דיגע עקספערימענטן וואס די נאציס האבן דורכגעפירט אויף זיין פרוי וועט זי נישט קענען האבן קיין קינדער.
דאס פארפאלק איז געווען צעבראכן ווי א שארבן. זייער איינציגע האפענונג איז געווען צוריק אויפצובויען א שטוב נאך דעם גרויסן חורבן, און יעצט וועלן זיי נישט קענען ערפילן זייער לאנג ערווארטעטע האפענונג. זיי האבן אבער נישט אויפגעגעבן; זיי האבן מתפלל געווען צום באשעפער מיט הייסע טרערן און זענען ארומגעלאפן צו צדיקים פאר ברכות. ביז א קורצע צייט שפעטער האט די פרוי געהאט א קינד. דאס פארפאלק האט היינט איבער הונדערט אייניקלעך און אור אייניקלעך.

מיר קענען אפטמאל שפירן ווי מיר דערשטיקן זיך אין א פראבלעם און עס איז באמת נישט פאראן קיין אויסוועג, אבער דאס איז נישט ריכטיג. דער באשעפער האט שטענדיג

א לעזונג פאר אונזערע פראבלעמען, אפילו ווען עס זעט אויס ווי אלעס איז שווארץ. מיר טארן קיינמאל נישט פארגעסן אז דער באשעפער איז א "כל יכול" און ער קען אונז ארויסנעמען פון יעדן שווערן מצב אין וועלכן מיר געפינען זיך. דער עיקר איז אז מען זאל זיך נישט מייאש זיין, נאר תשובה טוען און מתפלל זיין צום באשעפער.

86

קידוש ה' פועל'ט אויס ישועות

מיר האבן אלע שוין געהערט געשיכטעס איבער ישועות וואס זענען געקומען פון הימל. מיר ווייסן און געדענקען אז קיין שום פראבלעם איז נישט צו גרויס פאר'ן באשעפער, און אז ער קען אונז אויסלייזן פון יעדן שווערן מצב אין וועלכן מיר געפינען זיך. אבער נישט אייביג ווייסן מיר ווי אזוי אויסצו'פועל'ן א ישועה פון הימל. וואס קענען מיר טוען אויסצובעטן א ישועה ווען מיר האבן א צרה?

עס איז זיכער אז ווען א איד האט אמונה און בטחון און איז מתפלל צום באשעפער איז דאס גאר ווירקזאם אויסצו'פועל'ן א ישועה פון הימל.

עס איז זיכער אז ווען א איד האט אמונה און בטחון און איז מתפלל צום באשעפער איז דאס גאר ווירקזאם אויסצו'פועל'ן א ישועה פון הימל. אבער אויסער דעם קען מען אויס'פועל'ן ישועות דורכ'ן מאכן א קידוש ה'. חז"ל זאגן (תורת כהנים פרשת אחרי מות יג, יד): "אם מקדישים אתם את שמי אף אני אקדש את שמי על ידכם – אויב איר וועט הייליגן מיין נאמען דאן וועל איך אויך ברענגען אז מיין נאמען זאל געהייליגט ווערן דורך אייך". דעם באשעפער'ס נאמען ווערט געהייליגט דורך דעם וואס ער באווייזט ניסים, און אויב מען מאכט א קידוש ה', דאן וועט דער באשעפער אונז געבן נאך געלעגנהייטן צו מאכן א פרישן קידוש ה'. צום ביישפיל: אויב א מענטש איז קראנק און די דאקטוירים האבן זיך שוין מייאש געווען, אבער דער איד ווערט אויסגעהיילט

א דאנק די הארציגע תפילות פון אידן, דאן איז דאס א קידוש ה'. חז"ל זאגן אונז אז דורכ'ן זיך אויפפירן מיט אן ערליכע התנהגות וואס איז מקדש שם שמים, ברענגען מיר אז מיר זאלן זוכה זיין צו נאך א קידוש ה' ווען אונזערע תפילות ווערן אנגענומען.

ר' ראובן שראן, א באקאנטער אידישער פילאנטראפ און א שטרענג ארטאדאקסישער איד, האט מיט פערציג יאר צוריק געקויפט א הויז אין מאנהעטן. איין טאג זענען זיינע קינדער געשפרינגען אויפ'ן בעט, און פלוצלינג האבן זיי געהערט א קראך אונטער דעם מאטראץ. זיי האבן אויפגעהויבן דעם מאטראץ און געזען אז דער בעט האט זיך אויפגעבראכן, און עס ליגט דארט א קאסטן מיט צירונג און דיאמאנטן וואס איז ווערד ארום פערציג טויזנט דאלאר. שראן איז געווארן אויסער זיך פון איבערראשונג, און ער האט אנגעהויבן קלערן אויב די צירונג באלאנגט פאר אים. אין דעם קאנטראקט פונעם הויז איז אויסדרוקליך געשטאנען אז אלעס וואס געפינט זיך אין דעם הויז ווערט פארקויפט צוזאמען מיט דעם הויז, אריינגערעכנט די מעבל און אלע פארמעגענס. זייענדיג פארצווייפעלט איז ער געגאנגען צו הגאון ר' משה פיינשטיין זצ"ל פרעגן א שאלה. רבי משה האט גע'פסק'נט אז ער דארף אלעס אפגעבן וויבאלד ווערטפולע חפצים ווערן געווענליך נישט אריינגערעכנט ווען מען פארקויפט א הויז. שראן האט אנגערופן דעם פארקויפער און אים געזאגט אז ער וויל אים אפגעבן דעם אוצר מיט צירונג. ווען דער פארקויפער האט דאס געהערט איז ער געווארן זייער איבערראשט און געענטפערט: "אונזערע עלטערן האבן אונז איבערגעלאזט א ירושה אין דעם הויז, אבער מיר האבן דאס קיינמאל נישט געקענט טרעפן".
דער פריערדיגער אייגענטימער איז מורא'דיג נתפעל געווארן פון די ערליכע התנהגות פון דעם ארטאדאקסישן איד. דאס איז געווען אן אויסערגעווענליכער קידוש ה'. יענע צייט האט ר' ראובן אנגעהויבן האנדלען אין ריעל עסטעיט, און דער באשעפער האט אים באשאנקען מיט גרויס הצלחה. ער האט פארדינט א סאך געלט, און ער האט זוכה געווען מקדש צו זיין שם שמים מערערע מאל מיט זיינע פילע צדקה אקטיוויטעטן.

דער פסוק זאגט אין תהלים (כ, ג): ״יִשְׁלַח עֶזְרְךָ מִקֹּדֶשׁ״. דער מדרש (שוחר טוב) טייטשט אז דער באשעפער שיקט אונז זיין הילף דורך דעם וואס מיר הייליגן זיין נאמען, און אויך דורך דעם וואס מיר הייליגן זיך מיט מצוות און מעשים טובים. דאס ברענגט אז מיר זאלן געהאלפן ווערן אין אנדערע געביטן אין לעבן, און אזוי ארום באקומען מיר נאך געלעגנהייטן גרויס צו מאכן דעם באשעפער׳ס נאמען.

א קידוש ה׳ ווערט נישט אפט פלאנירט פון פאראויס. עס קומט פון דעם וואס מען לעבט נאטורליך לויט דעם רצון ה׳. דאס ברענגט שוין ממילא אז מען זאל זוכה זיין מקדש צו זיין שם שמים אויף אומגעראכטענע אופנים.

עס איז אמאל געוועז א תלמיד חכם אין ארץ ישראל וועלכער האט נישט געהאט קיין פרנסה. איין שבת איז זיין זון זייער קראנק געווארן, און ער איז געלאפן צו א פרייע דאקטאר וועלכער האט געוואוינט אויף יענע גאס. דער דאקטאר איז אראפגעקומען אבער ער האט פארלאנגט אז מען זאל אים באצאלן אויפ׳ן פלאץ.

דער דאקטאר האט זיך אויסגעדריקט אז ער געטרויט נישט די רעליגיעזע אידן, אז מ׳וועט אים צאלן נאך שבת, צוגעבענדיג אז ער וועט נאר באהאנדלען דאס קינד אויב מ׳גיט אים פאראויס א טשעק פון פינף הונדערט שקל.

אזוי ווי פיקוח נפש איז דוחה שבת, האט דער טאטע געשריבן א טשעק מיט די לינקע האנט, און ער האט עס איבערגעגעבן פאר׳ן דאקטאר. דער דאקטאר האט געגעבן א קוק אויפ׳ן טשעק און געזען אז עס איז אויסגעשטעלט אויף טויזנט שקל.

זעענדיג די סומע, זאגט דער דאקטאר: ״דו האסט נישט געהערט ריכטיג, איך האב געבעטן פינף הונדערט שקל, נישט טויזנט שקל, עס זעט מיר נישט אויס ווי איר לעבט אזוי רייך אז איר זאלט זיך קענען ערלויבן צו צאלן טאפלט״.

דער תלמיד חכם האט אים מסביר געווען אז אויב ער וואלט געשריבן א טשעק פון פינף הונדערט שקל וואלט ער געדארפט שרייבן דריי ווערטער: חמש מאות שקל, אבער צו שרייבן א טשעק פון טויזענט שקל האט ער נאר געדארפט שרייבן צוויי ווערטער: אלף שקל. דערפאר האט ער ענדערש געשריבן טויזענט שקל כדי צו פארקלענערן דעם חילול שבת.

דער דאקטאר איז ערשטוינט געווארן פון די ווערטער. ער האט נאך קיינמאל נישט געזען אזא זאך אין זיין לעבן. א איד איז געווען גרייט אים צו צאלן נאך פינף הונדערט שקל אבי צו שרייבן איין ווארט ווייניגער אין שבת קודש. דער דאקטאר איז אהיימגעגאנגען און האט געוויזן דעם טשעק פאר זיין ווייב. נאך שבת איז ער געקומען צום שטוב פון דעם תלמיד חכם און אים געזאגט אז ער איז געווארן אזוי גערירט פון די מעשה אז ער וויל לערנען מער וועגן שבת און וועגן אידישקייט. דער תלמיד חכם האט אנגעהויבן לערנען מיט אים און צום סוף איז ער געווארן א בעל תשובה.

אין אט די מעשה האט דער תלמיד חכם געמאכט גאר א גרויסן קידוש ה', אבער דאס איז געווען אומגעפּלאנט; ער האט נישט פּרובירט צו באאיינדרוקן דעם דאקטאר; ער האט נאר געלעבט זיין לעבן אזוי ווי דער באשעפער וויל, און פּרובירט צו טוען דעם רצון ה' לויט זיינע בעסטע מעגליכקייטן. אבער אין זכות פון דעם קידוש ה' איז דער דאקטאר געווארן א בעל תשובה, און אלע זיינע קינדער און אייניקלעך וועלן אפּהיטן די מצוות עד סוף כל הדורות.

אויב מען פירט זיך אויף ערליך איז מען כסדר מקדש דעם שם שמים, און אזוי וועט דער באשעפער אונז צושיקן די ישועות וואס מיר דארפן, כדי אונז צו ערמעגליכן אז מיר זאלן ווייטער קענען הייליגן און גרויס מאכן זיין נאמען.

87

די
פארלוירענע
שיך

אין דעם פריערדיגן קאפיטל האבן מיר דערמאנט
דעם מאמר חז"ל: "אם מקדישים אתם את שמי
אף אני מקדש את שמי על ידכם" (תורת כהנים
אחרי מות יג, יד). דער באשעפער זאגט אונז אז טאמער
מיר וועלן הייליגן זיין נאמען וועט ער מאכן אז זיין נאמען
זאל געהייליגט ווערן דורך אונז. א געוויסער רב האט מסביר
געווען אז טאמער מענטשן זעען ווי איינער איז געווען אין א
שווערע צרה און ער איז אויסגעלייזט געווארן דערפון, דאן
איז דאס א גרויסער קידוש ה'. אויב מען מאכט א קידוש ה'
דורכ'ן זיך אויפפירן אויף אן ערליכן איידעלן אופן, וועט דער
באשעפער ברענגען א ישועה וואס וועט נאכמער הייליגן זיין
נאמען.

ווי מיר האבן אויבן ערקלערט, איז א קידוש ה' נישט
פלאנירט פון פאראויס. אפטמאל קען פארקומען אז דורכ'ן
זיך אויפפירן ערליך וועט דאס אויטאמאטיש ברענגען א
קידוש ה'.

מען האט אמאל אראפגערופן א רב צו קומען האלטן
א דרשה אין מעלבורן, אוסטראליע, ביי א מסיבה פאר
צדקת "רבי מאיר בעל הנס". דער רב איז דעמאלט געווען
אין לאס אנדזשעלעס, און ער איז ארויסגעפלויגן אויף
די רייזע קיין אוסטראליע. דער טראוועל אגענט האט

> אויב מען מאכט
> א קידוש ה' דורכ'ן
> זיך אויפפירן
> אויף אן ערליכן
> איידעלן אופן, וועט
> דער באשעפער
> ברענגען א
> ישועה וואס וועט
> נאכמער הייליגן
> זיין נאמען.

אים געזאגט אז עס וועט זיין נאך א איד אויפ'ן פליגער. די צוויי אידן האבן זיך געטראפן אין לופטפעלד אין לאס אנזשעלעס, און דער איד, וועלכער איז געקומען פון ארץ ישראל, האט דערציילט פאר'ן רב אז ער פליט קיין אוסטראליע כדי צוזאמצושטעלן געלט צו חתונה מאכן זיין עלפטע קינד. ער האט פרובירט צוזאמצושטעלן געלט אין אמעריקע, אבער צוליב דעם פינאנציעלן קריזיס האט ער נישט באוויזן צונויפצוזאמלען די נויטיגע סומע. איינער האט אים דעריבער גע'עצה'ט צו פארן קיין אוסטראליע, וואו עס זענען פאראן וויניגער מענטשן וואס גייען נאך געלט.

בשעת די צוויי זענען דורכגעגאנגען די זיכערהייט וואך, האט מען זיי געהייסן אויסטוען די שיך. ווען זיי זענען אנגעקומען אויף די אנדערע זייט האט דער רב געטראפן זיינע שיך, אבער דער אנדערער איד האט בשום אופן נישט געקענט טרעפן זיינע שיך. ער האט ארומגעקוקט איבעראל אבער ער האט עס נישט געקענט טרעפן. ער האט געפרעגט דעם זיכערהייט אגענט אויב ער קען אים העלפן. ער האט ארומגעזוכט ביז ער האט געטראפן אן אנדערע פאר שיך וואס איז געווען צו קליין. דער אגענט האט שפאקולירט אז ווארשיינליך האט זיך עמיצער אויפגעטוישט מיט זיינע שיך.

די אגענטן האבן נישט געוואוסט וואס צו טוען. זיי האבן אים געגעבן א סערטיפיקאט פון הונדערט דאלאר צו קויפן נייע שיך אין מעלבורן. זיי האבן גארנישט געקענט טוען מער. דער איד איז געבליבן רואיג, און ער האט זיך באדאנקט און איז ווייטער געגאנגען אויפ'ן וועג צום פליגער, וויסענדיג אז ער וועט מוזן פליען אויף א רייזע איבער א האלבע וועלט אָן שיך.

ווען זיי זענען ארויף אויפ'ן פליגער האט דער רב זיך אראפגעזעצט נעבן דעם איד. מיטאמאל האבן זיי באמערקט ווי א גוי שטייט נעבן זיי און נעמט נישט אראפ זיין אויג פון דעם איד'ס פיס. ענדליך האט דער גוי זיך אנגערופן: "איך מוז דיר זאגן, איך בין געווען הינטער דיר אין דעם לופטפעלד בשעת דו האסט פארלוירן דיינע שיך. איך האב נאך קיינמאל נישט געזען אזא איידלקייט און העכערקייט. אויב דאס וואלט פאסירט צו מיר וואלט איך זיך געגומען שרייען: גיט מיר מיינע שיך! עס גייט מיך נישט אָן אויב מען דארף אויפהאלטן דעם גאנצן פליגער

ביז איך באקום נייע שיך! איך גיי נישט קיין אוסטראַליע אָן שיך! אבער דו האסט אנגענומען דעם מצב מיט א שמייכל אויפ'ן פנים. איך האב עס ממש נישט געקענט גלייבן.

דער איד, וועלכער איז נישט געווען באהאוונט אין די ענגלישע שפראך, האט נישט פארשטאנען וואס דער גוי האט אים געזאגט. דער רב האט עס איבערגעטייטשט פאר אים. דאן האט דער גוי געפרעגט פארוואס ער פארט קיין אוסטראַליע. דער רב האט אים מסביר געווען אז ער פארט צוזאמצונעמען געלט פאר זיין טאכטער'ס חתונה.

"דאס איז נישט אויסגעהאלטן", האט דער גוי געזאגט, "אזא איידעלער, אריסטאקראטישער מענטש דארף נישט ארומגיין קלאפן אויף די טירן פאר נדבות. זאגט מיר וויפיל געלט ער דארף".

דער רב האט אים געזאגט אז ער דארף האבן נאך פינף און צוואנציג טויזנט דאלער. אויפ'ן פלאץ האט דער נישט-אידישער פאסאזשיר אויסגעשריבן א טשעק פון פינף און צוואנציג טויזנט פונט, וואס קומט אויס דריי און דרייסיג טויזנט דאלאר. זיי האבן נישט געקענט גלייבן וואס זיי זעען. ווען זיי זענען אנגעקומען קיין מעלבורן, זענען זיי געגאנגען איינקעשן דעם טשעק, און די גאנצע סומע פאר די חתונה איז געווארן געדעקט. דער איד האט געדאנקט דעם באשעפער און גענומען דעם נעקסטן פליגער אהיים קיין ארץ ישראל.

דאס איז א הערליכער ביישפיל פון א קידוש ה' וואס האט געברענגט א באלדיגע ישועה. דער איד האט געמאכט א קידוש ה' פּשוט דורכ'ן זיך אויפפירן איידל און ערליך, און דאס האט געברענגט זיין ישועה אויף אן אומגערעכטענעם אופן. "יִשְׁלַח עֶזְרְךָ מִקֹּדֶשׁ" – דער באשעפער שיקט זיין הילף א דאנק דעם וואס מען מאכט א קידוש ה'.

זיך ווענדן צום באשעפער

דער פסוק זאגט (תהלים קכ, א): "שיר המעלות אל ה' בצרתה לי קראתי ויענני". דוד המלך זאגט אונז אז ווען ער האט זיך געטראפן אין א שווערן מצב האט ער מתפלל געווען צום באשעפער, און דער אויבערשטער האט אנגענומען זיינע תפילות. טייל מענטשן, ווען זיי געפינען זיך אין אן עת צרה, ווענדן זיי זיך קודם צו פארשידענע מענטשן פאר הילף, און ערשט ווען דאס אלעס העלפט נישט גיסן זיי זיך אויס דאס הארץ צום באשעפער. אבער דוד המלך האט תיכף מתפלל געווען צום באשעפער, און אזוי זענען זיינע תפילות אנגענומען געווארן.

דוד המלך האט תיכף מתפלל געווען צום באשעפער, און אזוי זענען זיינע תפילות אנגענומען געווארן.

איינער האט מיר דערציילט אז עטליכע חדשים צוריק האט זיין ביזנעס אנגעהויבן אונטערצוהינקען. זיינע קליענטן האבן אנגעהויבן אפצורופן זייערע באשטעלונגען, און עס זענען נישט געקומען קיין נייע באשטעלונגען. ער האט זיך ארומגעדרייט זייער אנגעצויגן זייענדיג אינגאנצן פארלוירן, אבער ער האט אפגעמאכט ביי זיך אז די אנגעצויגנקייט וועט אים נישט העלפן, און אנשטאט דעם האט ער זיך מחזק געווען אין אמונה. ער איז ארומגעגאנגען הערן פארשידענע שיעורים אין אמונה, און איין צופרי בשעת'ן דאווענען שחרית האט ער געטראכט: "איך האלט נישט ביים זיך בעטן ביי מענטשן אז זיי זאלן קויפן מיין פראדוקט, זיי האבן נישט קיין שום ווארט איבער וויפיל געלט איך זאל פארדינען, איך וועל גיין גלייך צום מקור פון מיין פרנסה".

ער האט זיך דאן געווענדן צום באשעפער און געזאגט: "איך ווייס אז דו ביסט דער איינציגסטער וואס קען מיר העלפן!" און ער האט זיך אויסגעגאסן דאס הארץ צום רבונו של עולם אז ער זאל אים העלפן מיט זיין פרנסה. עטליכע שעה שפעטער האט איינער פון זיינע קליענטן אים אנגערופן און געזאגט אז ער האט זיך בארעכנט אז ער וויל יא קויפן ביי אים, און ער האט באשטעלט א גרויסן קוואנטום פון סחורה. דער קליענט האט אויך רעקאמענדירט פאר אן אנדערע פירמע צו באשטעלן ביי אים. צום סוף האט זיין ביזנעס פארדינט דריי מאל מער וויפיל זיי האבן זיך פארגעשטעלט.

ווען מיר האבן א פראבלעם דארפן מיר גלייך בעטן דעם באשעפער, דער מקור פון אונזער פרנסה און פון אונזערע ישועות.

אן אנדערער איד האט מיר דערציילט אז ער האט נישט פארדינט גענוג געלט ביי זיין ארבעט, און האט זיך גענויטיגט אין א בעסערע פרנסה. ער האט מתפלל געווען צום באשעפער און געבעטן: "הייליגער באשעפער, דו שטעלסט צו פאר יעדן באשעפעניש אלעס וואס ער דארף, איך דארף וויכטיג האבן מער פרנסה אין שטוב, ביטע העלף מיר".
איין טאג האט אים איינער דערציילט, אז עס איז פאראן אן ארבעטס געלעגנהייט אין א גרויסע פירמע וואס איז זייער פאסיג פאר אים. דער איד האט זיך צוגעכאפט דערצו און ער איז געגאנגען פאר אן אינטערוויו. די פירמע איז זייער אנטציקט געווארן פון אים, און זיי האבן אים אנגעבאטן דעם דזשאב מיט א טאפעלטען געהאלט פון וויפיל ער האט פארדינט ביז דאן. דער איד האט זיך נאך אבער געקווענקלט, וויבאלד די נייע פאזיציע האט פארלאנגט פיל מער שעות פון וואס ער איז געווען געוואוינט. ער האט זיך געזארגט אז ער וועט נישט האבן גענוג צייט זיך אפצוגעבן מיט זיין משפחה. ער האט זיך דורכגערעדט מיט זיין ווייב, און זיי האבן אפגעמאכט אז היות דער באשעפער האט מקבל געווען זייערע תפילות מיט'ן צושטעלן דעם נייעם דזשאב, זאל ער עס אננעמען. דער מענטש האט דערציילט פאר זיין יעצטיגן בעל הבית אז ער האט אן אנבאט פאר א נייעם דזשאב. דער בעל הבית האט אים געזאגט, אז טראצדעם וואס ער איז

זייער צופרידן פון זיין ארבעט און ער וויל נישט אז ער זאל אוועקגיין, קען ער אים נישט געבן דעם געהאלט וואס די צווייטע פירמע וויל אים צושטעלן. זיין בעל הבית האט אים געפרעגט אויב ער איז גרייט צוווארטן נאך צוויי וואכן ביז מ'זאל טרעפן א צווייטן וואס זאל איבערנעמען זיין פלאץ, און דער איד האט מסכים געווען.
נאך א קורצע צייט האבן זיי געזען אז קיינער איז נישט געווען אזוי פאסיג ווי אים פאר דעם דזשאב. דער בעל הבית האט דעריבער באשלאסן אים צו האלטן אויף זיין פאזיציע און אים געבן א העכערונג אין געהאלט.
יעצט איז זיין געהאלט געווען כמעט אזויפיל ווי ביי דעם צווייטען דזשאב. דער ארבעטער האט אים דאן מסביר געווען אז דער צווייטער דזשאב האט אויך געהאט א מעגליכקייט צו שטייגן און צו מאכן מער געלט, און דער בעל הבית האט אים דעריבער אנגעבאטן א פינף יעריגן פלאן צו שטייגן און עווענטועל פארדינען מער געלט.

אזוי ארום איז געלונגען פאר דעם איד צו האלטן דעם זעלבן דזשאב, מיט די זעלבע באקוועמע שעות, און פארדינען מער געלט. דער באשעפער קען אונז געבן אלעס וואס מיר ווילן אָן דעם וואס מיר זאלן דארפן מאכן באזונדערע השתדלות אויסער אונזערע מעגליכקייטן.

89

אלעס איז לטובה

אמענטש וואס האט אמונה אין באשעפער איז שטענדיג צופרידן. אפילו ווען דאס לעבן גייט נישט ווי אזוי ער וואלט געוואלט, זאגט ער שטענדיג "גם זו לטובה" (תענית כא, א). ער ווייסט אז דער באשעפער האט א געוואלדיגע ליבשאפט צו אים און וויל נאר דאס בעסטע פאר אים. סיי אויב ער האט נישט באקומען די פרנסה וואס ער האט געזוכט, אדער אויב ער האט נישט געקענט טוען דעם שידוך וואס ער האט געוואלט, ווייסט ער אז "גם זו לטובה".

די ווערטער "גם זו לטובה" זענען נישט בלויז געזאגט. דאס איז דער אמת. אפטמאל קען אויסזען אז זאכן וואס פאסירן אין לעבן זענען נישט פאר די טובה פון מענטש. צום ביישפיל, א מענטש קען מיינען אז אויב ער וואלט באקומען א געוויסן דזשאב וואלט דאס געווען גאר גוט פאר אים; אלעס וואלט געווען אין בעסטן ארדענונג און זיין לעבן וואלט געווען פערפעקט. דער אמת איז אבער אז ער ווייסט נישט וואס פאר א פראבלעמען עס וואלטן זיך געקענט מאכן אויף דעם דזשאב און וואס פארא שוועריגקייטן וואלטן געווארט אויף אים אויב ער וואלט עס יא באקומען.

מיר קענען נאר זען וואס עס פאסירט פאר אונזערע אויגן, אבער דער באשעפער ווייסט אלעס וואס וועט פאסירן אין דעם עתיד, וואס מיר וואלטן קיינמאל נישט געקענט וויסן. ווען א גוטער שידוך ארבעט זיך נישט אויס קענען מיר זיך

שפירן אינגאנצן צעבראכן, אבער דער אמת איז אז דאס איז אויך לטובה. מיר קענען באמת נישט וויסן ווי אזוי דער שידוך וואלט זיך אויסגעארבעט אויב עס וואלט יא צושטאנד געקומען. דאס איז עפעס וואס בלויז דער אויבערשטער ווייסט. דער באשעפער ווייסט אלע רעזולטאטן פון פאראויס, און אויב ער האט באשלאסן אז דער שידוך זאל נישט געשען דארפן מיר גלייבן אז אזוי דארף עס זיין.

א מענטש קען זיך וואונדערן: "עס פעלן מיר דאך אזויפיל זאכן אין לעבן, ווי אזוי איז מעגליך אז עס איז פאר מיין טובה אז איך זאל נישט באקומען וואס איך דארף?"

ווען עס קומען ארויף אזעלכע מחשבות דארף מען זיך שטארקן אין אמונה. מיר דארפן געדענקען אז דער באשעפער איז אונזער ליבליכער פאטער וועלכער טוט בלויז וואס איז גוט פאר אונז, אפילו ווען מיר פארשטייען דאס נישט. צומאל זעען מיר בחוש ווי די באשלוסן וואס דער אויבערשטער מאכט פאר אונז זענען טאקע פאר אונזער טובה, אפילו אין אנהויב האט נישט אויסגעזען אזוי, און דאן איז דאס א גרויסער חיזוק. מיר זעען איין אז דער באשעפער ווייסט טאקע וואס איז גוט פאר אונז, און אונזער אמונה ווערט שטארקער, אזוי אז אפילו אין פאלן וואס מיר זעען נישט פאר אונזערע אויגן ווי אלעס איז לטובה זאלן מיר אויך וויסן אז דער באשעפער וויל בלויז אז עס זאל אונז זיין גוט.

מיר דארפן געדענקען אז דער באשעפער איז אונזער ליבליכער פאטער וועלכער טוט בלויז וואס איז גוט פאר אונז, אפילו ווען מיר פארשטייען דאס נישט.

עס איז געווען א פריי פארפאלק אין ארץ ישראל ביי וועמען עס איז געבוירן געווארן א קינד מיט אומגעווענליך גרויסע אויערן. די מאמע האט זיך זייער געשעמט מיט דעם קינד'ס אויסזען, און זי האט אים קיינמאל נישט געלאזט ארויסגיין פון שטוב, ווייל זי האט נישט געוואלט אז די שכנים זאלן זען זיין פעלער. איין טאג האט א חבר'טע איר פארגעשלאגן אז זי זאל ארייננשטעלן דאס קינד אין א פרומע חדר, וויבאלד דארטן גיין די קינדער מיט לאנגע פיאות וואס פארשטעלן זייערע אויערן, און אזוי ארום וועט מען נישט אנזען די גרויסע אויערן. די עלטערן האבן טאקע אזוי געטוען, און אים ארייגעשטעלט אין א פרומע חדר טראצדעם וואס זיי אליין זענען נישט געווען שומרי תורה ומצוות.
דאס יונגל איז אויפגעוואקסן צווישן פרומע קינדער, און ער האט זיך אנגעהויבן אויפפירן ערליך אויך אינדערהיים. פון דעם יונגל איז געווארן א בחור, און ווען ער האט

דערגרייכט צו די יארן פון שידוכים האט ער געטוען א
פרומע שידוך. ער האט זיך אריינגעזעצט אין כולל, און
מיט דער צייט איז ער געווארן א גרויסער תלמיד חכם
און זוכה געווען אויפצושטעלן גאר א חשוב'ע שטוב.
עס האט זיך ארויסגעשטעלט אז דער זון מיט די גרויסע
אויערן איז געווען דאס איינציגסטע קינד פון וועמען די
עלטערן האבן געשעפט נחת. איין ברודער איז געווארן
א דראג רויכערער, און דער אנדערער א פארברעכער
וועמען מען האט איינגעזעצט אין תפיסה. די מאמע
וועלכע האט געהאט אזויפיל צער אז איר קינד זעט אויס
מאדנע, האט צום סוף געזען נחת בלויז פון אים.

צומאל ווייזט אונז דער באשעפער אז אלעס וואס ער טוט
איז לטובה, און צומאל ווייזט ער עס נישט. אבער אין יעדן
פאל אנערקענען מיר אז "גם זו לטובה", און אז אלעס וואס
דער באשעפער טוט איז גוט, אפילו מיר פארשטייען נישט ווי
אזוי דאס קען זיין.

90

ווי אזוי קען מען שטייגן העכער

דער באשעפער גיט יעדן מענטש א באגרעניצטע מאס כשרונות – גייסטישע און פיזישע כוחות – וואס דער מענטש דארף אויסנוצן צו דערגרייכן זיינע צילן אין לעבן. דער חתם סופר שרייבט (במדבר ו, כא) אז א מענטש וואס פירט זיך אויף בפרישות קען ער שטייגן פיל מער פון דעם וואס זיינע כשרונות וואלטן אים ערמעגליכט.

מען קען ברענגען א ביישפיל דערצו פון הגאון רבי חיים חזקיה די מדיני, דער שדי חמד. דער שדי חמד, וועלכער איז געווען איינער פון די גרעסטע ספרדי'שע גדולים, האט אפגעשריבן א וואונדערליכען חיבור פון צען דיקע בענדער אין וועלכן ער גייט דורך אלע עניני הלכה, אנגעהויבן פון די גמרא ביז די לעצטע אחרונים. דער שדי חמד איז אנגעפילט מיט א שטוינענדע בקיאות און חריפות, אזש עס איז שווער צו פארשטיין ווי אזוי א מענטש האט געקענט אנזאמלען אזויפיל ידיעות.

דער שדי חמד אליין האט דערציילט ווי אזוי ער האט זיך איינגעקויפט אזא געוואלדיגע בקיאות אין אלע חלקי התורה. אלס יונגערמאן האט ער געלערנט אין כולל. ער איז געווען א דורכשניטליכער בעל כשרון, אבער א גרויסער מתמיד. עס איז געווען איין מענטש אין דעם

כולל וואס האט אים שטארק מקנא געווען און האט געזוכט אים אונטערצושטעלן א שטרויכלונג. יענער האט געוואוסט אז דער שדי חמד לערענט ביז שפעט ביינאכט ווען יעדער האט שוין פארלאזט דעם בית המדרש. ער איז דעריבער געגאנגען און אונטערגעקויפט די גוי'טע וואס האט גערייניגט די געביידע אז זי זאל באשולדיגן דעם שדי חמד אז ער פירט זיך אויף אומאיידל.

דעם קומענדיגן טאג, אינמיטן סדר, האט די גוי'טע אריינגעשטורעמט אין בית המדרש און אנגעהויבן שרייען אויף דעם שדי חמד. אלע האבן זיך אויסגעדרייט קוקן און עס איז געווען גרויסע בושות. דער שדי חמד האט אבער נישט רעאגירט און איז געזעצן ווייטער און געלערענט. דער ראש ישיבה האט אויך געוואוסט אז דער שדי חמד איז גאר אן ערליכער בחור וועלכער וואלט זיך קיינמאל נישט אויפגעפירט אומאיידל. ער האט באלד פארדעכטיגט אז די גוי'טע האט סתם אויסגעטראכט א בלבול אויף דעם שדי חמד, און האט איר אפגעזאגט פון דער ארבעט.

עטליכע חדשים שפעטער איז די פרוי אנגעקומען צום שדי חמד, און אים דערציילט דברים כהווייתן אז יענער מענטש האט איר געצאלט געלט אז זי זאל אויסטראכטן א בלבול. דערנאך האט זי אנגעהויבן דערציילן: "נאכדעם וואס מען האט מיך אפגעזאגט פון דער ארבעט, האב איך פרובירט צו לעבן אויף מיין שוחד געלט. אבער יעצט האט זיך דאס אויסגעלאזט און איך האב נישט קיין ברויט צו עסן. אויב דו וועסט בעטן דעם ראש ישיבה אז ער זאל מיך נאכאמאל אויפנעמען, וועל איך דערציילן פאר יעדן איינעם דעם אמת וואס האט דא פאסירט, אז איך בין געווארן באצאלט אויסצוטראכטן דעם בלבול, און אזוי וועסטו קענען אפראטעווען דיין נאמען און איך וועל צוריק באקומען מיין פרנסה".

דער שדי חמד האט באקומען שטארק חשק ריינצווואשן זיין נאמען. אבער נאכדעם האט ער געטראכט אז טאמער וועט ער מסכים זיין צו דעם אנבאט וועט דאס גורם זיין א גרויסען חילול ה'. די געשיכטע האט זיך שוין לאנג איינגעשטילט, און אויב מ'וועט עס צוריק אויפוועקן וועט ווערן א גרויסער טומל. דער סקאנדאל וועט נאכאמאל ווערן דער שמועס פון טאג, און יעדער איינער וועט נעמען א שטעלונג אין דעם

ענין, עס וועט ווערן א גרויסער חילול ה'. האט דער שדי
חמד דאן באשלאסן צו בעטן דעם ראש ישיבה אז ער
זאל צוריק נעמען די פרוי, אבער בתנאי אז זי מאכט א
שווייג און זי רעדט מער נישט קיין ווארט פון די גאנצע
מעשה.

אין יענע מינוט, שרייבט דער שדי חמד, האט ער
געשפירט ווי זיין מוח עפענט זיך, און די הימלען ווערן
געעפענט ברייט פאר אים. ער האט אנגעהויבן שטייגן
אויף א געוואלדיגן פארנעם. פון יענעם טאג האט ער
קיינמאל נישט פארגעסן דאס לערנען און זיינע כשרונות
זענען געווארן פילפאכיג שטארקער, ביז ער האט זוכה
געווען ארויסצוגעבן דעם שדי חמד וואס האט באלאכטן
די וועלט.

יעדער מענטש דארף עפעס מקריב זיין פון זיך כדי צו
דערגרייכן זיין ציל אין לעבן. אויב א מענטש לעבט מיט אן
אמת'ע אמונה, טוט ער בלויז דעם רצון ה', און ער איז גרייט
מקדש צו זיין שם שמים אפילו אויב עס קומט אן שווער. דאס
ערמעגליכט אויפצוגעבן נגיעות כדי צו טוען וואס איז ריכטיג,
און דאס ברענגט אז מ'זאל קענען שטייגן פיל העכער און
דערגרייכן גאר הויכע מדריגות.

אמונה
ערמעגליכט
אויפצוגעבן נגיעות
כדי צו טוען וואס
איז ריכטיג.

91

הצלחה אין די געשעפטן

מענטשן ארבעטן זייער שווער צו פארדינען געלט. זיי לויפן נאך יעדן דאלאר און רוען נישט איין ביז זיי דערזעען זיך אלס שיינע בעלי בתים. דער אמת איז אבער אז אויב דער באשעפער וויל בענטשן א מענטש מיט עשירות, קען ער עס טוען אין א רגע. פאר אונז קען אויסזען ווי עס נעמט פיל צייט מצליח צו זיין מיט פרנסה, אבער באמת קען דער באשעפער מאכן אז עס זאל נישט נעמען אזוי לאנג און אז מען זאל באלד זען הצלחה אין די געשעפטן.

יעדער מענטש דארפן טוען השתדלות פאר פרנסה. אבער דאס טאר נישט ווערן דער איינציגער ציל אין לעבן. מיר טארן נישט פארגעסן אז דער אמת'ער תכלית אין לעבן איז צו דינען דעם באשעפער, און אלע אנדערע זאכן העלפן אונז בלויז צוקומען צו דעם ציל. אויב מען לעבט מיט דעם געדאנקענגאנג וועט מען שטענדיג בעטן דעם אויבערשטן אז ער זאל אריינשיקן הצלחה אין די געשעפטן, און ווען די פאסיגע צייט וועט קומען, וועט מען מצליח זיין אפילו אויף אומגעראכטענע וועגן.

א גרויסער ביזנעסמאן האט מיר דערציילט אז ער איז אמאל געגאנגען אויף א מיטאג מיט איינעם פון זיינע חברים. בשעת דעם מיטאג האט דער ביזנעסמאן גערעדט צו זיין חבר איבער די וויכטיגקייט פון אמונה און

ער האט פראבירט אים איבערצייגן אז יעדע הצלחה קומט פון באשעפער.
זיין חבר האט אבער געהאלטן אז מען דארף יא ארייגלייגן מער כוחות אין די ביזנעס, און עס איז נישט גענוג אז מען פארלאזט זיך אז דער באשעפער וועט העלפן. ער האט אים פרובירט איבערצורעדן אז ער זאל אנהייבן האנדלען מיט די גרויסע פירמעס כדי צו פארדינען מער געלט.
דער ביזנעסמאן האט אים אבער מסביר געווען אז כדי צו האנדלען מיט די גרויסע פירמעס דארף מען ארייגלייגן פיל צייט, פילע כוחות, און אויך דארף מען א סאך ארומפארן. כדי דאס צו באוויזן וואלט ער געדארפט אראפנעמען אסאך צייט פון זיין טאג. דאס וואלט געמיינט אז ער קען זיך נישט אפגעבן מיט זיין משפחה ווי געהעריג און האבן א שיעור צופרי און ביינאכט. זיין רעאקציע איז געווען: "דער באשעפער האט מיך געבענטשט מיט אלעם גוטן, אויב פון הימל וויל מען איך זאל פארדינען מער געלט, וועט מען צושיקן סיי וועלכע גרויסע פירמע צום שוועל פון מיין טיר".
מיט דעם האט זיך דער מיטאג געענדיגט. דער ביזנעסמאן איז צוריקגעגאנגען צו זיין ארבעט. א קורצע צייט שפעטער האט ער באקומען א טעלעפאן רוף פון זיין פלימעניק, וועלכער האט אים דערציילט אז ער האט לעצטענס באקומען א נייעם פאסטן ביי א געוויסע פירמע. זיין פלימעניק האט אים דערציילט אז די פירמע האט געהאט א סעילסמאן מיט גרויסע פארבינדונגען, און אז דער סעילסמאן האט יעצט פארלאזט די קאמפאני און זוכט ארבעט.
דער ביזנעסמאן האט זיך באלד פארבינדן מיט דעם סעילסמאן און האט אים אויפגענומען אלס ארבעטער. דער סעילסמאן האט געזאגט פאר דעם בעל הבית אז היות ער ווייסט אז דער בעל הבית האט נישט ליב ארומצופארן איבער דער וועלט, איז ער גרייט ארומצופארן פאר אים אויב מען וועט זיך דארפן טרעפן מיט די גרויסע פירמעס. עס האט זיך ארויסגעשטעלט אז יענע וואך איז געווען א גרויסער מארקעט, און אלע געשעפטן האבן געוואלט האנדלען מיט זיי; מען איז זיי ממש נאכגעלאפן צו קויפן זייער סחורה. פונקט

ווי דער ביזנעסמאן האט פאראויסגעזאגט, האט דער
באשעפער צוגעשיקט אלע גרויסע געשעפטן גלייך צום
שוועל פון זיין טיר.

מען טאר נישט זיין פויל ביי דער ארבעט; מען מוז
אריינלייגן די נויטיגע כוחות און אפטמאל דארף מען
הארעווען על המחיה ועל הכלכלה, אבער דאס מיינט נישט
אז צוליב דעם דארף מען זיך איבערשטרענגען ביז עס בלייבט
נישט קיין צייט פאר די אייגענע משפחה און פאר עבודת ה'.
דער באשעפער האט גענוג וועגן ווי אזוי ער קען אונז צושיקן
פרנסה, און דער עיקר השתדלות וואס מיר דארפן טוען איז
צו האבן אמונה אין באשעפער און אים בעטן אז ער זאל
אריינשיקן הצלחה אין אונזערע געשעפטן.

דער עיקר
השתדלות וואס
מיר דארפן
טוען איז צו
האבן אמונה
אין באשעפער
און אים בעטן
אז ער זאל
אריינשיקן הצלחה
אין אונזערע
געשעפטן.

אמונה
פארענטפערט
די שאלה

ינער האט מיך אמאל געפרעגט גאר א שווערע
שאלה: "איך ווייס אז דער באשעפער וויל מיר
העלפן און הערט זיך צו צו מיר ווען איך בין
מתפלל, איך האלט אין איין בעטן דעם באשעפער אז ער
זאל מיר העלפן אין א געוויסע ענין, אבער די ישועה איז נאך
אלץ נישט אנגעקומען, דער באשעפער איז דאך א טוב ומטיב
און ער האט מיך ליב – פארוואס בין איך נישט געהאלפן
געווארן?"

איך האב אריינגעטראכט אין זיין שאלה און אים
געענטפערט אז דוקא ווייל דער באשעפער האט אים אזוי
ליב האט ער אים נישט נאכגעגעבן זיין פארלאנג. דער
אויבערשטער ווייסט אז עס איז כדאי פאר זיין טובה אז
ער זאל נישט באקומען דאס וואס ער וויל. איין טאג וועט
ער אבער וויסן וואס די סיבה איז, און דעמאלט וועט ער
פארשטיין אז דער באשעפער פירט אלעס לטובתו.

מען קען דאס צוגלייכן צו א קינד וואס שפאצירט
מיט זיין טאטן, און זיין טאטע טראגט א פעקל מיט
פארשידענע סארטן נאשעריי אין שרייעדיגע קאלירן,
און דאס קינד בעט זיך אז מען זאל אים געבן בלויז איין
צוקערל. דער טאטע האלט אים אבער אין איין אפזאגן.
דאס קינד ווערט טרויעריג און טראכט: "פארוואס טוט
דאס מיין טאטע, איך בעט זיך ברחמים אז ער זאל מיר
געבן איין צוקערל פון דעם אנגעפילטן זעקל, און ער וויל

מיר גארנישט געבן". דאס קינד ווייסט אבער נישט אז דער דענטיסט האט לעצטנס געווארענט זיין טאטן אז אויב דאס קינד וועט עסן נאש וועלן זיינע ציין פארפוילט ווערן. דער טאטע וואלט זייער געוואלט צופרידנשטעלן זיין קינד און אים געבן א צוקערל, אבער ער ווייסט אז דאס איז נישט פאר זיין קינד'ס טובה.

די זעלבע זאך איז ווען עס קומט צו מתפלל זיין צום באשעפער. דער באשעפער האט גרייט ישועות, און עס וואונדערט אונז אפטמאל פארוואס ער גיט אונז נישט באלד וואס מיר דארפן. דער אמת איז אבער אז דער באשעפער ווייסט וואס איז גוט פאר אונז און וואס נישט, און דערפאר וויל ער אונז נישט אייביג געבן דאס וואס מיר ווילן, אויב עס איז נישט פאר אונזער טובה.

מענטשן וואונדערן זיך אפטמאל: "פארוואס איז דער באשעפער נישט מגלה די סיבות פארוואס מיר קענען נישט האבן וואס מיר ווילן? עס וואלט געווען פיל גרינגער דורכצוגיין א נסיון ווען מיר ווייסן פארוואס השי"ת שיקט עס אונז!" דער תירוץ איז אז ווען מ'האט אמת'ע בטחון אין באשעפער ברענגט דאס א געוואלדיגע רואיגקייט און מנוחת הנפש פאר דעם מענטש, און די הנאה פון דער רואיגקייט איז פיל גרעסער ווי די הנאה פון וויסן די סיבה צו אונזערע פראבלעמען. עס לוינט זיך פאר דעם מענטש זיך צו פארלאזן גענצליך אויפ'ן באשעפער ווייל דעמאלט קען מען לעבן מיט א שלוות הנפש, וויסענדיג אז דער אויבערשטער מאכט זיכער אז מיר זאלן באקומען אלעס וואס מיר דארפן.

דוד המלך זאגט אין תהלים (קלא, ב) אז ער שפירט זיך "כְּגָמֻל עֲלֵי אִמּוֹ". דוד המלך האט געוואוסט אז נישט קיין חילוק וואס פאסירט מיט אים גיט דער אויבערשטער אכטונג אויף אים און ער גיט זיך אפ מיט אים ווי א מאמע גיט זיך אפ מיט איר קינד. די גמרא זאגט (פסחים קיב, א) "יותר ממה שהעגל רוצה לינק, פרה רוצה להניק – א קו וויל גיבן מילך מער ווי א קעלבל וויל זייגן". די סיבה דערצו איז וויבאלד א קו האט א נאטורליכע געברויך ארויסצוגעבן מילך, און ווען די קו קען נישט געבן מילך האט זי יסורים וויבאלד די מילך רינט איבער און קען נישט ארויספליסן. דער צער איז פיל שטארקער ווי דער צער פון איר הונגעריג קעלבל.

דוד המלך האט געוואוסט אז נישט קיין חילוק וואס פאסירט מיט אים גיט דער אויבערשטער אכטונג אויף אים און ער גיט זיך אפ מיט אים ווי א מאמע גיט זיך אפ מיט איר קינד.

מיט דעם משל קען מען עטוואס פארשטיין די הנהגה פון

באשעפער, ווען ער איז א טוב ומטיב – ער וויל שטענדיג טוען גוטס מיט אונז. דער רבונו של עולם קוקט זיך אום אויף אונז און וויל אז עס זאל אונז גארנישט פעלן. דער באשעפער האט אזויפיל גוטס וואס ער וויל אונז געבן. אבער צומאל, צוליב סיבות וואס מיר קענען נישט פארשטיין, טוט דער באשעפער אפהאלטן די שפע, וויבאלד ער ווייסט אז עס איז נישט גוט פאר אונז צו באקומען די זאכן וואס מיר ווילן. אויף אזעלכע פאלן איז געזאגט געווארן דער פסוק (תהלים צא, טו): "עִמּוֹ אָנֹכִי בְצָרָה" – דער באשעפער איז מיט אונז ווען מיר ליידן צרות.

מיר מוזן אבער געדענקען אז אפילו ווען מיר בעטן א געוויסע בקשה און דער באשעפער גיט עס אונז נישט ווייל עס איז נישט פאר אונזער טובה, פונדעסטוועגן וויל דער אויבערשטער אז מיר זאלן ווייטער מתפלל זיין צו אים. די סיבה דערצו איז וויבאלד אפילו אויב יעצט איז עס נישט פאר אונזער טובה צו באקומען וואס מיר ווילן, איז מעגליך אז שפעטער וועט עס יא זיין פאר אונזער טובה און דאן וועלן די פריערדיגע תפילות אויס'פועל'ן א ישועה.

דער כלל איז אז דער באשעפער העלפט אונז שטענדיג, סיי ווען ער גיט אונז אונזערע געברויכן און סיי ווען ער וויל אונז עפעס נישט נאכגעבן. אונזער פליכט איז צו האבן אמונה און זיך האלטן שטארק, און געדענקען אז דער באשעפער איז שטענדיג גוט צו אונז אין אלע מצבים.

93

דער כח פון תפילה

ווען דער כתב סופר איז געווען רב אין פרעשבורג, האט מען אויסגעטראכט א בלבול אויף א איד. דער איד איז געווארן געשטעלט צום געריכט און ער איז געווארן פאר'משפט צום הענגען ר"ל. דער כתב סופר האט פיל גע'שתדל'ט צו ראטעווען דעם פאר'משפט'ן איד, ער האט געטוען פארשידענע השתדלות און גערעדט צו וועמען ער האט נאר געקענט, אבער עס האט גארנישט געהאלפן. די נאכט איידער דער איד האט געדארפט געהאנגען ווערן רח"ל, איז דער כתב סופר געווען אינגאנצן פארלוירן, נישט וויסענדיג וואס עס וועט זיין דא. שפעט ביינאכט האט דער כתב סופר איינדרימעלט.

אינמיטן שלאף איז זיין גרויסער פאטער, דער הייליגער חתם סופר, געקומען צום כתב סופר אין חלום און ער האט אים געפרעגט מיט הקפדה: "ווי אזוי קענסטו שלאפן ווען אן אומשולדיגער מענטש מיט זיין ווייב און קינדער ווערן פאר'משפט צום טויט?"

פרעגט דער כתב סופר: "אבער וואס קען איך טוען? איך האב שוין אלעס פראבירט צו ראטעווען דעם איד און עס האט גארנישט געהאלפן".

ענטפערט דער חתם סופר: "זיי מרבה בתפלה צום באשעפער אז ער זאל אוועקנעמען די גזירה". דער כתב סופר האט זיך באלד אויפגעכאפט, ער האט געלאזט צוזאמרופן די גאנצע קהילה אין שול, און אלע האבן זיך גענומען זאגן

תהלים און מתפלל זיין צום באשעפער אז ער זאל ראטעווען דעם אומשולדיגן איד פון דעם ביטערן גזר דין. דעם קומענדיגן צופרי האט דער ריכטער באשלאסן אז איידער מען גייט אויספירן דעם גזר דין וויל ער נאכאמאל אויספארשן די פרטים פונעם פראצעס. עס האט זיך ארויסגעשטעלט אז דער איד איז ווירקליך געווען אומשולדיג, און אזוי ארום איז ער ניצול געווארן.

> איך האב א ידיד וואס ארבעט אלס א קאנטראקטאר. דער איד האט פראבירט צו באקומען א געוויסע ארבעט, אבער עס איז אים נישט געלונגען. עטליכע וואכן שפעטער האט ער געבעטן דעם באשעפער אז ער זאל אים צושיקן ארבעט. "הייליגער באשעפער, איך ווייס אז דו ביסט א כל יכול", האט דער איד געבעטן. "דו קענסט מיר אפילו צושיקן די ארבעט וואס מען האט מיר אפגעזאגט לעצטן חודש".
>
> צוואנציג מינוט שפעטער האט דעם איד'ס טעלעפאן זיך צעקלינגען. דער מענטש וואס האט אים פריער געהאט אפגעזאגט האט אים יעצט געלאזט וויסן אז ער וויל אים יא געבן די ארבעט. דער באשעפער האט אים געוויזן אז ער איז ווירקליך א "כל יכול" און עס איז קיינמאל נישט צו שפעט אים צו געבן דאס וואס ער האט געדארפט.

דערפאר טאר מען קיינמאל נישט אויפהערן צו בעטן, אפילו ווען עס זעט אויס אז עס איז אוממעגליך אז מען זאל באקומען דאס וואס מען וויל.

94

רְצֵה בַּאֲשֶׁר יִרְצֶה יוֹצְרֶךָ

אסאך מאל מאכט זיך אז מען וויל עפּעס זייער שטארק, אבער צום סוף ארבעט זיך עס נישט אויס. אין אזא פאל קען מען ווערן זייער צעבראכן און שפּירן אז מען האט נישט קיין הצלחה אין לעבן. אבער א איד וואס לעבט מיט אמונה מאכט זיך א חשבון: "אויב דאס איז וואס דער באשעפער וויל, בין איך צופרידן". דער רא"ש זאגט (אורחות חיים אות סט): "רְצֵה בַּאֲשֶׁר יִרְצֶה יוֹצְרֶךָ"– זאלסט וועלן דאס וואס דער באשעפער וויל פאר דיר. דאס מיינט אז אויב מען וויל איין זאך אבער מען זעט אז פון הימל וויל מען עפּעס אנדערש, זאל מען זיך לאזן פירן פון הימל. מען דארף זיך אזוי שטארק אויסארבעטן אין אמונה, ביז מען וועט אליין וועלן דאס וואס מען וויל פון הימל.

א מענטש וואס נעמט אָן ווי אזוי דער באשעפער פירט אים, איז פיל רואיגער און צופרידענער מיט זיין לעבן, ווייל אנערקענט אז דאס וואס דער אויבערשטער וויל פאר אים איז באמת פאר זיין טובה.

א מענטש וואס נעמט אָן ווי אזוי דער באשעפער פירט אים, איז פיל רואיגער און צופרידענער מיט זיין לעבן.

צוויי מענטשן זענען אמאל ארויסגעפארן מיט א באס אויף אן אכט שעה'דיגע רייזע.ביידע זענען געפארן אויף וויכטיגע ביזנעס זיצונגען. דער ערשטער רייזענדער קומט ארויף אויפ'ן באס און קוקט נערוועז אויפ'ן באס דרייווער. ער טראכט: "דאס איז אזא וויכטיגע זיצונג, איך האף אז איך וועל אנקומען באצייטנס". ווען דער באס פארט ארויס ווערט ער באלד באזארגט אויב דער

דרייווער פארט גוט. ער קוקט ארויס פון פענסטער און טראכט: ״אוי, עס איז דא טראפיק אויפ׳ן שאסיי! פארוואס האט דער דרייווער נישט גענומען אן אנדערן וועג?!״ אזוי ווערט ער מער און מער אנגעצויגן. דורכאויס דעם גאנצן וועג זיצט ער אויף שפילקעס, קוקנדיג אויפ׳ן דרייווער מיט נערוועזע בליקן. דער באס קומט ענדליך אָן פופצן מינוט פריער, און דער פאסאזשיר שפרינגט אויף פון זיין זיץ, אראפלויפנדיג פון באס מיט איין אטעם.
דער צווייטער פאסאזשיר פירט זיך אויף גאנץ אנדערש. ער קומט ארויף אויפ׳ן באס, ער גריסט דעם דרייווער מיט אווארעמען שמייכל. ער זעצט זיך אראפ באקוועם אויף זיין זיץ, ער נעמט ארויס א ספר און קוקט אריין. ער לערענט אביסל, כאפט א דרימל, און ער קוקט ארויס פון פענסטער אויף די הערליכע פאנאראמע. דער באס קומט אָן פופצן מינוט פריער, דער פאסאזשיר באדאנקט דעם באס דרייווער און שטייגט אפ פון דעם באס רואיג און געלאסן. ער קומט אָן צו דער זיצונג אין אן אנגענעמער געמיט.
ביידע מענטשן צאלן דעם זעלבן פרייז; ביידע קומען אָן צו דעם זעלבן ארט אין דער זעלבער צייט. אבער דער ערשטער האט געליטן אכט שעה פון אנגעצויגנקייט און שפאנונג וויבאלד ער האט נישט געהאט קיין צוטרוי אין דעם דרייווער אז ער וועט אים פירן אויפ׳ן ריכטיגן וועג; ער האט זיך נישט פארלאזט אז ער וועט אנקומען אויף דעם באשטימטן ארט אין דער ריכטיגער צייט, בעת דער צווייטער האט געהאט א רואיגע און געשמאקע וועג וויבאלד ער האט געטרויעט דעם דרייווער.

אויב מיר געטרויען דעם גרויסן באשעפער וועלכער פירט אונזער לעבן, קענען מיר אויסמיידן א סאך שפּאנונג און דרוק אין אונזער טאג טעגליכן לעבן. אפילו ווען עס זעט אויס פאר אונזערע אויגן אז עס איז דא ׳טראפיק׳ אויפ׳ן שאסיי און אז דער וועג איז נישט גלאטיג, דארפן מיר געדענקען אז דער באשעפער ווייסט פּונקטליך וואס ער טוט און ער פירט אונז שטענדיג אויפ׳ן ריכטיגן וועג. אויב מיר האבן אמונה אין באשעפער קענען מיר פארן רואיג אויפ׳ן דרך החיים און ערווארטן אז אלעס וועט זיך אויסארבעטן אויפ׳ן בעסטן אופן.

עס איז געווען א רב אין ארץ ישראל וועלכער איז

געווארן דיאגנאזירט מיט די ביטערע מחלה ל״ע. דער רב האט געדארפט דורכגיין גאר שווערע באהאנדלונגען ארויסצונעמען דעם געוויקס פון זיין גוף. איידער ער האט אנגעהויבן די באהאנדלונגען האט פאסירט נאך אן אומגליק. דער רב איז געווארן געביסן דורך א גיפטיגן שלאנג. מען האט אים שנעל אריינגעפירט אין שפיטאל, און פון שפיטאל האט מען אים געשיקט צו א גרויסן ספעציאליסט וועלכער האט באהאנדלט זיין פארגיפטיגונג.

צען טעג שפעטער איז ער צוריקגעקומען אין שפיטאל פאר אונטערזוכונגען אויף זיין געוויקס. ווען דער דאקטאר האט געזען די רעזולטאטן פון דעם טעסט איז ער געווארן ערשטוינט און האט אויסגערופן: ״איך האב קיינמאל נישט געגלייבט אין באשעפער, אבער יעצט זע איך אן אפענעם נס פאר מיינע אויגן; די גיפט פון דעם שלאנג האט אויפגעגעסן דעם געוויקס אין דיין מאגן!״

דער מענטש ווייסט נישט שטענדיג וואס איז גוט פאר אים. א בשר ודם וואלט קיינמאל נישט גע׳חלומ׳ט אז א ביס פון א שלאנג איז א גוטע זאך. אבער אז מען האט צוטרוי אין באשעפער קען מען שטענדיג זיין רואיג אז יעדע זאך וואס פאסירט אין לעבן איז לטובה, אפילו אויב עס זעט אויס שלעכט אויף דער מינוט.

בשעת די צווייטע וועלט מלחמה איז געווען איין ישיבה אין רוסלאנד וואו בחורים האבן געלערנט תורה אין באהעלטעניש. איינמאל האט דער ראש ישיבה אויסגעפונען אז די שפיאנאזש אגענטור איז געוואויר געווארן איבער די עקזיסטענץ פון די ישיבה און זיי ווילן ארעסטירן אלע לומדים. דער ראש ישיבה האט אין איילעניש געהייסן פארמאכן די גמרות און אנטלויפן. אינמיטן וועג איז א קאר אריבערגעפארן, און די תלמידים האבן געמיינט אז דאס זענען שפיאנאזש אגענטן. זיי האבן זיך זייער דערשראקן און האבן אנגעהויבן לויפן. פאר דעם ראש ישיבה האט זייער וויי געטוען אז זיי האבן רעאגירט מיט אזא שרעק, און ער האט באשלאסן אז ער דארף זיי מחזק זיין אין אמונה. דער ראש ישיבה האט דאן איינגעפירט אז יעדן טאג זאל מען זאגן צוזאמען די דרייצן אני מאמין׳ס כדי מ׳זאל זיך שטארקן אין אמונה. די קומענדיגע וואך איז די שפיאנאזש אגענטור געקומען

אויף זייערע שפורן, און זיי האבן ארעסטירט די גאנצע ישיבה. מען האט זיי געברענגט אין תפיסה געקייטעלט. די גאנצע צייט האבן זיי זיך אבער מחזק געווען אז דער באשעפער איז מיט זיי. מ'האט זיי פארשיקט קיין סיביר. די לומדים האבן אבער די גאנצע צייט געזינגען פרייליכע ניגונים, וויסענדיג אז אלעס וואס דער אויבערשטער טוט איז לטובה.

דריי טעג שפעטער זענען די דייטשן אריינגעקומען אין דעם שטעטל וואו די סאוויעטישע אגענטן האבן זיי געטראפן, און די נאציס האבן גע'הרג'עט אלע אידן רח"ל. דורך דעם וואס די קאמוניסטישע פאליציי איז געקומען אויף די שפורן פון די ישיבה זענען אלע בחורים געראטעוועט געווארן.

נסתרים דרכי ה'. מיר פארשטייען נישט דעם אויבערשטנ'ס וועגן. מיר דארפן בלויז אננעמען זיין רצון באהבה און געדענקען אז דער באשעפער וויל בלויז דאס בעסטע פאר אונז.

95

באהאלטענע חסדים

איד וואס האט אמת'ע אמונה אין באשעפער ווייסט אז אלעס וואס פאסירט אין לעבן איז פאר אונזער טובה. אפילו ווען מען זעט ווי ערליכע אידן גייען דורך שווערינקייטן און די נישט ערליכע אידן זענען מצליח אין לעבן, גלייבן מיר אז דער באשעפער מאכט נישט קיין שום טעותים, ווי עס שטייט אין פסוק (דברים לב, ד): "הַצּוּר תָּמִים פָּעֳלוֹ כִּי כָל דְּרָכָיו מִשְׁפָּט". די יסורים וואס אן ערליכער איד גייט דורך איז א טובה פאר אים, און די הצלחה פון א רשע איז נישט פאר זיין טובה. אן ערליכער איד גלייבט אז אלעס וואס דער באשעפער טוט איז לטובה.

דער נביא זאגט (ישעיה נה, ח): "כִּי לֹא מַחְשְׁבוֹתַי מַחְשְׁבוֹתֵיכֶם – דער מענטשליכער מוח קען נישט פארשטיין די מחשבות פון דעם באשעפער". דער וויכטיגסטער יסוד פון אמונה איז אז מיר פארשטייען נישט יעדע זאך אין דער וועלט. מיר דארפן גלייבן אז "צַדִּיק וְיָשָׁר הוּא" (דברים לב, ד) – אלעס וואס השי"ת טוט איז ריכטיג, אפילו ווען מיר פארשטייען דאס נישט מיט'ן שכל (זע של"ה הקדוש וישב דרך חיים תוכחת מוסר ד"ה ויוסף הוא השליט).

מיר זענען אראפגעקומען אויף דער וועלט בייצושטיין נסיונות אין לעבן. אויב יעדער וואלט באקומען שכר באלד נאכ'ן מקיים זיין א מצוה און אן עונש באלד נאכ'ן טוען אן

דער וויכטיגסטער יסוד פון אמונה איז אז מיר פארשטייען נישט יעדע זאך אין דער וועלט.

עבירה, וואלטן נישט געוועזן קיין נסיונות אין לעבן. אויב נאכ'ן טוען א מצוה וואלט אראפגעפאלן פון הימל א מיליאן דאלאר, וואלט דאך יעדער געטוען מצוות א גאנצן טאג. אזוי אויך, אויב מענטשן וואלטן געווארן באשטראפט אויפ'ן פלאץ פאר יעדע עבירה וואס זיי טוען, וואלט נישט געוועזן קיין שום נסיון נישט צו טוען קיין עבירות.

נאכמער, אויב מיר וואלטן פארשטאנען די סיבה פארוואס מענטשן ליידן שוועריגקייטן, וואלטן מיר נישט געוועזן עמפינדליך צו זייער צער. מיר וואלטן געשפירט אז זייערע יסורים זענען פאר זייער טובה, ממילא דארף מען נישט רחמנות האבן אויף זיי. צוליב דעם וויל נישט דער אויבערשטער אז מיר זאלן וויסן די סיבות פארוואס מענטשן דארפן דורכגיין צער און יסורים.

ווען אן ערליכער איד איז בצער, ווייסט ער אז ער באקומט שכר אין עולם הבא פאר יעדעס ביסל יסורים וואס ער גייט דורך, און דאס גיט אים כח צו קענען אנגיין ווייטער מיט זיין עבודת ה'. ער גלייבט באמונה שלימה אז די יסורים זענען פאר זיין טובה און דאס דינט אלס א קוואל פון חיזוק.

די גמרא (ברכות ה, א) זאגט אז דער באשעפער האט אונז געגעבן דריי מתנות וועלכע מען קען נאר קונה זיין מיט יסורים: תורה, ארץ ישראל, און עולם הבא. אן ערליכער איד ווייסט אז דורך זיינע יסורים וועט ער זוכה זיין צו עולם הבא. דערפאר נעמט ער דאס אויף גרינג, און ער האט גאר הנאה דערפון.

> די גמרא (ברכות סא, ב) דערציילט, אז ווען רבי עקיבא איז אומגעקומען דורכ'ן מלכות, האבן זיינע תלמידים געזען ווי די רוימער רייסן דאס פלייש פון זיין קערפער, און זיינע ליפן שעפשען קריאת שמע. האבן די תלמידים זיך זייער געוואונדערט ווי אזוי ער קען נאך ליינען קריאת שמע בשעת ער גייט דורך אזעלכע יסורים. דער גרויסער תנא האט געענטפערט: "כל ימי הייתי מצטער על פסוק זה 'בכל נפשך' אפילו נוטל את נשמתך, אמרתי מתי יבא לידי ואקיימנו, ועכשיו שבא לידי לא אקיימנו". פון דעם זעען מיר אז רבי עקיבא האט דוקא הנאה געהאט פון דעם וואס ער האט געהאט א געלעגנהייט דורכצוגיין יסורים און מקדש זיין דעם נאמען פון באשעפער.

אין יעדעס ביסל יסורים וואס א מענטש גייט דורך זענען פאראן שיינענדיגע דימאנטן וואס זענען באהאלטן. שטעלט

זיך פאר אז איר באקומט א מתנה אין ווערט פון צען מיליאן דאלאר, אבער עס איז דא איין קליינער פראבלעם: די מתנה איז איינגעהילט אין א פאפיר וואס איז שטארק צוגעקלעבט און איז גאר שווער אראפצונעמען. וואלט איר זיך דען אפגערעדט אויף דעם צער אז עס קומט אייך אָן שווער אראפצונעמען דעם פאפיר? אודאי נישט. אזוי אויך באקלאגט זיך נישט דער צדיק אויף זיינע צרות, וויבאלד ער ווייסט אז דאס זענען באמת גוטע מתנות וואס זענען בלויז איינגעהילט אין פאפיר וואס מען דארף אראפשיילן. אסאך מאל קען מען אויסזען ווי אן ערליכער איד ליידט יסורים, אבער באמת שפירט ער זיך ווי דער גליקליכסטער מענטש אין דער וועלט. ער מוטשעט זיך אפשר מיט פרנסה, אבער אין הארץ שפירט ער זיך גליקליך און צופרידן וויבאלד דערמיט איז ער זוכה צו עולם הבא און צו פארשידענע אנדערע גוטע זאכן אין לעבן.

ווען מיר קוקן זיך אום אין דער וועלט זעען מיר פילע וואונדערליכע געשעענישן. פון אונזער שטאנדפונקט קען אפשר אויסזען ווי פארשידענע זאכן וואס קומען פאר אויף דער וועלט זענען אומפארשטענדליך, אבער דער באשעפער ווייסט אז אלעס איז געווי אזוי ווי עס דארף זיין. יעדע זאך וואס פאסירט אויף דער וועלט קומט פון דעם באשעפער'ס גענאדע און רחמנות. דער פסוק זאגט (תהלים מח, י): "דִּמִּינוּ אֱלֹקִים חַסְדֶּךָ בְּקֶרֶב הֵיכָלֶךָ". ספרים טייטשן דעם פסוק: "דִּמִּינוּ אֱלֹקִים" – מיר האבן געמיינט אז די וועלט איז פול מיט די הנהגה פון שם אלקים – מידת הדין, אבער דערווייל איז עס פול מיט "חַסְדֶּךָ" – מידת הרחמים. דאס קענען מיר נאר איינזען ווען מיר קוקן "בְּקֶרֶב הֵיכָלֶךָ" – פון באשעפער'ס היכל, וואו אלעס איז בלויז חסדים (זע כנסת ישראל עמוד ער).

אונזער פליכט איז זיך צו שטארקן מיט אמונה און בטחון, און גלייבן אז דער באשעפער פירט יעדן פרט פון די וועלט מיט די גרעסטע פונקטליכקייט לטובתנו, און אז איין טאג וועלן מיר זיך איבערצייגן מיט א קלארקייט אז יעדע זאך וואס קומט פאר אויף דער וועלט האט אן אויסגערעכנטן פלאן. דערווייל דארפן מיר גלייבן באמונה שלימה אז אלעס איז לטובה, אפילו ווען עס זעט נישט אויס אזוי.

96

די ישועה אומגעראכטן

די נסיונות וואס מענטשן גייען דורך אין לעבן זענען נישט גרינג. עס זענען פאראן מערערע אידן וואס קוקן ארויס בכליון עינים אז זיי זאלן אויפגעראכטן ווערן, אבער די ישועה קומט נישט אן. עס זענען פאראן בחורים און מיידלעך וואס האבן נאכנישט זוכה געווען צו זייער באשערטן זיווג. עס זענען פאראן פארלעך וואס קוקן ארויס צו הערן א קינדעריש קול'כל ביי זיך אין שטוב. עס זענען פאראן הונדערטער קראנקע אידן אין די שפיטעלער וואס מאכן מיט אזויפיל צער און יסורים ל"ע און זיי זעען נישט קיין וועג ארויס.

דער פסוק זאגט אין תהלים (קכא, א): "שִׁיר לַמַּעֲלוֹת אֶשָּׂא עֵינַי אֶל הֶהָרִים מֵאַיִן יָבֹא עֶזְרִי". דער רד"ק איז מסביר אז דער פסוק רעדט זיך פון א מענטש וואס דארף א ישועה. ער גייט ארויף אויף א בארג און ער פראבירט זיך ארומצוקוקן צי עמיצער וועט אים קומען צו הילף. דאן זאגט ער דעם קומענדיגן פסוק: "עֶזְרִי מֵעִם ה' עֹשֵׂה שָׁמַיִם וָאָרֶץ – מיין הילף קומט פון באשעפער, וועלכער האט געמאכט די הימל און דער ערד". טראצדעם וואס נאטורליך זעט נישט אויס ווי עס איז דא א לייזונג צו זיין פראבלעם, פונדעסטוועגן ווייסט ער אז דער באשעפער האט באשאפן הימל און ערד און ער האט די מעגליכקייט צו טוען וואס ער וויל.

עס איז געווען א פרומער איד וועלכער האט זיך פארזינדיגט פאר די רעגירונג. ער איז געווארן פאראורטיילט צו טורמע אין רייקערס איילאנד, ניו יארק. דאס וואלט געווען א חורבן פאר אים ברוחניות ובגשמיות.

פילע מענטשן האבן גע'שתדל'ט אים ריינצואוואשן, אבער עס האט גארנישט געהאלפן. דער ריכטער איז געווען אן עקשן און האט זיך געהאלטן ביי זיינעם אז דער איד מוז אויסדינען זיין אורטייל אין רייקערס איילאנד. די עסקנים האבן פראבירט צו שתדל'ן ביי א געוויסן מענטש פון די הויכע פענסטער, וועלכער האט געהאט א שטארקן איינפלוס אויף דעם ריכטער. זיי האבן געוואלט אז יענער זאל זיך אריינמישן אין דעם אנגעלעגנהייט און בעטן דעם ריכטער אז ער זאל נאכלאזן פון זיין שארפקייט. אבער ווען יענער האט געהערט איבער וואס דא האנדלט זיך האט ער נישט געוואלט ווערן אריינגעמישט אין דעם עסק. די עסקנים זענען געבליבן אובד עצות.

איין טאג איז יענער גוי צוריקגעקומען פון נארט קאראליינע, און ער איז געשטאנען פארענט פון די באן סטאנציע אין מאנהעטן מיט זיינע צוויי רענצלעך אין די הענט. ער איז געשטאנען און געווארט אויף א טעקסי אין די ביטערע זומער היצן. קיין איין טעקסי האט זיך נישט אפגעשטעלט פאר אים. צוויי ישיבה בחורים זענען פונקט דורכגעגאנגען און האבן געזען א מענטש שטיין אין די היץ מיט צוויי רענצלעך, זענען זיי צוגעקומען צו אים און האבן זיך אנגעטראגן אים ארויסצוהעלפן מיט זיינע רענצלעך. ער האט זיי געזאגט אז ער וואוינט א שטיקל מרחק פון דארט, אבער זיי זענען געווען געוויין גרייט אים ארויסצוהעלפן שלעפן די רענצלעך. אזוי זענען זיי מיטגעגאנגען מיט אים ביז זיי זענען אנגעקומען צו דער געביידע אין מאנהעטן וואו דער גוי האט געוואוינט. ווען זיי זענען אנגעקומען צו זיין אדרעס האט דער גוי זיך הערצליך באדאנקט און געזעגנט פון זיי.

די בחורים זענען אבער נישט געווען גרייט זיך צו געזעגענען, און זאגן אים: "איין רגע, לאמיר שוין ארויפנעמען די רענצלעך צו דיין דירה". דער מענטש האט זיי געזאגט אז ער וואוינט אויפ'ן דריטן שטאק, אבער זיי האבן זיך גע'עקשנ'ט אז זיי ווילן עס ארויפטראגן. ווען די בחורים זענען אנגעקומען צו זיין דירה מיט זיינע באגאזשן אין די הענט, האט דער גוי ארויסגענומען צוויי צוואנציגערס און עס דערלאנגט פאר זיי. די בחורים האבן אבער אפגעזאגט דאס געלט, זאגענדיג אז זיי טוען עס לשם מצוה.

ווי נאר זיי זענען ארויסגעקומען פון די דירה, האט דער גוי אנגערופן דעם ריכטער און אויפ'ן פלאץ זיכער געמאכט אז דער איד אויף ווערן עס האט געווארט דער תפיסה אורטייל קומט נישט אָן אין רייקערס איילענד. "איך האב נאך קיינמאל נישט געזען אזוינס אין מיין לעבן", האט דער גוי געזאגט, צוגעבענדיג: "איך האב נישט געוואוסט אז ארטאדאקסישע אידן זענען אזוי איידל און גוטהארציג".

עס האט זיך אמאל געמאכט אז א מיטליעריגער איד איז ל"ע צוזאמגעפאלן אין ניו דזשוירסי. מען האט גערופן "הצלה", און עס איז ברוך ה' פונקט געווען א הצלה וואלונטיר אויף יענער גאס, וועלכער איז געקומען צו לויפן ביז עטליכע סעקונדעס. דער הצלה מאן האט באלד אנגעהויבן דערמונטערן דעם איד. דערנאך זענען אנדערע הצלה לייט אנגעקומען און זיי האבן ווייטער שווער געארבעט צו דערמונטערן דעם איד, ביז עס איז זיי בעזר ה' געלונגען אים אויפצולעבן.
דער דאקטאר וואס האט שפעטער באהאנדעלט דעם פאציענט האט געזאגט, אז דער איד האט געליטן א שווערע הארץ אטאקע ל"ע, און דער סארט הארץ אטאקע האט בלויז א פינף פראצענט אויסזיכט אז מען זאל דאס איבערלעבן. ווען נישט וואס א "הצלה" מאן איז "פונקט" געווען אויף יענע גאס וואלט דער איד שוין נישט געווען בין החיים ל"ע. מן השמים האט מען צוגעפירט אז עס זאל זיך געפינען אויף דער זעלבער גאס דער גוטער שליח וואס האט געראטעוועט דעם איד'ס לעבן.

ווען אימער מיר נויטיגן זיך אין א ישועה דארפן מיר גלייבן אז ישועת ה' כהרף עין. אונזער אויפגאבע איז בלויז צו טוען די ריכטיגע השתדלות – האפן צום באשעפער, מתפלל זיין צו אים און גלייבן באמונה שלימה אז נאר ער קען אונז ארויסנעמען פון דעם פראבלעם. אויף דעם אופן וועלן מיר זוכה זיין צו ישועות און רפואות און אלע גוטע השפעות.

אונזער אויפגאבע איז בלויז צו טוען די ריכטיגע השתדלות - האפן צום באשעפער, מתפלל זיין צו אים און גלייבן באמונה שלימה אז נאר ער קען אונז ארויסנעמען פון דעם פראבלעם. .

97

די ברכה פון א גדול

ד

י גמרא (תענית כג, א) זאגט אז ווען דער צדיק איז עפעס גוזר, פירט דער באשעפער אויס זיין רצון. וואס מער א מענטש ארבעט זיך אויס, אלץ שטארקער איז זיין כח אין הימל. דערפאר, ווען מיר האבן א צרה חלילה, גייען מיר צו א צדיק אז ער זאל מתפלל זיין פאר אונז און בעטן אז די צרה זאל בטל ווערן, ווי די גמרא זאגט (בבא בתרא קטז, א): "כל שיש לו חולה בתוך ביתו, ילך אצל חכם ויבקש עליו רחמים".

ווען מיר האבן א צרה חלילה, גייען מיר צו א צדיק אז ער זאל מתפלל זיין פאר אונז און בעטן אז די צרה זאל בטל ווערן.

איבער דרייסיג יאר צוריק איז געווען א קינד אין ענגלאנד וועלכער האט ל"ע באקומען א געוויקס אין זיין מוח. דער געוויקס האט זיך אריינגעכאפט אין דעם חלק פון דעם מוח וועלכע קאנטראלירט דעם אונטערשטן חלק פון קערפער, און דאס קינד איז געווארן פאראליזירט אויף א האלבן גוף רח"ל. זעלבסטפארשטענדליך אז די עלטערן זענען געווען צעבראכן ביז גאר; זיי זענען ארומגעלאפן צו דאקטוירים אבער קיינער האט זיי נישט געקענט העלפן. איינער פון די שטאטישע רבנים איז פונקט דעמאלט געפארן אויף א באזוך קיין ארץ ישראל, און ער האט פארשפראכן פאר דעם פאטער אז זייענדיג אין ארץ ישראל וועט ער אריינגיין צו איינעם פון די גדולי ישראל מזכיר זיין דאס קינד. דער רב האט אפגעשריבן אויף א צעטל דעם ביטערן מצב, און ער האט צוגעלייגט א שאלה אויב מען זאל צוגעבן א נאמען פאר'ן קינד.

דער רב האט געווארט א לאנגע צייט אריינצוגיין צום גדול. ווען ער איז ענדליך אריינגעקומען האט ער אים געגעבן דעם צעטל, האט דער גאון געקוקט אויפ'ן קינד'ס נאמען און זיך אנגערופן: "דער באשעפער זאל רחמנות האבן און אויסהיילן דאס קינד". דער גדול האט דאן געהייסן מען זאל צוגעבן פאר'ן קינד דעם נאמען "חיים", און ער האט אנגעזאגט אז מען זאל נישט מודיע זיין פאר מענטשן אז מען האט צוגעגעבן א נאמען.

דער רב האט באלד געשיקט א בריוו קיין ענגלאנד מיט די תשובה פון דעם גדול, און ער האט ווייטער געוויילט אין ארץ ישראל במשך די וואך.

ווען דער רב איז אנגעקומען אהיים איז דער פאטער פון דעם קינד באלד אריבערגעגאנגען צו אים אין שטוב מיט א גרויסן שמייכל אויפ'ן פנים, און אים דערציילט די גוטע בשורה אז זיין זון האט געהאט א רפואה שלימה, און ער קען זיך שוין ב"ה באוועגן. דער טאטע האט באדאנקט דעם רב פון טיפן הארצן פאר'ן זיין דער גוטער שליח אויסצובעטן א ישועה פאר זיין זון.

בשעת זיי זענען געזעסן און געשמועסט האט דער פאטער פלוצלינג געגעבן א פרעג:" זאגט נאר, ווען זענט איר אריין צו דעם גדול?"

דער רב האט זיך פארטראכט א מינוט און אויפגעפרישט זיין זכרון, ביז ער האט זיך דערמאנט אז ער איז אריין די פריערדיגע וואך זונטאג, ארום צוויי אזייגער נאכמיטאג. "אומגלויבליך!" האט דער פאטער אויסגערופן מיט פרייד, "דאס איז גענוי די צייט ווען די רפואה פון מיין זון האט זיך אנגעהויבן".

דער פאטער האט אים מסביר געווען אז די דאקטוירים האבן נישט געקענט אפערירן דעם געוויקס, וויבאלד עס איז געווען אריינגעגעסן אזוי טיף אין מוח אז אן אפעראציע וואלט ח"ו געקענט שעדיגן דעם מוח אויף אן ערנסטן פארנעם. זיי האבן דעריבער געהאלטן אז עס איז א פארלוירענע זאך. אבער די פריערדיגע וואך זונטאג, צוויי אזייגער נאכמיטאג, האבן די דאקטוירים נאכאמאל גענומען א טעסט, און זיי האבן געזען אז דער געוויקס איז זיך טיילווייז צעגאנגען און מען קען עס שוין אפערירן.

דאס יונגל איז בחסדי ה' גענצליך אויסגעהיילט געווארן פון די מחלה, און ער האט שפעטער חתונה געהאט בשעה טובה ומוצלחת און אויפגעשטעלט שיינע דורות.

98

אין די ריכטיגע צייט

מענטשן וואונדערן זיך אסאך מאל פארוואס זייערע תפילות ווערן נישט אנגענומען, טראכטענדיג: "איך האב שוין אזויפיל מתפלל געווען, אבער דער באשעפער נעמט נישט אָן מיינע תפילות".

דאס איז לכאורה א שווערע שאלה. עס שטייט דאך אין פסוק (תהלים קמה, יח): "קָרוֹב ה' לְכָל קֹרְאָיו לְכֹל אֲשֶׁר יִקְרָאֻהוּ בֶאֱמֶת – דער באשעפער איז נאענט צו אלע וואס רופן צו אים, צו אלע וואס רופן מיט אן אמת". אזוי אויך זאגט די גמרא (בבא מציעא נט, א) אז "שערי דמעות לא ננעלו" – די טויערן פון טרערן זענען קיינמאל נישט פארשלאסן געווארן, און אז מען וויינט זיך אויס ביים דאווענען הערט דער אויבערשטער צו די תפילות. פארוואס זעט מען אפטמאל אז מענטשן וויינען צום באשעפער און פונדעסטוועגן ווערן זייערע תפילות נישט אנגענומען?

> די טויערן פון טרערן זענען קיינמאל נישט פארשלאסן געווארן, און אז מען וויינט זיך אויס ביים דאווענען הערט דער אויבערשטער צו די תפילות.

עס קען אמאל זיין אז באמת זענען די תפילות יא נתקבל געווארן, נאר עס איז פאראן א באשטימטע צייט ווען די ישועה זאל קומען. צום ביישפיל, אויב א מענטש בעט פון באשעפער אז ער וויל באקומען א גוטע פרנסה, איז מעגליך אז פארשידענע זאכן דארפן קודם פאסירן אז די פרנסה געלעגנהייט זאל זיין פאסיג פאר אים. אזוי אויך אויב א מענטש איז מתפלל פאר א שידוך איז מעגליך אז זיין זיווג

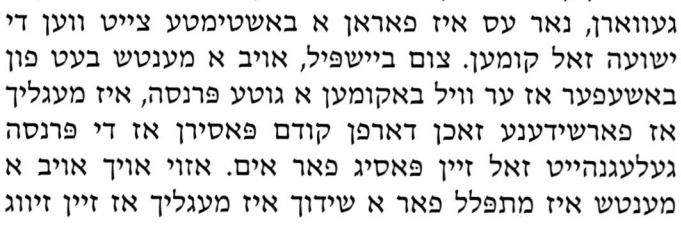

איז נאכנישט גרייט, און עס דארף נאך געדויערן צייט ביז דער שידוך וועט זיין צוגעפּאסט.

עס איז געווען א מיידל אין ארץ ישראל וועלכע איז ארויס פון הויך שולע און איז געווען גרייט צו גיין אין סעמינאר. זי האט געוואלט גיין אין דעם לאקאלן סעמינאר וואו אירע חבר'טעס זענען געגאנגען, אבער אזוי ווי דער מנהל פון דעם לאקאלן סעמינאר איז געווען ברוגז אויף איר פאטער, האט יענער סעמינאר איר נישט געוואלט אננעמען.

זי האט זיך איינגעשריבן אין פארשידענע אנדערע סעמינארן, אבער צום באדויערן האבן זיי איר נישט געוואלט אריינעמען, וויבאלד זיי האבן געהערט אז מען האט איר אנטזאגט אין דעם לאקאלן סעמינאר. דאס מיידל איז געווען זייער צעבראכן. זי איז געווען אן אויסגעצייכנט מיידל, זי האט געהאט פילע חבר'טעס און האט פארמאגט מידות טובות, און זי האט נישט געהאט קיין פערזענליכע סיבה אז מען זאל איר נישט אננעמען. זי איז געזעסן אינדערהיים א גאנצן טאג און געוויינט פון גרויס צעבראכנקייט. איר טאטע האט פּראבירט אנצואווענדן אלע סארטן השתדלות אבער אָן ערפאלג. דער פאטער איז געגאנגען צו א חשוב'ן רב און זיך אויסגעגאסן דאס הארץ פאר אים. דער רב האט אים גע'עצה'ט אז אויב עס ארבעט זיך נישט אויס זאל ער מסדר זיין אז זיין טאכטער זאל ווערן א לערערין. דער רב האט צוגעלייגט אז דאס מיידל זאל מתפלל זיין צום באשעפער אז זי זאל טרעפן א גוטן שידוך מיט א בן תורה וואס זאל מצליח זיין אין לערנען.

דאס מיידל האט געפאלגט די ווערטער פון דעם רב. זי איז געווארן א לערערין און זי האט ערליך מתפלל געווען צום באשעפער אז ער זאל איר צושיקן א שידוך. אבער ווען עס איז געקומען די צייט אז זי זאל א שידוך טוען האט זיך קיין איין שידוך נישט אויסגעארבעט. קיינער האט נישט געוואלט נעמען א מיידל וואס מען האט נישט אנגענומען אין סעמינאר.

איר פאטער האט איינגעזען אז ער וועט מוזן אנקומען צו באזונדערע השתדלות. ער האט באשלאסן אז ער וועט גיין אין א דערנעבענדיגע ישיבה דאווענען דארטן שחרית, און אזוי ארום וועט ער האבן א געלעגנהייט צו באטראכטן די בחורים. נאך עטליכע טעג האט

איין בחור אנגעהויבן ציען זיינע אויגן. דער בחור האט געדאוונט מיט א געוואלדיגע ערנסטקייט. ער האט שטענדיג געהאלטן א ספר אין די האנט, און אלע זיינע חברים האבן זיך באצויגן צו אים מיט א געוואלדיגן רעספעקט. דער טאטע האט געטראכט אז דאס איז א פאסיגער שידוך פאר זיין טאכטער. ער איז צוגעגאנגען צום ראש ישיבה און זיך נאכגעפרעגט אויף דעם בחור. דער ראש ישיבה האט אים דערציילט אז ער האט ריכטיג צוגעטראפן: דאס איז דער בעסטער בחור אין ישיבה.
פרעגט דער טאטע: ״איר האלט אז ער וועט זיין פאסיג פאר מיין טאכטער?״
ענטפערט דער ראש ישיבה: ״עס איז דא א לאנגע רייע פון מיידלעך וואס ווארטן אויף דעם בחור, אבער איר קענט פראבירן צו רעדן צו זיין טאטן״.
דער מענטש איז געגאנגען צו דעם בחור׳ס טאטן און אים געפרעגט אויב ער וואלט גענומען זיין טאכטער. ער האט אים דערציילט אז זי איז דורכגעגאנגען פארשידענע שוועריגקייטן אין לעבן אבער זי איז יעצט אן איבערגעגעבענע לערערין וואס איז שטארק מצליח ביי איר ארבעט. ווי נאר ער האט דערמאנט אז זיין טאכטער איז נישט געגאנגען אין סעמינאר, האט דעם בחור׳ס פאטער זיך אנגעהויבן ארויסדרייען.
דער טאטע זאגט אים: ״לאמיך אייך מסביר זיין, מיין טאכטער פארמאגט אויסערגעווענליכע מידות און איז אן אויסגעצייכנט מיידל, מען האט איר נישט אנגענומען אין סעמינאר צוליב א זייטיגע סיבה, נישט צוליב איר שולד, א חשוב׳ער רב האט אונז געזאגט אז אויב מען נעמט איר נישט אָן אין סעמינאר זאל זי ווערן א לערערין, און אז זי זאל מתפלל זיין אז איר צוקונפטיגער מאן זאל זיין א חשוב׳ער בן תורה וועלכער זאל מצליח זיין אין לערנען״.
ווי נאר דער טאטע פון דעם בחור האט דאס געהערט איז ער אויפגעשפרינגען, און געפרעגט: ״ווי לאנג צוריק האט אייך דער רב דאס געזאגט?״
ענטפערט דער פאטער: ״פיר יאר צוריק״.
זאגט דער איד: ״אומגלויבליך, ווען מיין זון איז אריין אין ישיבה איז ער געווען א שוואכער בחור, ער האט נישט געוואלט לערנען און ער האט זיך ארומגעדרייט ליידיג מיט די פראסטע בחורים פון ישיבה, איך האב שוין געקלערט אויב איך זאל אים ארויסנעמען פון ישיבה

און שיקן ארבעטן, אבער מיט געגוי פיר יאר צוריק האט ער אנגעהויבן זיך צו פארבעסערן, ער האט געבעטן א נייע חברותא און ער האט אנגעהויבן לערנען מיט גרויס התמדה, עס איז נישט קיין ספק אז דאס איז געקומען א דאנק אירע תפילות".

ביז עטליכע טעג איז דער שידוך געשלאסן געווארן. זי האט חתונה געהאט און זיי האבן ב"ה אויפגעשטעלט א ערליכע שטוב.

99

ווען א פראבלעם ברענגט א ישועה

דער באשעפער איז שטענדיג משגיח אויף אונז מיט א השגחה תמידית, ווי עס שטייט אין פסוק (תהלים קכא, ה): "ה' שֹׁמְרֶךָ – דער באשעפער איז דיין שומר". א שומר וואס איז א בשר ודם קען נישט ארבעטן שטענדיג. ער מוז זיך כסדר אפרוען און שעפן פרישע כוחות. אבער דער אויבערשטער באשיצט אונז פיר און צוואנציג שעה א טאג, זיבן טעג א וואך, ווי עס שטייט אין פריערדיגן פסוק: "הִנֵּה לֹא יָנוּם וְלֹא יִישָׁן שׁוֹמֵר יִשְׂרָאֵל".

דער פסוק זאגט ווייטער: "ה' צִלְּךָ". דער באשעפער באוואכט שטענדיג דעם מענטש פונקט ווי דער שאטן וואס פאלגט אים נאך וואו אימער ער גייט. מיר כאפן זיך אפילו נישט אז פון הימל היט מען אונז אפ פון אלעם בייזן, און מען זעט אפילו אפענע השגחה פרטית.

א איד איז אמאל געפארן אויפ'ן פליגער פון ניו יארק קיין ארץ ישראל. בערך א שעה פאר דער עראפלאן האט געדארפט לאנדן, האט דער רויך אלארם אין בית הכסא זיך אנגעצינדן. די אנגעשטעלטע אויפ'ן פליגער האבן פרובירט אונטערצוזוכן דעם בית הכסא אבער זיי האבן נישט געטראפן קיין שום זאך וואס וואלט געקענט אנצינדן דעם אלארם. דער אלארם האט זיך נישט אפגעשטעלט, און דער פליגער האט געמוזט מאכן אן

עמווירדזשענסי לאנדונג אין גריכענלאנד, בערך א שעה אוועק פון ארץ ישראל.
בשעת דאס האט פאסירט האט א מיטליעריגער איד פון ניו יארק, וועלכער איז געווען א הצלה מיטגליד, אנגעהויבן ליידן פון א געפערליכע ווייטאג ארום זיין הארץ. אין אנהויב האט ער זיך נישט וויסענדיג געמאכט, אבער ווען דער עראפלאן האט געלאנדעט אין גריכענלאנד זענען די יסורים געווארן ערגער. מען האט גענומען דעם איד צו א קליינע מעדיצינישע באזע וואו מען האט אים אנגעהויבן צו באהאנדלען. עס האט זיך ארויסגעשטעלט אז ער האלט רח"ל פאר א הארץ אטאקע. מ'האט באלד גערופן אן אמבולאנס, און זייענדיג אין אמבולאנס איז ער צוזאמגעפאלן. די פאראמעדיקס האבן אים שנעל געגעבן א שאק כדי אים צו דערמונטערן, און אין שפיטאל האט מען אים באהאנדלט ביז זיין מצב איז געווארן סטאביל.
שפעטער האט זיך ארויסגעשטעלט אז דער רויך אלארם האט זיך אנגעצינדן נאכדעם וואס א פאסאזשיר האט גערייכערט אין עראפלאן אומלעגאל. דאס איז געווען א געוואלדיגע טובה מן השמים, ווייל דורך דעם וואס דער רויך אלארם האט זיך אנגעצינדן האט דער פליגער געמוזט מאכן א פלוצים'דיגע לאנדונג אין גריכענלאנד, וואו מען האט זיך געקענט ריכטיג אפגעבן מיט דעם מיטליעריגן איד. דאקעגן אויפ'ן פליגער זענען נישט געווען קיין פארגעשריטענע מעדיצינישע מאשינען צו באהאנדלען א הארץ אטאקע.

אסאך מאל זעט אויס ווי דער באשעפער שטראפט אונז און שיקט אונז אונטער שוועריגקייטן, אבער באמת איז עס א טובה, ווייל דאס באשיצט אונז פון אנדערע פראבלעמען.

אסאך מאל זעט אויס ווי דער באשעפער שטראפט אונז און שיקט אונז אונטער שוועריגקייטן, אבער באמת איז עס א טובה, ווייל דאס באשיצט אונז פון אנדערע פראבלעמען.

איינער האט מיר דערציילט אז ער האט געדונגען א פלאץ פאר זיין ביזנעס אויף דעם פינפטן שטאק פון א געוויסע געביידע. דער איד האט געלאזט איבערבויען דאס פלאץ כדי עס זאל זיין פאסיג צו דינען אלס זיין אפיס. איין טאג, בשעת'ן בויען, האט זיך די עלעקטריציטעט פלוצים אויסגעלאשן. ער האט אנגערופן די עלעקטריק פירמע, און זיי האבן אים געלאזט וויסן אז זיי קענען נישט אריינשיקן עלעקטריציטעט אין די געביידע וויבאלד ער פארמאגט נישט אן "אקאונט" ביי זיי. דער מענטש האט

געזאגט אז ער וויל עפענען אן אקאונט. זיי האבן אים אבער געענטפערט אז ער דארף זיי ווייזן דאקומענטן וואס זאלן באשטעטיגן אז ער האט טאקע געדינגען דאס ארט. ער האט זיך באלד פארבינדן מיט זיין אדוואקאט, וועלכער האט אים געזאגט אז דאס דארף דויערן עטליכע וואכן צו באקומען.
טראצדעם וואס די גאנצע געשיכטע האט גורם געווען אז מ'האט אפגעשטעלט דאס בויען, און דאס האט אים געברענגט געלט שאדן, האט דער איד זיך מחזק געווען מיט אמונה און בטחון אז אלעס איז לטובה, און ער האט פראבירט צו טוען זיין בעסטע השתדלות אז מען זאל קענען ווייטער אנגיין מיט'ן בויען.
צוויי וואכן שפעטער איז דער איד געווען אויף א ביזנעס רייזע. זייענדיג אונטערוועגנס האט ער באקומען א טעלעפאן רוף אז עס האט אויסגעבראכן א פייער אין יענע געביידע וואו ער בויעט, און מען האט געדארפט עוואקואירן דעם גאנצן פינפטן שטאק. דאס פייער איז געווען גאנץ קליין. מ'האט עס גרינג פארלאשן און קיינער איז נישט געשעדיגט געווארן.
עס האט זיך ארויסגעשטעלט אז אויף דעם זעקסטן שטאק האט איינער אריינגעווארפן א ציגארעטל אין דעם "ווענט" סיסטעם און דאס האט אנגעצינדן א פייער וואס האט פארברענט די "קאנדענסער יוניטס" פון דעם פינפטן שטאק. ערשט יעצט האט מען פארשטאנען וואס פאר א נס דאס איז געווען אז עס איז נישט געווען קיין עלעקטריציטעט אויף דעם פינפטן שטאק. ווייל אויב יא, וואלט דאס פאראורזאכט א שרעקליך פייער וואס וואלט פארניכטעט דעם גאנצן שטאק און מעגליך אפגעקאסט לעבענס.
דעם פאלגענדן טאג האט די עלעקטריק פירמע אנגערופן זאגן אז אלעס איז ערלעדיגט און זיי וועלן צוריק איינשטעלן עלעקטריציטעט אין דעם פינפטן שטאק.

דער באשעפער באוואכט אונז שטענדיג און היט אונז אפּ פון אלערליי צרות און פּראבלעמען. אפטמאל ווען מיר פארשטייען נישט פארוואס מיר דארפן דורכגיין א שוועריגקייט, קומט עס דירעקט פון הימל כדי אונז צו באשיצן פון א געפאר וואס שוועבט אויף אונז. דער אויבערשטער איז דער "שומר ישראל" וועלכער היט אונז שטענדיג.

ביישטיין די נסיונות

טייל מענטשן וואונדערן זיך אז פון איין זייט פראבירן זיי זיך אויפצופירן ערליך און מאכן א נחת רוח פאר'ן באשעפער, און פון דער אנדערער זייט שפירן זיי אז דאס לעבן גייט זיי נישט גוט. זיי טראכטן שטענדיג ווי שטארק זיי שטרענגען זיך אָן אפצוהיטן תורה ומצוות, און דערוויל פילן זיי ווי זיי באקומען נישט פון הימל דאס וואס זיי בעטן.

מיר מוזן אבער געדענקען אז אפילו ווען עס זעט אויס ווי מיר האבן פראבלעמען אין לעבן און עס גייט אונז נישט גוט, איז דער אמת אז דער אויבערשטער וויל בלויז אונזער טובה, אפגעזען צי מיר פארשטייען עס אדער נישט.

א איד האט אמאל געווארט ארויפצוגיין אויפ'ן פליגער פון ארץ ישראל, און ער האט געשפירט ווי א הונגער דרוקט אים אין מאגן. ער איז צוגעגאנגען צו איינעם פון די געשעפטן ביים לופטפעלד, ער האט איינגעקויפט א פעקל קיכלעך, און האט זיך אראפגעזעצט עסן. ער האט אראפגעלייגט זיין רענצל אויף דער ערד נעבן אים און דאס פעקל קיכלעך אויף דעם דערנעבנדן זיץ. ער האט אריינגעלייגט זיין האנט אין זעקל, ארויסגענומען א קיכל, געמאכט א ברכה און אפגעשטילט זיין הונגער.

מיטאמאל האט ער באמערקט ווי אן אנדערער איד וואס איז געזעסן צוויי זיצן אוועק פון אים שטעקט אויך אריין זיין האנט אין דעם זעקל, נעמט ארויס א קיכל און

עסט. ער טראכט: "וואס פאר א חוצפה! מסתמא איז ער זייער הונגעריג און ער קען זיך נישט איינהאלטן".
יענער האט זיך אבער נישט באגענוגענט דערמיט. ער האט ארויסגענומען איין קיכל נאכ'ן צווייטן ביז עס איז איבערגעבליבן בלויז איין קיכל. יענער האט גענומען דאס לעצטע קיכל; ער האט עס צעבראכן אויף צוויי, און גענומען פאר זיך איין האלב און צוריקגעלייגט דעם צווייטן האלב פאר דעם ערשטן איד.
דער איד האט נישט געקענט גלייבן וואס ער זעט. ווי אזוי קען איינער בשאט נפש גנב'ען זיין עסן?
ווען דער איד איז ענדליך ארויף אויפ'ן פליגער האט ער געעפענט זיין טאשקע, און צו זיין שאק האט ער געזען ווי דאס גאנצע זעקל קיכלעך ליגט אין דעם טאשקע, אומבארירט. עס האט זיך ארויסגעשטעלט אז ער האט בטעות געלאזט דעם זעקל קיכלעך אין זיין טאשקע, און דער פעקל קיכלעך וואס איז געלעגן אויף זיין זיץ האט באלאנגט פאר דעם צווייטן איד. אזוי ארום האט אויסגעזען ווי דער מענטש נעבן אים האט גע'גנב'עט זיין עסן, אבער באמת האט ער אים גאר אוועקגעגעבן פון זיין אייגענע עסן!

טיילמאל זעט אויס ווי דער אויבערשטער נעמט עפעס אוועק פון אונז. עס קען זיך אונז צומאל דאכטן אז דער אויבערשטער נעמט אוועק אונזערע ווויכטיגסטע פארמעגענס, אדער ער נעמט צו אונזער צופרידנקייט און שלוות הנפש. אבער דער אמת איז אז דער באשעפער איז בלויז א נותן. עס וועט קומען א טאג ווען מיר וועלן זען בחוש אז אלע פעולות פון השי"ת זענען געווען לטובה.

אפטמאל מאכט זיך אז נאכדעם וואס א מענטש גייט דורך א נסיון דארף ער אויסשטיין פיל מער נסיונות, און די שפעטערע נסיונות זענען נאך שווערער ווי דער ערשטער נסיון. צום ביישפיל, אויב א פרייער איד ווערט א בעל תשובה, איז ער דורכגעגאנגען א שווערן נסיון צוריקצוקומען צו תורה ומצוות. אבער נאכדעם וואס ער איז שוין א בעל תשובה, קען אים אנקומען גאר שווער אפצוהיטן תורה ומצוות, און ער באגעגענט זיך יעדן טאג מיט פרישע נסיונות. אויב ער שטארקט זיך אבער אויף די נייע נסיונות און ער איז מקיים די מצוות אפילו עס קומט אים אָן שווער, באקומט ער אסאך שכר דערפאר. די קונץ איז זיך צו האלטן שטארק און

טיילמאל זעט אויס ווי דער אויבערשטער נעמט עפעס אוועק פון אונז. אבער דער אמת איז אז דער באשעפער איז בלויז א נותן. עס וועט קומען א טאג ווען מיר וועלן זען בחוש אז אלע פעולות פון השי"ת זענען געווען לטובה.

נישט אויפגעבן נאכדעם וואס מען איז בייגעשטאנען דעם ערשטן נסיון.

מיר פארשטייען נישט אייביג דעם באשעפער'ס וועגן, אבער מיר דארפן געדענקען אז אלעס וואס דער אויבערשטער טוט איז פאר אונזער טובה. מיר דארפן זיך שטארקן אויף אונזערע נסיונות, און נאכדעם וואס מיר האבן מצליח געווען בייצושטיין דעם ערשטן נסיון, דארפן מיר זיך ווייטער מחזק זיין. צום סוף וועלן מיר איינזען אז אלע נסיונות זענען געווען פאר אונזער טובה.

101

דער שכר לויט די נסיונות

איין מוצאי יום הקדוש איז דער הייליגער חוזה פון לובלין זי"ע געווען אין א דערהויבענע שטימונג, און ער האט אויסגערופן: "איך קען איבערזאגן יעדן איינעם אויף וואס ער האט געבעטן דעם יום כיפור". די מתפללים האבן זיך נישט געטרויט צוצוגיין צום רבי'ן און בעטן אז ער זאל זיי טאקע זאגן. ענדליך האט איינער זיך גענומען קוראזש און געבעטן דעם חוזה אז ער זאל אים זאגן אויף וואס ער האט מתפלל געווען.

דער הייליגער חוזה, מיט זיינע אפענע אויגן, האט אים דערציילט: "עס איז דיר געווען זייער שווער צו לערנען דעם פארגאנגענעם יאר. דו ביסט אהיימגעקומען שפעט פון דער ארבעט יעדע נאכט, דו האסט שנעל געגעסן נאכטמאל און געלאפן צו דיין שיעור. דעם יום כיפור האסטו געבעטן פון באשעפער אז דו זאלסט האבן א גרינגערן סדר היום אזוי אז דו זאלסט האבן מער צייט צו לערנען מיט ישוב הדעת".
"דאס איז טאקע וואס איך האב געבעטן!" האט דער איד אויסגערופן מיט התפעלות, צוגעבענדיג: "יעצט איז די שאלה צי זענען מיינע תפילות נתקבל געווארן".
ענטפערט דער חוזה: "דער רצון ה' איז געווען אז דיינע תפילות זאלן נישט ערפילט ווערן".
דער איד האט דאס נישט געקענט פארשטיין. "איך האב בלויז געבעטן אז איך וויל דינען דעם אויבערשטן מיט א רואיגקייט און לערנען תורה מיט הרחבת הדעת;

פאַרוואָס וויל מיר דער אויבערשטער דאָס נישט נאָכגעבן?!"

ענטפערט דער חוזה: "ווייל דאָס וואָס דו לערנסט תורה בלויז איין שעה א טאָג אונטער גרויס דרוק איז א סאַך חשוב'ער אין הימל ווי ווען דו וואָלסט געלערנט א לענגערע צייט מיט הרחבת הדעת".

עס שטייט אין אבות דרבי נתן (פרק ג'): "טוב לו לאדם דבר אחד בצער ממאה בריוח – עס איז בעסער איין זאַך וואָס מען טוט מיט שוועריגקייטן ווי הונדערט זאַכן וואָס מען טוט גרינגערהייט". פילמאָל מאַכט זיך אַז מיר ווילן טוען א גוטע זאַך, אָבער עס קומט אונז אָן שווער און מיר האַנקערן זיך אָן אין שטרויכלונגען. טייל מענטשן גיבן באַלד אויף, און זיי טראַכטן אַז אויב דער באשעפער וויל נישט זייערע מצוות ומעשים טובים וועלן זיי עס נישט טוען. אָבער דער אמת איז פונקט פאַרקערט: דער באשעפער האָט אַזוי ליב אונזערע מצוות אַז ער וויל אַז עס זאָל אונז אָנקומען שווער כדי מיר זאָלן באַקומען הונדערט מאָל מער שכר.

דער חפץ חיים שרייבט (חייו ופעליו ע' תתת"ט) אַז ווען דער באשעפער וויל אויפהייבן א מענטש צו א העכערע מדריגה, שיקט ער אים אונטער א נסיון כדי ער זאָל שטייגן דורך דעם. עס שטייט אין מדרש (ילקוט שמעוני וירא רמז צט) אַז ווען אברהם אבינו האָט זיך אַרויסגעלאָזט אויפ'ן וועג צו די עקידה האָט דער באשעפער אַרויסגעשיקט דעם שטן אים אָפּצושטעלן אינמיטן וועג. דער שטן האָט זיך פאַרשטעלט ווי א טייך, און אברהם אבינו, מיט זיין גרויס צדקות, איז אַריינגעגאַנגען אינעם טייך ביז דאָס וואַסער איז אָנגעקומען ביז צו זיין האַלז. אברהם אבינו'ס מסירת נפש איז געווען אַזוי חשוב אויבן אין הימל אַז מען האָט אים צוגעשיקט נסיונות וואָס זאָלן אים מאַכן שווערער דעם וועג.

> **ווען דער באשעפער וויל אויפהייבן א מענטש צו א העכערע מדריגה, שיקט ער אים אונטער א נסיון כדי ער זאָל שטייגן דורך דעם.**

מענטשן קוקן אָפטמאָל מיט קנאה אויף זייערע אַרומיגע, טראַכטענדיג ווי פאַר אַנדערע קומט אָן אַזוי גרינג צו טוען מצוות בעת פאַר זיי קומט עס אָן שווער. א מענטש מוז אָבער געדענקען אַז דער באשעפער האָט אים ליב, און אויב עס קומט אים אָן שווערער מקיים צו זיין מצוות וועט ער קריגן פיל מער שכר. דער פסוק זאָגט (תהלים סב, יג): "וּלְךָ ה' חָסֶד כִּי אַתָּה תְשַׁלֵּם לְאִישׁ כְּמַעֲשֵׂהוּ". דער פשוט'ער פשט איז אַז דער באשעפער ווייזט זיינע חסדים דורכ'ן געבן שכר פאַר מענטשן וואָס זענען מקיים מצוות און מעשים טובים. די

מפרשים שטעלן זיך אבער פארוואס דאס ווערט באטראכט אלס א ׳חסד׳. לכאורה איז דאך דאס געוויינט ווי אזוי עס דארף זיין.

דער אלשיך הקדוש זאגט פשט אז דער חסד ליגט אין דעם וואס דער באשעפער באצאלט דעם מענטש "כמעשהו" – לויט זיין ארבעט. אויב עס איז אנגעקומען שווער פאר א איד מקיים צו זיין א מצוה און ער האט זיך שטארק אנגעשטרענגט, באקומט ער מער שכר דערויף, אפילו אויב ס׳איז געווען גאנץ א פשוט׳ע מצוה. דער באשעפער קוקט נישט לויט וויפיל מען האט אויפגעטון, נאר לויט ווי שווער עס איז אנגעקומען.

שטעלט זיך פאר אז עס איז פאראן א גרויסער פאבריק וועלכע פארמאגט צוויי געביידעס. אין איין געביידע איז פאראן עיר קאנדישאן און אין די אנדערע איז נישט דא קיין עיר קאנדישאן. די ארבעטערס אין ביידע געביידעס טוען גענוי די זעלבע ארבעט, אבער די וואס ארבעטן אין דער געביידע מיט עיר קאנדישאן ווערן באצאלט פופציג דאלאר א שעה, בעת די וואס ארבעטן אין די געביידע אָן עיר קאנדישאן ווערן באצאלט פינף טויזנט דאלאר א שעה. די מענטשן וואס ארבעטן אין די געביידע אָן עיר קאנדישאן הארעווען טאקע אין די ביטערע היצן, אבער זיי פארדינען פיל מער.

די זעלבע זאך איז ווען עס קומט צו עבודת ה׳. פאר טייל מענטשן קומט אָן שווער צו דינען דעם באשעפער, און פאר אנדערע קומט עס אָן גרינג. אבער עס האט נישט קיין זין מקנא צו זיין די וואס עס קומט זיי אָן גרינג צו דינען דעם באשעפער, וויבאלד די וואס ארבעטן שווער און הארעווען דערפאר באקומען פיל מער שכר. דאס איז דער סיסטעם ווי אזוי דער באשעפער האט אויסגעשטעלט די בריאה, און מען דארף נישט מקנא זיין איינער דעם צווייטן.

ווען מיר זעען אז עס קומט אונז אָן שווער צו היטן די מצוות, טארן מיר זיך נישט שפירן צעקלאפט. אדרבה, מיר דארפן זיך שטארקן און דאנקען דעם רבונו של עולם אז ער שטעלט אונז צו א געלעגנהייט צו קענען שטייגן אין עבודת ה׳. ווען מיר ארבעטן שווער מקיים צו זיין תורה ומצוות וועלן מיר אליין פארדינען דערפון אויף יענע וועלט. עס איז א גאלדענע געלעגנהייט אז מיר קענען פארדינען אזויפיל מער שכר כאטש מיר זענען מקיים די זעלבע מצוות ווי אנדערע; מיר טארן עס נישט דערלייגן דורכ׳ן אריינפאלן אין שלעכטע געפילן פון קנאה און עצבות.

102

די עצה אויפצוהערן דאגה'ן

נעמט אין דער האנט א גלעזל אנגעפילט מיט וואסער און שפירט ווי שווער עס איז. דאס גלעזל וועגט מסתמא פינף-זעקס אנסעס. אויב איר האלט עס פאר איין מינוט שפירט זיך עס לייכט; אויב איר האלט עס פאר א שעה וועט אייער האנט ווי טוען, און אויב איר וועט עס האלטן א גאנצן טאג וועט אייער ארעם כמעט פאראליזירט ווערן. די וואג בלייבט אבער די זעלבע; דער חילוק איז ווי לאנג איר האלט עס.

די זעלבע זאך איז מיט שוועריגקייטן וואס מען גייט דורך אין לעבן. עס מאכט נישט אזא גרויסער חילוק וויפיל די שוועריגקייט "וועגט"; דער עיקר איז ווי לאנג מען טראגט עס. עס איז נישט געפערליך אויב מען טראכט וועגן די שוועריגקייטן עטליכע מינוט. אויב מען טראכט דערוועגן אביסל לענגער שפירט זיך עס אביסל שווערער, אבער עס איז נאכנישט עק וועלט. אבער אויב מען טראכט טאג און נאכט פון די פראבלעמען דאן ווערט מען ח"ו פאראליזירט און מען קען גארנישט אויפטוען מיט'ן לעבן.

דא שטעלט זיך אבער די פראגע: ווי אזוי קען מען טאקע אויפהערן טראכטן פון די טאג טעגליכע דאגות וואס מוטשען דעם מח און לאזן נישט מנוחה?

טייל פסיכאלאגן שלאגן פאר אז מען זאל פרובירן טראכטן פון אנדערע זאכן און אזוי ארום וועט מען אויטאמאטיש

אויפהערן טראכטן פון די דאגות, אבער דאס איז בלויז א צייטווייליגע עצה און עס לעזט נישט באמת דעם פּראבלעם.

א מענטש איז אמאל געקומען צום דאקטאר און זיך אפגערעדט פאר אים אז ער ליידט פון שווערע דאגות און פחדים, און דאס האט אים געמאכט אזוי צעטראגן ביז ער איז אריינגעפאלן אין א שווערע מרה שחורה. ער האט געפרעגט דעם דאקטאר אויב ער פארמאגט א רפואה דערפאר. זאגט דער דאקטאר: "איך האב די בעסטע מעדיצין, גיי צו דעם קונצלער פון שטאט און קוק זיך צו ווי ער באווייזט זיינע קונצן, דאס וועט דיר מאכן לאכן און עס וועט דיר ארויסנעמען פון דיין דעפּרעסיע".
"דאקטאר," האט דער פאציענט זיך אנגערופן, "איך בין דער קונצלער".

פון די מעשה'לע זעען מיר אז זיך פארטוישן דעם מוח מיט אנדערע זאכן איז נישט קיין אמת'ע לעזונג צו דעם פּראבלעם, און אפילו מענטשן וואס האלטן זיך אונטער מיט וויצן און מיט פארשידענע אנדערע זאכן דרייען זיך אויך ארום אנגעצויגן מיט דאגות.

אלזא, וואס איז יא די עצה מסיח דעת צו זיין פון די פּראבלעמען?

די עצה איז צו טראכטן פון די צוויי יסודות: א) דער באשעפער איז דער איינציגסטער מנהיג לכל הברואים, און קיינער אויסער אים האט נישט קיין שליטה אויף אונז. ב) דער באשעפער פירט אלעס לטובה, אפגעזען אויב מען פארשטייט עס אדער נישט. א איד וואס קען נעמען די צוויי יסודות און איינקריצן ביי זיך אין הארץ, וועט קיינמאל מער נישט ליידן פון אנגעצויגנקייט און דאגות.

דער באשעפער איז דער איינציגסטער מנהיג לכל הברואים, און קיינער אויסער אים האט נישט קיין שליטה אויף אונז. דער באשעפער פירט אלעס לטובה..

עס איז אמאל געווען א רייכער ביזנעסמאן וועלכער האט פארמאגט א גרויסע פירמע. ווען דער זון פון דעם ביזנעסמאן איז אונטערגעוואקסן האט דער פאטער באשלאסן אז עס איז געקומען די צייט אים אריינצונעמען אין דער ביזנעס. דער בעל הבית האט געלאזט וויסן זיינע ארבעטערס אז זיין זון וועט אריינקומען ארבעטן אין די פירמע, און ער האט זיי אנגעזאגט אז זיי זאלן אים נישט צורו לאזן. ער האט געהייסן אז מען זאל שיקן צו זיין זון יעדן פּראבלעם וואס עס מאכט זיך ביי דער ארבעט, און אז יעדעס מאל וואס ער מאכט א טעות זאלן זיי אים

קריטיקירן דערויף. דער ביזנעסמאן האט געוואלט אז זיין זון זאל זיך אויסרייבן אין דער ביזנעס און אויסלערנען ווי אזוי אומצוגיין מיט שוועריגקייטן ביי דער ארבעט.

דער זון איז אריינגעקומען אין דער ביזנעס און ער האט אנגעהויבן ארבעטן פלייסיג מיט דעם פולסטן חשק. אבער געציילטע טעג שפעטער איז זיין ענטוזיאזם אויסגערינען. ער האט זיך באגעגנט מיט פראבלעמען רעכטס און לינקס. מענטשן האבן אים געהאלטן אין איין קריטיקירן, און ווי אימער ער האט זיך געדרייט האט ער זיך אנגעשטויסן אין שטרויכלונגען. דער זון איז געווארן אינגאנצן צעבראכן ביי זיך. ער האט געמיינט אז די הצלחה וועט אים שיינען ווי נאר ער טרעט אריבער דעם שוועל פון דער ביזנעס, און דערווייל באגעגנט ער זיך מיט אזעלכע שוועריגקייטן.

דער זון האט אבער נישט געכאפט אז די אלע שוועריגקייטן זענען געווארן אנגעדרייט דורך זיין אייגענעם טאטן, וועלכער האט געוואלט אז ער זאל זיך אויסלערנען די ביזנעס. דורך דעם וואס מען האט אים געהאלטן אין איין שיקן פראבלעמען און קריטיקירן האט ער זיך געמוזט צורייבן און זיך אויסלערנען ווי אזוי זיך צו באגיין ווען עס קומען אונטער שוועריגקייטן אין ביזנעס. די אלע פראבלעמען זענען געווארן דירעקט אונטערגעשיקט דורך זיין געטרייען טאטן, וועלכער האט עס געטוען פון גרויס ליבשאפט.

די זעלבע זאך איז ווען עס קומט אונטער א נסיון. דער גרויסער באשעפער שיקט אונז שוועריגקייטן כדי מיר זאלן שטייגן. דער אויבערשטער וויל אז מיר זאלן ארבעטן אויף אונזערע מידות, דערפאר מאכט ער אז עס זאלן אפירקומען שטרויכלונגען וועלכע שטערן אונז פון דערגרייכן אונזערע צילן. דורכדעם וואס מיר שטארקן זיך איבער די נסיונות, ווערן אונזערע נשמות אויסגעאיידלט און אונזערע מידות ווערן אויסגעארבעט, און אזוי לערנען מיר זיך אויס ווי אזוי אנצוגיין מיט'ן לעבן.

ווען מען שפירט אז מען הייבט אָן צו ווערן אנגעצויגן און דער מוח ווערט פארפלאנטערט אין דאגות, דארף מען זיך געבן א שטעל אפּ און זיך דערמאנען אז אלעס קומט פון באשעפער, און אז ער וויל אז מיר זאלן שטייגן פון יעדן נסיון. די מעלות פון דעם צוגאנג זענען צווייפאכיג: ערשטנס, עס

איז פשוט א פראקטישע עצה ווי אזוי פטור צו ווערן פון דאגות און פחדים. צווייטנס, עס שטארקט די אמונה און עס דערנענטערט דעם מענטש צום באשעפער.

אויב מען חזר'ט זיך כסדר איין די צוויי יסודות, אז דער אויבערשטער איז דער איינציגסטער מנהיג איבער אונז, און אז אלעס איז לטובה, ווערט דאס איינגעקריצט אין מוח און אין הארץ, אזוי אז מען איז מסיח דעת פון די דאגות פון זיך אליין, און אזוי קען מען לעבן בעז"ה רואיג און צופרידן.

103

קוקן מיט א תורה'דיגן בליק

עס איז וויכטיג כסדר ארויסצוזאגן מיט'ן מויל "גם זו לטובה", ווייל דאס ברענגט אז דער מענטש זאל געדענקען אז דאס לעבן גייט אים גוט, וויבאלד דאס איז וואס דער באשעפער וויל. יעדעס מאל וואס א מענטש האט א נסיון און ער זאגט: "דער באשעפער טוט דאס פאר מיין טובה", איז ער מקיים דערמיט דעם פסוק (דברים ח, ה): "וְיָדַעְתָּ עִם לְבָבֶךָ כִּי כַּאֲשֶׁר יְיַסֵּר אִישׁ אֶת בְּנוֹ ה' אֱלֹקֶיךָ מְיַסְּרֶךָּ". מיט דעם אנערקענט ער אז ווען דער באשעפער שטראפט אונז איז עס פונקט ווי א ליבליכער טאטע גיט א פעטשל פאר זיין קינד כדי אים אויסצולערנען דיסציפלין און אז מען קען נישט טוען וואס מען וויל (זע אור החיים הקדוש).

ווען עס קומט פאר אן אומגליק, מאכט זיך אז מענטשן טראכטן: "ווי אזוי האט אזא זאך געקענט געשען?" און אזוי ווייטער. אבער אויב מען געוואוינט זיך איין צו קוקן אויף דער וועלט מיט א תורה'דיגע השקפה עפענט זיך א נייע וועלט פאר די אויגן. צוויי מענטשן קענען מיטהאלטן די זעלבע געשעעניש און אוועקגיין מיט גאנץ אן אנדערן רושם. אויב עס פאסירט למשל א שווערער עקסידענט רח"ל, קען איינער טראכטן: "ווי אזוי קען זיין אז אזא זאך זאל פאסירן צו אן ערליכן איד?" און א צווייטער קען זאגן: "עס איז ממש א נס אז דער דרייווער איז ארויס בלויז מיט עטליכע צעבראכענע ביינער ה"י און דער שאדן איז נישט געווען ערגער חלילה".

צוויי מענטשן קענען באטראכטן אן ארעמאן מיט פארשידנארטיגע מיינונגען.

צוויי מענטשן קענען באטראכטן אן ארעמאן מיט פארשידנארטיגע מיינונגען. איינער זאגט: "ווי אזוי קען זיין

אז אן ערליכער איד זאל זיך אזוי מוטשען מיט פרנסה?" א צווייטער זאגט: "קוקט ווי דער באשעפער גיט זיך אפ מיט אים און מאכט זיכער אז ער זאל שטענדיג האבן וואס ער דארף צום לעבן". מיר מוזן געדענקען אז עס זענען שטענדיג דא צוויי זייטן צו יעדע מטבע, און אז אפילו אויב מיר פארשטייען נישט עפעס איז פאראן א סיבה דערצו.

> הגאון רבי יחזקאל אבראמסקי זצ"ל איז אמאל געזעסן איין פארנאכט צוזאמען מיט'ן בריסקער רב זצ"ל און זיי האבן געשמועסט אין לערנען. אינמיטן האט ר' יחזקאל ארויפגעקוקט אויפ'ן הימל און זיך אנגערופן: "ווי אזוי קען דער רבינו תם האלטן אז די נאכט הייבט זיך אָן צוויי און זיבעציג מינוט נאכ'ן שקיעה? דער הימל איז דאך שוין אינגאנצן טונקל!"
> רופט זיך אָן דער בריסקער רב: "אויב מיר האבן א ספק ווען עס ווערט נאכט קוקן מיר נישט אויפ'ן הימל, מיר קוקן אין שולחן ערוך, אונזערע אויגן זעען נישט אייביג ריכטיג, אבער דער שולחן ערוך איז אמת ויציב".

ווען מען קוקט אויף דער וועלט מיט א תורה'דיגן בליק באקומט אלעס א נייע צורה. פארשידענע אומפארשטענדליכע זאכן אין דער בריאה ווערן אויסגעקלארט, און מען הייבט אָן זען די וועלט דורך נייע ברילן. די תורה פירט אונז ארויף אויפ'ן דרך האמת, און עס ברענגט אז דער מענטש זאל האבן א ריינעם און אמת'ען בליק אויף דעם אויבערשטנ'ס וועלט.

דער פסוק זאגט (הושע יד, י): "כִּי יְשָׁרִים דַּרְכֵי ה' וְצַדִּקִים יֵלְכוּ בָם וּפֹשְׁעִים יִכָּשְׁלוּ בָם". דאס מיינט אז די וועלט וואס דער רבונו של עולם האט באשאפן פארמאגט א גלייכען וועג ווי אזוי מען דארף גיין. אן ערליכער איד ווייסט ווי אזוי צו גיין ווייל ער לערנט תורה און ער האט די ריכטיגע השקפה, בעת א רשע שטרויכלט זיך וויבאלד ער קוקט נישט מיט'ן ריכטיגען תורה'דיגן בליק (זע רד"ק). לאמיר בוחר זיין דעם דרך הישר.

סימנים פון הימל

אפטמאל מאכט זיך אז מיר ווילן טוען א גוטע זאך אבער עס קומען אונטער שטרויכלונגען אין וועג. טייל מענטשן ווערן מיואש און זיי געבן אויף, האלטענדיג אז דאס איז א סימן פון הימל אז זיי זאלן נישט טוען די גוטע זאך. דאס איז אבער נישט קיין ריכטיגער צוגאנג ווען עס האנדעלט זיך אין מצוות און מעשים טובים. עס איז מעגליך אז דער באשעפער האט דוקא צוגעשיקט די מניעות כדי אים צו געבן באזונדערע שכר פאר ארייַנלייגן כוחות איבערצוקומען די שוועריגקייטן.

פון דער אנדערער זייט, אויב מען האט פרובירט אלעס וואס מען האט געקענט; מען האט פרובירט מיט אלע כוחות זיך צו שטארקן איבער די שוועריגקייטן, און פונדעסטוועגן איז נישט געלונגען אויפצוטוען דאס וואס מען האט געוואלט, דאן דארפן מיר אננעמען אז עס איז פשוט נישט געווען דער רצון ה׳, און אז דער באשעפער ברוב חכמתו האט נישט געוואלט אז די אונטערנעמונג זאל זיך אויסארבעטן – ווי גוט עס זאל נאר זיין.

עס איז מעגליך אז דער באשעפער האט דוקא צוגעשיקט די מניעות כדי אים צו געבן באזונדערע שכר פאר ארייַנלייגן כוחות איבערצוקומען די שוועריגקייטן.

דער געדאנק איז זייער נוגע אין לעבן, בפרט ביי שידוכים. עס איז נישט אייביג גרינג צו טרעפן דעם ריכטיגן שידוך. אבער אפילו אויב עס גייט שווער דארף מען דאס נישט שטענדיג אננעמען אלס א סימן מן השמים אז מ׳וויל נישט דעם שידוך פון הימל, ווייל עס איז מעגליך אז דאס איז יא דער ריכטיגער זיווג נאר פון הימל וויל מען אז עס זאל אנקומען שווער. אבער אויב מען האט געטוען אלע השתדלות און פונדעסטוועגן האט זיך דער שידוך נישט אויסגעארבעט, דאן קען מען זאגן מיט א רואיגקייט אז דער שידוך איז נישט געווען באשערט.

אין די תורה טרעפן מיר צוויי מאל וואס די אבות הקדושים האבן געזוכט שידוכים. דאס ערשטע מאל איז אין פרשת חיי שרה, ווען אליעזר עבד אברהם איז געגאנגען זוכן א שידוך פאר יצחק אבינו, און ער האט געטראפן רבקה אמנו. אברהם אבינו האט אים נישט געגעבן צופיל פרטים ווי אזוי ער זאל טרעפן א שידוך. ער האט אים בלויז געהייסן גיין קיין חרן און אויפזוכן א מיידל פון זיין משפחה פאר יצחק. עס וואלט זיך געקענט דוכטן אז דאס וועט נעמען א לענגערע צייט, וויבאלד אברהם האט אים נישט געלאזט וויסן גענוי וואס פאר א סארט מיידל ער זוכט. אבער באלד ווען אליעזר איז אנגעקומען האט ער געטראפן דאס ריכטיגע מיידל – די הייליגע צדיקת רבקה.

שפעטער, אין פרשת ויצא, לערנען מיר אז יעקב אבינו'ס עלטערן האבן אים געשיקט קיין פדן ארם און זיי האבן אים געהייסן חתונה האבן מיט איינע פון לבנ'ס טעכטער. עס וואלט אויסגעזען אז דאס וואלט געדארפט זיין א פיל גלאטערע און לייכטערע פראצעדור, וויבאלד יעקב האט געוואוסט גענוי וועמען ער דארף נעמען. אבער למעשה האט לבן הארמי אים אויסגעשפילט און אים געגעבן לאה אנשטאט רחל. ווען יעקב האט געזען אז לבן האט אים אויסגענארט, וואלט ער געקענט טראכטן: "שוין, עס איז נישט באשערט אז איך זאל חתונה האבן מיט רחל". אבער אנשטאט דעם האט ער ווייטער זיך געשטעלט דערויף אז ער וויל דוקא חתונה האבן מיט רחל, זעענדיג מיט זיינע הייליגע אויגן אז דאס איז זיין זיווג. צום סוף האט זיך ארויסגעשטעלט אז דוקא די מניעות וואס יעקב האט געהאט ביים חתונה האבן מיט רחל האבן געברענגט אז זי זאל קענען האבן קינדער. חז"ל לערנען אונז אז רחל איז באמת געווען אן עקרה, נאר אין זכות פון דעם וואס זי האט איבערגעגעבן די סימנים פאר איר שוועסטער לאה כדי צו פארמיידן בזיונות איז זי געווארן אויסגעהיילט.

פון דעם זעען מיר אז אפילו ווען עפעס קומט אָן גאר שווער, דארף מען נישט ווערן פארלוירן, נאר מ'זאל זיך מחזק זיין און ווייטער טוען השתדלות ביז מען דערגרייכט דעם ציל. און אויב עס ארבעט זיך נישט אויס אפילו מיט די גרעסטע השתדלות, דארף מען טראכטן: "דער באשעפער ווייסט וואס ער טוט, און אויב ער וויל נישט אז איך זאל דאס קענען אויספירן איז דאס זיכער פאר מיין טובה".

105

שטייגן דורך די נסיונות

עס זענען פאראן מענטשן וואס גייען דורך שווערע צייטן – ברוחניות אדער בגשמיות – במשך א לענגערע תקופה. זיי מוטשען זיך מיט א פראבלעם און זיי קענען נישט ארויסקריכן דערפון, און זיי קענען נישט פארשטיין פארוואס דער אויבערשטער העלפט זיי נישט. אין אזעלכע פאלן קען מען ווערן אינגאנצן מיואש און טראכטן צו זיך: "איך האב שוין אזויפיל מתפלל געווען; איך בין געגאנגען צו אזויפיל צדיקים נאך ברכות; איך פראביר זיך צו פארבעסערן ברוחניות, אבער עס האט גארנישט געהאלפן".

מיר קענען נישט פארשטיין פארוואס מיר גייען דורך שוועריגקייטן אין לעבן, אבער מיר דארפן שטענדיג געדענקען אז דער באשעפער איז מיט אונז ווען מיר מאכן מיט א צרה, ווי עס שטייט אין פסוק (ישעיה סג, ט): "בכל צרתם לו צר". ווען א מענטש געפינט זיך אין אזא שווערן מצב האט ער א ברירה: ער קען אריינפאלן אין א יאוש ביז זיין חיות אין תורה ומצוות ווערט פארלאשן, אדער קען ער טראכטן צו זיך: "איך האב יעצט א זעלטענע געלעגנהייט – איך קען מקיים זיין מצוות טראץ דעם וואס איך געפין זיך אין אזא שווערן מצב".

א חשוב'ער ראש ישיבה האט דאס צוגעשטעלט צו די מעשה פון יוסף הצדיק. יוסף הצדיק איז פארקויפט געווארן דורך זיינע ברידער און ער איז אנגעקומען קיין מצרים. מצרים איז געווען די ערות הארץ – א לאנד פון אוממאראליטעט

און אויסגעלאסנקייט. אבער יוסף האט נישט פארלוירן זיין אמונה אפילו אין דעם נידריגן פלאץ, און ער האט זיך געהאלטן פעלזן פעסט בקדושה וטהרה. און דאן איז אונטערגעקומען דער שווערער נסיון פון פוטיפר'ס ווייב. יוסף וואלט געקענט ווערן זייער צעבראכן און טראכטן: "פארוואס מוז איך דורכגיין נאך א שוועריקייט; מיין מצב איז דען נישט גענוג שווער אזוי אויך?"

יוסף האט זיך אבער געשטארקט מיט אייזערנע כוחות, און ער איז נישט דורכגעפאלן דעם שווערן נסיון. ער וואלט איצט געקענט טראכטן: "נאכדעם וואס איך בין דורכגעגאנגען אזא שווערן נסיון וועט מיר דער אויבערשטער זיכער העלפן און ארויסנעמען פון דעם ביטערן ארט". אנשטאט דעם האט פוטיפר אים אריינגעווארפן אין גרוב, וואו ער איז געזעסן מיט פארברעכער פון מצרים במשך גאנצע צען יאר.

נאך צען יאר זיצן אין תפיסה האט יוסף הצדיק זיך געווענדן צום שר המשקים און אים געבעטן אז ער זאל דערמאנען זיין נאמען פאר פרעה'ן אז ער זאל אים ארויסנעמען פון תפיסה, און דערפאר האט מען אים מוסיף געווען נאך צוויי יאר. דער חזון איש איז מסביר (אמונה ובטחון ב, ו) אז יוסף הצדיק האט געהאט די אמת'דיגע מדרגה פון בטחון אין השי"ת, נאר ער האט געהאלטן אז פארט דארף א מענטש טוען השתדלות. חז"ל זאגן אבער אז די השתדלות ביי דעם מצרי איז נישט געווען אויסגעהאלטן, ווייל ער וואלט סיי ווי נישט געדענקט א טובה צו טוען יוסף, און אזא השתדלות טוט א מענטש נאר מתוך יאוש.

נאך צוועלף יאר זיצן אין תפיסה, האט מען ענדליך געשיקט רופן יוסף צום פרעה. דער גרויסער קעניג פרעה האט אים געבעטן פותר חלום צו זיין און ווי אזוי צו פירן דאס לאנד. יוסף איז געווארן געקרוינט אלס דער משנה למלך פון מצרים, ווערענדיג דער מאכטפולסטער מענטש נאך פרעה אין לויף פון די קומענדיגע אכציג יאר (בראשית רבתי ויחי עמוד 162). צוליב די אלע נסיונות וואס ער איז דורך רופט מען אים "יוסף הצדיק".

דער באשעפער האט ספעציעל געשיקט די שווערע נסיונות פאר יוסף הצדיק, וויבאלד ער האט געוואוסט אז מיט יעדן נסיון שטייגט יוסף און ער ווערט מער און מער אויסגעארבעט. א דאנק דעם וואס יוסף איז בייגעשטאנען זיינע נסיונות און ער איז אלעס איבערגעקומען, איז ער

אנגעקומען צו גאר הויכע מדריגות וואס מיר קענען אפילו נישט משיג זיין. בשעת ער איז דורכגעגאנגען די נסיונות האט אויסגעזען ווי יוסף געפינט זיך בשפל המצב, אבער באמת איז ער אין די יארן געשטיגן אלץ העכער.

ווען מיר געפינען זיך אין א שווערן מצב ווייסן מיר נישט שטענדיג ווי אזוי די ישועה וועט אנקומען, אבער יעדן טאג וואס א מענטש האלט זיך ביי די אמונה טראץ די שוועריגקייטן וואס ער גייט דורך שטייגט ער העכער אין די מדרגה פון אמונה. בשעת מען גייט דורך א נסיון דארף מען זיך האלטן ביי די אמונה מיט אייזערנע קייטן, און איין טאג וועט מען קענען צוריקקוקן און זען ווי דוקא דורך די נסיונות איז מען צוגעקומען צו גאר הויכע מדריגות.

יעדן טאג וואס א מענטש האלט זיך ביי די אמונה טראץ די שוועריגקייטן וואס ער גייט דורך שטייגט ער העכער אין די מדרגה פון אמונה.

106

השתדלות און אמונה

דער חובת הלבבות שרייבט אין שער הבטחון אז טראצדעם וואס מיר ווייסן אז אלעס קומט פון באשעפער, פונדעסטוועגן ליגט א פליכט אויף אונז צו טוען השתדלות דאס צו דערגרייכן. דערפאר פסק'נט דער מחבר אין שלחן ערוך (יורה דעה שלו; זע טורי זהב) אז א מענטש איז מקיים א מצוה ווען ער גיט זיך אפ מיט זיין געזונט, וויבאלד עס ליגט א פליכט אויפ'ן מענטש אכטונג צו געבן אויף זיך. אזוי אויך איז א מצוה צו טוען השתדלות פאר פרנסה, און מען טאר נישט זאגן אז מען פארלאזט זיך אז דער באשעפער וועט שוין צושיקן פרנסה (זע שו"ע או"ח קנו, וביאור הלכה).

א מענטש מוז אבער געדענקען אז נאכדעם וואס ער טוט זיין השתדלות וועט ארויסקומען בלויז דאס וואס דער באשעפער וויל. דער מענטש דארף טוען דאס זייניגע, אבער די רעזולטאטן פון זיין ארבעט זענען אפהענגיק אין באשעפער אליין. א איד דארף גלייבן אז אלעס וואס מען שיקט אים פון הימל איז געגנוי דאס וואס עס קומט זיך אים, אפגעזען וויפיל ארבעט ער האט אריינגעלייגט, און ער דארף דעריבער זיין צופרידן מיט וואס ער פארמאגט.

מיט עטליכע יאר צוריק איז א חשוב'ער דיין אין ירושלים געווארן זייער קראנק ל"ע. א רב וועלכער איז געקומען מבקר חולה זיין דעם דיין האט דערציילט אז ער האט געהערט ווי דער דאקטאר איז מסביר פאר דעם דיין אז זיין לעבן איז אין סכנה, און מען מוז דרינגענד אמפוטירן

זיין פוס. דער דיין האט זיך געבעטן ביים דאקטאר אז ער זאל קודם פרובירן אים אויסצוהיילן דורך אנדערע וועגן. "עס טוט מיר לייד," האט דער דאקטאר געזאגט, "אבער איך האב זיך באראטן מיט גרויסע ספעציאליסטן און מיר זענען געקומען צו דער החלטה אז דאס איז דער איינציגסטער וועג ווי אזוי מיר קענען ראטעווען אייער לעבן".

דער דיין איז געווארן אויס מענטש. ער האט אזוי שטארק געהאפט אז ער וועט זיך פולשטענדיג אויסהיילן און ארויסגיין פון שפיטאל, און קענען ווייטער אנגיין מיט זיין עבודת הקודש. ער האט געבעטן דעם רב וועלכער איז אים געקומען מבקר חולה זיין אז ער זאל פרובירן צו רעדן מיט די דאקטוירים און זען אויב זיי קענען פארט ראטעווען זיין לעבן דורך אנדערע אופנים.

דער רב האט געכאפט א שמועס מיט די דאקטוירים, אבער נאך א קורצע ווייל איז ער צוריקגעקומען זאגן אז עס איז נישטא קיין ברירה און מען מוז אמפוטירן דעם פוס. ווען דער דיין האט דאס געהערט האט ער אריינגערופן זיין משפחה, וועלכע האבן געווארט אינדרויסן פון צימער, און ער האט אויסגערופן: "מיר האבן א סאך מתפלל געווען און אויך געטוען אלע השתדלות וואס איז נאר מעגליך אין דעם מצב, אבער ס'איז קלאר אז דער רצון ה' איז אז מען זאל אמפוטירן מיין פוס, לאמיר עס מקבל זיין באהבה און געדענקען אז אלעס איז לטובה, און אזוי וועלן מיר ריכטיגביישטיין דעם נסיון וואס דער אויבערשטער האט אונז געשיקט".

"מיר האבן א סאך מתפלל געווען און אויך געטוען אלע השתדלות וואס איז נאר מעגליך אין דעם מצב, אבער ס'איז קלאר אז דער רצון ה', לאמיר עס מקבל זיין באהבה און געדענקען אז אלעס איז לטובה.

דאס איז אן אויסגעצייכענטער ביישפיל ווי אזוי אן ערליכער איד ספראווועט זיך מיט א נסיון. דער דיין האט פרובירט צו טוען זיין בעסטע השתדלות אונטער די אומשטענדן. אבער ווען ער האט איינגעזען אז דער באשעפער וויל אנדערש, האט ער מקבל געווען זיין מצב באהבה.

אזוי דארפן מיר זיך אויפפירן אין יעדן שווערן מצב. ווען עס קומט אונז אונטער א שוועריגקייט דארפן מיר טוען אלעס וואס מיר קענען ארויסצוקריכן פון דעם פראבלעם, אבער אויב מיר זעען איין אז דער באשעפער וויל אנדערש דארפן מיר זיך בייגן דעם קאפ און אננעמען דעם מצב מיט ליבשאפט. מיר דארפן ארומגיין מיט א שמייכל אויפ'ן פנים און געדענקען אז דער אויבערשטער פירט אלעס לטובה.

107

אויב אלעס איז גוט, פארוואס דארף מען מתפלל זיין?

מיר ווייסן דאך אז אלעס וואס דער באשעפער טוט איז פאר אונזער טובה, און אז יעדע זאך וואס פאסירט אין לעבן איז אויסגערעכנט פון הימל. אויב אזוי, פארוואס דארפן מיר בעטן דעם אויבערשטן ער זאל פארבעסערן אונזער מצב? אויב עס פעלט אונז עפעס איז דאך קלאר אז מיר דארפן עס נישט האבן און עס איז נישט פאר אונזער טובה. אויב אזוי פארוואס זענען מיר מתפלל אז מיר זאלן עס יא באקומען!

עס זענען פאראן מערערע הסברים אויף דעם. איין הסבר איז אז ווען א איד איז מתפלל צום אויבערשטן בויט דאס אויף א נאענטען קשר צווישן אים און דעם רבונו של עולם. דער תכלית פון תפילה איז נישט בלויז אז מיר זאלן באקומען וואס מיר דארפן, נאר אויך אז מיר זאלן ווערן נאענט צום באשעפער. יעדעס מאל וואס מיר זענען מתפלל צום באשעפער און מיר רעדן זיך אויס אונזערע פראבלעמען ווערן אונזערע הערצער דערנענטערט צו השי"ת.

לויט דעם קומט אויס אז עס זענען פאראן פאלן אין וועלכע דער מענטש איז נישט ראוי צו באקומען די טובה

איידער ער איז מתפלל, און ערשט נאכדעם וואס ער האט זיך אויסגעגאסן דאס הארץ פאר'ן באשעפער און ער איז געווארן דערנענטערט צום רבונו של עולם, איז ער געשטיגן אויף א העכערע מדריגה ווערענדיג ראוי צו באקומען דאס וואס ער האט געוואלט.

עס זענען אויך פאראן פאלן אין וועלכע די טובה איז בכלל נישט גוט פאר דעם מענטש, אבער נאכ'ן בעטן האט דער אויבערשטער געטוישט זיין מצב אז די טובה זאל זיין צוגעפאסט פאר אים.

> **ערשט נאכדעם וואס ער האט זיך אויסגעגאסן דאס הארץ פאר'ן באשעפער און ער איז געווארן דערנענטערט צום רבונו של עולם, איז ער געווארן ראוי צו באקומען דאס וואס ער האט געוואלט.**

מען קען דאס פארשטיין לויט א משל וואס דער חפץ חיים האט דערציילט (חפץ חיים על התורה האזינו עמוד רפד): עס איז געווען א איד וואס איז אוועק פון דער וועלט, און זיין נשמה איז ארויפגעקומען צום עולם האמת. ער האט זיך געשטעלט פאר'ן בית דין של מעלה, מ'האט ארויסגענומען א וואגשאל און אפגעוואויגן זיינע מצוות און עבירות. דער בית דין של מעלה האט גע'פסק'נט אז דער איד וועט קודם דארפן אריינגיין אין גיהנם כדי אפצוקומען אויף זיינע עבירות, און דערנאך וועט ער קענען גיין אין גן עדן.
מיטאמאל האט מען געטראפן צווישן זיינע עבירות אז ער האט פארשעמט אן אנדערן איד.
האט דער בית דין של מעלה גע'פסק'נט אז אויף דעם העלפט נישט קיין גיהנם, ווייל ער האט קיינמאל נישט איבערגעבעטן דעם איד, און אויף עבירות שבין אדם לחבירו העלפט נישט קיין תשובה אויב מען בעט נישט מחילה. דער איינציגסטער וועג ער זאל באקומען א כפרה אויף די עבירה איז אז ער זאל נאכאמאל אראפקומען אויף דער וועלט און פארעכטן דעם שאדן וואס ער האט געטוען.
עס איז א גרויסע צער פאר א נשמה אראפצוקומען נאכאמאל אויף דער וועלט, אבער דא איז נישט געווען קיין ברירה. דער איד האט געמוזט אפקומען אויף די עבירה כדי אנצוקומען אין גן עדן. דער בית דין של מעלה האט געזאגט פאר די נשמה אז אזוי ווי ער האט זיך בדרך כלל אויפגעפירט ערליך, וועט ער מגולגל ווערן אלס א קלוגער און רייכער מענטש, און זיין תיקון וועט זיין אז ער וועט באהאנדלען אנדערע מענטשן מיט אן איידלקייט און זיך רעכענען מיט יעדענס געפילן.

> די נשמה איז אבער נישט געווען צופרידן, און האט גע'טענה'ט: "ווי אזוי וועל איך קענען אויספירן מיין תפקיד אויב איך וועל זיין קלוג און רייך? איך וועל דאך ווערן א גרויסער בעל גאוה און איך וועל נאכאמאל באליידיגן מענטשן!"
> דער בית דין של מעלה האט אים מסביר געווען אז דאס וועט טאקע זיין דער נסיון וואס ער דארף דורכגיין; ער וועט זיך מוזן אומגיין ווייכערהייט מיט אנדערע מענטשן טראצדעם וואס ער וועט זיין קלוג און רייך, און אויב ער וועט ביישטיין דעם נסיון וועט ער זיך פארדינען זיין חלק אין עולם הבא. די נשמה האט זיך אבער געבעטן ביים בית דין של מעלה אז מען זאל טוישן דעם פסק און אים אראפשיקן אויף אן אנדערן אופן. ענדליך האבן זיי מסכים געווען אים אראפצושיקן אלס אן ארימער בעטלער. די נשמה האט זיך זייער געפרייט מיט די החלטה און ער האט באדאנקט דעם בית דין של מעלה, ווייל אזוי ארום וועט ער זיך שטענדיג האלטן בענוה און קיינמאל נישט באליידיגן אנדערע מענטשן.
>
> די נשמה איז טאקע אראפגעקומען נאכאמאל אויף דער וועלט אלס אן ארעמאן, און ער האט געליטן פון שרעקליכע עניות זיין גאנץ לעבן. דער איד האט זיך געהאלטן אין איין וואונדערן: "פארוואס קומט זיך מיר אז איך זאל זיין אזוי ארעם?" אבער דער אמת איז אז ער האט דאס אליין געבעטן, און דאס איז געווען פאר זיין טובה. דורך דעם וואס ער איז געווען ארעם און צעבראכן ביי זיך האט ער מתקן געווען דאס וואס ער האט געדארפט אויפטוען אויף דער וועלט.

לאמיר אריינטראכטן: אויב וואלט דער איד זיך אויסגעוויינט צום באשעפער אויף זיין שווערן מצב הפרנסה, וואלטן די תפילות געהאלפן? עס איז גאנץ מעגליך אז יא, וויבאלד דורך די תפילות וואלט דער איד געטוישט זיין מצב פון פרנסה. דער מבי"ט (בית אלקים פרק ב') שרייבט אז דער תכלית פון תפילה איז מיר זאלן אנערקענען אז מיר דארפן צוקומען צום באשעפער אויף יעדע זאך. ממילא, אויב דער איד וואלט מתפלל געווען צום באשעפער און אנערקענט אז יעדע פרוטה וואס ער פארדינט קומט בלויז פון הימל, וואלט דאס געברענגט אז דאס געלט וואס ער פארדינט זאל

איִם נישט מאכן פאר א בעל גאוה. ער וואלט געדענקט אז דאס געלט קומט פון באשעפער. ממילא וואלט ער זיך נישט געהאלטן גרויס. אבער אויב ער וואלט געווארן רייך אָן דעם וואס ער זאל מתפלל זיין דערויף, וואלט דאס אים געקענט צוברענגען צו גאוה, ווייל ער וואלט געשפירט ווי דאס געלט איז געקומען א דאנק זיינע כשרונות, און אזוי ארום וואלט ער נישט געקענט דערגרייכן זיין תיקון אויף דער וועלט.

אלזא, עס איז ריכטיג אז אלעס וואס פאסירט צו אונז קומט פון הימל, און אז אלעס וואס מיר פארמאגן – אדער פארמאגן נישט – קומט בלויז צוליב די חסדים פון באשעפער. אבער גלייכצייטיג דארפן מיר געדענקען אז דער אויבערשטער וויל אז מיר זאלן מתפלל זיין צו איִם ווען עפעס פעלט אונז, ווייל דאס ברענגט אונז נענטער צום באשעפער, און דאס אליין פועל'ט אויס די ישועה. ווען מיר אנערקענען אז מיר דארפן אנקומען צום רבונו של עולם אויף יעדן טריט און שריט, האט דאס א טיפע השפעה אויף אונזער נשמה, און דאס ברענגט אראפ ישועות פון הימל.

108

שהכל נהיה בדברו

דוד המלך זאגט (תהלים כח, א): "אֵלֶיךָ ה' אֶקְרָא". פון דעם זעען מיר אז ווען אימער דוד המלך האט זיך געפונען אין א קלעם האט ער תיכף אויסגעשריגן צום באשעפער און געבעטן אז דער אויבערשטער זאל אים העלפן. דוד המלך האט געוואוסט אז דער רבונו של עולם איז דער איינציגסטער וואס קען אים ארויסנעמען פון זיינע צרות, און דערפאר האט ער כסדר מתפלל געווען צום באשעפער, ווי ער אליין זאגט (תהלים פו, ז): "בְּיוֹם צָרָתִי אֶקְרָאֶךָּ כִּי תַעֲנֵנִי".

מיר דארפן זיך אזוי אויסארבעטן אז ווען אימער מיר האבן א פראבלעם זאלן מיר זיך נאטורליך ווענדן צום באשעפער און בעטן אז ער זאל אונז העלפן. אויב מיר דארפן פאסן א באשלוס איבער א וויכטיגן ענין, זאל מען מתפלל זיין צום באשעפער אז ער זאל אונז פירן אויפ'ן ריכטיגן וועג. אויב מען האט א מעדיצינישן פראבלעם, דארפן מיר ארויסנעמען דעם תהלימ'ל און מתפלל זיין צום רופא חולים אז ער זאל אונז צושיקן די ריכטיגע שליחים וואס זאלן אויסהיילן די מחלה. דאס איז דער וועג ווי אזוי אראפצוברענגען א ישועה בשעת מיר געפינען זיך אין א צרה. די ערשטע זאך דארף מען זיך ווענדן צום באשעפער אז ער זאל אונז העלפן.

אין מאה שערים וואוינט א איד מיט'ן נאמען ר' יצחק. ר' יצחק איז א פשוט'ער איד, אבער ער איז עוסק א סאך בתפלה, און דעריבער האט ער א נאענטן קשר מיט'ן רבונו של עולם. איין טאג איז זיין טאכטער קראנק

געווארן מיט א זעלטענע מחלה רח"ל. ר' יצחק האט כסדר מתפלל געווען און געזאגט תהלים אז זיין טאכטער זאל אויסגעהיילט ווערן, אבער דער מצב איז נאר געווארן ערגער. די דאקטוירים אין ארץ ישראל האבן געהויבן הענט און אים געזאגט אז זיי קענען גארנישט טוען.

ר' יצחק האט זיך נאכגעפרעגט איבעראל ווי אזוי מען קען באהאנדלען די מחלה, ביז ער איז געוואויר געווארן אז עס איז פאראן איין ספעציאליסט אין אמעריקע וועלכער האט ערצייגט א ספעציעלען מעטאד ווי אזוי אויסצוהיילן די מחלה. מ'האט אים אבער געזאגט אז עס איז אוממעגליך אנצוקומען צו דעם דאקטאר, וויבאלד עס ווארט אויף אים א לאנגע רייע פון פאציענטן.

איין טאג האט אן עסקן אין רפואה אנגערופן ר' יצחק און אים דערציילט אז דער גרויסער דאקטאר איז געקומען אויף א באזוך קיין ארץ ישראל, און אז ער וועט זיך געפינען אין אן אפיס אין תל אביב.

"קום שוין אריבער", האט דער עסקן געזאגט מיט א דרינגענדע שטימע, "אויב דו וועסט זיך טרעפן מיט דעם דאקטאר און ער וועט הערן איבער דיין טאכטער'ס מצב וועט ער אפשר רחמנות האבן אויף דיר און מסכים זיין איר צו באהאנדלען. דו מוזט אבער דארט זיין אין א האלבע שעה. מאך זיכער אז דו פארפאסט דאס נישט, ווייל דאס איז דיין איינציגסטע געלעגנהייט זיך צו קענען טרעפן מיט דעם גרויסן דאקטאר".

"אין א האלבע שעה?!" האט ר' יצחק אויסגערופן, "ווי אזוי קען איך אנקומען פון ירושלים קיין תל אביב אזוי שנעל"?

"איך ווייס נישט," האט דער עסקן געזאגט, "אבער דו מוזט עס טוען. דאס איז דיין איינציגסטע געלעגנהייט צו ראטעווען דיין טאכטער".

ר' יצחק האט געכאפט דאס גאנצע געלט וואס ער האט פארמאגט אין שטוב, וואס איז באשטאנען פון דריי הונדערט שקל, און ער איז באלד ארויסגעלאפן אין גאס און אפגעשטעלט א טעקסי. ר' יצחק האט געזאגט פאר'ן דרייווער דעם אדרעס אין תל אביב וואו ער דארף אנקומען, און צוגעגעבן אז ער מוז זיין דארט ביז א האלבע שעה. דער דרייווער האט זיך האסטיג געגעבן א דריי אויס, זאגענדיג: "אוממעגליך!"

ר' יצחק האט געוויזן פאר דעם דרייווער די דריי הונדערט

שקל. דער דרייווער האט געכאפט א בליק אויפ'ן געלט און געגעבן א זאג: "יא, ס'איז מעגליך".

די טעקסי האט זיך באלד ארויסגעלאזט אויפ'ן וועג, און דער דרייווער האט גענומען פליען אויפ'ן שאסיי און דורכשניידן וואו ער האט נאר געקענט. די קאר איז ענדליך אנגעקומען פארענט פון דעם דאקטאר'ס אפיס, און ר' יצחק האט געכאפט א בליק אויף זיין זייגער. זיי זענען אנגעקומען אין 29 מינוט! ר' יצחק איז ארויפגעלאפן די טרעפ און האט האסטיג געקלאפט אויפ'ן טיר. דער עסקן מיט וועמען ער האט פריער גערעדט האט געעפענט די טיר.

"אנטשולדיגט," האט ער געזאגט מיט מיטלייד, "דער דאקטאר האט שוין פארלאזט דעם אפיס, איר האט אים פארפאסט מיט איין מינוט".

ר' יצחק'ס הארץ איז איינגעזינקען. זיין קאפ האט אנגעהויבן שווינדלען פילענדיג ווי ער גייט חלש'ן. דער עסקן האט אים געגעבן א גלאז וואסער. ר' יצחק האט זיך אראפגעזעצט און געמאכט א ברכה. נאכ'ן זאגן די ערשטע דריי ווערטער "ברוך אתה ה' ", האט ער זיך געכאפט ביים קאפ און געטראכט: "טאטע אין הימל, מיט דיר דארף איך נישט מאכן אן אפוינטמענט, איך קען דיך טרעפן וואו אימער איך וויל און ווען אימער איך וויל, און דו הערסט זיך אייביג צו צו מיינע ווערטער. איך לאז מיך אפ פון אלע דאקטוירים און איך וועל זיך אויסרעדן בלויז צו דיר".

ר' יצחק האט געענדיגט די ברכה און ארויסגעזאגט פון מויל "שהכל נהיה בדברו", און דערביי געטראכט: "באשעפער אין הימל, דו האסט אלעס באשאפן – אריינגערעכנט מיך און מיין טאכטער, העלף מיר אין דעם שווערן מצב".

נאכ'ן טרינקען האט דער עסקן אים געפרעגט אויב ער שפירט זיך בסדר, און ר' יצחק האט געענטפערט: "איך האב זיך נאך קיינמאל נישט געשפירט אזוי גוט אין מיין גאנצן לעבן".

עטליכע וואכן שפעטער האט מען נאכאמאל דורכגעפירט אן אונטערזוכונג אויף ר' יצחק'ס טאכטער. נאכ'ן אונטערזוכן איז דער דאקטאר געווארן איבערראשט און זיך אנגערופן: "עס זעט מיר אויס ווי די מעדיצין הייבט אָן ארבעטן, און דיין טאכטער וועט בקרוב

"טאטע אין הימל, מיט דיר דארף איך נישט מאכן אן אפוינטמענט, איך קען דיך טרעפן וואו אימער איך וויל און ווען אימער איך וויל, און דו הערסט זיך אייביג צו צו מיינע ווערטער. איך לאז מיך אפ פון אלע דאקטוירים און איך וועל זיך אויסרעדן בלויז צו דיר".

ווערן אויסגעהיילט". דער דאקטאר האט צוגעלייגט: "איר זאלט וויסן אז דאס מאכט זיך בלויז איינמאל אין א מיליאן".

ר' יצחק איז אהיימגעקומען פון שפיטאל און ער האט דערציילט די פרייליכע נייעס פאר זיין ווייב. "ווי אזוי האסטו באוויזן אויסצו'פועל'ן א ישועה פאר אונזער טאכטער?" האט זי אים געפרעגט.

ר' יצחק ענטפערט: "דורך דעם שהכל נהיה בדברו וואס איך האב געמאכט אויף דעם גלעזל וואסער אין תל אביב".

זי פרעגט ווייטער: "אבער פארוואס האסטו זיך געדארפט יאגן אין א טעקסי און צאלן דריי הונדערט שקל כדי צו זאגן א ברכה? דו וואלסט דאך געקענט מאכן דעם זעלבן שהכל ביי אונז אינדערהיים אין מאה שערים!"

ר' יצחק ענטפערט מיט א שמייכל: "ווען איך וואלט נישט פארפאסט דעם דאקטאר, וואלט איך קיינמאל נישט געמאכט די ברכה מיט אזא כוונה".

צומאל מאכט זיך אז מיר דארפן דורכגיין שווערע צייטן אין לעבן, אבער דוקא דורך די שווערע צייטן ווערן מיר דערהויבן און מיר קומען אָן צו גאר הויכע מדריגות אין אמונה וואס מיר האבן פריער נישט געקענט דערגרייכן. אין דער מינוט וואס מיר אנערקענען אז קיינער קען אונז נישט העלפן אויסער דער באשעפער אליין, באקומען מיר געוואלדיגע אינערליכע כוחות וואס מיר האבן מעגליך אליין נישט געוואוסט אז מיר פארמאגן.

109

וויפיל השתדלות?

עס שטייט אין פסוק ביי די מצוה פון שמיטה (דברים טו, י): "כִּי בִּגְלַל הַדָּבָר הַזֶּה יְבָרֶכְךָ ה' אֱלֹקֶיךָ בְּכָל מַעֲשֶׂיךָ וּבְכֹל מִשְׁלַח יָדֶךָ". עס ווערט געברענגט אין ספרים אז אין דעם פסוק איז מרומז אז כדי צו באקומען די ברכות פון באשעפער פעלט זיך אויס "מעשיך" – דעם מענטשנ'ס אייגענע ארבעט. דערפאר זאגן די ספרים אז בנוסף צו דעם וואס מ'דארף מתפלל זיין צום באשעפער און זיך פארזיכערן אז ער וועט אונז העלפן, ליגט אויף דעם מענטש א חובת השתדלות. ווען א מענטש האט א פראבלעם מוז ער טוען די ריכטיגע פעולות דאס צו לייזן.

מיר זעען אבער אין די תורה אן אנדערן צוגאנג. עס שטייט אין פרשת וישב אז נאכדעם וואס יוסף הצדיק איז געזעסן צען יאר אין תפיסה, האט ער געבעטן פון דעם שר המשקים אז ער זאל אים דערמאנען פאר פרעה'ן, אבער דער שר המשקים האט פארגעסן דערפון און זיך דערמאנט צוויי יאר שפעטער. ברענגט רש"י (בראשית מ, כג) אין נאמען פון מדרש רבה אז וועגן דעם איז ער געשטראפט געווארן צו זיצן נאך צוויי יאר אין תפיסה. לכאורה איז שווער, יוסף האט דא בלויז געבעטן דעם שר המשקים א קליינע בקשה אז ער זאל דערמאנען זיין נאמען פאר פרעה'ן; פארוואס האט יוסף הצדיק נישט געטארט שתדל'ן כדי זיך צו העלפן?

דער חפץ חיים ענטפערט דערויף, אז יוסף איז נישט באשטראפט געווארן פאר זיין ערשטע בקשה ווען ער האט געבעטן פון דעם שר המשקים: "כִּי אִם זְכַרְתַּנִי אִתְּךָ" (בראשית מ, יד)", נאר פאר'ן איבער'חזר'ן זיין בקשה נאכאמאל, איבערזאגענדיג "וְהִזְכַּרְתַּנִי אֶל פַּרְעֹה" (שם). וויבאלד יוסף הצדיק איז געווען אויף אזא הויכע מדריגה אין בטחון וואלט ער געדארפט וויסן אז עס איז גענוג אז ער דערמאנט בלויז איין מאל פאר'ן שר המשקים אז ער זאל אים געדענקען.

פון דעם זעען מיר אז מיר מעגן אריינלייגן כוחות און פרובירן צו שתדל'ן פאר אונזערטוועגן, אבער מיר מוזן גלייבן אז אלעס ווענדט זיך אין באשעפער, און אז די מענטשן וואס העלפן אונז זענען בלויז זיינע שליחים. אויב די מענטשן צו וועמען מיר ווענדן זיך קענען אונז נישט העלפן, דארפן מיר גלייבן אז דער אויבערשטער האט גענוג שליחים אונז ארויסצונעמען פון אונזערע פראבלעמען.

דער וועג צו טוען השתדלות איז אז מען זאל געדענקען אז אפגעזען וויפיל ארבעט מען לייגט אריין איז אלעס תלוי אין באשעפער, ווי דער מסילת ישרים (פרק כא) שרייבט: "חייב אדם להשתדל איזה השתדלות לצורך פרנסתו ... וכיון שהשתדל הרי יצא ידי חובתו ... משם והלאה אין לו אלא לבטוח בקונו – א מענטש דארף טוען עפעס השתדלות צו ברענגען פרנסה, אבער ווי נאר ער האט זיך אנגעשטרענגט האט ער יוצא געווען זיין פליכט... פון דא און ווייטער מוז ער זיך נאר פארזיכערן אין באשעפער".

> **א מענטש דארף טוען עפעס השתדלות צו ברענגען פרנסה, אבער ווי נאר ער האט זיך אנגעשטרענגט האט ער יוצא געווען זיין פליכט... פון דא און ווייטער מוז ער זיך נאר פארזיכערן אין באשעפער.**

הגאון ר' יוסף זונדל סאלאנט זצ"ל ערקלערט אז די סיבה פארוואס מיר מוזן טוען השתדלות איז וויבאלד דער באשעפער מאכט נישט געווענליך קיין אפענע ניסים. אויב מיר וואלטן געזעסן אינדערהיים און גארנישט געטוען און דאס געלט וואלט אנגעקומען פון זיך אליין, וואלט אויסגעקומען אז אונזער פרנסה וואלט צוגעשיקט געווארן בדרך נס. דערפאר מוזן מיר טוען אונזער השתדלות. אבער ווי נאר מיר האבן אריינגעלייגט גענוג השתדלות אז עס זאל מער נישט אויסזען ווי מיר ווערן געהאלפן בדרך נס, האבן מיר ערפילט אונזער פליכט.

דער חובת הלבבות (פתיחה לשער הבטחון) שרייבט אז די סיבה פארוואס מיר דארפן טוען השתדלות איז בלויז כדי צו טוען דעם רצון ה'. דערפאר טאר מען נישט טוען זאכן וואס זענען אויסער'ן גדר פון נארמאלע השתדלות. דער

חובת הלבבות איז מסביר אז צוליב דעם דארף א מענטש אויסקלויבן אן ארבעט וואס פאסט פאר זיינע טאלאנטן, און צופאסן זיין השתדלות לויט די כשרונות וואס מען האט אים געגעבן פון הימל.

עס דארף ארויסגעברענגט ווערן דערביי אז די תורה וויל נישט אז א מענטש זאל זיין פויל בשעת ער איז עוסק אין פרנסה. אדרבה, דער רמב"ם פסק'נט (הלכות שכירות יג, ז) אז א פועל דארף טוען די ארבעט מיט זיין גאנצן כח. דאס לערנען מיר ארויס פון יעקב אבינו וועלכער האט געזאגט פאר רחל און לאה (בראשית לא, ו): "כי בכל כחי עבדתי – איך האב געארבעט מיט מיין גאנצן כח". בשעת מיר געפינען זיך ביי דער ארבעט דארפן מיר זיך אנשטרענגען און זיכער מאכן אז עס זאל ארויסקומען א גוטע ארבעט. אבער ווי נאר מיר האבן געענדיגט די ארבעט דארפן מיר פארגעסן פון די דאגות הפרנסה און ווידמען דעם איבריגן חלק פון טאג פאר תורה ומצוות און זיך אפגעבן מיט די משפחה. ווי נאר מיר האבן ערפילט אונזער חוב פון השתדלות, טאר מען זיך נישט זארגן אויב מען האט פארדינט גענוג געלט. דער באשעפער איז דער הערשער אויף אונזער לעבן, און אונזער פרנסה ווענדט זיך סייווי בלויז אין אים.

א ראש ישיבה האט אמאל געשיקט א תלמיד גיין נאך געלט פאר די ישיבה. דער תלמיד האט שווער געארבעט צונויפצושטעלן א שיינע סומע. עס איז אים אבער נישט געלונגען.

דעם קומענדיגן טאג האט א גרויסער עושר אומגעראכטן אפגעשטאט א באזוך אין ישיבה און געגעבן גאר א שיינע נתינה. דער ראש ישיבה איז אריבער צו דעם תלמיד און אים הערצליך באדאנקט.

דער תלמיד האט זיך געוואונדערט און געפרעגט: "פארוואס באדאנקט מיך דער ראש ישיבה? איך האב נישט געבעטן א נדבה פון דעם עושר, און עס איז מיר אפילו נישט געלונגען צוזאמצושטעלן די נויטיגע סומע"! ענטפערט דער ראש ישיבה: "אונזער פליכט איז צו טוען השתדלות, דו האסט געטוען דיין השתדלות, און אין דעם זכות האט דער אויבערשטער געשיקט די ישועה דורך דעם עושר".

אונזער ציל דארף זיין צו דינען דעם באשעפער מיט א רואיגקייט און צו גלייבן אז ער וועט אונז צושטעלן אונזערע

געברויכן. אז מיר שפירן אז מ'האט אריינגעלייגט גענוג כוחות אראפצוברענגען די השפעות פון הימל, דארפן מיר ווידמען דעם איבריגן חלק פונעם טאג פאר עבודת ה'. און אויב מען איז פארט באזארגט אז מען טוט נישט גענוג, איז מעגליך אז מען זאל טאקע ארבעטן עטוואס מער, ביז מען קומט אָן אויף א העכערע דרגה אין אמונה ווען מען שפירט אז מען ארבעט שוין גענוג אז דער באשעפער זאל אריינשיקן די ברכה. מען איז נישט מחויב צו ארבעטן שווער; מען איז אבער מחוייב צו לעבן מיט א רואיגקייט. דער ציל פון לעבן איז עבודת ה'; השתדלות איז בלויז דער מיטל דאס צו דערגרייכן. מיר טארן נישט פארדרייען די יוצרות און פארוואנדלען דעם מיטל אינעם ציל, ווייל דעמאלט וועלן מיר נישט ערדרייכן אונזער פליכט אויף דער וועלט.

110

חיזוק אויפ'ן ריכטיגן אופן

דער הייליגער רבי ר' משה לייב פון סאסוב איז אמאל געזעסן מיט זיינע תלמידים און געשמועסט אז יעדע שלעכטע מדה האט השי"ת באשאפן מיט'ן ציל עס זאל קענען גענוצט ווערן צום גוטן. למשל, קנאה קען גענוצט ווערן פאר עבודת ה' ווען עס קומט צו קנאת סופרים. אזוי אויך גאוה קען גענוצט ווערן פאר עבודת ה' ווי עס שטייט אין פסוק (דברי הימים־א יז, ו): "ויגבה לבו בדרכי ה'."

ווען די תלמידים האבן דאס געהערט האבן זיי געפרעגט: "ווי אזוי קען די געפערליך שלעכטע מדה אפיקורסות גענוצט ווערן פאר עבודת ה'?"

האט דער צדיק געענטפערט: "כפירה דארף מען נוצן ווען אן ארעמאן קומט נאך געלט". און ער האט מסביר געווען, אז דער ארעמאן דארף טאקע גלייבן באמונה שלימה אז פון הימל האט מען אים אריינגעשטעלט אין דעם יעצטיגן מצב, און אז דער אויבערשטער וועט אים ארויסנעמען דערפון, אבער דער עושר צו וועמען מען קומט נאך געלט טאר זיך נישט פארלאזן אז פון הימל וועט מען שוין ארויסהעלפן דעם ארעמאן. דער עושר דארף געדענקען אז יעצט איז זיין אחריות צוצושטעלן פאר'ן ארעמאן וואס ער דארף. ערשט נאכדעם וואס ער האט אים מהנה געווען מיט א שיינע נתינה קען ער אים מחזק זיין מיט אמונה און בטחון, און אריינבלאזן האפענונג אין אים

דער עושר צו וועמען מען קומט נאך געלט טאר זיך נישט פארלאזן אז פון הימל וועט מען שוין ארויסהעלפן דעם ארעמאן.

אז דער אויבערשטער וועט אים ארויסנעמען פון זיין שווערן מצב (זע שלחן הטהור שער צדקה והכנסת אורחים פרק יא).

ווען א מענטש געפינט זיך אין א פּראבלעם דארף ער זיך כסדר מחזק זיין אין אמונה און זיך פארלאזן אז דער אויבערשטער וועט אים העלפן. אנדערע מענטשן וואס קוקן צו ווי עמיצער האט פארלוירן זיין פרנסה זאלן אים נישט זאגן: "זארג דיך נישט, דו דארפסט נאר האבן אמונה אז אלעס וועט זיך אויסארבעטן אויפ'ן בעסטן אופן", נאר מען דארף אים ארויסהעלפן ער זאל טרעפן א פרישן פּאסטן. נאכדעם וואס מען האט אים שוין ארויסגעהאלפן קען מען אריינווארפן א ווארט פון חיזוק אז אלעס איז לטובה און אז דער אויבערשטער פארלאזט נישט.

מיר דארפן זיך כסדר איינ'חזר'ן אז יעדע זאך וואס פּאסירט אויף דער וועלט ווערט געפירט דורכ'ן באשעפער. א לשון הרע קען נישט צעברעכן א שידוך; א דאקטאר'ס טעות קען נישט צוגרונד לייגן א פּאציענט; א קאנקורענט קען נישט אוועקנעמען פרנסה. אלע זענען בלויז שליחים פון השי"ת. דער פסוק זאגט (איכה ג, לז): "מִי זֶה אָמַר וַתֶּהִי ה' לֹא צִוָּה". דער רבונו של עולם פירט יעדע זאך וואס קומט פאר אויף דער וועלט. ער האט אונז ליב און ער וויל אז מיר זאלן האבן אמונה אין אים אפילו ווען מיר פארשטייען נישט פארוואס געוויסע זאכן פּאסירן. מיר מוזן דאס איינ'חזר'ן איידער עס קומט אונז אונטער א נסיון. ווען מענטשן געפינען זיך אין א קלעם איז זייער שווער זיי מחזק צו זיין אין אמונה, ווייל די נאטור איז אז ווען מ'איז בצער קען מען נישט מקבל זיין חיזוק מיט אן אויפריכטיגקייט. אבער אויב מען האלט זיך אין איין דערמאנען אז אלעס קומט פון באשעפער און אז ער וויל בלויז דאס בעסטע פאר אונז, ברענגט דאס אז מיר זאלן זיך האלטן רואיג און צופרידן אין אלע מצבים.

שטעלט זיך פאר אז דער באשעפער אנטפּלעקט זיך צו א איד איין צופרי און זאגט אים: "איך בין דער בעל הבית אויף די גאנצע וועלט, און איך שיק דיר פרנסה, איך ווייס אז דו האסט א וויכטיגע זיצונג היינט, אבער זאלסט וויסן אז איך וועל מאכן אז דיין רעדל זאל פּלאצן אויפ'ן וועג צו דער ארבעט, גלייב מיר אז דאס איז די בעסטע זאך וואס קען פּאסירן פאר דיר".

עטליכע מינוט שפּעטער פארט דער איד ארויס צו דער ארבעט, און אינמיטן וועג פּלאצט טאקע זיין רעדל. עס

איז גרינג זיך פארצושטעלן אז דער איד וועט נישט זיין
אזוי צעבראכן, וויבאלד דער באשעפער האט אים שוין פון
פאראויס אנטפלעקט אז ער שיקט אים דאס צו מיט א כוונה,
און אז עס איז פאר זיין טובה.

אזוי דארף מען שפירן ביי יעדן נסיון. בשעת עס גייט דעם
מענטש גוט דארף מען זיך מחזק זיין אין אמונה און בטחון,
כדי מ'זאל שפירן ביי יעדן שווערן מצב כאילו דער באשעפער
האט שוין פון פאראויס מודיע געווען אז ער וועט אונז
אונטערשיקן א נסיון, און אז דאס איז פאר אונזער טובה.
וואס מער מיר אנערקענען אז דער באשעפער פירט די וועלט,
און אז ער וויל בלויז אונזער טובה, אלץ רואיגער וועלן מיר
זיך האלטן ווען עס קומט אונטער א שווערער מצב.

ווי אזוי צו בעטן

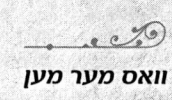

דער פסוק זאגט (דברי הימים־א טז, י): "הִתְהַלְלוּ בְּשֵׁם קָדְשׁוֹ". רש"י זאגט דערויף: "לומר, כל מי שמאמין באלוקינו הוא יעזרנו". דער פסוק זאגט ווייטער: "יִשְׂמַח לֵב מְבַקְשֵׁי ה׳ ", ווייל דער אויבערשטער וועט זיי שיקן א ישועה.

תפילה איז די וויכטיגסטע השתדלות וואס א מענטש קען מאכן. מען מוז אבער מתפלל זיין אויפ'ן ריכטיגן אופן. דוד המלך לערנט אונז דעם וועג ווי אזוי מען דארף צוגיין צום דאווענען. ער בעט זיך ביים באשעפער (תהלים כה, טז): "פְּנֵה אֵלַי וְחָנֵּנִי כִּי יָחִיד וְעָנִי אָנִי – קער זיך צו מיר און האב רחמנות אויף מיר, וויבאלד איך בין עלנד און ארעם". געווענליך זעען מיר אז וואס חשוב'ער א מענטש איז אלץ גרינגער וועט אים זיין צו באקומען הילף. אויב א מענטש האט גוטע באציאונגען מיט די הויכע פענסטער, מיט פאליטיקאנטן און עשירים, וועט אים זיין פיל גרינגער צו פארשאפן א טובה. דוד המלך האט אבער פארשטאנען אז ביים באשעפער איז פונקט פארקערט: וואס מער מען פארשטייט ווי נידריג מ'איז און אז מ'קען זיך נישט אליין העלפן, אלץ גרעסער זענען די אויסזיכטן אז השי"ת זאל שיקן א ישועה. וואס מער צעבראכן מ'איז ביי זיך אלץ גרינגער איז אויסצו'פועל'ן א ישועה אין הימל. דערפאר האט דוד המלך געבעטן ביים באשעפער אז ער זאל אים העלפן: "כי יחיד ועני אני – ווייל איך בין עלענד און ארעם". לאמיר נישט פארגעסן אז דוד המלך איז געווען דער קעניג פון כלל ישראל, און פונדעסטוועגן האט ער זיך געהאלטן קליין און נישט געגרויסט מיט זיינע מעלות, ווייל כלפי דעם באשעפער איז יעדער מענטש באמת גארנישט.

וואס מער מען פארשטייט ווי נידריג מ'איז און אז מ'קען זיך נישט אליין העלפן, אלץ גרעסער זענען די אויסזיכטן אז השי"ת זאל שיקן א ישועה.

דער איינציגסטער וועג ווי אזוי אויסצובעטן א ישועה פון הימל איז דורכ'ן איינזען אז מען קען גארנישט אליין טוען און אז מען איז גענצליך אנגעוויזן אויפ'ן באשעפער. ווי לאנג א מענטש האלט אז ער קען זיך אליין העלפן, קען דאס איך צוריקהאלטן ער זאל נישט קענען אויס'פועל'ן א ישועה. כדי מיר זאלן געהאלפן ווערן פון הימל מוזן מיר קודם אנערקענען ווי נישטיג מיר זענען כלפי דעם באשעפער פון דער וועלט, און אז מיר קענען זיך נישט רירן אָן זיין הילף.

א איד, א סעילסמאן, האט מיר דערציילט אז די פירמע וואו ער ארבעט האט איבערגעמאכט דעם אויסשטעל פון דער ביזנעס. זיי האבן זיך איינגעטיילט אין פינף באזונדערע אפטיילונגען. עס האבן געארבעט אין דער פירמע צוואנציג סעילס לייט. זיי האבן ארייינגעשטעלט עטליכע סעילס לייט אין יעדע אפטיילונג. ניינצן סעילס לייט זענען באשטימט געווארן אויף די ערשטע פיר אפטיילונגען - פיר אדער פינף פער אפטיילונג - און דער איד איז באשטימט געווארן אליין אנצופירן דעם גאנצן פינפטן אפטיילונג. דער פינפטער אפטיילונג האט פארקויפט א געוויסע פראדוקט וואס די פירמע האט נאך קיינמאל פריער נישט פארקויפט. דער איד האט נישט געהאט קיין שום ערפארונג אין דעם געביט, און איז געווען אין א קלעם ווי אזוי ער וועט זיך אן עצה געבן. דער איד האט איינגעזען אז ער קען נישט מאכן קיין געווענליכע השתדלות, ווייל ער האט נישט די ריכטיגע באציאונגען. ער האט זיך געווענדען צום באשעפער, און געבעטן: "טאטע אין הימל, איך האב נישט קיינעם וואס קען מיר העלפן אויסער דו, איך בעט דיך ברחמים, העלף מיך אז איך זאל מצליח זיין אין מיין נייער אויפגאבע".
צוויי טעג שפעטער האט דער סעילסמאן פלוצלינג באקומען א טעלעפאן רוף פון איינעם מיט וועמען ער האט געארבעט צען יאר פריער. יענער האט אים גערופן זיך צו באגריסן און נאכצופרעגן וואס ער מאכט.
דער איד האט פארפירט א פריינטליכען שמועס מיט דעם חבר. נאכדעם האט ער אים געשילדערט זיין פראבלעם, ווי ער איז באשטימט געווארן אנצופירן אן אפטיילונג וואס פארקויפט א פראדוקט אין וועלכן ער האט נישט קיין שום ערפארונג. ווען זיין חבר האט געהערט איבער וועלכן פראדוקט עס רעדט זיך, האט ער

> אויסגערופן אן איבערראשטער: "איך קען דאך גוט דעם פראדוקט! איך האב עס פארקויפט במשך די לעצטע צוויי יאר, איך בין באקאנט מיט סעילס לייט איבער דעם גאנצן לאנד וועלכע האבן גוטע באציאונגען מיט אלע גרויסע געשעפטן וואס פארקויפן דעם פראדוקט, איך וועל דיר צושטעלן אלעס וואס דו דארפסט".
> די קומענדיגע וואך זענען אכט און צוואנציג סעילס לייט אריינגעפלויגן פון איבער'ן לאנד. מ'איז זיך צונויפגעקומען ביי א זיצונג אין דעם סעילסמאנ'ס אפיס, און זיי האבן אלע צוזאמען אויסגעארבעט א פלאן ווי אזוי ארויסצושיקן דעם פראדוקט איבער דער וועלט. אזוי האט דער אויבערשטער צוגעשיקט א ישועה פאר דעם איד אינגאנצן אומגעראכטן אויף אזא לייכטן אופן.

ווען מען גלייבט באמת אז נאר דער אויבערשטער קען אונז העלפן, האבן מיר א הבטחה אז דער באשעפער וועט אונז טאקע צושיקן די ישועה, און דאן וועלן מיר טאקע קענען לויבן זיין הייליגן נאמען.

112

שלוות הנפש

דער חובת הלבבות שרייבט (פתיחה לשער הבטחון) אז א מענטש וואס האט בטחון לעבט מיט א רואיגקייט און שלוות הנפש. אויב עס גייט אים נישט ווי ער וויל; ער מוטשעט זיך מיט פראבלעמען אין פרנסה, געזונט, און אזוי ווייטער, ווערט ער נישט צעבראכן ביי זיך. ער ווייסט אז דער באשעפער איז משגיח אויף אים איבער יעדן פרט ופרט, און אז דער אויבערשטער טוט נאר וואס איז גוט פאר אים. א מענטש וואס האט אזא טראכט ווערט נישט צעבראכן ווען זאכן גייען נישט ווי געפלאנט.

דער חזון איש איז געווען בארימט מיט זיין געוואלדיגע מנוחת הנפש וואס האט זיך איבערגעגאסן צו אלע זיינע ארומיגע. איינער האט דערציילט אז ער איז אמאל געגאנגען מיט'ן חזון איש אויף די גאס אין בני ברק, ווען א טראק איז געקומען צופארן ווילדערהייט אויפ'ן שאסיי. אן אנדערער דורכגייער האט פרובירט אויסצומיידן דעם טראק, יענער האט זיך געגעבן א דריי אויס און זיך אריינגערוקט אין דעם חזון איש. דער חזון איש איז שיער געפאלן אויף דער ערד, אבער ער איז ווייטער געגאנגען און האט זיך ניטאמאל אויסגעדרייט קוקן וואס האט פאסירט. דער חזון איש האט געהאט אזא רואיגקייט אין זיך אז ער האט גארנישט רעאגירט אויף דעם אינצידענט.

אויב מען זעט אויף א איד אז ער האט מנוחת הנפש איז דאס א סימן אז ער איז אן אויסגעארבעטער מענטש. דער חפץ חיים שרייבט אז א מענטש מוז האבן אלע מידות אין זיין קעשענע. צום ביישפיל, ווען א מענטש פילט אז ער דארף זיך אויפרעגן לתועלת הענין, זאל ער ארויסנעמען אביסל

כעס פון זיין קעשענע. אבער דאס מעג נאר געטוען ווערן ווען דער מענטש שפירט אז ער איז א פולשטענדיגער הערשער איף זיך. מען טאר קיינמאל נישט ווערן קאנטראלירט פון דעם דרויסענדיגן מצב.

מען טאר קיינמאל נישט ווערן קאנטראלירט פון דעם דרויסענדיגן מצב.

עס איז געווען א רב אין ארץ ישראל וועלכער פלעגט גיין אין מקוה יעדן ערב שבת ביי חצות. דערנאך האט ער זיך אריינגעזעצט אין בית המדרש און געלערענט מיט התמדה ביז שבת. איין פרייטאג, גייענדיג אויפ'ן וועג צום שול, האט א פרוי אויסגעגאסן אן אמפער שמוציגע וואסער פון איר טעראסע. די שמוציגע וואסער האט געלאנדעט אויף דעם רב און אים באגאסן פון קאפ ביז פוס, אבער דער רב האט ניטאמאל אויפגעהויבן זיין קאפ. ער האט זיך אויסגעדרייט, אהיימגעגאנגען, זיך איבערגעטוען, און זיך נאכאמאל ארויסגעלאזט אויפ'ן וועג צום שול. ווען דער רב וואלט אויפגעהויבן זיין קאפ צו קוקן ווער דער גיסער איז געווען, וואלט ער געוויזן דערמיט א משהו כעס. ער האט אבער געדענקט אז אלעס קומט פון באשעפער, און דערפאר האט ער זיך פשוט אויסגעדרייט און אהיימגעגאנגען.

בטחון איז גאר א וויכטיגער שליסל אין לעבן. א מענטש וואס האט בטחון ווייסט אז אין סיי וועלכן שווערן מצב ער געפינט זיך האט דער באשעפער אים אריינגעשטעלט דארטן, און אז דער רבונו של עולם וויל אז מען זאל אים דינען לויט די בעסטע מעגליכקייטן אין יעדן מצב. דאס בלאזט אריין א שלוות הנפש אין מענטש און עס ערמעגליכט אים צו לעבן מיט א רואיגקייט און נישט ווערן אנגעצויגן פון יעדע קלייניקייט.

צוויי ערליכע אידן זענען געווארן איינגעשפארט ביי די קאמוניסטן אין תפיסה פאר'ן חטא פון פארשפרייטן תורה. די אומשטענדן אין תפיסה זענען געווען איום ונורא. זיי זענען געשלאפן אויף הארטע בענק און זייערע מאלצייטן זענען באשטאנען פון טרוקענע ברויט און וואסער. א שמוציגער אמפער אין דעם פינסטערן צימער האט געדינט אלס ביה"כ, וואס האט געמיינט אז מען טאר אפילו נישט זאגן א אידיש ווארט. איינער פון זיי איז געזעסן אין א ווינקל פארזונקען אין א מרה שחורה, בעת דער צווייטער איז געווען רואיג און צופרידן. פרעגט אים

זיין חבר: "ווי אזוי קענסטו זיצן רואיג אין אזא שווערע לאגע, מיר קענען אפילו נישט דאווענען אדער לערנען דא!"

זאגט דער צווייטער: "דו ווייסט אז מיר האבן גארנישט געטוען שלעכטס, מיר האבן בלויז געוואלט פארשפרייטן תורה, דער אויבערשטער האט אונז דא איינגעשטעלט מיט א ציל, כאטש ער ווייסט אז מיר קענען נישט לערנען אדער דאווענען אונטער די אומשטענדן, אבער אפילו אין דעם ביטערן מצב קענען מיר דינען דעם באשעפער דורכ'ן אננעמען זיין רצון באהבה, אונזער איצטיגער עבודת ה' איז קבלת היסורים באהבה".

יעדער מענטש האט א בחירה ווי אזוי צו באטראכטן זיין מצב. אויב א מענטש שטייט אויף איין צופרי און ער קען נישט טרעפן די שליסלען פון זיין קאר, קען ער אנהייבן שרייען: "וואו זענען מיינע שליסלען?!" אדער ער קען זאגן: "דער באשעפער ווייסט וואס ער טוט, אויב איך געדענק נישט וואו איך האב געלייגט מיינע שליסלען איז זיין רצון אז איך זאל עס יעצט אויפזוכן, איך וועל זיך האלטן רואיג און זוכן מיט געדולד, און איך וועל נישט צעלאזן אז דער פראבלעם זאל שטערן מיין מנוחת הנפש".

אויף דעם אופן דארפן מיר צוגיין צו יעדן מצב אין לעבן. מיר מוזן אנערקענען אז דער באשעפער האט אונז אריינגעלייגט אין יעדן מצב פאר א ציל, און אז דאס מוז זיין דאס בעסטע פאר אונז. דער אויבערשטער וויל אז מיר זאלן אים דינען די בעסטע וואס איז מעגליך לויט די אומשטענדן, און ווען מען איז מקבל דעם רצון ה' באהבה קומט מען צו דורכדעם צו א ריכטיגע מדרגה אין עבודת ה'.

113

ווי גליקליך זענען מיר

שטעלט אייך פאר אז איינער קען ערלעדיגן פאר אייך א זיצונג מיט איינעם פון די מאכטפולסטע און איינפלוסרייכסטע מענטשן אין דער וועלט. איר וועט קענען זיצן מיט דעם מאכטפולן מענטש און דורכשמועסן סיי וועלכע נושא איר ווילט במשך א שעה צייט. וויפיל וואלט איר געצאלט פאר אזא זיצונג?

שטעלט אייך פאר אז איינער האט א שווערע מחלה פון וואס ער קען זיך נישט ארויסזען. דער איינציגער וואס קען אים אויסהיילן איז א גאר גרויסער דאקטאר וועלכער איז א וועלט בארימטער ספעציאליסט אין דעם געביט. וויפיל וואלט דער פאציענט געצאלט ער זאל קענען אריינגיין צו דעם דאקטאר?

שטעלט אייך פאר אז א לאנד גרייט זיך צו גיין אין מלחמה, און עס איז פאראן א געלונגענער גענעראל וועלכער ווייסט פון פארשידענע תכסיסי מלחמה וואס קען זיי שטארק ארויסהעלפן אין דער קריג. וויפיל וואלטן די פירער פון דעם לאנד געצאלט כדי זיך צו קענען טרעפן מיט דעם גענעראל און זיך שואל עצה זיין מיט אים איידער זיי לאזן זיך ארויס אין מלחמה?

אשרינו מה טוב חלקנו – ווי גליקליך זענען מיר אז מיר קענען צוקומען ווען אימער מיר ווילן צו דעם מאכטפולסטן, קלוגסטן, און שטארקסטן כח אין דער וועלט. דער באשעפער וועלכער איז א "בורא רפואות" – ער באשאפט נייע מעדיצינען; "בעל מלחמות" – ער איז דער הערשער איבער אלע מלחמות; "מצמיח ישועות" – ער מאכט שפראצן

ישועות פאר יעדע צרה און ראטעוועט ארויס א מענטש פון סיי וועלכן קלעם. מיר קענען זיך אויסרעדן פאר השי"ת יעדע מינוט פון טאג, און נישט בלויז וואס מיר דארפן נישט צאלן קיין פרוטה דערפאר, נאר דער באשעפער וויל דוקא אז מיר זאלן אים בעטן, און ער גיט אונז אפילו שכר דערויף.

יעדעס מאל וואס א איד גיסט זיך אויס דאס הארץ צום באשעפער איז ער מקיים א מצות עשה, און דער שכר דערויף איז אָן א שיעור. מען ווערט באצאלט דערויף לעולמי עד ולנצח נצחים. יעדע תפלה צום באשעפער ווערט געקרוינט מיט הצלחה, אפגעזען אויב מיר באקומען דאס וואס מיר האבן געבעטן אדער נישט.

יעדעס מאל וואס א איד גיסט זיך אויס דאס הארץ צום באשעפער איז ער מקיים א מצות עשה, און דער שכר דערויף איז אָן א שיעור.

אין מדרש רבה (דברים) ווערט געברענגט אז דער באשעפער וויל אז מיר זאלן מתפלל זיין צו אים איידער ער ערפילט אונזערע בקשות, ווייל ער וויל הערן אונזערע תפילות וואס קומען פון טיפן הארץ. אבער מיר מוזן אנערקענען אז וואס מער מיר בעטן און מיר האלטןביים דערגרייכן די נויטיגע צאל תפילות אויסצו'פועל'ן א ישועה, אלץ מער פרובירט דער יצר הרע אונז צו שטערן און אוועקנעמען דעם קאפ פון דאווענען. דער יצר הרע לייגט אונז אריין נארישע מחשבות אין קאפ: "פארוואס זאל איך נאכאמאל דאווענען? איך האב שוין געבעטן דעם באשעפער אזויפיל מאל און מיינע תפילות זענען נישט אנגענומען געווארן!"

דער אמת איז אבער אז וואס שווערער עס קומט אונז אָן מתפלל צו זיין, אלץ מער איז מסתבר אז די נויטיגע צאל תפילות ווערט שוין ערפילט און אז אונזער בקשה וועט ענדליך אנגענומען ווערן. יעדע תפילה וואס מיר זענען מתפלל ברענגט אראפ געוואלדיגע השפעות, אפילו אויב מיר זעען עס נישט אויף דער מינוט. אויב עס פועל'ט נישט אויס א ישועה יעצט, וועט עס צונוץ קומען מארגן. און אויב נישט מארגן, וועט עס צוניץ קומען איבעראיאר אדער אין צען יאר ארום.

דער באשעפער האט איינגעשטעלט א סיסטעם אין דער בריאה אז יעדע תפילה וואס ווערט געזאגט דורך א אידיש קינד טוט עפעס אויף, כאטש מיר קענען עס נישט זען אויפ'ן פלאץ. מיר מוזן אויסנוצן די גאלדענע געלעגנהייט וואס ליגט שטענדיג פאר אונזערע אויגן. מיר טארן קיינמאל נישט אונטערשאצן דעם כח פון תפילה, און מיר דארפן האלטן אין איין מתפלל זיין ביז די תפילות וועלן נתקבל ווערן.

114

א צופרידענער בליק

דער באשעפער האט באשאפן א הערליכע וועלט פון וועלכע מיר קענען הנאה האבן און לעבן גליקליך און צופרידן. אבער פונדעסטוועגן זעען מיר אזויפיל מענטשן וואס דרייען זיך ארום פאר'דאגה'ט און אומצופרידן. פארוואס זענען מענטשן אומצופרידן בשעת עס זענען פאראן אזויפיל גוטע זאכן פון וואס הנאה צו האבן?

הגאון רבי אליהו דעסלער זצ"ל האט געגעבן דערויף דעם פאלגענדן הסבר: מענטשן זענען געוואוינט צו טראכטן אז אלעס קומט זיך זיי; זיי רעדן זיך איין אז אלץ וואס זייער הארץ גלוסט דארף מען זיך נאכגעבן. דורכ'ן טאג באגעגענען מיר זיך כסדר מיט שרייעדיגע אנאנסן פון גרויסע פירמעס וואס מעלדן אונז אז מיר זאלן נישט זיין צופרידן: "דו פארדינסט זיך דאס בעסטע!"; "עס קומט זיך דיר!"; "זיי נישט צופרידן מיט ווייניג!" – מיר באגעגענען אזעלכע מודעות אויף טריט און שריט, אבער דאס איז א פאלשער און גוי'אישער צוגאנג.

א איד דארף לעבן מיט הכרת הטוב אויף יעדע זאך וואס ער פארמאגט אין זיין לעבן. ער דארף זיך צוגעוואוינען צו טראכטן אז באמת קומט אים גארנישט, און אז אויף יעדע זאך וואס ער פארמאגט דארף ער שטענדיג דאנקען דעם באשעפער. ווען א מענטש גייט ארום טראכטנדיג כסדר וואס עס קומט זיך אים אלץ און וויפיל די וועלט איז אים שולדיג וועט ער זיך שטענדיג פילן בא'עוולה'ט און אומצופרידן. אבער

א איד דארף זיך צוגעוואוינען צו טראכטן אז באמת קומט אים גארנישט, און אז אויף יעדע זאך וואס ער פארמאגט דארף ער שטענדיג דאנקען דעם באשעפער.

ווען א מענטש גערענקט אז עס קומט זיך אים גארנישט וועט אים יעדע קלייניקייט מאכן גליקליך.

שמחה איז נישט קיין דרויסענדיגער גורם; עס קען נאר קומען פון דעם מענטש אליין. א מענטש קען זיך מאכן פרייליך אין סיי וועלכע אומשטענדן אויב ער האט דעם ריכטיגן צוגאנג צום לעבן.

איינער האט מיר דערציילט אז ער איז אמאל געווען אין א מוזעאום וואו די באזוכער האבן געקענט שפירן ווי אזוי עס גייט אריבער א טאג אין לעבן פון א בלינדן מענטש ל"ע. יענער האט מיר געזאגט אז זינט דעם באזוך איז ער אזוי דאנקבאר צום באשעפער פאר'ן שענקען דעם חוש הראיה, אז יעדן צופרי ווען ער עפענט די אויגן און די הערליכע בריאה אנטפלעקט זיך פאר אים, ווערט ער אנגעפילט מיט א שבח והודיה צום באשעפער אויף די געוואלדיגע מתנה פון זען. מען דארף זיך צוגעוואוינען צו לעבן אויף דעם אופן און האבן הכרת הטוב פאר יעדע קלייניקייט וואס מיר פארמאגן. יעדעס מאל מיר זאגן די ברכה פון "מודים" דארפן מיר זיך אפשטעלן און אריינטראכטן איבער די חסדים וואס דער באשעפער האט געטוען מיט אונז און אים דאנקען דערפאר.

אויב א מענטש גייט דורך א שווערן מצב הפרנסה און ער איז געצווינגען צו פארקויפן זיין הויז און זיך אריבערציען אין א קלענערע דירה, זענען פאראן צוויי וועגן ווי אזוי ער קען אנקוקן דעם מצב. ער קען טראכטן: "פארוואס פארדין איך זיך דאס?" אדער קען ער זיך ווענדן צום באשעפער און אים זאגן: "באשעפער, דו ביסט אזוי גוט צו מיר, דו האסט מיר געגעבן א גרויסן, הערליכן הויז, וואס אונזער גאנצע משפחה האט גענוצט אזויפיל יארן, און יעצט, ווען איך דארף וויכטיג דאס געלט, קען איך עס פארקויפן כדי איך זאל ווייטער קענען לעבן מיט הרחבת הדעת". אויב ער באטראכט זיין מצב אויף דעם צווייטן אופן וועט ער זיין צופרידן טראצדעם וואס ער דארף פארקויפן זיין הויז.

איך האב א חבר וועלכער איז געווארן אן אלמן ל"ע. ער האט חתונה געהאט צום צווייטן מאל, אבער ליידער איז זיין צווייטע ווייב אויך אוועק פון דער וועלט. ביי דער שלושים סעודה האט דער מאן זיך אויפגעשטעלט רעדן און האט געזאגט: "איך בין זיכער אז איר אלע האלט אז איך האב געהאט זייער א שווער לעבן, אבער דאס איז נישט ריכטיג, אנשטאט צו ווערן פארצווייפעלט און אראפגעקלאפט, טו

איך אויסדריקן א שבח והודאה פאר'ן באשעפער פאר די מתנה פון צוויי אזעלכע חשוב'ע נשים צדקניות מיט וועמען איך האב געלעבט גליקליך און צופרידן פאר אזויפיל יארן!"

דער מענטש האט גערעדט מיט אזא אמת'דיגקייט, אז מען האט דאס געקענט זען בחוש. דאס איז א וואונדערבארער מוסטער ווי אזוי א מענטש קען זיין דאנקבאר צום באשעפער אפילו אין די שווערסטע מצבים.

יעדער מענטש קען זיין פרייליך אונטער סיי וועלכע אומשטענדן; עס ווענדט זיך בלויז אין זיין מהלך המחשבה. ווען מיר זענען פרייליך און צופרידן ווערט אונזער לעבן רואיגער און געשמאקער, און מיר קענען אויפטוען פיל מער און דערגרייכן אונזער אמת'ען תכלית אין לעבן, צו דינען דעם באשעפער מיט שמחה, ווי עס שטייט אין פסוק (תהלים ק, ב): "עבדו את ה' בשמחה".

115

"קַוֵּה אֶל ה' חֲזַק וְיַאֲמֵץ לִבֶּךָ וְקַוֵּה אֶל ה'"

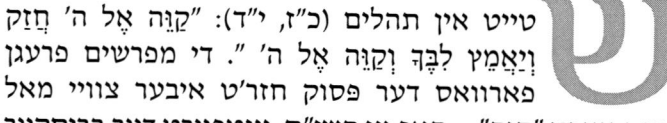

שטייט אין תהלים (כ"ז, י"ד): "קַוֵּה אֶל ה' חֲזַק וְיַאֲמֵץ לִבֶּךָ וְקַוֵּה אֶל ה' ". די מפרשים פרעגן פארוואס דער פסוק חזר'ט איבער צוויי מאל דאס ווארט "קַוֵּה" – האף צו השי"ת. ענטפערט דער בריסקער רב אז עס שטייט (שם לז, ד) "וְהִתְעַנַּג עַל ה' וְיִתֶּן לְךָ מִשְׁאֲלֹת לִבֶּךָ", אז אויב א שטארקער בעל בטחון פרייט זיך מיט השי"ת כאילו ער איז שוין געהאלפן געווארן – "וְיִתֶּן לְךָ מִשְׁאֲלֹת לִבֶּךָ", וועט השי"ת אים געבן אלע זיינע באדערפענישן.

דער בריסקער רב האט צוגעגעבן, אזא בעל בטחון גיט השי"ת נאר וויפיל ער דארף, אבער נישט צופיל עשירות, ווייל א גרויסער עושר לעבט מיט שרעק מ'זאל אים נישט צונעמען דאס געלט. דאקעגן א בעל בטחון, איז אלעמאל רואיג און צופרידן, און לעבט אן דאגות, ווייל ער פארזיכערט זיך אין השי"ת. דערפאר שטייט צוויי מאל אין פסוק "קַוֵּה", צו לערנען אז דער אמת'דיגער בעל בטחון, ווען אימער ער נויטיגט זיך אין עפעס האפט ער צו השי"ת, און דאס קומענדיגע מאל האפט ער ווידעראמאל און אזוי ווייטער. קומט אויס אז ער לעבט א לעבן פון כסדר'דיגע האפענונג.

ווען דער בריסקער רב האט איבערגעזאגט דאס ווארט, איז דארט געווען א סוחר וואס האט שטארק געלויבט דעם

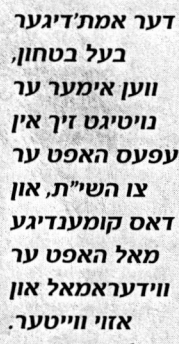

דער אמת'דיגער בעל בטחון, ווען אימער ער נויטיגט זיך אין עפעס האפט ער צו השי"ת, און דאס קומענדיגע מאל האפט ער ווידעראמאל און אזוי ווייטער.

געדאנק. זאגט צו אים דער בריסקער רב בדרך מוסר: "אפשר זאלסטו טאקע אפלאזן דיינע ביזנעס און זיך פארלאזן מער אויף השי"ת", צוגעבענדיג: "ביסט אבער נישט גרייט אויף דעם; נאר ביז'ן געלט און נישט מער". דערביי האט דער בריסקער רב דערציילט די פאלגענדע מעשה:

אין בריסק איז געווען א משולח וואס האט געזאמעלט געלט א גאנצן ווינטער. איינמאל איז ער געגאנגען צום פאסט אמט צו שיקן דאס געלט אהיים. אזוי ווי ער איז נישט געווען באהאוועגט אין די רוסישע שפראך, האט ער געמוזט אנקומען צו א צווייטן איד צו קענען אויספילן די נויטיגע דאקומענטן. נאכדעם וואס דער איד האט זיך דערוואוסט אז דער משולח שיקט דא אהיים א באדייטענדע סומע געלט, האט זיך אים פארגלוסט צו גנב'ענען דאס געלט פאר זיך. זאגט דער איד פאר'ן משולח: "פארוואס גייסטו אנגעטוען אין אזא אלטן רעקל, איך בין א שניידער, איך קען דיר אויפנייען א ניי שיין רעקל". רעדענדיג אזוי, האט דער איד אנגעהויבן טאפן ביים משולח אין רעקל, און ער האט זיך אהערגעשטעלט ווי גלייך ער מעסט אים אפ זיין מלבוש כדי צו קענען נייען א ניי רעקל. נאכ'ן מעסטן איז דער איד אוועק פון פאסט אמט. ווען דער משולח האט געוואלט ארויסנעמען דאס געלט און ארייגלייגן אין קאנווערט, האט ער באמערקט אז דאס געלט איז נישטא. האט ער באלד פארשטאנען אז דער אזוי גערופענער שניידער האט אים גאר בא'גנב'עט בשעת ער האט אים געמאסטן זיין רעקל.

זייענדיג אין א מורא'דיגן קלעם איז דער איד געגאנגען צו רבי חיים בריסקער און זיך שטארק צעוויינט אז מ'האט אים צוגע'גנב'עט דאס גאנצע געלט וואס ער האט געזאמעלט אין לויף פונעם ווינטער. רבי חיים האט אים בארואיגט, זאגענדיג אז ער וועט אים צונויפזאמלען דאס גאנצע געלט. רבי חיים האט פאררופן אן אסיפה און ביז געציילטע טעג האט ער געהאט דעם גאנצן סכום. ווען דער משולח איז געקומען אפנעמען דאס געלט, זענען פונקט דאן געווען ביי אים עטליכע דיינים. דער איד האט זיך אביסל געשעמט אז מיט א פאר טאג צוריק האט ער געוויינט ווי א קליין קינד אז מ'האט אים גע'גנב'עט דאס געלט. רופט ער זיך אָן צו רבי חיים, אז ער האט בכלל

נישט געוויינט אויפ'ן געלט; דאס האט אים נישט אזוי געארט. אים האט געבאדערט די נארישקייט וואס ער האט געלאזט יענעם טאפן אין זיינע קליידער. דאס האט אים געמאכט אויסזען ווי א טיפש, און דערפאר האט ער געוויינט. זאגט אים רבי חיים: "אויב אזוי לאז איבער דאס געלט ביי מיר, און איך וועל דיר געבן א באשטעטיגונג אז דו ביסט נישט קיין שוטה, און די דיינים וועלן אויך אונטערשרייבן". הערענדיג דעם פארשלאג, הויבט דער איד אָן צו שרייען: "אבער די געלט, די געלט"...

ווען דער בריסקער רב האט געענדיגט דעם סיפור, האט ער געזאגט צו דעם סוחר: "דו ביסט טאקע משבח דאסווארט [פון "קַוֵּה"], אבער למעשה שרייסטו אויך "די געלט, די געלט" (שיעורי רבינו משולם דוד הלוי, דרוש ואגדה עמוד קמ"ב).

116

פון די טיפענישן פון הארץ

דער שבט הלוי שרייבט (חלק ז סימן א) אז אויב א איד איז מתפלל אויף דעם ריכטיגן אופן, איז נישט פאראן קיין גליקליכערע צייט – "אין לך שעה מאושרת יותר משעת תפלה בדמעות כששוכחים כל העולם". ווען א מענטש איז מוריד דמעות און ער גיסט זיך אויס דאס הארץ צום באשעפער אויף אן אמת, עפענען זיך די שערי שמים, און דערצו ברענגט דאס אים שמחת הנפש און ער ווערט דערנענטערט צום טאטן אין הימל אויף א זעלטענעם אופן. דער שבט הלוי פירט אויס: "אשרי לאדם שיש לו שעות מאושרות כאלה – וואויל איז פאר דעם מענטש וואס האט אזעלכע גליקליכע צייטן אין זיין לעבן".

ווען א מענטש איז מוריד דמעות און ער גיסט זיך אויס דאס הארץ צום באשעפער אויף אן אמת, עפענען זיך די שערי שמים, און דערצו ברענגט דאס אים שמחת הנפש.

ווי אזוי קענען מיר דערגרייכן די הויכע מדריגה זיך מקשר צו זיין מיט'ן באשעפער אויף א טיפן און אמת'דיגען אופן ביים דאווענען?

ווען דער תנא ר' אליעזר איז געווען קראנק, זענען זיינע תלמידים אים געקומען מבקר חולה זיין און זיי האבן אים געבעטן ער זאל זיי זאגן דברי הדרכה. האט זיי רבי אליעזר געזאגט: "כשאתם מתפללים דעו לפני מי אתם עומדים". ווען א מענטש איז אין אן עת צרה זענען פאראן צוויי וועגן ווי אזוי ער קען דאווענען. ער קען בעטן אויף א פשוט'ן אופן: "באשעפער, ביטע שיק מיר צו וואס איך דארף האבן". אדער

ער קען זיך אפּשטעלן א מינוט, אריינטראכטן צו וועמען ער דאווענט, און אז דער באשעפער איז דער הערשער אויף דער וועלט און ער קען געבן יעדן וואס ער וויל.

ווען מען טרעט צו צום דאווענען אויף דעם צווייטן אופן זענען די תפילות א סאך חשוב'ער אין הימל. דער פסוק זאגט (איכה ב, יט): "שִׁפְכִי כַמַּיִם לִבֵּךְ נֹכַח פְּנֵי ה' – גיס אויס דיין הארץ ווי וואסער פאר'ן באשעפער". מיר דארפן דאווענען וויסענדיג אז מיר שטייען "נֹכַח פְּנֵי ה'", און אז דער באשעפער קען אונז געבן וואס מיר ווילן. א תפילה וואס ווערט געדאווענט אויף דעם צוגאנג קען געגצליך טוישן דעם מענטש. דאס איז עפּעס וואס יעדער איינער קען דערגרייכן.

עס איז אמאל געווען א פארפאלק וואס האט נישט זוכה געווען צו קיין קינדער. עס זענען פארביי פילע יארן און זיי זענען נישט געהאלפן געווארן. זיי האבן אנגעהויבן ווערן מיואש. דער מאן, וועמען מיר וועלן רופן משה, האט באשלאסן צו גיין צו הגאון ר' שמשון פינקוס זצ"ל און אים בעטן א ברכה.

איין נאכט איז משה געקומען צו הרב פינקוס אין שטוב. הרב פינקוס האט אים ווארעם אויפגענומען און אים געהייסן זיך אראפזעצן. משה האט אנגעהויבן אויסגיסן זיין פעקל צרות, דערציילנדיג ווי שטארק ער מוטשעט זיך צו האבן קינדער. הרב פינקוס האט אויסגעדרוקט גרויס מיטלייד מיט אים, אבער משה איז נישט געווען צופרידן. ער האט געוואלט אז הרב פינקוס זאל אים צוזאגן א ישועה.

הרב פינקוס האט זיך פרובירט ארויסדרייען, ביז ער האט זיך ענדליך אנגערופן: "ווייסטו וואס, קום צוריק שפעטער צוויי אזייגער ביינאכט, און איך וועל פרובירן דיר צו העלפן".

משה האט נישט פארשטאנען פארוואס הרב פינקוס הייסט אים צוריקקומען אזוי שפעט, אבער ער איז געווען גרייט צו טוען אלעס אין דער וועלט כדי זוכה צו זיין צו א קינד. ער איז ארויס פון שטוב און איז טאקע צוריקגעקומען צוויי אזייגער פארטאגס. הרב פינקוס האט אים אויפגענומען מיט א פריינטליכן שמייכל.

הרב פינקוס רופט זיך אן: "קום, מיר בלייבן נישט דא, לאמיר ארויסגיין".

משה האט נישט געהאט קיין אנונג וואו הרב פינקוס וויל

אים נעמען אינמיטן די נאכט, אבער ער האט געפאלגט. זיי זענען ביידע אריין אין קאר, און זענען ארויסגעפארן פון שטאט. זיי זענען געפארן אויף א שטילע, פארווארפענע גאס אין איינע פון די מדבריות אין ארץ ישראל וואו מ'האט נישט געזען קיין נפש חיה. עס איז געווען שטאק פינסטער אינדרויסן. די לבנה האט געווארפן אירע בלאסע שטראלן.

"משה טייערער," האט הרב פינקוס ליבליך געזאגט, "דו ביסט יעצט אינמיטן א מדבר וואו עס איז נישט פאראן קיין לעבעדיגע באשעפעניש, דער איינציגסטער וואס הערט דיך אויס איז אונזער טאטע אין הימל, עפן אויף דיין הארץ און וויין דיך אויס צו אים, דערצייל אים אלעס וואס ליגט דיר אויפ'ן געדאנק, און אזוי וועלן דיינע תפילות אנגענומען ווערן".

הרב פינקוס איז אריין אין די קאר, און געזאגט פאר משה אז ער וועט אים קומען אפנעמען אין א האלבע שעה ארום. משה האט זיך אראפגעשטעלט און אנגעהויבן אויסגיסן דאס הארץ פאר'ן באשעפער. ער האט מתפלל געווען פון טיפן הארצן אז דער באשעפער זאל אים ארויסנעמען פון זיין קלעם און מאכן פרייליך ביי אים אין שטוב. ער האט ניטאמאל געשפירט ווי די צייט לויפט פארביי. מיטאמאל האט ער געהערט ווי א קאר דערנענטערט זיך. הרב פינקוס איז אנגעקומען, ארויס פון קאר און זיך דערנענטערט צו משה. ער האט געכאפט א בליק אויף אים און זיך אנגערופן: "משה, דו האסט טאקע געדאווענט צום אויבערשטן, אבער וואו זענען דיינע טרערן, דו מוזט זיך אויסוויינען צום באשעפער מיט דיין גאנצן הארץ, דו ביסט דא אליין מיט'ן באשעפער און דאס איז דיין איינציגסטע האפענונג געהאלפן צו ווערן".

משה האט פארמאכט די אויגן, גענומען א טיפן אטעם און זיך פארגעשטעלט ווי ער שטייט איינער אליין פאר'ן באשעפער. ער האט געטראכט פון די פילע יסורים וואס ער און זיין ווייב זענען אדורך במשך די אלע יארן, און טרערן האב אנגעהויבן באנעצן זיין געזיכט. ער האט געשפירט ווי יארן פון צער פארזאמלען זיך אין זיינע אויגן און פליסן ארויס מיט כח. ער האט געוויינט ווי א קליין קינד, און וואס מער ער האט געוויינט און געבעטן אלץ מער האט ער געשפירט ווי זיין נשמה ווערט אויסגעלייטערט און ער ווערט באהאפטן צום טאטן אין

הימל. ער האט זיך אויסגערעדט צום באשעפער אין פשוט'ע ווערטער ווי שטארק ער וויל האבן א קינד און וויפיל צער ער גייט דורך.

ווען הרב פינקוס איז צוריקגעקומען און געזען משה'ס נאסע פנים, האט ער ארויפגעלייגט זיין האנט אויף משה'ס אקסל. ער האט אים ארומגענומען און געזאגט א צופרידענער": יעצט וועט דער באשעפער אננעמען דיינע תפילות".

צען חדשים שפעטער האט משה געהאלטן אין דער האנט א לעבטיג יונגל.

קיין שום זאך האט נישט אזא כח אין הימל ווי אן אמת'ע תפילה וואס קומט פון די טיפענישן פון הארץ. ווען א מענטש האלט אין קאפ בשעת'ן דאווענען אז ער שטייט פאר'ן בורא כל עולמים וועלכער קען אים ארויסנעמען פון זיינע פראבלעמען אין איין רגע, האבן זיינע תפילות געגנצליך אן אנדערן טעם. די תפילות וואס קומען ארויס פון די באהאלטענע קעמערלעך פון דעם מענטשנ'ס געפילן האבן א געוואלדיגן כח אויבן אין הימל, און אזעלכע תפילות ברענגען אראפ ישועות פאר כלל ישראל.

117

איז שייך בטחון ביי רוחניות?

מיר ווייסן אז יעדע זאך אין דער וועלט קומט פון באשעפער, און אז יעדע מצב אין וועלכן מיר געפינען זיך ווערט געשאפן דורכ'ן באשעפער. עס איז אבער פאראן איין זאך וואס דער באשעפער האט איבערגעלאזט אויף אונזער אחריות: דאס איז אונזער בחירה אויסצואוויילן צווישן מצוות און עבירות. חז"ל לערנען אונז (ברכות לג, ב): "הכל בידי שמים חוץ מיראת שמים". דער רמב"ם שרייבט (הלכות תשובה פרק ה') אז א מענטש טאר נישט טראכטן אז עס איז שוין פון פאראויס באשטימט אויב ער וועט זיין א צדיק אדער א רשע, נאר יעדער מענטש האט דעם כח צו ווערן א צדיק ווי משה רבינו אדער ח"ו א רשע ווי ירבעם בן נבט – אויב ער האט נאר דעם רצון.

דער חובת הלבבות שרייבט אבער (שער הבטחון פרק ד') אז תפלה איז זיכער שייך ווען עס קומט צו שמירת המצוות צו בעטן אז דער באשעפער זאל אונז העלפן.

אבער דער ענין פון בטחון איז נישט אייביג שייך, למשל, א מענטש קען נישט זאגן: "אויב דער באשעפער וואלט געוואלט אז איך זאל גיין אין שול וואלט ער מיר ארייינגעגעבן חשק צו גיין". דער באשעפער האט אונז געגעבן א תורה אין

וואס ער האט געשריבן פונקטליך וואס ער וויל פון אונז, און מיר דארפן זיך שטארקן אויפ'ן יצר הרע און מקיים זיין די תורה, אפילו אויב מיר האבן נישט קיין חשק.

ווען מען דארף פאקטיש מקיים זיין די מצוה, איז מען שוין יא אנגעוויזן אויף סייעתא דשמאי, נעמליך, צי דער וועק זייגער וועט קלינגען צייטלעך? צי וועט דער מענטש האבן כח ארויסצוגיין פון בעט? צי וועט ער קענען אנקומען אין שול באצייטנס? די אלע דרויסענדיגע זאכן זענען נישט אין קאנטראל פון דעם מענטש, און מיר דארפן בעטן דעם אויבערשטן אז ווען מיר ווילן מקיים זיין א מצוה און מיר טוען די נויטיגע הכנות דערצו, עס זאלן נישט זיין קיין דרויסענדיגע שטרויכלונגען.

דער בן יהוידע לייגט צו נאך א נקודה: מיר דארפן בעטן השי"ת אז ווען מיר דארפן מאכן א בחירה זאלן מיר קלאר וויסן וואס איז דער ריכטיגער באשלוס. דער יצר הרע קען אונז אפטמאל פארדרייען דעם קאפּ און מאכן אז א גוטע זאך זאל אויסזען שלעכט און א שלעכטע זאך זאל אויסזען גוט. דערפאר זעען מיר אז איידער משה רבינו האט ארויסגעשיקט די מרגלים האט ער געבעטן אז דער באשעפער זאל ראטעווען יהושע פון די עצה פון די מרגלים. משה רבינו האט געבעטן דעם אויבערשטן אז יהושע זאל קענען זען מיט א קלארקייט אז די מרגלים טוען אן עבירה, און אזוי ארום זאל ער קענען נוצן זיין כח הבחירה זיך קעגנצושטעלן און נישט מיטהאלטן מיט זיי.

עס איז אויך שייך מתפלל צו זיין אז פון הימל זאל מען צושיקן די ריכטיגע כלים ווי אזוי צו קענען דינען דעם באשעפער. דער חזון איש שרייבט אז א מענטש דארף בעטן פון הימל אז ער זאל האבן א גוטע חברותא ארום זיך, ווייל אויב א מענטש געפינט זיך אין א גוטע סביבה האט דאס א גוטע השפעה אויף אים, און דאס מאכט אים גרינגער מקיים צו זיין די מצוות. אזוי אויך זאל ער מתפלל זיין אז זיינע קינדער זאלן האבן גוטע חברים וועלכע זאלן זיי צוברענגען אויפצוּוואקסן ערליכע אידן.

דער סך הכל איז, אז מיר דארפן א סאך מתפלל זיין מיר זאלן האבן סייעתא דשמאי, אבער גלייכצייטיג דארפן מיר וויסן אז די בחירה ליגט אבער אין אונזערע הענט, און מיר דארפן בוחר זיין בטוב און זיך נישט לאזן פארפירן פון דעם יצר הרע.

דער הייליגער בעל שם טוב זי"ע האט אמאל מוצאי שבת קודש געזאגט די תפלה פון "רבון כל העולמים" אין וואס עס ווערט אויסגערעכנט פילע שערים, ווי "שערי ברכה, שערי גילה, שערי דיצה, שערי דעה...", האט דער בעש"ט געפרעגט זיין טאכטער, די צדיקת אדל, וועלכער שער איז די העכסטע שער אין עבודת ה'. זי האט געענטפערט: "שערי סיעתא דשמיא", ווייל כדי אנצוקומען צו אלע שערים מוז מען פריער אנקומען צום שער פון "סייעתא דשמיא". דער בעל שם טוב האט מסכים געווען, זאגענדיג אז זי האט גוט מכוון געווען.

כדי אנצוקומען צו אלע שערים מוז מען פריער אנקומען צום שער פון "סייעתא דשמיא".

118

אויפלעבן א איד

מען זעט אמאל א מענטש וואס גייט דורך א שווערע צייט און ער ווערט אינגאנצן צעבראכן און צעקלאפט; ער קען נישט שלאפן ביינאכט, ער קען נישט ארויסגיין פון בעט צופרי, און זיין גאנצע חיות ווערט פארלאשן. אויב מען גיט אים דברי חיזוק און מען שטארקט אים אז די שווערע צייטן וועלן פארבייגיין, קען מען אריינבלאזן א שטיק חיות אין אים. מיט די ריכטיגע ווערטער, אין די ריכטיגע צייט, קען מען גענצליך טוישן א מענטשנ'ס בליק אויף זיין מצב. צומאל קען מען אים אפילו ארויסהעלפן בלויז דורכ'ן אויסהערן זיין פעקל צרות און אים זאגן א גוט ווארט.

אין די גמרא (בבא מציעא סב, א) ווערט געברענגט א שאלה: צוויי מענטשן גיין אין מדבר, עס הערשט א שווערע טרוקעניש און די אידן זענען אזוי אויסגעדארשט אז זיי זענען אין סכנה אויסצוגיין חלילה. איינער פארמאגט א פלעשל וואסער וואס איז גענוג צו ראטעווען בלויז איינעם פון זיי, און ער האט א קריטישע שאלה: זאל ער נעמען דעם פלעשל וואסער פאר זיך אדער עס געבן פאר זיין חבר? ר' עקיבא זאגט אז דער מענטש וואס פארמאגט דאס וואסער מעג עס טרינקען און ער איז נישט מחוייב עס צו געבן פאר זיין חבר, צוליב דעם כלל פון "חייך קודמין", וואס לערענט אונז אז א מענטש דארף קודם היטן זיין אייגען לעבן.

די מפרשים פרעגן, ווי אזוי שטימט דער כלל פון "חייך קודמין" מיט דעם חיוב פון "ואהבת לרעך כמוך", אין וועלכן

די תורה זאגט אונז אן מיר זאלן ליב האבן א חבר פונקט ווי זיך אליין. אויב מען דארף ליב האבן א צווייטן פונקט ווי זיך אליין איז דאך פשט אז דער מענטש אליין קומט נישט פריער?

דער חתם סופר (תורת משה פרשת קדושים) איז מסביר אז עס איז פאראן א חילוק צווישן גשמיות און רוחניות. ווען עס קומט צו גשמיות איז דער כלל אז "חייך קודמין"; דער מענטש קומט פריער זיך אליין צו ראטעווען. אבער ווען עס קומט צו רוחניות ווי לימוד התורה, איז דער מענטש מחוייב צו לערנען תורה אויך מיט אנדערע אידן. קיינער האט נישט קיין דין קדימה. דעריבער האבן מיר דעם זעלבן אחריות פאר אנדערע מענטשן פונקט ווי פאר זיך אליין. אויב א מענטש גיט אוועק שעות ארוכות מסביר צו זיין פאר א צווייטן ענייני אמונה און אים ברענגען נענטער צום באשעפער, הייסט דאס נישט ווי ער האט עפעס דערלייגט, ווייל דאס איז דאך אונזער תכלית אויף דער וועלט.

אין דעם שטעטל ראדין האט געוואוינט אן עלטערער עלענדער איד וועלכער האט קיינמאל נישט חתונה געהאט. איין יום כיפור ביינאכט האט דער איד באשלאסן צו בלייבן שלאפן אין שול. ער האט געמיינט אז ער געפינט זיך אליין אין שול, אבער פלוצלינג האט ער געשפירט א קלאפ אויפ'ן רוקן. ער האט זיך אויסגעדרייט און געזען אז עס שטייט פאר אים דער חפץ חיים אליין, וועלכער איז געקומען מחזק זיין דעם עלענדן איד.

דער חפץ חיים האט אים אנגעהויבן צו דערציילן איבער אלע פראבלעמען וואס ער איז אליין דורכגעגאנגען אין זיין לעבן. זיין טאטע איז געשטארבן ווען ער איז געווען בלויז צען יאר אלט, און ער איז אויפגעוואקסן אין שרעקליכע ארעמקייט. נאך זיין בר מצוה איז ער אליין געפארן לערנען אין ישיבה. ווען דער חפץ חיים איז געקומען אין די יארן פון שידוכים, האבן א סאך רייכע מענטשן געוואלט אריינבאקומען דעם יונגן מתמיד אלס אן איידעם, אבער דער חפץ חיים'ס שטיף טאטע, וועלכער איז געווען זייער קראנק, האט געוואלט אז ער זאל חתונה האבן מיט זיין טאכטער. דעם חפץ חיים'ס שטיף שוועסטער איז געווען עלטער פון אים, אבער דעם חפץ חיים האט צוליב געטוען זיין שטיף פאטער און חתונה געהאט מיט זיין טאכטער. די חברים פון חפץ חיים האבן אלע געטוען רייכע שידוכים, אבער צום

סוף האט זיך ארויסגעשטעלט אז די וואס האבן חתונה געהאט מיט מיידלעך פון רייכע שטיבער האבן שפעטער אויפגעהערט צו לערנען, וויבאלד זייערע ווייבער זענען געווען געוואוינט צו א רייך לעבן. אבער דער חפץ חיים האט געקענט זיצן און לערנען רואיג ווייל זיין רעביצין האט זיך באגענוגענט מיט אן ארעם לעבן, און זי האט אים כסדר מחזק געווען אז ער זאל קענען בלייבן ביים לערנען. אזוי איז דער חפץ חיים אויסגעוואקסן פון די גדולי הדור.

"דורכאויס אלע מיינע שוועריגקייטן", האט דער חפץ חיים געזאגט פאר דעם עלענדן איד, "האב איך זיך געהאלטן שטארק, וויסענדיג אז דער באשעפער פירט מיך אויפ'ן ריכטיגן וועג".

> "דורכאויס אלע מיינע שוועריגקייטן", האט דער חפץ חיים געזאגט פאר דעם עלענדן איד, "האב איך זיך געהאלטן שטארק, וויסענדיג אז דער באשעפער פירט מיך אויפ'ן ריכטיגן וועג"..

דער חפץ חיים איז געזעסן מיט דעם מענטש יום הקדוש ביינאכט און האט אריינגעבלאזן חיזוק אין דעם צעבראכענעם איד און אים ערקלערט ווי גוט דער באשעפער איז צו אונז און ווי אלעס איז פאר אונזער טובה, אפילו ווען דער מצב איז גאר שווער. אין דעם האט דער גרויסער צדיק עוסק געווען די הייליגסטע נאכט פון יאר.

ווען מיר געבן חיזוק פאר מענטשן דארף מען עס טוען אויפ'ן ריכטיגן אופן: מען מוז זיין עמפינדליך צו יענעמ'ס געברויכן און זיך אריינלייגן אין יענעמ'ס מצב ביז מען שפירט אליין זיין צער. מען מוז זיך צוהערן מיט אויפמערקזאמקייט צו אלעס וואס יענער האט צו זאגן, און אויב מען ווייסט נישט וואס אים צו ענטפערן קען מען אים גיבן א ספר אדער א ביכל וואס רעדט איבער דער נושא. אויב עס געלונגט אויפצומונטערן א צווייטן א איד און אריינגעבן א שטיק חיות אין אים, איז עס פונקט ווי מען וואלט יענעם געשאנקען דאס לעבן אליין.

119

"ונמצא חן בעיני אלקים ואדם"

מיר לעבן אין א וועלט וואס איז אנגעפילט מיט שארפע קאנקורענץ. מענטשן ראנגלען זיך צו באקומען א געוויסע פאזיציע. פירמעס קאנקורירן צווישן זיך צו פארקויפן דעם זעלבן פראדוקט. דאס ברענגט טייל מאל א צווייפל צום מענטש צי ער וועט מצליח זיין אין לעבן. דער מענטש טראכט: "עס זענען דאך פאראן אזויפיל מענטשן וואס זענען בעסער פון מיר; אזויפיל פירמעס וואס פראדוצירן בעסערע פראדוקטן, ווי אזוי קען איך מצליח זיין ווען די קאנקורענץ איז אזוי גרויס?"

מיר מוזן זיך אבער כסדר איינ'חזר'ן אז דער באשעפער וואס האט געגעבן כשרונות פאר אנדערע מענטשן און האט זיי אריינגעגעבן גוטע איינפאלן, קען דאס אונז אויך געבן; דער באשעפער וואס האט געמאכט אז אנדערע מענטשן זאלן מצליח זיין אין זייערע געשעפטן, קען אויך מאכן אז מיר זאלן מצליח זיין. מיט'ן באשעפערס ווילן קען מען אלעס דערגרייכן. מיר דארפן בלויז מתפלל זיין צום באשעפער און טוען דאס בעסטע וואס מיר קענען.

אמאל מאכט זיך אז אפילו שוואכערע פראדוקטן פארקויפן זיך גאר גוט, אדער א פירמע וואס האט אין אנהויב נישט מצליח געווען, ווערט פלוצלונג א פאפולערע פירמע מיט שטייגענדע פארדינסטן. זייער פראדוקט ווערט צעכאפט ווי מצה וואסער אז די פירמע קען אפילו נישט נאכקומען

מיט'ן באשעפערס ווילן קען מען אלעס דערגרייכן. מיר דארפן בלויז מתפלל זיין צום באשעפער און טוען דאס בעסטע וואס מיר קענען.

דעם פארלאנג. די סיבה דערצו איז ווייל פון הימל האט מען געשאנקן א חן אויף יענעם פראדוקט, אז עס זאל געפעלן אין מענטשנ'ס אויגן, און אזוי ארום ווערט דאס פאפולער ביי מענטשן. אזוי אויך קען דער אויבערשטער מאכן אז א מענטש זאל באקומען חן. צומאל איז דא א מענטש וואס כאטש ער איז נישט אזוי צוגעפאסט פאר א געוויסע ארבעט, ווערט ער אויפגענומען אויף א חשוב'ע פאזיציע, וויבאלד דער באשעפער האט אים געשאנקען חן אין די אויגן פון זיין בעל הבית.

חז"ל לערנען אונז (בראשית רבה לט, יג) אז אסתר המלכה איז געווען פינף און זיבעציג יאר אלט ווען אחשורוש האט איר אויסגעקליבן אלס זיין קעניגין. די גמרא (מגילה יג, א) איז מסביר אז די סיבה פארוואס ער האט אויסגעקליבן אסתר איבער אלע מיידלעך פון הודו ביז כוש איז וויבאלד דער אויבערשטער האט ארויפגעלייגט א ספעציעלן חן אויף איר – "שהיה חוט של חסד משוך עליה". אזוי אויך ווען יוסף הצדיק איז אריינגעווארפן געווארן אין דעם גרוב, האט דער אויבערשטער אים אריינגעגעבן א חן אין די אויגן פון דעם תפיסה וועכטער, ווי עס שטייט אין פסוק (בראשית לט, כא): "ויתן חנו בעיני שר בית הסוהר".

ווי אזוי קען א מענטש באקומען דעם ספעציעלן געטליכן חן? דער וועג דאס צו באקומען איז דורך אנערקענען אז אלעס פירט דער באשעפער. פאר אונזערע אויגן זעט אויס אז די מענטשן מיט וועמען מיר האנדלען במשך דעם טאג קאנטראלירן אונזער לעבן, און אז מיר דארפן בלויז פרובירן זיי צו געפעלן. דער אמת איז אבער אז אונזער גורל איז אנגעוויזן אין באשעפער אליין. א מענטש וואס אנערקענט דאס באקומט א הימלישען חן אויף זיך, און מענטשן האבן ליב צו האנדלען מיט אים.

דער חובת הלבבות שרייבט (סוף שער הבטחון) אז די טבע פונעם מענטש איז אז ער פארלאזט זיך אויף דאס וואס איז נאענט צו אים, אן אריינטראכטן אביסל טיפער אז די וואס זענען אומשטאנד אים צו העלפן זענען גאר ווייט פון אים. למשל: ווען דער קעניג וויל שטראפן איינעם פון זיינע קנעכט, גיט ער א באפעל צום משנה למלך, דער משנה למלך באפעלט צום גענעראל, דער גענעראל צום פאליציאנט, און אזוי גייט דער באפעל פון א העכערן ראנג צו א נידריגן ראנג ביז עס קומט אן צו די וואס פירן אויס די שטראף. וואס מיר זעען

איז, אז דער וואס פירט אויס די שטראף האט נישט קיין שום
מאכט, כאטש ער איז דער וואס וועט אים פאקטיש שטראפן.
א ביסל טיפער געטראכט, איז דער עכטער שטראפער דער
קעניג, וועלכער איז גאר ווייט פונעם מענטש. קומט אויס אז
דאס וואס זעט אויס נאענט איז גאר ווייט, און דאס וואס
שיינט צו זיין ווייט איז גאר נאענט.

דאס זעלבע איז שייך ביי יעדע זאך אין לעבן. די מענטשן
מיט וועמען מיר האנדלען זענען נישט די אמת'ע בעלי בתים
אויף אונז; זיי זענען בלויז די לעצטע שליחים וואס גיבן זיך אפ
מיט קלייניקייטן. איבער אלעם איז דער גרויסער באשעפער.
יעדער מענטש מיט וועמען מיר באגעגענען זיך במשך דעם
טאג געפינט זיך אונטער די אויטאריטעט פון דעם בורא כל
עולמים און דארף אפגעבן א דין וחשבון פאר אים. וואס מער
מיר וועלן אנערקענען דעם וויכטיגן כלל, אלץ מער וועלן מיר
טרעפן חן בעיני אלקים ואדם.

די וואונדערליכע מעדיצין

דוד ראזמארין האט געליטן פון שווערע אנגסט ("ענקזייעטי") און דאגות. דוד האט זיך כסדר געזארגט ווי אזוי ער וועט מצליח זיין. ער האט זיך געזארגט איבער זיין מעמד צווישן זיינע חברים, און אזוי ווייטער. עס איז געקומען צו א מצב אין וואס ער האט נישט געקענט איינשלאפן ביינאכט. ער האט אנגעהויבן קלערן פון גיין צו א פסיכאלאג וואס זאל אים העלפן מיט זיינע פחדים.

איין טאג איז דוד צוגעגאנגען צו א רב וועלכער האט פארגעלערנט שיעורים, און אים געפרעגט אויב ער זאל גיין צו א טעראפיסט פאר זיינע פסיכאלאגישע פראבלעמען. אנשטאט צו ענטפערן די שאלה איז דער רב צוגעגאנגען צום ספרים שאנק, ארויסגענומען א ספר, צוגעגאנגען צו א קאפי מאשין און אנגעהויבן מאכן קאפיס. דער רב האט געגעבן די קאפיס פאר דוד. עס איז געווען א בינטל פאפירן פון איין און זעכציג זייטן. דאס איז געווען דער שער הבטחון פון חובת הלבבות.

דער רב זאגט אים: "איך קען דיר נישט זאגן אויב דו זאלסט רעדן צו א פראפעסיאנעלן מענטש איבער דיינע פראבלעמען, איך קען דיר אבער אזויפיל זאגן אז אויב דו וועסט דאס דורכלערנען וועט עס דיר א סאך העלפן, לערן דערין יעדן טאג צען-פופצן מינוט איידער דו גייסט שלאפן, און זיי דיך מתבונן מיט א טיפקייט אין אלעם וואס דו לערנסט דא".

דוד האט געפאלגט די עצה פון דעם רב, און ער האט געזען שטוינענדע רעזולטאטן. ביז אכט וואכן האט ער געקענט רואיג איינשלאפן, און זיין אנגסט איז כמעט גענצליך פארשוואונדן געווארן. דער חיצוניות'דיגער מצב האט זיך גארנישט געטוישט; אדרבה, די סיבות צו זיין אנגסט זענען נאר פארשטארקט געווארן אינצווישן. ער האט געהאט גאר שווערע פארהערן אין קלאס און ער האט געהאט אנדערע שוועריגקייטן מיט חברים. פונדעסטוועגן האט ער געפינען א רואיג ווינקל ביי זיך אין הארץ און דאס האט אים געגעבן כח און מוט אנצוגיין מיט אלע שוועריגקייטן.

ביז אכט וואכן פון שער הבטחון האט ער געקענט רואיג איינשלאפן, און זיין אנגסט איז כמעט גענצליך פארשוואונדן געווארן.

דוד האט געזאגט: "איך האב זיך מחזק געווען אין אמונה און בטחון, איך האב איינגעזען אז אלע געשעענישן אין מיין לעבן ווערן געפירט דורכ'ן באשעפער און איך האב זיך נישט וואס צו זארגן".

דוד נוצט היינט דעם שער הבטחון אין חובת הלבבות ארויסצוהעלפן אנדערע אידן וואס מוטשען זיך מיט אנגסט און דעפרעסיע.

אמונה און בטחון זענען די בעסטע מעדיצינען פאר אנגסט. עס זענען נישט פאראן קיין שום זייטיגע ווירקונגען ("סייד אפעקטס"), און עס קאסט נישט קיין פרוטה. עס איז נישט מעגליך צו זיין א איד אָן דעם וואס מען זאל אנערקענען מיט אן אמת'דיגקייט אז אלעס ליגט אין די הענט פון באשעפער און אז אלעס וואס דער אויבערשטער טוט איז פאר אונזער טובה.

אין די הקדמה צום שער הבטחון רעכענט אויס דער חובת הלבבות אלע מעלות וואס א בעל בטחון פארמאגט דורכ'ן זיך פארזיכערן אין באשעפער. די ערשטע מעלה איז אז ער קען לעבן רואיג אָן אנגעצויגנקייט. אן אנגעצויגענער מענטש האט זייער א שווער לעבן – פיזיש און גייסטיש. אויב מען חזר'ט זיך איין די יסודות פון שער הבטחון קען מען ערגרייכן אן אינערליכע רואיגקייט און שלוות הנפש וואס נעמט אוועק אלע דאגות. אויב א מענטש געדענקט אז דער גרויסער באשעפער העלפט אים שטענדיג און אז דער אויבערשטער קען לעזן אלע זיינע פראבלעמען אין איין מינוט, קען ער דורכגיין סיי וועלכן נסיון אָן קיין פראבלעם.

א איד האט מיר דערציילט אז ער האט אמאל געליטן פון א שווערע מחלה רח"ל פון וועלכן עס איז גאר שווער זיך

אויסצוהיילן. די דאקטוירים האבן זיך שוין מייאש געווען און זיי האבן אים געגעבן בלויז עטליכע חדשים צום לעבן, ה"י. דער איד האט זיך אבער אנגעגארטעלט מיט אמונה און בטחון און האט זיך איינגע'חזר'ט אז דער רבונו של עולם גיט לעבן פאר'ן מענטש און נישט די דאקטוירים. אזוי האט זיך דער איד כסדר געשטארקט ביז ער איז ארויסגעקראכן פון זיין מחלה און האט זיך גענצליך ערהוילט בעז"ה. די דאקטוירים האבן אים פארשריבן מעדיצינען קעגן דעפרעסיע דורכאויס די גאנצע איבערלעבעניש, אבער ער האט עס קיינמאל נישט געדארפט נוצן וויבאלד ער האט געהאט א פיל בעסערע מעדיצין: אמונה און בטחון.

מיר דארפן זיך כסדר איינ'חזר'ן אז דער באשעפער איז דער הערשער אויף אונזער לעבן, און אז ער קען אונז ארויסנעמען פון אלע אונזערע פראבלעמען. דאס איז דער איינציגסטער וועג ווי אזוי צו לעבן מיט מנוחת הנפש. א קינד פון א ביליאנער איז קיינמאל נישט באזארגט ווי אזוי ער וועט האבן פרנסה ווייל ער ווייסט אז זיין טאטע קען אים שטענדיג צושטעלן וויפיל געלט ער וויל. מיר דארפן שטענדיג געדענקען אז מיר האבן א טאטן אין הימל, וועלכער קען אונז צושטעלן נישט בלויז געלט, נאר אויך געזונט, נחת, הצלחה, און אלע אנדערע געברויכן. וואס מער מיר אנערקענען דאס, אלץ רואיגער וועלן מיר זיין.

121

דאס איינטריט קארטל

אין פסוק (בראשית א, לא) שטייט נאכדעם וואס דער באשעפער האט באשאפן די וועלט: "וַיַּרְא אֱלֹקִים אֶת כָּל אֲשֶׁר עָשָׂה וְהִנֵּה טוֹב מְאֹד". דער מדרש (בראשית רבה ט, ח) זאגט אז "טוב מאוד" גייט ארויף אויף יסורים וואס דער באשעפער שיקט אויפ'ן מענטש. דער מדרש פרעגט, ווי אזוי קען זיין אז יסורים זאלן זיין "טוב מאוד"? און דער מדרש ענטפערט אז דורך דעם וואס דער מענטש גייט דורך יסורים ווערט זיין נשמה אויסגעלייטערט און ער קומט אָן צו עולם הבא. דערפאר זענען יסורים גוט פאר'ן מענטש. דער מדרש ברענגט אז אזוי לערנט אונז שלמה המלך אין משלי (ו, כג): "דֶּרֶךְ חַיִּים תּוֹכְחוֹת מוּסָר" – דער וועג צו חיי עולם הבא דורכגיין יסורים.

אפילו קליינע אומבאקוועמליכקייטן אין לעבן ווערן פארעכנט אלס יסורים. ווען א מענטש גייט דורך סיי וועלכע אומבאקוועמליכקייט אָן דעם וואס ער זאל זיך אפרעדן דערויף, האט דאס אן אומשאצבארע ווערט אויבן אין הימל און עס העלפט אים דערגרייכן זיין חלק אין עולם הבא.

איינמאל האט דער הייליגער חתם סופר דערמאנט פאר זיינע תלמידים א חידוש פון זיין גרויסן שווער, הגאון רבי עקיבא אייגער זצ"ל, און דערביי האט ער זיך אנגערופן:

"איר קענט זיך נישט פארשטעלן וויפיל צער און יסורים מיין שווער איז אריבער דורכאויס זיין לעבן. זינט ער איז געווען א בחור פון זעכצן יאר האט ער געליטן יעדן איינציגן

טאג פון זיין לעבן". דער חתם סופר האט ווייטער דערציילט אז איידער רבי עקיבא אייגער איז נפטר געווארן האט ער געהייסן אז ביי די הספדים זאל מען נישט מרבה זיין בשבחו, נאר אזויפיל אז פון די פופצן יאר האט ער געלערנט תורה ברבים מיט אומדערטרעגליכע יסורים. ער האט נישט געוואלט מען זאל אים באטיטלען אלס גאון אדער גדול; ער האט נישט געוואלט מען זאל אים געדענקען פאר זיינע פילצאליגע חידושים און גאוני'שע ספרים; ער האט בלויז געוואלט מען זאל וויסן אז ער האט מקבל געווען יסורים באהבה. ווען זיינע תלמידים האבן זיך געוואונדערט דערויף, האט דער גרויסער גאון זיי מסביר געווען: "איך האב פיל געליטן דורכאויס מיין לעבן, מיין קבלת היסורים באהבה איז מיין איינטריט קארטל צום עולם הבא".

> ***הגאון ר' עקיבא איגער האט געזאגט: "איך האב פיל געליטן דורכאויס מיין לעבן, מיין קבלת היסורים באהבה איז מיין איינטריט קארטל צום עולם הבא".***

דער מגיד פון ירושלים, הגאון רבי שבתי יודלעוויטש זצ"ל, האט דערציילט א מעשה איבער אן ארעמאן וועלכער האט געלעבט אין גרויסע יסורים; ער האט נישט געהאט קיין לחם לאכול און האט געליטן פון מערערע אנדערע פראבלעמען. איינמאל האט דער ארעמאן באשלאסן צו גיין באזוכן ביי דעם מקובל הגאון רבי שלום שרעבי זצ"ל און אים פרעגן אן עצה צו לינדערן די יסורים. ווען ער איז אנגעקומען צו רבי שלום'ס שטוב, האט אים די רעביצין אויפגענומען און געבעטן זיך צו זעצן.
בשעת דער ארעמאן איז געזעסן און געווארט אריינצוגיין צו ר' שלום האט ער איינגעדרימעלט אויפ'ן בענקל.
ער האט זיך גע'חלומ'ט ווי ער האלט שוין לאחר מאה ועשרים און ער איז אנגעקומען פאר'ן בית דין של מעלה, וואו עס איז געשטאנען א גרויסער וואגשאל. פלוצים האט זיך געהערט א הויכער קול: "אלע עבירות זאלן קומען צו גיין!"
טויזנטער שווארצע מלאכים זענען געקומען צו גיין און האבן זיך געשטעלט אויף איין זייט פונעם וואגשאל. דאן האט זיך געהערט נאך א שטימע: "אלע מצוות זאלן קומען צו גיין!" טויזנטער ווייסע מלאכים זענען אנגעקומען און האבן זיך געשטעלט אויף דער אנדערער זייט פונעם וואגשאל. דער וואגשאל איז יעצט געשטאנען כמעט באלאנסירט. דער איד האט געווארט מיט אנגסט אז די גוטע זייט זאל איבערוועגן. אבער די ווייסע מלאכים האבן אויפגעהערט צו קומען, און די זייט פון די עבירות

> האט געהאלטן ביים איבערוועגן. א שטימע האט דאן אויסגערופן: "אלע יסורים זאלן קומען צו גיין!" טויזנטער מלאכים זענען געקומען און האבן זיך געשטעלט אויף דער זייט פון די מצוות. דער ארעמאן האט געהאפט אז יעצט וועט שוין די גוטע זייט איבערוועגן, אבער אומזיסט. עס האט אויסגעזען אז דער גזר דין וועט זיין אז ער וועט מוזן גיין אין גיהנם.
> ווען דער איד האט דאס געזען האט ער זיך גענומען שרייען: "גיט מיר נאך יסורים! גיט מיר נאך יסורים!"
> די רעביצין האט געהערט די קולות און זי איז געקומען צו לויפן. "אלעס איז בסדר?" האט זי געפרעגט.
> דער איד האט זיך אויפגעוועקט פון שלאף און געזאגט מיט א פארשעמטן שמייכל: "יא, אלעס איז בסדר". און ער האט צוגעלייגט: "איך דארף שוין נישט אריינגיין צום רב, איך האב שוין דעם ענטפער אויף מיינע שאלות".

יסורים דינען א וויכטיגן צוועק אין אונזער לעבן. אודאי דארף מען כסדר מתפלל זיין אז מען זאל נישט האבן קיין יסורים, וויבאלד מיר ווייסן נישט אויב מיר וועלן זיי קענען ביישטיין. אבער ווען מען געפינט זיך אין א שווערע לאגע מוז מען געדענקען אז די יסורים זענען "טוב מאוד" פאר דעם מענטש. די יסורים וואס מען גייט דורך לייטערן אויס די נשמה און זיי וועלן שטארק צונוץ קומען.

122

אמונה אין די שווערסטע צייטן

חודש אב איז שטענדיג געווען א טרויעריגער חודש פאר כלל ישראל. אין דעם חודש זענען חרוב געווארן ביידע בתי מקדשים. אזוי אויך האבן פאסירט פארשידענע אנדערע צרות אין דעם חודש. פונדעסטוועגן מוזן מיר געדענקען אז דער באדייט פון דעם ווארט אב איז "פאטער", און מיר רופן אָן דעם חודש "מנחם אב" – דער פאטער וואס טרייסט. אלע צרות וואס זענען געקומען אויף כלל ישראל אין דעם חודש זענען געקומען פון אונזער טאטן אין הימל וועלכער האט אונז ליב מיט די גרעסטע אהבה.

עס איז אמאל געווען א יונגער בחור וועלכער איז געקומען פון א פרייע משפחה. דער בחור איז פון זיך אליין געווארן א בעל תשובה און האט זיך געזעצט לערנען אין ישיבה. ער האט שטארק מצליח געווען אין לערנען און ער האט אפילו ארויסגעהאלפן אנדערע בחורים. פלוצלונג, פון איין טאג אויפ'ן צווייטן, איז דער בחור אוועק פון דער וועלט.
דער ראש ישיבה האט באשלאסן איינצולאדענען דעם בארימטן מגיד, הגאון רבי שלום שוואדראן זצ"ל, צו

342 | לעבן מיט אמונה

קומען געבן דברי חיזוק פאר די בחורים. הרב שוואדראן איז געקומען רעדן, און ער האט דערציילט פאר די בחורים א געשיכטע וואס האט פאסירט אין די תר"פ יארן. יענע צייט האבן זיך די ישיבות אין ירושלים שטארק געמוטשעט מיט געלט, און די רבנים האבן באשלאסן ארויסצושיקן קיין אמעריקע א רעדנער, מיט'ן נאמען הרב וואלק, וועלכער זאל צונויפזאמלען געלט פאר די ישיבות. זיי האבן אים געבעטן אז ער זאל פארן קיין אמעריקע און ארומגיין האלטן דרשות איבער די שיינקייט פון די ירושלים'ער ישיבות, און ווי די דארטיגע תלמידי חכמים מוטשען זיך און לערנען תורה מתוך הדחק.
הרב וואלק איז געפארן קיין שיקאגא און האט געהאלטן גאר א שיינע רעדע אין וועלכן ער האט ארויסגעברענגט דאס חשיבות פון שטיצן עניי ארץ ישראל. די דארטיגע אידן זענען געווארן גערירט פון די ווארעמע ווערטער און זיי האבן אים געגעבן גאר שיינע נדבות.
איינער פון די אידן אין שיקאגא, מיט'ן נאמען ר' ירחמיאל וועקסלער, איז צוגעגאנגען צו הרב וואלק, און אים געזאגט אז אזוי ווי ער האט געהערט איבער די געוואלדיגע דחקות אין וועלכן די אידן אין ירושלים לעבן, קלערט ער צו פארן קיין ירושלים און דארט עפענען א ביזנעס, צו שטיצן ירושלים'ער אידן בדרך כבוד.
ר' ירחמיאל איז געפארן קיין ירושלים אינאיינעם מיט זיין זון, א בחור מיט'ן נאמען יחזקאל. ר' ירחמיאל האט זיך צום ערשט אפגעשטעלט אין די בארימטע ישיבה אין חברון, וואו ער האט געטראפן מערערע אמעריקאנער בחורים וואס האבן דארט געלערענט, אריינגערעכנט דער זון פון דעם צדיק רבי יעקב יוסף הערמאן ז"ל. ר' ירחמיאל איז זייער נתפעל געווארן פון די ישיבה און האט באשלאסן אריינצושטעלן דארט זיין זון, טראצדעם וואס זיין זון איז נישט געווען קיין גרויסער תלמיד חכם. ר' ירחמיאל איז אליין צוריקגעפארן קיין אמעריקע.
יחזקאל וועקסלער האט געלערענט אין חברון במשך דעם ווינטער פון שנת תרפ"ט. זעקס חדשים נאכדעם וואס ער איז אנגעקומען אהין, איז פארגעקומען דער שרעקליכער פאגראם אין חברון, אין וועלכן די אראבער האבן אויסגעשאכטן צענדליגער אידישע נפשות הי"ד. מערערע תלמידים פון חברון זענען אומגעקומען, און צווישן די קרבנות איז געווען יחזקאל וועקסלער. ווען די

ביטערע נייעס איז אנגעקומען קיין אמעריקע, זענען די עלטערן געווען אויסער זיך פאר צער, און זיי האבן זיך געזעצט שבעה אויף זייער באליבטען זון.

א שטיק צייט שפעטער האט מען נאכאמאל געבעטן הרב וואלק אז ער זאל פארן קיין אמעריקע לטובת די ישיבות. הרב וואלק האט מסכים געווען, אבער ער האט זיך גע'עקשנ'ט אז ער וויל נישט פארן קיין שיקאגא, ווייל ער האט זיך נישט געוואלט טרעפן מיט ר' ירחמיאל וועקסלער, אזוי ווי ער האט דאך אומדירעקט גורם געווען אז זיין זון איז ברוטאל אומגעקומען.

א מענטש טראכט און דער באשעפער לאכט. זייענדיג אין ניו יארק, האט הרב וואלק זיך אנגעשטויסן אין ר' ירחמיאל, וועלכער איז 'פערצופאל' געווען אין ניו יארק אויף א באזוך. ר' ירחמיאל האט אויסגעשטרעקט זיין האנט מיט א ווארעמע שמייכל.

"שלום עליכם!" האט ער פריינטליך אויסגערופן, זאגענדיג: "איך האב שוין געווארט אייך צו זען, איך האב זיך געוואונדערט פארוואס איר קומט נישט קיין שיקאגא".

הרב וואלק איז געווען ערשטוינט. ער האט מסביר געווען אז ער האט בכוונה נישט געוואלט פארן קיין שיקאגא ווייל ער האט געשפירט אז ער קען זיך נישט טרעפן מיט אים פנים אל פנים נאכדעם וואס ער האט פארלוירן זיין זון.

"וואס?!" האט ר' ירחמיאל אויסגערופן, "איר האט גורם געווען אז מיין זון זאל אומקומען?! פונקט פארקערט; איר האט מיר געגעבן מיין זון אלס מתנה! איידער מיין זון איז געבוירן געווארן האט זיין נשמה געדארפט אראפקומען אויף דער וועלט און לעבן דא געגוי צוואנציג יאר. איך גלייב באמונה שלימה אז ווען מיין זון איז אומגעברענגט געווארן איז דאס געווען זיין צייט צו גיין פון דער וועלט, און ער וואלט נפטר געווארן אפגעזען אויב ער וואלט געפארן קיין חברון אדער נישט. אויב איר וואלט נישט געקומען קיין שיקאגא, וואלט ער אוועק פון דער וועלט אָן תורה. אבער א דאנק אייך האט ער פארברענגט די לעצטע זעקס חדשים פון זיין לעבן צווישן די כותלי בית המדרש, אין תורה ועבודה. איך בין זיכער אז ער באקומט יעצט א גרויסן חלק אין גן עדן א דאנק אייך"!

דאס איז א ביישפיל פון א איד וואס איז אנגעזאפט מיט
אמונה און בטחון. אנשטאט צו שרייען אויף הרב וואלק
און זיך שפירן דערביטערט אויף אים, האט ר' ירחמיאל
אויסגעדרוקט זיין הכרת הטוב אז צוליב הרב וואלק האט
זיין זון זוכה געווען צו זיצן און לערנען אין די לעצטע
חדשים פון זיין לעבן, און אזוי איז ער ארויפגעקומען צום
בית דין של מעלה אנגעפילט מיט תורה און עבודה.
הרב שוואדראן האט אויסגעפירט: "קיינער ווערט נישט
סתם אזוי אוועקגענומען פון דער וועלט; אלעס האט א
חשבון אויבן אין הימל. דער בחור וועלכער האט זיך אליין
אומגעקערט צו תשובה איז ארויפגעקומען אויף יענער
וועלט אנגעזאפט מיט תורה ומצוות, און ער וועט זיכער
באקומען זיין פארדינטן שכר אין עולם הבא".

מיר מוזן שטענדיג געדענקען אז דער באשעפער איז א
"מנחם אב" – א פאטער וואס טרייסט. כאטש מיר פארשטייען
נישט ווי אזוי ער פירט די וועלט, גלייבן מיר אבער מיט א
קלארקייט אז אלעס האט א חשבון און אז יעדע זאך האט
א הסבר.

123

דאס קלייד וואס נייט זיך

חז"ל לערנען אונז (ברכות סא, ב) אז ווען די רוימער האבן געפייניגט רבי עקיבא צום טויט און געשניטן זיין פלייש מיט אייזערנע קעמען האט ער געליינט קריאת שמע, און ווען ר' עקיבא איז אנגעקומען צום ווארט "אחד" איז ער אוועק פון דער וועלט. אין דער מינוט איז געווארן א רעש אין הימל; די מלאכים האבן זיך געוואנדן צום באשעפער און געפרעגט: "זו תורה וזו שכרה?" זיי האבן זיך געוואונדערט ווי אזוי עס קען זיין אז אזא גרויסער תנא ווי רבי עקיבא זאל ווערן אזוי געפייניגט. דער באשעפער האט געענטפערט אז אויב די מלאכים וועלן נישט זיין שטיל וועט ער צוריקשטעלן די וועלט צו תהו ובהו.

פרעגט הגאון רבי שלמה קלוגער זצ"ל: דער באשעפער וואלט געקענט סתם ענטפערן אז די מלאכים פארשטייען נישט זיינע דרכים; פארוואס האט דער אויבערשטער געזאגט אז ער וועט חרוב מאכן די וועלט?

ענטפערט רבי שלמה קלוגער מיט א משל: עס איז אמאל געווען א קעניג וועלכער האט געדינגען א שניידער אים אויפצונייען א הערליכן מלבוש. דער קעניג האט געגעבן פאר'ן שניידער די טייערע מאטריאלן מיט וועלכן צו פראדוצירן די קליידער, און דער שניידער

האט אויפגענייט גאר א שיין קלייד, ווי דער קעניג האט זיך געוואונטשן. טייל פון דעם קעניג'ס קנעכט האבן מקנא געווען דעם שניידער, און זיי האבן דעריבער ארויסגעלאזט א שמועה אז דער שניידער האט גענומען פאר זיך טייל פון די טייערע מאטריאלן. דער קעניג האט געלאזט רופן דעם שניידער און אים געפרעגט אויב די שמועות זענען ריכטיג. דער שניידער האט געלייקנט, אבער דער קעניג האט געוואלט אז דער שניידער זאל אים אויפווייזן אז ער איז אומשולדיג.

ענטפערט דער שניידער: "דער איינציגסטער וועג ווי אזוי איך קען אויפווייזן מיין אומשולד, איז דורכ'ן צעטרענען דעם קלייד און אויפווייזן אז איך האב אויסגענוצט יעדעס ביסל סחורה".

דאס איז געווען דעם אויבערשטנ'ס ענטפער צו די מלאכים. דער באשעפער האט געזאגט: "אויב איר ווילט פארשטיין פארוואס דער עונש איז זיך געקומען פאר רבי עקיבא, וועל איך מוזן צוריקשטעלן די וועלט אזוי ווי עס איז געווען איידער איך האב עס באשאפן, און אזוי וועל איך אייך ווייזן יעדע געשעעניש אין דער וועלט וואס איז פארגעקומען ביז אהער כדי איר זאלט פארשטיין פארוואס דאס האט פאסירט צו רבי עקיבא".

יעדע איינציגסטע פאסירונג אויף דער וועלט איז א חלק פון א גרויסן "קלייד"; דאס איז דאס קלייד וואס דער רבונו של עולם האלט נאך אינמיטן נייען זינט ששת ימי בראשית. דער עבר, דער עתיד, און דער הוה ליגן פאר'ן באשעפער. מיר קענען פרובירן פארשטיין געוויסע חלקים, אבער דאס זענען בלויז קליינע שטיקלעך פון א ריזיגען בנין. די געשעענישן וואס האבן פאסירט טויזנטער יארן צוריק זענען געקניפט און געבינדן מיט די געשעענישן וואס פאסירן היינטיגע צייטן, און עס איז נישט מעגליך צו פארשטיין איינס אָן דעם צווייטן. דערפאר האט דער באשעפער געזאגט אז ער וועט מוזן פון פריש אויפוויקלען די געשעענישן וואס האבן פאסירט זינט ששת ימי בראשית כדי די מלאכים זאלן פארשטיין זיינע דרכים.

די געשעענישן וואס האבן פאסירט טויזנטער יארן צוריק זענען געקניפט און געבינדן מיט די געשעענישן וואס פאסירן היינטיגע צייטן, און עס איז נישט מעגליך צו פארשטיין איינס אָן דעם צווייטן.

א איד איז אמאל איינגעשטאנען אין שטוב פון א געוויסן רב אין פראנקרייך. זייענדיג דארט האט ער בטעות געגעבן א רוק א פאראהאנג, און ער האט באמערקט ווי

הינטער דעם איז דא א טירל. ווען דער רב האט געזען אז ער האט גערוקט דעם פאראהאנג האט ער אים געהייסן עס פארמאכן. דער איד האט זיך געוואונדערט וואס דער באדייט איז, און דער רב האט אים דערציילט די געשיכטע אונטער דעם פאראהאנג.

ווען דער רב און זיין רעביצין זענען צום ערשט אנגעקומען אין דעם שטעטל אין פראנקרייך, איז נישט געווען קיין מקוה. זיי האבן פרובירט צוזאמצונעמען געלט אויפצובויען א מקוה אבער עס איז נישט געגאנגען. צום סוף האבן זיי באשלאסן אז זיי וועלן בויען א פריוואטע מקוה אין איינע פון זייערע צימערן. דער איינציגסטער פראבלעם איז געווען אז דאס האט אפגעקאסט אוצרות מיט געלט וואס זיי האבן נישט פארמאגט. זיי האבן דעריבער אפגעשפארט יעדע פרוטה און געלעבט אויף ברויט און וואסער פאר פינף יאר, ביז זיי האבן אוועקגעלייגט גענוג געלט צו קענען בויען די פריוואטע מקוה.

עטליכע וואכן נאכדעם וואס די מקוה איז פארטיג געווארן, האט פאסירט אן אומגליק. זייער צוויי יעריג קינד איז ל"ע דערטראנקען געווארן אין די מקוה. זייער צער איז געווען אומגעהויער גרויס. זיי האבן מקריב געווען זייער לעבן צו בויען די מקוה, און דא האט פאסירט אזא אומגליק דורך די מקוה. זיי זענען ארומגעגאנגען צו פארשידענע רבנים, אבער קיינער האט זיי נישט געקענט טרייסטן.

איין נאכט איז דאס קינד געקומען צו זיין טאטן אין חלום, און האט אים געזאגט די פאלגענדע ווערטער: "טאטע, זאלסט וויסן אז דאס איז נישט געווען דאס ערשטע מאל וואס איך בין אראפגעקומען אויף דער וועלט, אין מיין פריערדיגן גלגול האב איך געלעבט איבער ניין הונדערט יאר צוריק. איך בין דעמאלט געווען איינער פון די בעלי התוספות, און איך בין אומגעקומען אין איינע פון די פאגראמען אין פראנקרייך. אזוי ווי מען האט מיך נישט געהעריג באגראבן מיט די ריכטיגע טהרה אין א מקוה, האב איך נישט געקענט אנקומען צו די הויכע מדריגה אין גן עדן וואס איך האב זיך פארדינט, און מיין נשמה האט געהאט גרויס צער דערפון.

"אלע יארן האט מיין נשמה געווארט זיך צו טובל'ען אין די חשוב'סטע מקוה וואס איז נאר אמאל געבויט געווארן,

און יעצט איז געקומען די פאסיגע געלעגנהייט. דיין מקוה וואס איז געבויט געווארן מיט אזויפיל מסירת נפש איז געווען די פאסיגסטע ארט וואו איך זאל מיך קענען טובל'ען און אויסרייניגן מיין נשמה כדי עס זאל ענדליך אנקומען צו איר פארדינטן פלאץ אויבן אין הימל. אזוי בין איך אנגעקומען אויף גאר א הויכע מדריגה אין עולם הבא".

די נשמה האט אויסגעפירט: "כדי דו זאלסט זען אז מיינע ווערטער זענען ריכטיג, בין איך דיר מבטיח אז ביז א יאר וועט ביי דיר געבוירן ווערן א מיידל".

איבריג צו זאגן אז די ווערטער זענען מקויים געווארן, און ביז א יאר איז ביי זיי געבוירן געווארן א מיידל.

מיר קענען נישט פארשטיין דעם באשעפער'ס חשבונות. מיר דארפן טוען אונזער אויפגאבע און זיך מחזק זיין מיט אמונה און בטחון אז דער באשעפער ווייסט פונקטליך וואס ער טוט. מיר קענען קיינמאל נישט וויסן וואס ליגט אונטער אן אומפארשטענדליכע געשעעניש, ווייל מיר ווייסן נישט וואס איז אלץ באהאלטן פון אונז. נאר דער אויבערשטער אליין ווייסט דעם הסבר אויף יעדע זאך וואס פאסירט אויף דער וועלט.

124

ריזיגע פארדינסטן

אין חז"ל טרעפן מיר אפט דעם געדאנק אז אויב א מענטש איז גרייט צו טוען טובות פאר אנדערע שיקט מען אים אראפ השפעות טובות פון הימל. די גמרא זאגט (שבת קנא, ב): "כל המרחם על הבריות מרחמים עליו מן השמים – דער וואס האט רחמנות אויף אנדערע האט מען רחמנות אויף אים פון הימל". דער מסילת ישרים (פרק יט) זאגט אז דער באשעפער גיט יעדן מענטש לויט וויפיל דער מענטש גיט פאר אנדערע; וואס מער חסדים ער טוט מיט אנדערע אידן אלץ מער וועט מען טוען חסדים מיט אים.

דער מעלות המדות איז מסביר אז אויב מען העלפט אנדערע מענטשן איז דאס מעורר רחמים אין הימל, וויבאלד דער באשעפער זאגט: "אויב דער מענטש גיט אוועק פון זיך כדי צו העלפן אנדערע, כאטש ער דארף זיך אפגעבן מיט זיינע אייגענע געברויכן, איז אודאי אז איך וועל אים העלפן". עס שטייט אין מדרש תנחומא (פרשת ויחי ה): "כל העוזר את ישראל כאילו עוזר את השכינה – אויב איינער העלפט א איד ווערט עס גערעכנט כאילו ער האט געהאלפן די שכינה".

"אויב דער מענטש גיט אוועק פון זיך כדי צו העלפן אנדערע, כאטש ער דארף זיך אפגעבן מיט זיינע אייגענע געברויכן, איז אודאי אז איך וועל אים העלפן".

חז"ל לערנען אונז (סנהדרין מו, א) אז ווען א איד איז בצער זאגט די שכינה הקדושה: "קלני מראשי קלני מזרועי". יעדער איד איז א טייער קינד ביים באשעפער, און ווען מיר העלפן א קינד פון באשעפער העלפן מיר גלייכצייטיג זיין טאטן אין הימל. דער זוהר הקדוש שרייבט (פרשת אמור) אז ווען א מענטש טוט חסד ברענגט ער אויף זיך די חסדים פון

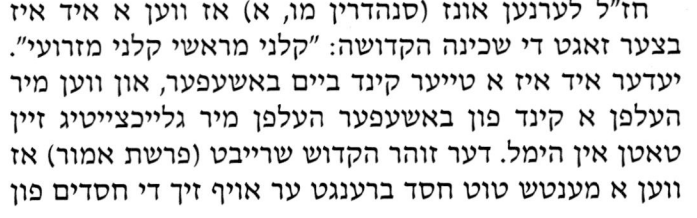

באשעפער, און ווען א מענטש האט רחמנות אויף אנדערע
וועט דער אויבערשטער רחמנות האבן אויף אים און אים
העלפן ווען ער איז אין אן עת צרה.

מיר זעען אויך אין פארשידענע מקורות דעם גרויסן שכר
וואס מיר באקומען פאר'ן העלפן אנדערע אידן. דער מדרש
זאגט (תהלים רבה סה) אז אויב מיר טוען חסד מיט אנדערע
מענטשן האבן אונזערע תפילות א גרויס חשיבות אויבן אין
הימל. דער חיד"א (פתח עינים) טייטשט די פסוקים וואס
מיר זאגן אין מה טובו (תהלים ה, ח) "וַאֲנִי בְּרֹב חַסְדְּךָ אָבוֹא
בֵיתֶךָ... עֲנֵנִי בֶּאֱמֶת יִשְׁעֶךָ" – אויב מען קומט אין בית המדרש
מיט חסדים וואס מען האט געטוען, וועט דער אויבערשטער
ענטפערן אונזערע תפילות. דער שבט מוסר (פרק ל) שרייבט
אז אויב א מענטש טוט חסד באקומט ער א "חוט של חסד" –
א ספעציעלן חן וואס מאכט אז מענטשן זאלן אים ליב האבן,
ווייל ווען מיר זענען עוסק אין חסד שיקט מען אונז אראפ
חסדים פון הימל.

125

"הכל גלוי וידוע לפניך..."

צדיקים האבן געזאגט אז ווען מיר וואלטן געוואוסט די סיבה פון יעדע זאך וואס פאסירט צו אונז, וואלטן מיר זיך קיינמאל נישט באקלאגט, און נאכמער, מיר וואלטן זיך געבעטן ביים באשעפער אז ער זאל פירן אונזער לעבן געגוי ווי אזוי ער פירט עס.

דער באשעפער איז משגיח אויף אונז יעדע רגע פון לעבן. ער מאכט די באשלוסן פאר אונז און ער נעמט אריין אין חשבון אלעס וואס וועט פאסירן אין דער ווייטער עתיד, אריינגערעכנט זאכן וואס זענען נישט מעגליך פאר אונז צו זען. פאר'ן באשעפער איז דער עבר, דער הוה און דער עתיד קלאר ווי דער טאג, און ער נעמט דאס אלעס אריין אין בילד ווען ער באשליסט אין וועלכן מצב אונז אריינצושטעלן. צדיקים האבן געזאגט אז ווען מיר וואלטן געוואוסט די סיבה פון יעדע זאך וואס פאסירט צו אונז, וואלטן מיר זיך קיינמאל נישט באקלאגט, און נאכמער, מיר וואלטן זיך געבעטן ביים באשעפער אז ער זאל פירן אונזער לעבן געגוי ווי אזוי ער פירט עס.

עס מאכט זיך אמאל אז מיר קענען נישט זען קיין שום גוטס אין געוויסע זאכן וואס פאסירן צו אונז, פונדעסטוועגן דארפן מיר גלייבן אז אלעס איז פאר אונזער טובה. דערמיט וועלן מיר זיך איינשפארן פיל עגמת נפש.

הגאון רבי שמשון פינקוס ברענגט (שיחות, חנוכה, עמוד מז) א מעשה וואס האט פאסירט ביי די צווייטע וועלט מלחמה. עס איז געווען א בחור וועלכער האט זיך באהאלטן פון די נאציס אין א בונקער אינאיינעם מיט זיין

שוועסטער. זיי זענען געווען די לעצטע איבערלעבער פון זייער גאנצע משפחה, און דער בחור האט געשפירט אז ער האט אן אחריות אכטונג צו געבן אויף זיין שוועסטער. איינמאל האט דער בחור פארלאזט דעם בונקער כדי צו ברענגען עסן. ווען ער איז צוריקגעקומען איז אים געווארן פינסטער פאר די אויגן: זיין שוועסטער איז נישט דארט געווען. מען האט אים געזאגט אז בשעת ער איז נישט דארט געווען זענען די נאציס געקומען און האבן איר גענומען צו די געסטאפא הויפטקווארטיר.
דער בחור איז באלד געלאפן צום געסטאפא. ער האט אריינגעשטורעמט און אויסגעשריגן: "גיט מיר צוריק מיין שוועסטער"!
די נאציס האבן אנגעהויבן לאכן פון אים, זיך אונטערהאלטנדיג מיט דעם תמימות'דיגן בחור'ל וואס מיינט אז ער וועט קענען ארויסבאקומען זיין שוועסטער פון זיי. דערווייל האט דער געסטאפא הויפט געהערט דעם גרודער און ער איז אריינגעקומען זען וואס דא קומט פאר.
רופט זיך אן איין געסטאפא: "דער זשיד וויל מען זאל אים צוריקגעבן זיין שוועסטער!"
דער געסטאפא הויפט האט געגעבן א שטרענגן בליק אויף דעם בחור'ל און זיך אנגערופן: "ווען איך וועל זען אז האר וואקסט אויף דיין האנט, אויף די דלאניע ("פאלם"), וועל איך דיר צוריקגעבן דיין שוועסטער"!
דער בחור האט געעפענט זיין האנט און – וואונדער איבער וואונדער – זיין האנט איז געווען באדעקט מיט האר!
די נאציס זענען געווארן ערשטוינט. זיי האבן נאך קיינמאל נישט געזען אזא זאך. "דאס מוז זיין דער טייוול אליין", האט דער געסטאפא הויפט דערקלערט מיט פארכט, זאגענדיג: "נעם דיין שוועסטער און גיי ארויס פון דא איידער איך שיס אייך ביידע!"
דער בחור האט גענומען זיין שוועסטער און איז ארויסגעלאפן פון דעם געסטאפא הויפטקווארטיר. זיי האבן ביידע איבערגעלעבט די קריג.
עס האט זיך ארויסגעשטעלט אז מיט יארן פריער האט דער בחור געליטן פון א שווערע ברי, און מען האט געדארפט איבערפלאנצן א שטיק הויט. די דאקטוירים האבן גענומען הויט פון זיין פוס און עס

אריבערגעפלאנצט אויף זיין האנט. אזוי ארום האט ער באקומען א האנט פלאך אנגעפילט מיט האר. דעמאלט איז דאס זיכער געווען זייער שווער פאר אים, אבער יארן שפעטער האט דאס געראטעוועט זיין לעבנס.

עס איז געווען אן אידישער בחור וועלכער האט געדארפט אריינגיין אין די פוילישע ארמיי בשעת די ערשטע וועלט מלחמה. זיינע עלטערן זענען געווען זייער צעבראכן, וויסענדיג אז די ארמיי וועט זיין א חורבן פאר אים ברוחניות ובגשמיות. זיי זענען געגאנגען צום חפץ חיים פאר א ברכה אז זייער זון זאל באפרייט ווערן. דער חפץ חיים איז געזעסן שטיל עטליכע מינוט, דערנאך האט ער אויפגעהויבן זיינע אויגן און געפרעגט: "וואס וועט זיין אזוי שלעכט אויב ער וועט זיך לערנען ווי אזוי צו שיסן מיט א רעוואלווער?"
די עלטערן זענען געווארן ערשטוינט. אנשטאט צו געבן א ברכה אז ער זאל נישט אנקומען אין מיליטער האט דער חפץ חיים גאר געזאגט אז עס וואלט געווען א גוטע זאך אויב ער זאל גיין אין מיליטער!
זיי האבן באשלאסן צו גיין צו דעם דאקטאר וועלכער האט אונטערזוכט די וואס שרייבן זיך איין אין מיליטער, און זיי האבן אים אונטערגעשמירט אז ער זאל שרייבן אז דער בחור איז נישט געזונט. דער דאקטאר האט אים טאקע אונטערגעזוכט און ער האט אנגעהויבן שרייבן א באריכט אז דער בחור קען נישט דינען. אינמיטן האט אריינשפאצירט דער גענעראל און האט געזען וואס דא קומט פאר. ער האט געכאפט אז דער בחור איז באמת פאסיג צו דינען אין מיליטער, האט ער באפוילן אז דער בחור זאל ארייננגעשטעלט ווערן אין זיין אפטיילונג, וואו ער וועט דארפן צוזאמשטעלן רעוואלווערס.
דער בחור האט טאקע עטליכע יאר געדינט אין די ארמיי. אזוי ארום האט ער איבערגעלעבט די קריג.
פינף און צוואנציג יאר שפעטער האט אויסגעבראכן די צווייטע וועלט מלחמה. דער בחור האט זיך דאן געפינען אין דער ווארשעווער געטא. ער האט באוויזן צו אנטלויפן פון געטא מיט א גרופע חברים, און זיי האבן געטראפן א גרופע פארטיזאנען, מיט וועמען זיי האבן זיך געוואלט

אנשליסן צו קעמפן קעגן די נאציס. די פארטיזאנען זענען געווען אנטיסעמיטן און האבן נישט געוואלט אריינגעמען די אידן אין זייער גרופע.
דער איד, וועלכער האט אלס בחור געדינט אין דער פוילישער ארמיי, האט באמערקט א צעבראכענעם רעוואלווער אויף דער ערד. האט ער זיך אנגערופן: "איר זעט דעם צעבראכענעם רעוואלווער? איך קען דאס פאררעכטן און שיסן פונקטליך אין ציל".
די פארטיזאנען האבן נישט געגלייבט אז א פרומער איד קען פארריכטן רעוואלווערס, אבער זיי האבן מסכים געווען.
דער איד האט אויפגעהויבן דעם רעוואלווער, עס פארראכטן, און געצילט אויף אן עפל וואס איז געהאנגען אויף א ווייטן בוים. דער עפל איז צעפיצלט געווארן, און די פארטיזאנען זענען זייער באאיינדרוקט געווארן פון אים. זיי האבן אריינגענומען די גאנצע חברה אין זייער גרופע, און אזוי זענען זיי אלע געראטעוועט געווארן.
במשך זיין גאנץ לעבן האט געקלינגען אין זיינע אויערן די ווערטער פון חפץ חיים: "וואס איז אזוי שלעכט אויב ער וועט זיך לערנען ווי אזוי צו שיסן מיט א רעוואלווער?"

א יונג מיידל איז אמאל אריינגעפאלן אין א שווים באסיין. זי איז געווען אונטער'ן וואסער עטליכע מינוט, אבער מיט ניסי ניסים האט זי איבערגעלעבט אָן דעם וואס איר מוח איז געשעדיגט געווארן. עס האט זיך ארויסגעשטעלט אז די סיבה פארוואס זי האט איבערגעלעבט איז געווען וויבאלד זי האט געליטן פון 'שלאף אַפניע'. דאס איז א געוויסע פראבלעם אין וועלכן די מאנדלען (טאנסילס) ווערן פארגרעסערט און דאס ברענגט אז דער מענטש זאל נישט קענען איינשלאפן ביינאכט, אבער עס איז אויך גורם אז דער מענטש זאל קענען איבערלעבן מיט ווייניגער אטעמען. אירע עלטערן האבן זיכער געהאט פיל צער ווען זי האט געליטן פון אזויפיל שלאפלאזע נעכט, אבער עווענטועל האט זיך ארויסגעשטעלט אז דער פראבלעם איז געווען פאר איר אייגענער טובה, און האט געראטעוועט איר לעבן.
עס איז געווען א קינד וואס האט געליטן פון שווערע

'סיזשורס'. דער מצב איז געווען אזוי געפערליך אז די דאקטוירים האבן געמוזט ארויסנעמען א חלק פון זיין מוח כדי אים צו ראטעווען. די אפעראציע איז ב"ה אדורך מיט הצלחה, און דאס קינד איז געווארן אויסגעהיילט. עטליכע יאר שפעטער איז געשען אן עקסידענט אין וועלכן א קאר האט אריינגעקראכט אין דעם בחור. דער בחור איז ארויפגעפלויגן אין דער לופטן און האט געלאנדעט אויף זיין קאפ, אבער בחסדי ה' האט ער איבערגעלעבט דעם עקסידענט. דער דאקטאר האט געזאגט אז די איינציגסטע סיבה פארוואס ער האט איבערגעלעבט דעם עקסידענט איז וויבאלד דער מוח האט געהאט פלאץ וואו דאס בלוט זאל זיך אויסטרוקענען. ווען נישט די אפעראציע פון די סיזשורס וואלט נישט געווען דער לאך אין מוח וואו דאס בלוט זאל זיך אויסטרוקענען, און דער בחור וואלט נישט איבערגעלעבט דעם עקסידענט.

מיר פארשטייען נישט דעם באשעפער'ס וועגן, אבער דאס איז נאר וויבאלד אונזערע אויגן זענען באגרעניצט און מיר קענען נישט זען דעם גאנצן בילד. דערפאר דארפן מיר זיך נישט דערשרעקן ווען מיר געפינען זיך אין א שווערן מצב, נאר מיר מוזן זיך מחזק זיין אז עס איז פאראן א סיבה פארוואס די שוועריקייטן זענען פאר אונזער טובה, און אז דער אויבערשטער גיט אונז שטענדיג דאס וואס איז די בעסטע פאר אונז.

מיר פארשטייען נישט דעם באשעפער'ס וועגן, אבער דאס איז נאר וויבאלד אונזערע אויגן זענען באגרעניצט און מיר קענען נישט זען דעם גאנצן בילד.

126

רפואה קודם למכה

עס איז געווען א רב אין ארץ ישראל וועלכער האט זיך געפירט אז יעדן דאנערשטאג נאכט האט ער איבערגעלאזט געלט פאר זיין רעביצין אז זי זאל קענען איינקויפן צרכי שבת. איין וואך האט ער נישט געהאט קיין געלט. ער האט זיך געשעמט צו זאגן פאר זיין רעביצין אז ער האט נישט קיין פרוטה אויף שבת, און ער איז געווען זייער פארלוירן. ער איז אריין אין א צווייטן צימער און געבעטן: "באשעפער, איך ווייס אז דו פירסט די וועלט און אז דו שפייזסט יעדן איינעם, איך ווייס אז דו קענסט מיר געבן אלע מיינע געברויכן ווען אימער דו ווילסט. איך בעט דיך, שיק מיר צו די צרכי שבת". אזוי האט ער מתפלל געווען צום באשעפער במשך צוואנציג מינוט.

ווען דער רב איז ארויסגעקומען פון צימער האט ער צו זיין ערשטוינונג געזען אז דער קאך טיש איז אנגעפילט מיט כל טוב. דער רב האט געפרעגט זיין רעביצין פון וואו דאס עסן קומט. זי האט אים דערציילט אז זייער שכנ'ס טאכטער וואס וואוינט אין אן אנדערע שטאט האט געהאט א יונגל, און די שכנים האבן באשלאסן צו פארן צו זייער טאכטער אויף שבת כדי זיך צו באטייליגן אין דעם שלום זכר. די שכנים האבן שוין געהאט צוגעגרייט עסן אויף שבת, האבן זיי זיך דעריבער בארעכנט אז זיי קענען אוועקגעבן דאס עסן פאר דעם רב. אזוי זענען די תפילות פון דעם רב געענטפערט געווארן אויפ'ן פלאץ.

מען קען אבער פרעגן: דאס קינד איז דאך געבוירן געווארן איידער דער רב האט געדאווענט. בשעת דער רב האט מתפלל געווען האבן די שכנים שוין געהאט צוגעגרייט דאס עסן און האבן שוין אפגעמאכט ביי זיך אוועקצופארן אויף שבת. אויב אזוי, ווי אזוי קען זיין אז די תפילות פון רב האבן געהאלפן?

דער תירוץ שטייט אין פסוק (ירמיה סה, כד): "וְהָיָה טֶרֶם יִקְרָאוּ וַאֲנִי אֶעֱנֶה". דער באשעפער האט אונז פארשפראכן אז ער וועט ענטפערן אונזערע תפילות נאך איידער מיר רופן צו אים. דער רבונו של עולם ווייסט וואס מיר ווילן איידער מיר ווייסן דערפון; ער גרייט צו די עצות צו אונזערע פראבלעמען בעפאר מיר ווייסן אפילו פון די פראבלעמען. אבער היות דער באשעפער וויל אז מיר זאלן ווערן נאנט צו אים, ווארט דער אויבערשטער אז מיר זאלן מתפלל זיין צו אים, און ערשט דאן שיקט ער אונז צו די ישועה.

דער אלשיך הקדוש גלייכט דאס צו א קעניג וועלכער פארמאגט אסאך באדינער. די באדינער האבן פארשידענע געברויכן וואס מען דארף זיי צושטעלן. פאר די באדינער וואס ער האט נישט אזוי שטארק ליב גיט ער וואס זיי דארפן אָן דעם וואס זיי זאלן אים בעטן דערפאר, אבער ביי די באדינער מיט וועמען ער האט א באזונדערע נאענטקייט ווארט ער ביז זיי קומען אים בעטן זייערע געברויכן, כדי ער זאל קענען פארברענגען מיט זיי. אזוי זאגט דוד המלך אין תהלים (קטז, א): "אָהַבְתִּי, כִּי יִשְׁמַע ה' אֶת קוֹלִי תַּחֲנוּנָי – איך האב ליב ווען דער אויבערשטער הערט דאס קול פון מיינע געבעטן". יעדער איינער האט ליב ווען דער אויבערשטער נעמט אָן זיינע תפילות, אבער דוד המלך זאגט אונז אז ער האט ליב ווען דער אויבערשטער גיט אים וואס ער דארף נאכדעם וואס ער בעט דערפאר, וויבאלד דאס גיט אים די געלעגנהייט מתפלל צו זיין צום באשעפער.

יעדע זאך וואס מיר דארפן האבן אין לעבן שטייט גרייט פאר אונז; מיר מוזן אבער מתפלל זיין כדי מיר זאלן עס באקומען. עס איז מעגליך אז אויב דער רב וואלט נישט מתפלל געווען וואלטן די שכנים געברענגט דאס עסן צו אן אנדערן שכן, אדער איז מעגליך אז זיי וואלטן עס ארייגעלייגט אין פריזער אויף די קומענדיגע וואך. די תפילות וואס מיר בעטן דעם באשעפער ברענגען אז די הילף וואס דער באשעפער האט שוין צוגעגרייט פון פאראויס זאל טאקע אנקומען צו אונז.

יעדע זאך וואס מיר דארפן האבן אין לעבן שטייט גרייט פאר אונז; מיר מוזן אבער מתפלל זיין כדי מיר זאלן עס באקומען.

דער באשעפער האט ליב ווען מיר זענען מתפלל צו אים, און ווען מיר געדענקען בשעת'ן דאווענען אז אלע לעזונגען צו אונזערע פראבלעמען זענען שוין באמת צוגעגרייט פון פאראויס האבן אונזערע תפילות א פיל שטארקערן כח.

127

לעבן אָן דאגות

דער פסוק זאגט (תהלים נה, כג): ״הַשְׁלֵךְ עַל ה׳ יְהָבְךָ וְהוּא יְכַלְכְּלֶךָ״. דער דובנער מגיד האט דאס מסביר געווען מיט א משל: עס איז אמאל געווען אן ארעמאן וועלכער האט ארומגעוואנדערט מיט א שווער פעקל אויף זיינע אקסלען. בשעת׳ן גיין האט א רייכער מענטש זיך אפגעשטעלט מיט א גרויסן וואגן, און האט אים אנגעבאטן מיטצונעמען אויפ׳ן וואגן. דער ארעמאן האט אים זייער באדאנקט און איז ארויפגעקומען אויפ׳ן וואגן.

נאך עטליכע מינוט האט דער עושר באמערקט אז דער ארעמאן האלט נאך אלץ זיין פעקל אויף זיינע אקסלען. פרעגט אים ער עושר: ״פארוואס לייגסטו נישט אראפ דעם פעקל אויף דעם וואגן״?

זאגט דער ארעמאן: ״עס איז גענוג אז דו נעמסט מיך אויפ׳ן וואגן; איך וויל נישט אז דו זאלסט אויך דארפן שלעפן מיין פעקל״.

ענטפערט דער עושר: ״דו נאר, מיינע פערד שלעפן סיי דיך און סיי דיין פעקל, אפגעזען צי דו האלטסט עס אויפ׳ן רוקן אדער דו לייגסט עס אראפ. דו מאכסט זיך אליין שווער מיט׳ן שלעפן דעם פעקל אויף דיין רוקן״!

דער נמשל איז אז טייל מענטשן מיינען אז זיי מוזן זיך ארומטראגן מיט א שווער פעקל דאגות; זיי דרייען זיך ארום אנגעצויגן און פאר׳דאגה׳ט איבער אלע זייערע פראבלעמען. אבער דער אמת איז אז דער באשעפער טראגט אונז צוזאמען מיט אלע אונזערע פראבלעמען. מיר קענען רואיגערהייט אראפווארפן אונזערע שווערע פעקלעך און לאזן דעם באשעפער עס טראגן.

דער מדרש תהלים זאגט אויף דעם פסוק "השלך על ה' יהבך" אז ווען א מענטש בעט א טובה פון זיין חבר, וועט אים דער חבר מסתמא צוליב טוען. אויב ער וועט בעטן א צווייט מאל אדער א דריט מאל, וועט ער אים עס מעגליך ווייטער נאכגעבן, אבער מיט ווייניגער חשק. אבער אויב ער וועט אים בעטן די זעלבע טובה צום פערטן מאל וועט דער חבר מסתמא שוין נישט נאכגעבן. דאקעגן ביים באשעפער איז נישט אזוי, ווען אימער מיר זענען מקיים דעם פסוק "הַשְׁלֵךְ עַל ה' יְהָבְךָ", וועט ער אונז געבן וואס מיר דארפן, "וְהוּא יְכַלְכְּלֶךָ".

אסאך מאל טרעפן מיר זיך אין א שווערן מצב פון וועלכן עס זעט אויס אז עס איז נישט פאראן קיין וועג ארויס. אפילו אין אזא צייט דארפן מיר זיך בלויז ווענדן צום באשעפער און ער וועט אונז העלפן. אזוי שטייט אין פסוק (דברים ד ז): "כִּי מִי גוֹי גָּדוֹל אֲשֶׁר לוֹ אֱלֹקִים קְרֹבִים אֵלָיו כַּה' אֱלֹקֵינוּ בְּכָל קָרְאֵנוּ אֵלָיו – ווער נאך איז אזא גרויס פאלק וואס דער אויבערשטער איז אזוי נאענט צו אים ווי אונזער באשעפער ווען אימער מיר רופן צו אים".

> א איד האט מיר דערציילט אז ער האט אמאל באקומען א באזונדערע אויפגאבע ביי דער ארבעט וואס האט אויסגעזען אוממעגליך אויסצופירן; עס זענען פשוט נישט געווען גענוג שעות אין טאג אנצוקומען דערצו. מיטאמאל האט זיך געמאכט אז צוויי שעה וואס ער האט געהאט באשטימט פאר א צווייטן פראיעקט איז אים געווארן ליידיג, און ער האט געקענט טוען זיין אויפגאבע. ער האט דאן געזען די אפענע השגחה פרטית וואס האט אים געמאכט צייט אין טאג אויסצופירן זיינע אויפגאבעס.

דער רבונו של עולם וויל אז מיר זאלן זיך ווענדן צו אים מיט אלע אונזערע דאגות, סיי די קליינע דאגה'לעך און סיי די גרויסע דאגות.

קיין שום לאסט איז נישט צו שווער פאר'ן באשעפער. ער קען אונז העלפן ווען אימער מיר בעטן אים. מענטשן טראכטן אפטמאל: "איך קען זיך נישט ווענדן צום באשעפער מיט דעם פראבלעם; דאס איז צו קליין פאר אים זיך אפצוגעבן דערמיט". אבער דער אמת איז אז עס איז נישט פאראן אזא זאך אז א פראבלעם איז צו קליין פאר'ן באשעפער. דער רבונו של עולם וויל אז מיר זאלן זיך ווענדן צו אים מיט אלע אונזערע דאגות, סיי די קליינע דאגה'לעך און סיי די גרויסע דאגות. מיר קענען אים ברענגען סיי וועלכע 'פעקלעך' – סיי די גרויסע פעק און סיי די קליינע פעקעלעך.

אזוי לאנג ווי מיר דרייען זיך ארום מיט דאגות; אזוי לאנג

ווי מיר זענען אנגעצויגן און פארכמארעט, איז דאס א סימן אז מיר שלעפן נאך אונזערע פעקלעך און מיר ווילן זיי נישט אראפלייגן און לאזן דעם באשעפער עס טראגן. אויסער דעם וואס דאס איז א חסרון אין אמונה און בטחון און עס מאכט שווער אונזער לעבן, איז דאס פשוט א שאד יעדע רגע. דער באשעפער טראגט אונז סייווי צוזאמען מיט אלע אונזערע פראבלעמען. פארוואס זאלן מיר זיך אליין שווער מאכן?

אויב א מענטש וועט אייך געבן א פעקל טייערע דימאנטן און בעטן אז איר זאלט זיי אפהיטן פאר אים, וועט איר ווארשיינליך אפזאגן די אויפגאבע; איר וועט נישט וועלן נעמען דאס אחריות אפצוהיטן אזא טייער פעקל חפצים. אבער אויב יענער וועט אייך אריינווארפן די דימאנטן אין דער האנט און אנטלויפן פון די סצענע, וועט איר מוזן נעמען דאס אחריות און עס אפהיטן, וויבאלד איר האט נישט קיין אנדערע ברירה; דער אייגענטימער פון די דימאנטן איז אנטלאפן.

די זעלבע זאך איז ווען עס קומט צום באשעפער. אויב מיר טראגן מער נישט אויפ'ן הארצן קיין שום דאגה, וועט דער אויבערשטער נעמען די פולסטע אחריות אויף אונזערע פראבלעמען. אויב מיר הערן אויף טראכטן פון אונזערע דאגות וועט דער אויבערשטער אונז צושטעלן אלעס וואס מיר דארפן.

128

"כי אתה עמדי"

דאס לעבן איז פול מיט נסיונות און שוועריגקייטן וואס מיר דארפן בייקומען. מיר אלע האבן די מעגליכקייטן בייצוקומען די נסיונות, אבער עס קען זיין זייער שווער זיך צו שטארקן ווען מיר שפירן עלענד און איינזאם. עס איז דא אמאל וואס א מענטש איז מתפלל פון טיפן הארצן צום רבונו של עולם אבער זיינע תפילות ווערן נישט אנגענומען. דאס קען אים ברענגען פארצווייפלונג.

אויב עס פעלט דעם מענטש די אמונה אז דער באשעפער איז מיט אונז דורכאויס אלע אונזערע צרות, מאכט דאס פיל שווערער דאס לעבן. ווען מיר וואלטן נאר געוואוסט ווי דער אויבערשטער שפירט יעדעס ביסל צער וואס מיר גייען דורך און ווי נאענט ער איז צו אונז, בפרט אין א שווערע צייט, וואלטן מיר זיך פיל גרינגער מחזק געווען אויף אונזערע שוועריגקייטן. מיר טארן קיינמאל נישט פארגעסן אז יעדע רגע פון אונזער לעבן האט א טיפן באדייט, אפילו אויב מיר גייען דורך די שווערסטע יסורים.

ווען מיר וואלטן נאר געוואוסט ווי דער אויבערשטער שפירט יעדעס ביסל צער וואס מיר גייען דורך און ווי נאענט ער איז צו אונז, בפרט אין א שווערע צייט, וואלטן מיר זיך פיל גרינגער מחזק געווען אויף אונזערע שוועריגקייטן.

דוד המלך זאגט אין תהלים (כג, ד): "גם כי אלך בגיא צלמות לא אירא רע כי אתה עמדי". אין יעדן מצב, נישט קיין חילוק ווי שווער עס איז אים געווען, האט דוד המלך שטענדיג געדענקט "כי אתה עמדי". ער האט געוואוסט אז דער באשעפער איז מיט אים דורכאויס אלע זיינע נסיונות און ראנגלענישן. מיר פארשטייען נישט שטענדיג פארוואס געוויסע געשעענישן פאסירן צו אונז, אבער אויב מיר

געדענקען בשעת מעשה אז דער באשעפער איז מיט אונז דורכאויס אלע נסיונות מאכט דאס פיל גרינגער אדורכצוגיין די שוועריגקייטן.

דער באשעפער פירט אונז אויפ'ן ריכטיגן וועג און ער וויל אז מיר זאלן ערגרייכן אונזער תכלית אין לעבן. וואס מער מיר שפירן די אנוועזנהייט פון באשעפער, אלץ גליקליכער און צופרידענער וועלן מיר זיין.

129

פארוואס פאסירט עס נישט צו מיר?

מיר הערן כסדר מעשיות איבער מענטשן וואס זענען דורכגעגאנגען שוועריגקייטן אין לעבן און זענען געהאלפן געווארן דורך דעם וואס זיי האבן זיך געשטארקט אין אמונה און בטחון. מיר הערן איבער מענטשן וועלכע האבן זיך געמוטשעט מיט פרנסה און זיי האבן מתפלל געווען צום אויבערשטן און זיי זענען אויפגעראכטן געווארן; קראנקע מענטשן וואס די דאקטוירים האבן שוין אויפגעגעבן אויף זיי אבער זיי זענען ארויסגעקראכן פון זייערע מחלות מיט ניסי ניסים; קינדערלאזע פארלעך וואס זענען געהאלפן געווארן מיט קינדער נאך יארן לאנג ארומלויפן צו דאקטוירים, און אזוי ווייטער.

די אלע מעשיות זענען וויכטיג צו דערציילן ווייל זיי גיבן אריין חיזוק אין אמונה. ווען מען הערט ווי אנדערע מענטשן זענען געווען אין שווערע מצבים און זיי זענען געהאלפן געווארן א דאנק זייער אמונה און בטחון, גיט דאס חיזוק און האפענונג אנצוגיין מיט'ן לעבן און פרובירן זיך צו שטארקן אויף אונזערע שוועריגקייטן, וויסנדיג אז ישועת ה' כהרף עין – די הילף פון באשעפער קען אנקומען אין אן אויגנבליק.

גלייכצייטיג איז אויך פאראן א חסרון ווען מען דערציילט די מעשיות וועלכע ענדיגן זיך אזוי פאזיטיוו. א מענטש קען טראכטן: "פארוואס פאסירט דאס קיינמאל נישט צו מיר?" אזעלכע מחשבות ברענגען אז מענטשן זאלן ווערן אפגעשוואכט אין אמונה און פארלירן זייער חשק מתפלל צו זיין צום באשעפער.

מיר מוזן אבער געדענקען אז דער באשעפער איז דער

מקור החסד, און אז יעדע זאך וואס ער טוט איז פאר אונזער טובה, אפגעזען צי מיר פארשטייען זיינע דרכים. ער הערט צו יעדעס ווארט פון אונזערע תפילות; ער ווייסט יעדן געפיל וואס מיר שפירן און ער זעט יעדע מחשבה וואס לויפט אונז דורך אין קאפ. אפילו ווען דער באשעפער גיט אונז נישט וואס מיר ווילן, קומט דאס אויך פון באשעפער'ס רחמנות.

ווען א איד האלט זיך שטארק אין אמונה אפילו ווען ער באקומט נישט וואס ער האט געוואלט איז דאס גאר חשוב אין הימל. די ספרים הקדושים זאגן אז ווען א מענטש זאגט פאר'ן באשעפער: "איך ווייס נישט פארוואס איך דארף דורכגיין די און די שוועריגקייט, אבער איך ווייס און איך געדענק אז דו האסט מיך ליב, און איך וועל ווייטער גלייבן אין דיר און זיך האלטן נאנט צו דיר כאטש עס גייט מיר שווער", האט דאס א געוואלדיג חשיבות אויבן אין הימל. יעדעס מאל וואס מען חזר'ט זיך דאס איין שטייגט מען א העכערע מדריגה אין אמונה.

אויב א איד בעט דעם באשעפער מערערע מאל און ער ווערט נישט געהאלפן, באקומען זיינע קומענדיגע תפילות א ספעציעלע חשיבות אויבן אין הימל. און אויב ער ווערט נאך אלץ נישט געהאלפן און פונדעסטוועגן איז ער ווייטער מתפלל, דאן זענען די ווייטערדיגע תפילות נאך חשוב'ער. דער באשעפער וויל שטענדיג הערן אונזערע תפילות און ער האט א געוואלדיגע נחת רוח דערפון, אפילו ווען ער וויל אונז נישט נאכגעבן דאס וואס מיר בעטן.

לעבן מיט אמונה באדייט אז מען אנערקענט די גרויסקייט פון באשעפער; מען געדענקט אז נאר ער קען אונז העלפן; און מען האפט און מען איז מתפלל בלויז צו אים. גלייכצייטיג דארף מען אבער געדענקען אז דער באשעפער ווייסט פונקטליך וואס ער טוט, און אז מיר דארפן אים ווייטער דינען אפילו מיר באקומען נישט וואס מיר ווילן. אויב מען לעבט אויף דעם אופן קען מען בעזר ה' ערגרייכן א רואיג, צופרידן לעבן.

ספרים הקדושים זאגן אז ווען א מענטש זאגט פאר'ן באשעפער: "איך ווייס נישט פארוואס איך דארף דורכגיין די און די שוועריגקייט, אבער איך ווייס און איך געדענק אז דו האסט מיך ליב, און איך וועל ווייטער גלייבן אין דיר און זיך האלטן נאנט צו דיר כאטש עס גייט מיר שווער", האט דאס א געוואלדיג חשיבות אויבן אין הימל.